Equipo de Dirección

EUGENIO SIMÓN ACOSTA
Catedrático de Derecho Financiero. Universidad de Navarra.
(Director coordinador)

CLEMENTE CHECA GONZÁLEZ
Catedrático de Derecho Financiero. Universidad de Extremadura.

CARMELO LOZANO SERRANO
Catedrático de Derecho Financiero. Universidad de Valencia.

LA RESPONSABILIDAD PATRIMONIAL DE LA ADMINISTRACIÓN TRIBUTARIA

CLEMENTE CHECA GONZÁLEZ

Catedrático de Derecho Financiero y Tributario

LA RESPONSABILIDAD PATRIMONIAL DE LA ADMINISTRACIÓN TRIBUTARIA

ARANZADI

THOMSON REUTERS

Primera edición, 2011

© 2011 [Thomson Reuters (Legal) Limited / Clemente Checa González]

Editorial Aranzadi, SA
Camino de Galar, 15
31190 Cizur Menor (Navarra)

Imprime: Rodona Industria Gráfica, SL
Polígono Agustinos, Calle A, Nave D-11
31013 - Pamplona

Depósito Legal: NA 1652/2011

ISBN 978-84-9903-905-3

ISSN 1139-7659

Printed in Spain. Impreso en España.

SUMARIO

Abreviaturas

AEAT	= Agencia Estatal de la Administración Tributaria
AN	= Audiencia Nacional
Art. (s)	= Artículo (s)
ATS (AATS)	= Auto (s) del Tribunal Supremo
BOE	= Boletín Oficial del Estado
CE	= Comunidades Europeas
CCAA	= Comunidades Autónomas
CC	= Código Civil
CE	= Constitución Española
CTU	= Contribución Territorial Urbana
DGT	= Dirección General de Tributos
F.J.	= Fundamento jurídico o de Derecho
IAE	= Impuesto sobre Actividades Económicas
IBI	= Impuesto sobre Bienes Inmuebles
IRNR	= Impuesto sobre la Renta de No Residentes
ITP y AJD	= Impuesto sobre Transmisiones Patrimoniales y Actos Jurídicos Documentados
IVA	= Impuesto sobre el Valor Añadido
JT	= Jurisprudencia Tributaria Aranzadi
LCEur	= Legislación Comunidades Europeas
LGT	= Ley General Tributaria
MEH	= Ministro de Economía y Hacienda
RCL	= Repertorio Cronológico de Legislación Aranzadi
RD	= Real Decreto
RDLegis.	= Real Decreto Legislativo
RJ	= Repertorio de Jurisprudencia Aranzadi
RRVA	= Reglamento general de desarrollo de la LGT en materia de revisión en vía administrativa
S. (SS.)	= Sentencia (s)
SAN	= Sentencia de la Audiencia Nacional
STC (SSTC)	= Sentencia (s) del Tribunal Constitucional
STSJ	= Sentencia del Tribunal Superior de Justicia
TC	= Tribunal Constitucional
TEA	= Tribunal Económico-Administrativo
TEAC	= Tribunal Económico-Administrativo Central

TEAR	= Tribunal Económico-Administrativo Regional
TJUE	= Tribunal de Justicia de la Unión Europea
TR	= Texto Refundido
TRLRHL	= Texto Refundido de la Ley Reguladora de las Haciendas Locales
TS	= Tribunal Supremo
TSJ	= Tribunal Superior de Justicia
UE	= Unión Europea

1
LA EVOLUCIÓN DE LA RESPONSABILIDAD PATRIMONIAL DE LAS ADMINISTRACIONES PÚBLICAS: SUCINTA DESCRIPCIÓN

La responsabilidad patrimonial de las Administraciones públicas ha evolucionado en una serie de etapas, que, expuestas de forma sintética, son las siguientes:

a) Una primera, presidida por la irresponsabilidad de la Administración como norma general, que arranca, como ha escrito GARRIDO FALLA (1997), de la vieja y preconstitucional doctrina del *ius eminens*, con su formulación anglosajona: *the King can do not wrong*, explicable dentro del contexto del «origen divino del poder», que el Consejo de Estado, ha explicado de forma reiterada en los siguientes términos: «El Estado –como sucesor de la Corona y ésta como institucionalización del monarca– no podía ser demandado ante sus propios Tribunales; el estado –como sucesor igualmente– no podía dañar a nadie».

Este primer estadio, en el que la Administración se equipara al poder público, está dominado por la incompatibilidad entre los conceptos de responsabilidad y soberanía, existiendo un claro predominio del segundo de ellos como justificante último de la impunidad del Estado, lo que se condensa en la conocida frase de LAFERRIÈRE: *«Le propre de la souveranité est de s'imposer à tous sans compensation».*

b) En una segunda etapa, y como influjo de la doctrina de DUGUIT, comienza a abrirse tímidamente una brecha en la irresponsabilidad del Estado, admitiéndose la responsabilidad del mismo, si bien únicamente en el supuesto de que en la actuación de los servicios públicos hubiese concurrido, al menos, una negligencia culposa que no pudiera imputarse a sus propios funcionarios; coincidiendo este estadio en nuestro ordenamiento jurídico con la aplicación en materia de responsabilidad patrimonial de la Administración de los artículos 1902 y 1903 del Código Civil.

El primero de ellos –que establece y regula la obligación surgida de un acto ilícito y que se puede estimar como uno de los preceptos emblemáticos del Código Civil–, del cual emana la figura de la responsabilidad o culpa extracontractual –también «aquiliana» por haber sido introducida en el ámbito jurídica por la Ley Aquiliana del siglo III antes de Cristo– dispone que «el que por acción u omisión causa daño a otro, interviniendo culpa o negligencia, está obligado a reparar el daño causado».

El segundo, en su apartado quinto, establecía, toda vez que fue derogado por Ley de 7 de enero de 1991, que el Estado era responsable cuando obraba por mediación de un agente especial, pero no así cuando el daño hubiese sido causado por el funcionario a quien propiamente correspondía la gestión practicada, en cuyo caso era aplicable lo dispuesto en referido artículo 1902.

Esta limitación, consistente en que sólo se respondía cuando el Estado actuaba a través de un «agente especial» y no mediante un funcionario, que debía responder a título personal, supuso en definitiva que la responsabilidad patrimonial de la Administración no llegase a ser operativa, toda vez que la misma, normalmente, actúa por medio de sus funcionarios, y en muy escasas ocasiones sirviéndose para ello de un «agente especial», como han señalado MARTÍN REBOLLO (1977 y 1999) y LEGUINA VILLA (1980), habiéndose indicado a este respecto en el Dictamen del Consejo de Estado de 17 de marzo de 1953, que este artículo 1903 del Código Civil era un «precepto de rigor tan extremado que la jurisprudencia no ha conseguido establecer sobre el mismo un solo caso de responsabilidad de la Administración».

c) La tercera fase implicó la superación del restringido criterio anterior, y la instauración de un sistema de responsabilidad patrimonial de la Administración objetiva y directa, al sustituirse, si bien con los límites que luego se indican, el sistema de imputación por culpa que mantenía el Código Civil, por un principio de imputación objetiva, tal como se afirmó en el dictamen del Consejo de Estado núm. 27.412, de 6 de julio de 1991.

Se acogió, pues, la tesis sustentada por el Tribunal de Conflictos francés, el cual, desde su famoso *arrêt* Blanco, de 8 de febrero de 1873, ya había mantenido la singularidad de la responsabilidad administrativa respecto a la responsabilidad extracontractual entre particulares regulada en el Código Civil, afirmando a este propósito que: «(...) la responsabilidad que puede incumbir al Estado por los daños causados a los particulares por hechos de las personas que emplea en el servicio público no puede ser regida por los principios establecidos en el Código Civil para las relaciones de particular a particular; esta responsabilidad ni es general ni absoluta, tiene reglas especiales que varían según las peculiaridades del servicio y la necesidad de conciliar los derechos del Estado con los intereses privados».

Partiendo del artículo 41 de la Constitución republicana de 1931, fue la Ley de Bases Municipal de 10 de julio de 1935 y su Texto Articulado de 31 de octubre de ese mismo año las disposiciones que establecieron la responsabilidad civil de las entidades municipales, siendo la Ley de Régimen Local de 1950 la que en realidad introdujo, por vez primera, el principio de responsabilidad patrimonial administrativa.

Con posterioridad el artículo 121 de la Ley de Expropiación Forzosa de 16 de diciembre de 1954 ya señaló que era indemnizable toda lesión que los particulares sufriesen en los bienes y derechos a que dicha Ley se refería, resultando evidente, como ha escrito GARRIDO FALLA (1997), el entronque de esta norma con la construcción de la teoría del Fisco, auspiciada por OTTO MAYER, que admitió, frente a la inmunidad del Príncipe, la posibilidad de demandar ante los Tribunales al Fisco, cuando el Estado actuaba en relaciones jurídicas de carácter civil semejantes a las que se establecían en el comercio jurídico entre particulares, e incluso en aquellos casos en que se demandaban indemnizaciones expropiatorias, siendo las expropiaciones «actos del poder».

Esta posibilidad de responsabilidad se amplió luego –se consagró, en palabras de MARTÍN REBOLLO (1977)– por medio del artículo 40 de la Ley de Régimen Jurídico de la Administración del Estado, de 26 de julio de 1957, en el que, a diferencia del precepto de la Ley de Expropiación Forzosa, que circunscribía de forma exclusiva, como se acaba de señalar, el ámbito de las lesiones indemnizables a las que padeciesen los particulares en los bienes y derecho recogidos en dicha Ley, ya se extendió la responsabilidad de la Administración a las lesiones que los ciudadanos soportasen en cualesquiera de sus bienes y derechos.

Ello no obstante, debe tenerse presente que ya el Reglamento de Expropiación Forzosa de 26 de abril de 1957 se había pronunciado en este mismo sentido, puesto que en su artículo 133.1 se había admitido, de forma explícita, que el deber de indemnizar alcanza a «toda lesión que los particulares sufran *en sus bienes o derechos* siempre que sean susceptibles de ser evaluados económicamente».

d) La cuarta etapa, que supuso la consolidación definitiva, al máximo nivel normativo, del sistema instaurado por referida Ley de Régimen Jurídico de la Administración, vino representada por la promulgación de la Constitución de 1978, en la que, por una parte, en su artículo 9.3 se señala que la misma garantiza la responsabilidad y la interdicción de la arbitrariedad de los poderes públicos, y, por otra, y concretando lo anterior, en su artículo 106.2 se indica que «Los particulares, en los términos establecidos por la Ley, tendrán derecho a ser indemnizados por toda lesión que sufran en cualquiera de sus bienes y derechos, salvo en los casos de fuerza mayor, siempre que la lesión sea consecuencia del funcionamiento de los servicios públicos».

De acuerdo con MARTÍN REBOLLO (1988) este artículo 106.2 de la Constitución tiene «un significado político, como punto de referencia esencial de la configuración jurídica de las Administraciones Públicas, aporta coherencia al sistema y ratifica en el plano ideológico una tendencia del Estado social de Derecho que busca el acercamiento e interrelación entre el Estado y la Sociedad, articulándose como un verdadero derecho al resarcimiento por los daños producidos a causa del actuar administrativo, cuya única crítica acaso sea el no haberse ubicado en la tabla de derechos constitucionales del título primero como sucede, por ejemplo, con más propiedad y así lo ha destacado la doctrina, en el paralelo artículo 28 de la Constitución italiana, 21 de la portuguesa e incluso 34 de la Ley Fundamental de Bonn, en este último caso con mayores matices».

e) Finalmente, la quinta fase, en este proceso evolutivo descrito con suma brevedad, está constituida por la Ley 30/1992, de 26 de noviembre, de Régimen Jurídico de las Administraciones Públicas y del Procedimiento Administrativo Común (LRJ-PAC, en adelante), que, al amparo de lo dispuesto por la Constitución, disciplina esta materia en su Título X, artículos 139 a 146, algunos parcialmente modificados por la Ley 4/1999, de 13 de enero, bajo la rúbrica «Responsabilidad patrimonial de las Administraciones públicas y de sus autoridades y demás personal a su servicio».

Todo este devenir ha conllevado terminar en nuestro ordenamiento jurídico con la injustificable posición de inmunidad patrimonial de que, en general, disfrutaban los Entes públicos –si bien con algunas excepciones, tales como, por ejemplo, la Ley de 9 de abril de 1842, que declaró la obligación de la nación de indemnizar los daños materiales causados «así en el ataque, como en la defensa de plazas, pueblos, edificios, etcétera», en el curso de la primera guerra carlista; el artículo 14 de la Ley de Policía de Ferrocarriles, de 23 de noviembre de 1877, siguiendo la línea iniciada por el Decreto de 14 de junio de 1854, por los daños causados a los particulares por el ferrocarril; el artículo 84 de la Ley de lo Contencioso de 1888-1894, para los casos de inejecución de las sentencias firmes dictadas por estos Tribunales; o el artículo 132 de la Instrucción de Sanidad, de 1904, por la destrucción o deterioro de objetos, cuando lo exigiera la garantía de la desinfección–, a la par que se ha convertido el principio general de responsabilidad patrimonial de las Administraciones públicas en una de las piezas esenciales de nuestro Estado de Derecho o, por decirlo con palabras del Preámbulo de la citada Ley 30/1992, de 26 de noviembre, en uno de los dos grandes soportes, junto al principio de legalidad, de nuestro sistema administrativo; palabras que recuerdan la clásica afirmación de HAURIOU de que los dos pilares básicos del Derecho administrativo son el principio de legalidad y el de responsabilidad patrimonial: «que la Administración haga pero que indemnice».

En este mismo sentido MARTÍN REBOLLO (1994) ha escrito que partiendo de la premisa de que lo decisivo es la calidad y el servicio, lo que después interesa, es que la Administración sea responsable en el sentido de que pague un precio por los errores y daños producidos. Ese precio es, en primer lugar, el de ver anulados sus actos y, luego, el de ser condenada a indemnizar sí con su actuación ha causado daños a terceros.

2
LA IMPORTANCIA DE LA LRJ-PAC SOBRE ESTA CUESTIÓN

La LRJ-PAC es crucial en la materia porque hay que tener presente, como se ha declarado, entre otras, por las Sentencias del Tribunal Supremo de 1 de febrero de 1996 (RJ 1996, 927), 5 de febrero de 1996 (RJ 1996, 987), Recurso núm. 2034/1993, 27 de octubre de 1998 (RJ 1998, 9460), Recurso de Apelación núm. 7269/1992, 11 de marzo de 1999 (RJ 1999, 3035), Recurso de Casación núm. 6616/1994, 13 de enero de 2000 (RJ 2000, 659), Recurso de Casación núm. 7837/1995, y 12 de julio de 2001 (RJ 2001, 6692), Recurso de Casación núm. 3655/1997, que:

«(...) el principio de responsabilidad patrimonial proclamado en el artículo 106 de la Constitución (...), conlleva un derecho de los llamados de configuración legal. Es decir, que no se trata de un derecho que derive directamente de la Constitución, sino que exige la interposición de una Ley, y es exigible, no en los términos abstractos establecidos en la Constitución, sino en los términos concretos en que figure en la ley ordinaria que lo regule».

En esta misma línea, aunque de manera más matizada, MARTÍN REBO-LLO (1999), ha escrito que: «Desde la óptica del dañado se trata, pues, de un derecho de configuración legal, aunque eso no signifique que la Ley que lo regule pueda prescindir y desconocer por completo no ya un principio, sino una concreta tradición, el acervo, de un cuarto de siglo y una situación que a nivel doctrinal y jurisprudencial ha sido justamente calificada como una pieza fundamental y una conquista del Estado de Derecho».

Debe significarse, además, como, por ejemplo, se declaró, por la STS de 8 de febrero de 2001 (RJ 2001, 521), Recurso de Casación núm. 1593/1999, que la LRJ-PAC retornó al sistema de unidad jurisdiccional en una materia de responsabilidad patrimonial de las Administraciones públicas que instaurara la Ley de la Jurisdicción Contencioso-Administrativa de 1956.

Y ello lo hizo por una doble vía. En primer lugar, unificando el procedimiento para la reclamación de la indemnización y, en segundo término, unificando también la jurisdicción y el régimen jurídico aplicable, sin duda con el decidido propósito de terminar con el denominado de forma gráfica por la Sala 1ª del Tribunal Supremo «lamentable peregrinaje jurisdiccional» –v. gr., entre otras muchas, sus Sentencias de 6 de julio de 1983 (RJ 1983, 4073) y 1 de julio de 1986 (RJ 1986, 4559)–, ante el hecho de que reclamaciones de este tipo podían ser resueltas de manera indistinta por los órdenes jurisdiccionales civil, administrativo y social.

Ello supone, en definitiva, que tras la promulgación de la LRJ-PAC no resulta posible demandar la responsabilidad patrimonial de la Administración en otro orden jurisdiccional que no sea el contencioso-administrativo, al haberse producido susodicha unificación jurisdiccional, también reconocida y establecida por el artículo 9.4 de la Ley Orgánica 6/1985, de 1 de julio, del Poder Judicial (LOPJ), reformado por la Ley Orgánica 1/2010, de 19 de febrero, de modificación de las Leyes Orgánicas del Tribunal Constitucional y del Poder Judicial, y por el artículo 2.e) de la Ley 29/1998, de 13 de julio, reguladora de la jurisdicción contencioso-administrativa, que señala, en la nueva redacción que se dio a este precepto por la Ley Orgánica 19/2003, de 23 de diciembre, de modificación de la LOPJ, que el orden jurisdiccional contencioso-administrativo conocerá, entre otras, de las cuestiones que se susciten en relación con la «responsabilidad patrimonial de las Administraciones Públicas, cualquiera que sea la naturaleza de la actividad o el tipo de relación de que derive, no pudiendo ser demandadas aquéllas por este motivo ante los órdenes jurisdiccionales civil o social, aun cuando en la producción del daño concurran con particulares o cuenten con un seguro de responsabilidad».

3
LA APLICACIÓN CON CARÁCTER GENERAL DE LA LRJ-PAC

Los preceptos antes citados de la LRJ-PAC resultan aplicables, con carácter general, a todos los supuestos de indemnización de los daños producidos por cualesquiera poderes y órganos públicos, conforme a lo cual en, por ejemplo, la STS de 22 de noviembre de 1996 (RJ 1996, 8363), Recurso de Casación núm. 63/1993, se afirmó que «cuando se habla de la responsabilidad del Estado, se puede decir de las Administraciones Públicas, y en concreto de las Comunidades Autónomas».

Ello es así a salvo, tan sólo, de que exista una regulación especial, como, por ejemplo, ocurre en el supuesto de responsabilidad por actuaciones judiciales, toda vez que el apartado 4 del artículo 139 de citada Ley señala que la responsabilidad patrimonial del Estado por el funcionamiento de la Administración de Justicia se regirá por la LOPJ.

Ello concuerda con lo dispuesto por el artículo 121 de la Constitución, que reconoce el derecho a la indemnización de los daños causados por error judicial así como por el funcionamiento anormal de dicha Administración, siendo el Título V del Libro III de referida LOPJ el que desarrolla, en los artículos 292 y siguientes, citado precepto constitucional, recogiendo los dos supuestos genéricos ya citados de error judicial y funcionamiento anormal de la Administración de Justicia, e incluyendo un supuesto específico en el artículo 294, relativo a la prisión preventiva seguida de absolución o sobreseimiento libre por inexistencia del hecho.

Como bien se indicó por la Sentencia de la Audiencia Nacional de 18 de febrero de 2011 (JT 2011, 149), Recurso contencioso-administrativo núm. 60/2009, es criterio jurisprudencial consolidado –por todas, sentencia de la Sala Tercera del Tribunal Supremo de 22 de enero de 2008 (RJ 2008, 167)– el que señala que la existencia de dilaciones indebidas en la tramitación de los procedimientos judiciales puede configurar, efectivamente, un supuesto de funcionamiento anormal de la Administración de

27

Justicia [véase también, por ejemplo, la Sentencia de la Audiencia Nacional de 19 de junio de 2009 (JUR 2010, 332040), Recurso contencioso-administrativo núm. 152/2007], teniendo en cuenta que la expresión «dilaciones indebidas» constituye un concepto jurídico indeterminado que necesita ser dotado de contenido concreto en cada caso, «atendiendo a criterios objetivos derivados de la naturaleza y circunstancias del litigio en función de su complejidad y el interés arriesgado en el mismo, así como la conducta procesal del demandante o la actuación del órgano jurisdiccional, en los márgenes de duración de los litigios del mismo tipo y la consideración de los medios disponibles».

En definitiva, constituye un principio general, reflejado en la doctrina del Tribunal Europeo de Derechos Humanos [sentencia de 25 de junio de 1987 (TEDH 1987, 9) –asunto Milasi– o de 7 de julio de 1989 (TEDH 1989, 1) –asunto Sanders–], la de que la expresión «dilación indebida» hace referencia a un concepto jurídico indeterminado cuyo contenido concreto debe ser obtenido mediante la aplicación a las circunstancias específicas de cada caso de los criterios objetivos que sean congruentes con su enunciado genérico.

El propio Tribunal Supremo tiene declarado –por ejemplo, en sus Sentencias de 21 de junio de 1996 (RJ 1996, 4897), Recurso núm. 5157/1993, y 28 de junio de 1999 (RJ 1999, 6331), Recurso de Casación núm. 1971/1995– que la existencia o no de retraso constitutivo de anormalidad en el funcionamiento de la Administración de Justicia ha de valorarse, en aplicación del criterio objetivo que preside el instituto de la responsabilidad del Estado por el funcionamiento de los servicios públicos, partiendo de una apreciación razonable de los niveles de exigencia que la Administración de Justicia, desde el punto de vista de la eficacia, debe cumplir según las necesidades de la sociedad actual y para alcanzar los cuales los poderes públicos están obligados a procurar los medios necesarios, de forma que el simple incumplimiento de los plazos procesales meramente aceleratorios constituye una irregularidad procesal que no comporta, pues, por sí misma, una anormalidad funcional que genere responsabilidad.

Sí constituye anormalidad, en cambio, una tardanza, tomando en cuenta la duración del proceso en sus distintas fases, que sea reconocida por la conciencia jurídica y social como impropia de un Estado que propugna como uno de sus valores superiores la justicia y reconoce el derecho a una tutela judicial eficaz.

Véase, asimismo, la Sentencia de la Audiencia Nacional de 3 de julio de 2009 (JUR 2009, 364008), Recurso contencioso-administrativo núm. 648/2006, en la que se declaró que en el supuesto de dilaciones de un procedimiento judicial el recurrente tenía derecho a una indemnización que compense los gastos del mantenimiento del aval y la diferencia entre el interés de demora que tuvo que abonar a la Administración tributaria y el interés legal, afirmándose al respecto:

«(...) reconocido el funcionamiento anormal de la Administración de Justicia por dilaciones indebidas, nos resta por determinar los perjuicios que deben ser indemnizados a la recurrente a consecuencia del referido anormal funcionamiento.

Pero antes debemos advertir, que no son de aplicación al supuesto enjuiciado las disposiciones normativas referentes a la exoneración de intereses de demora en los supuestos de dilaciones indebidas durante la tramitación de procedimientos tributarios o reclamaciones económico-administrativas, por cuanto en supuestos como el enjuiciado sólo debemos evaluar los daños y perjuicios consecuentes al funcionamiento anormal de la Administración de Justicia por dilaciones indebidas en la tramitación de los procedimientos judiciales.

Y partiendo de la anterior premisa, consideramos razonable aplicar al presente caso el criterio indemnizatorio sostenido por la propia Administración en su resolución de 6 de marzo de 2008, incorporada a las actuaciones judiciales a instancia de la parte recurrente, criterio además ratificado por esta Sección en su sentencia de 29 de septiembre de 2008, según la cual, si durante la paralización de las actuaciones judiciales la recurrente disfruta de la suspensión cautelar de la liquidación recurrida, pudiendo de esta forma disponer del principal de la deuda tributaria reclamada, se produce una suerte de compensación entre el interés legal cobrado por el Estado y el que pudo generar el capital debido, quedando limitado el perjuicio de la interesada a la diferencia entre el interés legal y el interés de demora imputado por la Administración a consecuencia de la obligación tributaria».

Por todo cuanto hasta aquí se ha expuesto, hay que afirmar que los anteriormente citados artículos de la LRJ-PAC son igualmente aplicables, salvo algunas peculiaridades concretas, en materia de responsabilidad patrimonial de la Administración en el ámbito financiero y tributario, sin que suponga ningún obstáculo para ello el contenido de la Disposición adicional 5ª de la LRJ-PAC, tal como se afirmó en, por ejemplo, la Sentencia del TSJ de la Comunitat Valenciana de 26 de marzo de 2003 (JUR 2004, 22771), Recurso contencioso-administrativo núm. 1530/1999, en la que se declaró.

«(...) la plena aplicabilidad a las solicitudes de responsabilidad patrimonial articuladas de las disposiciones legales propias de ese ámbito y sin que quepa excluirlas por mor de la Disposición adicional 5ª de la Ley 30/ 1992 cuando aquí no nos situamos ante un procedimiento administrativo en materia tributaria sino en el ámbito de un procedimiento que trata de obtener la indemnidad de una persona jurídica dañada por el deficiente funcionamiento de un servicio público tributario y en el que resulta aplicable el artículo 139.1 de esta norma legal: "... de toda lesión en cualquiera de sus bienes y derechos, salvo en los casos de fuerza mayor, siempre que la lesión sea consecuencia del funcionamiento normal o anormal de los servicios públicos"».

Por tanto, y en consecuencia, los requisitos que deben producirse para declarar la responsabilidad patrimonial de la Administración en la esfera tributaria son los mismos requeridos, con carácter general, para la exigencia de dicha responsabilidad, si bien la particularidad de la materia tributaria ha originado en ocasiones una casuística especial, razón por la que se recogen en las páginas siguientes las características fundamentales y básicas del sistema español de responsabilidad patrimonial, al ser las mismas aplicables, sin excepciones relevantes, a la cuestión que constituye el eje central de este trabajo.

4
BREVE DISTINCIÓN ENTRE LAS ACCIONES DE RESPONSABILIDAD PATRIMONIAL Y DE REEMBOLSO

Es oportuno precisar ya mismo, para eliminar de raíz posibles confusiones, que no pueden confundirse las acciones de responsabilidad patrimonial y de reembolso, permitida ésta, en determinados casos, por la normativa tributaria, ya que mediante esta última acción lo que se pretende es obtener el reembolso de unas cantidades que se consideran indebidamente ingresadas, en tanto que a través de la acción de responsabilidad patrimonial lo que se busca es que se reconozca la existencia de un daño antijurídico y, como fruto de ello, la pertinente indemnización a satisfacer por la Administración.

Así se ha indicado con toda claridad en, por ejemplo, las Sentencias de la Audiencia Nacional de 20 de julio de 2001 (JUR 2001, 296153), Recurso núm. 237/1999, y del Tribunal Supremo de 29 de enero de 2004 (RJ 2004, 1077), Recurso contencioso-administrativo núm. 52/2002.

En la primera de ellas, pese a reconocerse la responsabilidad patrimonial de la Administración tributaria por haber procedido ésta a efectuar una errónea adjudicación de una finca en un procedimiento ejecutivo, error debido a que la misma continuaba inscrita en el Registro de la Propiedad a nombre del deudor tributario, no habiendo sido inscrita como bien de dominio público, lo que era imputable al expropiante de los terrenos, obligado a inscribir la ocupación de los mismos, se señaló, sin embargo, que las cuotas tributarias indebidamente pagadas no podían ser reclamadas por medio del procedimiento de responsabilidad patrimonial, sino a través del procedimiento de devolución de ingresos indebidos, declarando a este respecto la Audiencia Nacional:

«Las cuotas tributarias por el ITP y AJD: (...), así como las relativas al IBI: (...) no constituyen un daño efectivo según el artículo 139.2 de la Ley 30/1992, porque según el artículo 57 del RDLeg. 1/1993, de 24 de septiembre: "cuando se declare o reconozca judicial o administrativamente, por resolución firme, haber tenido lugar la nulidad, rescisión o resolución de una acto o contrato, el contribuyente tendrá derecho a la devolución de lo que satisfizo por cuota del Tesoro, siempre que no le hubiere producido efectos lucrativos y que reclame la devolución en el plazo de cinco años a contar desde que la resolución quede firme". Por lo tanto, *esta vía y no la de la responsabilidad patrimonial de la Administración es el cauce adecuado para solicitar la devolución de lo ingresado indebidamente»*.

Y en la STS de 29 de enero de 2004 (RJ 2004, 1077) se declaró, en términos más generales –y luego de afirmar, confirmando lo expuesto de que una acción solicitando una devolución tiene como único objeto el reembolso de las cantidades indebidamente ingresadas en la Hacienda Pública, mientras que la acción de responsabilidad patrimonial no tiene como objeto el reembolso de dichas cantidades como consecuencia de crédito frente a la Hacienda, sino que el ingreso indebido es solo un termino de referencia para fijar las cantidades que como indemnización se solicitan»–, que: «(...) *no son equiparables las acciones de reembolso y de responsabilidad patrimonial, ambas tienen naturaleza distinta y distinto fundamento y por tanto distinto tratamiento jurídico*, lo que hace que no sea trasladable sin más a la acción de responsabilidad patrimonial la doctrina sobre el reembolso». Véase también en la misma línea la más reciente STS de 8 de noviembre de 2010 (RJ 2010, 7949), Recurso de Casación núm. 689/2009.

5

CARACTERÍSTICAS FUNDAMENTALES DEL SISTEMA ESPAÑOL DE RESPONSABILIDAD PATRIMONIAL DE LAS ADMINISTRACIONES PÚBLICAS

Los caracteres principales y básicos de nuestro sistema de responsabilidad de las Administraciones públicas, tal como el mismo se configura por los preceptos de la Constitución y de la LRJ-PAC antes referidos se pueden sintetizar en las notas siguientes: a) Es un sistema unitario; b) Tiene alcance general; c) La responsabilidad es directa; y d) Estamos en presencia de una responsabilidad objetiva.

5.1. Es un sistema unitario, aplicable a todas las Administraciones, y a todos los sujetos. Alcance del término «particulares»

Estamos en presencia de un sistema unitario de Derecho administrativo, tal como han señalado, entre otros autores, GARCÍA DE ENTERRÍA (1964) y LEGUINA VILLA (1980), que se aplica a *todas* las Administraciones públicas sin excepción, tanto si actúan con sometimiento al Derecho administrativo como si lo hacen sujetas al Derecho privado, y que protege por igual a *todos* los sujetos, garantizándoles un tratamiento patrimonial común cuando hayan padecido algún daño que deba ser objeto de indemnización.

Debe aclararse, en todo caso, que el término «particulares» utilizado en el artículo 139.1 de la LRJ-PAC debe interpretarse de forma extensiva, de forma tal que tienen derecho a ser indemnizados, cuando se produzcan los requisitos para ello, no solo las personas físicas, sino también cualesquiera otros sujetos jurídicos, incluidas las distintas Administraciones Públicas que sufran lesión en sus bienes y derechos como consecuencia del funcionamiento de los servicios públicos que hayan sido prestados por parte de otra Administración.

En este sentido son claras y concluyentes las Sentencias del Tribunal Supremo de 14 de octubre de 1994 (RJ 1994, 8741), Recurso núm. 7318/1990, y 2 de julio de 1998 (RJ 1998, 6059), Recurso de Casación núm. 2210/1994, en las que se declaró que la expresión «particulares» debe ser objeto de una interpretación integradora, en la medida en que el artículo 4.1 del Título Preliminar del Código Civil señala que procederá la aplicación analógica de las normas cuando éstas no contemplen un supuesto específico, pero regulen un supuesto semejante entre los que se aprecie identidad de razón, de modo que no sólo comprende a los ciudadanos que en el Derecho Administrativo reciben la denominación de administrados, sino también a las distintas Administraciones Públicas cuando sufren lesión en sus bienes y derechos, consecuencia de la relación directa de causa-efecto como consecuencia del funcionamiento normal o anormal de servicios públicos.

Se añadió en ellas que puesto que las normas obligan a indemnizar los daños y perjuicios causados en los bienes y derechos de un particular por el funcionamiento de los servicios públicos cuando se produce una lesión antijurídica en beneficio de la Administración Pública, la misma razón impide que tal resultado dañoso haya de ser soportado por una Administración Pública cuando ésta tiene su patrimonio propio, y cuando el daño procede del funcionamiento del servicio de otra Administración, que es titular de un patrimonio distinto del de la Administración lesionada, puesto que el deber de indemnizar se basa en el mismo fundamento, que es evitar que una persona pública o privada haya de soportar la lesión o daño antijurídico producida por el funcionamiento de los servicios de la Administración Pública.

En similares términos, en la STS de 10 de abril de 2000 (RJ 2000, 3352), Recurso de Casación núm. 9147/1995, se señaló que «el sujeto activo de la relación jurídica de responsabilidad extracontractual por funcionamiento de un servicio público puede ser lo mismo un sujeto público que uno privado y de este tipo, un simple particular o un servidor público»; mientras que en la Sentencia de la Audiencia Nacional de 20 de enero de 2006 (JUR 2006, 265143), Recurso contencioso-administrativo núm. 423/2003, se afirmó que en sintonía con el criterio manifestado en numerosas ocasiones por el Tribunal Supremo (por todas, STS de 8 de junio de 2000 [RJ 2000, 7383], Recurso contencioso-administrativo núm. 744/1996), debe estimarse que debe integrarse la laguna existente en el Ordenamiento Jurídico y «naturalmente entender subsumidos dentro de la expresión "particulares" también a los distintos entes públicos de la Administración sin restricción de ningún tipo, por lo que ninguna dificultad existe en entender legitimado en el presente caso al Ayuntamiento recurrente».

Igual doctrina mantiene la Audiencia Nacional en su Sentencia de 20 de noviembre de 2009 (JT 2010, 607), Recurso contencioso-administrativo núm. 528/2007, indicado a este respecto:

«La Sala ha razonado reiteradamente en anteriores sentencias (entre otras en la sentencia de 2 de octubre de 2002 [JUR 2006, 282986], Recurso contencioso-administrativo núm. 727/2000) que debe rechazarse la argumentación de la Resolución impugnada inadmitiendo el recurso, al señalar que los Ayuntamientos no son particulares, a los efectos previstos en el artículo 139 de la Ley 30/1992. Y ello porque el concepto de "particulares" en los términos en los que está dispuesto el artículo 106 de la Constitución incluye tanto los ciudadanos privados, como los entes públicos cuando se consideren perjudicados por la actuación de la Administración, la solución propugnada por las resoluciones impugnadas conlleva una quiebra al derecho a la tutela judicial efectiva y a la prohibición de cualquier género de indefensión. Por lo tanto debe concluirse en la admisibilidad de la solicitud de reclamación y como ya hizo la Administración, entrar a conocer del fondo del asunto».

5.2. Tiene alcance general, abarcando tanto las acciones como las omisiones

El principio constitucional de responsabilidad patrimonial por «el funcionamiento de los servicios públicos» tiene un alcance general, comprendiendo todo tipo de actuaciones extracontractuales de la Administración, ya sean normativas, jurídicas o materiales, y ya se trate de simples inactividades u omisiones.

En este sentido, como se ha declarado, entre otras, por las Sentencias del Tribunal Supremo de 11 de abril de 1986 (RJ 1986, 2633), 4 de enero de 1991 (RJ 1991, 500), 7 de octubre de 1997 (RJ 1997, 7393), Recurso de Apelación núm. 8879/1992, 27 de marzo de 1998 (RJ 1998, 2942), Recurso de Casación núm. 1770/1994, y 14 de febrero de 2011 (RJ 2011, 1400), Recurso de Casación núm. 3964/2006, al operar el daño o el perjuicio como meros hechos jurídicos, es totalmente irrelevante para la imputación de los mismos a la Administración que ésta haya obrado en el estricto ejercicio de una potestad administrativa o en forma de mera actividad material o en omisión de una obligación legal.

Igual doctrina se recoge, igualmente en la Sentencia de la Audiencia Nacional de 31 de octubre de 2002 (JUR 2003, 25584), Recurso contencioso-administrativo núm. 725/2000, en la que se indicó que es posible la responsabilidad de la Administración por omisión, siendo necesario, para que existe tal responsabilidad, que la Administración tenga un previo deber jurídico de actuar y que tal deber no sea cumplido sin mediar fuerza mayor.

Y, asimismo, entre otras muchas, por las Sentencias del TSJ de Extremadura de 21 de abril de 1997 (RJCA 1997, 722), Recurso contencioso-administrativo núm. 147/1995 –en la que se afirmó: «(...) ejemplos ofrece la jurisprudencia de supuestos similares en que se apreció la existencia de responsabilidad patrimonial por funcionamiento de servicios públicos de forma omisiva cual es el de mantenimiento de las aceras (SSTS [RJ 1994, 8749], [RJ 1987, 7554], [RJ 1994, 10703]) o de la existencia de elementos que por su situación o características son susceptibles de propiciar la caída de las personas»–, 6 de mayo de 1999 (RJCA 1999, 1390), Recurso contencioso-administrativo núm. 1368/1996, 14 de octubre de 1999 (RJCA 1999, 3254), Recurso contencioso-administrativo núm. 1869/1996, 7 de marzo de 2001 (RJCA 2001, 710), Recurso contencioso-administrativo núm. 3069/1997, y 11 de diciembre de 2001 (JUR 2002, 57295), Recurso contencioso-administrativo núm. 1912/1998, del TSJ de Castilla-La Mancha de 12 de julio de 2001 (RJCA 2001, 1200), Recurso contencioso-administrativo núm. 986/1998, y del TSJ de la Comunidad Autónoma del País Vasco de 14 de diciembre de 2001 (RJCA 2002, 353), Recurso contencioso-administrativo núm. 6310/1997.

Como acertadamente escribió Leguina Villa (1980) «la fórmula legal funcionamiento de los servicios públicos cubre asimismo *las omisiones* de la Administración. Si ésta no actúa cuando debe hacerlo o si su actividad se desarrolla con notorio retraso en perjuicio de los particulares, la Administración estará obligada a reparar los daños causados, del mismo modo que lo está si éstos se producen por actuaciones positivas. El deber de indemnizar alcanza, pues, a todos aquellos casos en que la Administración está obligada a un determinado comportamiento o al desarrollo de una actividad que no ha cumplido, así como a todos los supuestos en que la causa del daño se haya debido a la falta del obligado celo administrativo, a la lentitud y laxitud en su obligada acción o a la larga negligencia producida en el cumplimiento de sus deberes».

5.3. La responsabilidad es directa, extendiéndose tanto a los daños causados por conductas concretas de los agentes públicos, como a los originados por la organización o el funcionamiento de los servicios administrativos

La responsabilidad patrimonial de la Administración es, como así se había afirmado ya en las lejanas Sentencias del Tribunal Supremo de 27 de abril de 1977 (RJ 1977, 2644) y 6 de marzo de 1979 (RJ 1979, 1071), directa, «sin perjuicio –como se declaró, entre otras muchas, por la STS de 22 de noviembre de 1996 (RJ 1996, 8363), Recurso de Casación núm. 63/1993– de la posibilidad de repetir sobre el funcionario o empleado carente por acción u omisión del daño».

En consecuencia la Administración cubre directamente, y no sólo de forma subsidiaria, la actividad dañosa de sus autoridades, funcionarios y personal laboral, sin perjuicio de la posibilidad de ejercitar luego la acción de regreso cuando aquellos hubieran incurrido en dolo, culpa o negligencia graves, lo que conlleva e implica, como han escrito, entre otros autores, SÁNCHEZ GARCÍA (1988) y LEGUINA VILLA (1993), que los particulares tienen derecho a ser resarcidos de forma directa por la Administración, sin necesidad de reclamar ni de identificar de forma previa a la autoridad, funcionario, agente o empleado público cuya conducta culpable hubiese sido la causante del daño.

Esta garantía patrimonial directa cubre, por tanto, no sólo los daños imputables a conductas concretas de los agentes públicos, sino, asimismo, los causados por el funcionamiento impersonal o anónimo de la organización o de los servicios administrativos. En este segundo caso, como ha escrito LE-GUINA VILLA (1980) «el criterio de la culpa o de la ilegalidad se materializa objetivamente en el funcionamiento del servicio público en cuanto tal, con independencia de toda conducta ilícita de personas físicas concretas. Se trata, pues, de una culpabilidad objetiva del servicio, que puede darse tanto si el servicio ha funcionado ilegal o defectuosamente, por debajo de los niveles medios de prestación exigibles en cada servicio, como si no ha funcionado en absoluto cuando la ley impone el deber de actuar».

Debe tenerse presente, en todo caso, que han de excluirse, en términos generales, de la imputación a la Administración los daños debidos a conductas privadas de los agentes públicos, esto es, aquellos cuya comisión no guarde conexión alguna (más allá de la simple condición de funcionario o agente del autor) con el servicio público, como ha indicado LEGUINA VILLA (1993).

Y ello, como por ejemplo se declaró, entre otras muchas, por las Sentencias del Tribunal Supremo de 25 de febrero de 1981 (RJ 1981, 449), 11 de junio de 1981 (RJ 1981, 2645), 23 de septiembre de 1982 (RJ 1982, 4955) y 15 de mayo de 1990 (RJ 1990, 3817), porque «la responsabilidad de la Administración no puede ser tan amplia que alcance a los daños derivados de actos puramente personales de sus servidores que no guardan relación con el servicio».

A este respecto LEGUINA VILLA (1970) ha escrito que «el fenómeno jurídico de imputación de responsabilidad civil a la Administración no se produce en aquellos supuestos de daños resarcibles en los que el funcionario se presenta frente al sujeto dañado en su calidad de persona privada, desprovisto, por tanto, de toda cualificación jurídico-pública».

Ello no obstante, en determinadas ocasiones inclusive en estos casos surge la responsabilidad de la Administración –vid. sobre ello NAVARRO MUNUERA (1988)–, siendo, por ejemplo, ilustrativa de ello la STS de 15 de diciembre de 1994 (RJ 1994, 10112), Recurso núm. 2685/1991, en la que se declaró –con base en la «total dedicación» a que se refiere el artículo 5.4 de la vigente Ley de Fuerzas y Cuerpos de Seguridad del Estado, o del «servicio permanente» a que aludía la derogada Ley de Policía de 4 diciembre 1978– la responsabilidad directa y solidaria del Estado por la conducta de un Guardia Civil que, reprochando a un particular una infracción de tráfico, disparó su arma reglamentaria no estando de servicio, causando a aquel una lesión grave.

En análogo sentido, ya en la STS de 27 de mayo de 1987 (RJ 1987, 3488) se condenó igualmente a la Administración por la muerte de un joven causada por un policía que, encontrándose de vacaciones, disparó su arma. La Sentencia estimó la demanda de los padres de la víctima, ampliando la responsabilidad patrimonial de la Administración «a los casos en que la organización y el funcionamiento de los servicios públicos creen situaciones de riesgo cuya realización concreta, aunque individualmente responda a una conducta del agente ajena al servicio, no obstante sea susceptible de imputarse razonablemente a aquel riesgo específico, grave y peculiar cuyo origen se encuentre en el concreto sistema de organización y funcionamiento del propio servicio que impone la Administración, por considerarla la opción más acorde con el interés público».

Como ha escrito MARTÍN REBOLLO (1994): «La conclusión, a partir de este planteamiento, es que la Administración debe indemnizar siempre los daños causados por armas de fuego de sus agentes, aunque éstos estén fuera de servicio o actúen con absoluta desvinculación de él. La responsabilidad es por el riesgo creado. Pues bien, de prosperar y afianzarse este enfoque, la única manera que tendría la Administración para exonerarse sería cambiando el modo de gestionar el servicio, es decir, impidiendo que sus agentes francos de servicio portaran el arma reglamentaria».

5.4. Se trata de una responsabilidad objetiva, si bien esta nota está siendo de forma paulatina objeto de modulación y matización por la jurisprudencia y la doctrina

Estamos en presencia de una responsabilidad objetiva o por el resultado.

Así se ha manifestado inequívocamente por el Consejo de Estado –véase, a título de mero ejemplo su Dictamen núm. 3306/1999, de 2 de diciembre, en el que se señaló que la responsabilidad patrimonial de la Administración «es un instituto indemnizatorio de naturaleza estrictamente objetivo, de donde se deduce que puede concurrir en su caso, con independencia y abstracción de que no exista culpa o actuación inadecuada por parte de la Administración. Por ello, no se trata de valorar la diligencia o negligencia de los servicios administrativos, sino de apreciar objetivamente la existencia de un daño cierto y real cuya causa pueda atribuirse al funcionamiento del servicio público»–, y la misma doctrina ha sido sustentada de manera uniforme y constante por el Tribunal Supremo, desde su ya lejana Sentencia de 10 de julio de 1943 (RJ 1943, 856).

Nos hallamos, pues, ante una responsabilidad en la que ni siquiera se incluye la licitud o la ilicitud de la actuación de la Administración, al bastar para el surgimiento de dicha responsabilidad la existencia (activa o pasiva) de una actuación administrativa, con resultado dañoso y relación de causa a efecto entre aquélla y ésta; incumbiendo su prueba a quien la reclame, a la vez que es imputable a la Administración la carga referente a la existencia de fuerza mayor, cuando la misma se alegue como causa de exoneración.

Así, por ejemplo, en las Sentencias de la Audiencia Nacional de 8 de febrero de 2005 (JUR 2005, 226294), Recurso contencioso-administrativo núm. 521/2003, 20 de enero de 2006 (JUR 2006, 265143), Recurso contencioso-administrativo núm. 423/2003, 21 de junio de 2006 (JUR 2006, 246300), Recurso contencioso-administrativo núm. 507/2005, 23 de junio de 2010 (JUR 2010, 249530), Recurso contencioso-administrativo núm. 851/2009, y 22 de diciembre de 2010 (JUR 2010, 416511), Recurso contencioso-administrativo núm. 841/2009, se ha afirmado que:

«El fundamento de la responsabilidad patrimonial de la Administración se encontraba inicialmente en el ejercicio ilegal de sus potestades o en la actuación culposa de sus funcionarios, por lo que se configuraba con carácter subsidiario, pero actualmente, y sin perjuicio de admitir en algunos supuestos otro fundamento, se considera que si la actuación administrativa tiene por objeto beneficiar, con mayor o menor intensidad, a todos los ciudadanos, lo justo es que si con ello se causa algún perjuicio, éste se distribuya también ente todos, de forma que el dato objetivo de la causación de una lesión antijurídica por la actuación de la Administración constituye ahora el fundamento de la responsabilidad de la misma. La responsabilidad por tanto, surge con el perjuicio que se causa, independientemente de que éste se haya debido a una actuación lícita o ilícita de los poderes públicos y de quien haya sido concretamente su causante».

A este respecto Muñoz Machado (1998) ha escrito que «la responsabilidad de la Administración es objetiva. No está fundada en la idea de ilicitud a culpa, como ocurre en el Código Civil (artículo 1902) y también, básicamente, en el otro gran sistema de responsabilidad administrativa organizado sobre bases diferentes de las civiles, como es el francés. En la regulación española, para que la Administración quede obligada a reparar, basta con que se produzca una lesión en los bienes y derechos de los particulares que sea consecuencia del funcionamiento de los servicios públicos».

Y en similares términos Leguina Villa y Desdentado Daroca (Portalderecho. http://www.iustel.com) han señalado que: «El sistema de responsabilidad patrimonial de la Administración garantiza a los particulares la indemnización de todos los daños injustos que sufran en su patrimonio. Pero la ilicitud del daño no se produce sólo por actuaciones ilegales o culpables de la Administración, sino también por actuaciones administrativas lícitas cuyos efectos dañosos no hay razón para que corran a cargo del perjudicado. Para el sistema de responsabilidad patrimonial extracontractual, importa más satisfacer el derecho del dañado a ser indemnizado que castigar una actividad administrativa ilegal o culpable. La Administración debe indemnizar no sólo cuando el daño es consecuencia de su actividad o inactividad ilegal o de la conducta culpable de sus agentes (responsabilidad por culpa), sino también cuando el funcionamiento de los servicios públicos crea situaciones de riesgo o produce sacrificios especiales cuyos perjuicios derivados no deben ser soportados individualmente por los afectados sino por la generalidad de los ciudadanos a través de la propia Administración (responsabilidad objetiva)».

Y añaden estos autores que: «La culpa ha dejado de ser, por tanto, el fundamento del sistema de responsabilidad para convertirse en uno de los criterios jurídicos de imputación de daños a la Administración; criterio que, sin embargo, sigue siendo indispensable para que una buena parte de hechos administrativos dañosos genere el deber de indemnizar a los perjudicados. Pero el desplazamiento de la atención del legislador desde la conducta culpable hacia la protección del particular injustamente perjudicado por la actividad de la Administración ha permitido calificar la responsabilidad administrativa como una responsabilidad objetiva».

Ahora bien, siendo esto así en términos abstractos y generales, hay que indicar que esta exigencia de una responsabilidad meramente objetiva para poder imputar a la Administración los hipotéticos perjuicios económicos por ella causados, está siendo de forma paulatina y constante matizada por la jurisprudencia.

Y ello como reacción, sin duda, a los frecuentes abusos que el instituto de la responsabilidad patrimonial ha generado, siendo, como es conocido, muy abundantes y muy numerosas las demandas que en este sentido se han venido interponiendo frente a la Administración, basadas muchas de ellas en un muy exagerado entendimiento del alcance y contenido de dicha responsabilidad objetiva, interpretada en términos absolutos, y con preterición del básico principio de responsabilidad por culpa, lo que ha originado, en palabras de Martín Rebollo (1999), inundar literalmente los Tribunales de demandas y pleitos por los más sutiles e incluso nimios temas, pretendiendo vincularlos a «alguna vaga e imprecisa relación de causalidad para imputar a la Administración daños reales o no tan reales, que la misma sociedad que predica el nuevo individualismo –a veces incluso en términos radicales y militantes– ciega y deriva cualquier línea de responsabilidad personal para endosarla siempre al anónimo Estado».

Es probable que esto tenga su causa en las razones apuntadas en su momento por Martín-Retortillo Baquer, L. (1987), quien escribió a propósito de esta cuestión: «Me da la impresión de que aquí habría que dar entrada a un reflejo histórico: el Estado, y sus instituciones, han sido temidos durante siglos en España. La dureza del poder generó un miedo asimilado como algo natural. Y, por lo mismo, cuando el Estado *aflojó sus garras* entra en escena una especie de afán de compensación: como si hubiera sonado la corneta y todo el mundo hubiera de procurar enriquecerse a costa del Estado».

Esta nueva forma jurisprudencial de entender el instituto de la responsabilidad patrimonial de la Administración –que a modo de freno a los evidentes excesos que se han venido produciendo sobre esta cuestión se ha visto en la obligación de afirmar en numerosas ocasiones que ha de extremarse la prudencia para evitar el daño, pero sin erigir el riesgo en fundamento único de la obligación de resarcir y sin excluir, en todo caso y de modo absoluto, el clásico principio de la responsabilidad culposa– se originó, como es bien conocido, en la esfera de las reclamaciones contra los profesionales médicos y sanitarios, manteniéndose al respecto que el servicio público de asistencia sanitaria se concreta en la prestación de una asistencia médica conforme a las circunstancias del caso y del estado de la ciencia médica, de modo que cuando la misma se preste en tales condiciones, no cabe apreciar que se causa un daño por el no restablecimiento integral de la salud.

Así, por ejemplo, en el dictamen del Consejo de Estado, núm. 989/1999, de 3 de junio, se afirmó:

«La responsabilidad patrimonial de las Administraciones Públicas, y también de la sanitaria, es una responsabilidad de carácter objetivo, es decir, debe apreciarse con independencia de la concurrencia de culpa en el actuar administrativo. Sin embargo, este carácter objetivo (...) no implica que todos los daños producidos en los servicios públicos sanitarios sean indemnizables, pues ello llevaría a configurar la responsabilidad administrativa en estos casos, de forma tan amplia y contraria a los principios que la sustentan, que supondría una desnaturalización de la institución. Así pues, de acuerdo con dicha doctrina, para apreciar la existencia de responsabilidad patrimonial es preciso acudir a parámetros como la *lex artis*, de modo que tan sólo en caso de una infracción de esta ley cabrá imputar a la Administración de la cual dependen los servicios sanitarios la responsabilidad por los perjuicios causados. En el caso de que no se infrinja la *lex artis*, ha de concluirse que tales perjuicios no son imputables a la Administración y han de ser soportados por el particular sin que generen, en modo alguno, el derecho a percibir una indemnización».

En idéntica línea, y por citar tan sólo algunas de las muchas existentes, en la STS de 4 de abril de 2000 (RJ 2000, 3258), Recurso de Casación núm. 8065/1995, se declaró:

«El criterio fundamental para determinar si concurre responsabilidad patrimonial en materia de asistencia sanitaria es el de la adecuación objetiva del servicio prestado, independientemente de que existan o no conductas irregulares por parte de los agentes de la Administración y del buen o mal éxito de los actos terapéuticos, cuyo buen fin no siempre puede quedar asegurado».

En la STS de 22 de diciembre de 2001 (RJ 2002, 1817), Recurso de Casación núm. 8406/1997, se afirmó:

«Cuando del servicio sanitario o médico se trata, el empleo de una técnica correcta es un dato de gran relevancia para decidir si hay o no relación de causalidad entre el funcionamiento del servicio público y el resultado producido, ya que, cuando el acto médico ha sido acorde con el estado del saber, resulta extremadamente complejo deducir si, a pesar de ello, causó el daño o más bien éste obedece a la propia enfermedad o a otras dolencias del paciente».

Y en la STS de 25 de abril de 2002 (RJ 2002, 5276), Recurso de Casación núm. 503/1998, se manifestó:

«Prestada la asistencia sanitaria con arreglo a la regla de la buena *praxis* desde el punto de vista científico, la consecuencia de la enfermedad o el padecimiento objeto de atención sanitaria no son imputables a la actuación administrativa y por tanto no pueden tener la consideración de lesiones antijurídicas».

Acerca del alcance y contenido de la *lex artis* son muy ilustrativas, a título de ejemplo, las Sentencias de la Audiencia Nacional de 19 de junio de 2002 (RJCA 2003, 113), Recurso contencioso-administrativo núm. 543/2000, 20 de noviembre de 2002 (RJ 2003, 51), Recurso de Casación núm. 2257/1999, y 27 de noviembre de 2002 (RJCA 2003, 61), Recurso contencioso-administrativo núm. 86/2001, en las que se afirmó:

«Se hace necesario, cuando los Tribunales se enfrentan ante un problema de responsabilidad patrimonial de la Administración sanitaria, fijar un parámetro que permita determinar el grado de corrección de la actividad administrativa a la que se imputa el daño; es decir, que permita diferenciar aquellos supuestos en que el resultado dañoso se puede imputar a la actividad administrativa (es decir, al tratamiento o a la falta del mismo) y aquellos otros casos en que el resultado se ha debido a la evolución natural de la enfermedad y al hecho de la imposibilidad de garantizar la salud en todos los casos.

El criterio básico utilizado por la jurisprudencia Contencioso Administrativa para hacer girar sobre él la existencia o no de responsabilidad patrimonial es el de la *lex artis* y ello ante la inexistencia de criterios normativos que puedan servir para determinar cuándo el funcionamiento de los servicios públicos sanitarios ha sido correcto. La existencia de este criterio se basa en el principio básico sustentado por la jurisprudencia en el sentido de que la obligación del profesional de la medicina es de medios y no de resultados, es decir, la obligación es de prestar la debida asistencia médica y no de garantizar en todo caso la curación del enfermo. Por lo tanto, el criterio de la *lex artis* es un criterio de normalidad de los profesionales sanitarios que permite valorar la corrección de los actos médicos y que impone al profesional el deber de actuar con arreglo a la diligencia debida *lex artis*. Este criterio es fundamental pues permite delimitar los supuestos en los que verdaderamente puede haber lugar a responsabilidad exigiendo que no sólo exista el elemento de la lesión sino también la infracción de dicha *lex artis*; de exigirse sólo la existencia de la lesión se produciría una consecuencia no querida por el ordenamiento, cual sería la excesiva objetivación de la responsabilidad al poder declararse la responsabilidad con la única exigencia de la existencia de la lesión efectiva sin la exigencia de la demostración de la infracción del criterio de normalidad representado por la *lex artis*».

El Tribunal Supremo, por su parte, viene últimamente identificando el criterio de la *lex artis* con el de «estado del saber», considerando, en consecuencia, como daño antijurídico aquel que no supera dicho parámetro de normalidad, entendiendo, en definitiva, que la nueva redacción del artículo 141.1 de la LRJ-PAC (procedente de la Ley 4/1999, y que establece que no son indemnizables los daños que se deriven de hechos o circunstancias que no se hubiesen podido prever o evitar según el estado de los conocimientos de la ciencia o de la técnica existentes en el momento de producción de los mismos, sin perjuicio de las prestaciones asistenciales o económicas que las leyes puedan establecer para estos supuestos) ha tenido como único objeto consagrar legislativamente la línea jurisprudencial tradicional.

Ello supone, en definitiva, por una parte, que la Administración únicamente responde en caso de funcionamiento anormal o negligente del servicio sanitario, atemperándose, pues, en estos casos, la nota de la objetividad de la responsabilidad, tal como ha puesto de relieve, entre otros autores, VILLAR ROJAS (1996), CUETO PÉREZ (1997) y MARTÍN JIMÉNEZ (1999).

Y, por otra, conlleva que en esta materia de la responsabilidad sanitaria rija, en términos generales, el *principio de la garantía de medios y no de resultados*, como se ha puesto de relieve en multitud de pronunciamientos jurisdiccionales –véanse, por ejemplo, por citar tan sólo algunos de los muy numerosos existentes al respecto, las Sentencias del Tribunal Supremo de 22 de abril de 1997 (RJ 1997, 3249), Recurso de Casación núm. 1524/1993, 27 de junio de 1997 (RJ 1997, 5758), Recurso de Casación núm. 2450/1993, 21 de julio de 1997 (RJ 1997, 5523), Recurso de Casación núm. 2726/1993, 13 de diciembre de 1997 (RJ 1997, 8816), Recurso de Casación núm. 3045/1993, 12 de junio de 2001 (RJ 2001, 6649), Recurso de Casación núm. 1185/1996, 11 de diciembre de 2001 (RJ 2002, 2711), Recurso de Casación núm. 2017/1996, 4 de febrero de 2002 (RJ 2002, 1593), Recurso de Casación núm. 2805/1996, 10 de julio de 2002 (RJ 2002, 6239), Recurso de Casación núm. 109/1997, y 10 de abril de 2003 (RJ 2003, 3702), Recurso de Casación núm. 2741/1997–, en los que se ha declarado que la naturaleza jurídica de la obligación de los médicos no es la de obtener en todo caso la recuperación de la salud del enfermo (obligación de resultado), sino una «obligación de medios», esto es, se obliga no a curar al enfermo, sino únicamente a suministrarle los cuidados y las atenciones que el mismo requiere según el estado actual de la ciencia médica.

La única excepción a esta doctrina, que tiene vocación de generalidad, se produce, en exclusiva, cuando el médico se haya comprometido con el paciente a la obtención de un resultado, ya que en un supuesto así la obligación ya no será de actividad (o de medios), sino de resultado;

pero ello no suele tener lugar más que en determinadas, y muy concretas, actividades médicas, usualmente unidas a aspectos de estética.

Muy ilustrativa es a este respecto la muy bien fundada y construida STS de 3 de octubre de 2000 (RJ 2000, 7799), Recurso de Casación núm. 3905/1996, en la que se distinguió entre *medicina curativa* y *medicina satisfactiva*, entendiendo que la primera es una medicina de medios que persigue la curación, y la segunda una medicina de resultados, a la que se acude voluntariamente para lograr una transformación satisfactoria del propio cuerpo, y añadiendo que en la primera la diligencia del médico consiste en emplear todos los medios a su alcance para conseguir la curación del paciente, que es su objetivo; en tanto que en la segunda no es la necesidad la que lleva a someterse a ella, sino la voluntad de conseguir un beneficio estético o funcional y ello acentúa la obligación del facultativo de obtener un resultado e informar sobre los riesgos y pormenores de la intervención.

Afirmado esto, se señaló también en esta Sentencia que:

«Esta distinción, aplicada al campo de la cirugía, ha permitido diferenciar entre una "cirugía asistencial" que identificaría la prestación del profesional con lo que, en el ámbito del Derecho privado, se asocia con la *locatio operarum* y una "cirugía satisfactiva" (operaciones de cirugía estética) que la identificaría, en el mismo terreno de las relaciones entre particulares, con la *locatio operis*, esto es, con el reconocimiento del plus de responsabilidad que, en último caso, comporta la obtención del buen resultado o, dicho con otras palabras, el cumplimiento exacto del contrato en vez del cumplimiento defectuoso (sentencia de la Sala Primera de este Tribunal de 11 de febrero de 1997, núm. 83/1997, recurso 627/1993)».

Y se declaró, asimismo, que:

«El resultado, en la cirugía satisfactiva, opera como auténtica representación final de la actividad que desarrolla el profesional, de tal suerte que su consecución es el principal criterio normativo de la intervención. Por el contrario, cuando se actúa ante un proceso patológico, que por sí mismo supone un encadenamiento de causas y efectos que hay que abordar para restablecer la salud o conseguir la mejoría del enfermo, la interferencia de aquél en la salud convierte en necesaria la asistencia y eleva a razón primera de la misma los medios que se emplean para conseguir el mejor resultado posible. El criterio normativo aplicable se centra entonces en la diligencia y adecuación en la instrumentación de aquéllos, teniendo en consideración las circunstancias».

Citado principio de la garantía de medios, que, por lo ya expuesto, es el que de manera usual y general se sigue en materia de responsabilidad sanitaria, guarda estrecha relación con la antes referida *lex artis*, puesto que el incumplimiento de ésta arrastra de forma indefectible el incumplimiento de la garantía de medios, garantía que, también hay que señalarlo, no comporta una obligación cuantitativa y cualitativamente absoluta, ya que si así fuese habría que ofrecer y aplicar, siempre y en todo caso, al paciente lo que la ciencia médica mundial pueda ofertar como más avanzado en cada momento, lo cual no es posible, por lo que una interpretación razonable de tal garantía conlleva que haya que circunscribirla a los límites que deriven de las circunstancias de lugar, conocimientos y disponibilidades económicas, siempre que, eso sí, quede salvaguardado un estándar medio de atención sanitaria, que sería, en todo caso, exigible.

Probablemente estas consecuencias y estas limitaciones no son coherentes con la concepción de la responsabilidad patrimonial como objetiva, porque en definitiva con ellas estamos reintroduciendo, como señaló DESDENTADO DAROCA (2000), los requisitos de ilicitud y culpabilidad para el reconocimiento del derecho a indemnización.

Ahora bien, quizá no pueda ser de otro modo, ya que, como bien se manifestó por MARTÍN REBOLLO (1994), sería prácticamente imposible que el Presupuesto público en un país como el nuestro pueda permitirse cubrir todos los daños que, sin culpa, se pueden derivar de la actividad sanitaria, lo que entronca, en definitiva, con los más modernos postulados que pretenden introducir ciertas dosis de racionalidad en el sistema de responsabilidad patrimonial, que manifiestamente se ha visto desbordado en la práctica, viéndose saturados los Tribunales de demandas de responsabilidad patrimonial, muchas de ellas carentes del más mínimo fundamento, y, lo que es más grave, confundiéndose el régimen de responsabilidad patrimonial con un sistema de asistencia social universal, lo que ya sido denunciado, con buen criterio, por nuestros órganos jurisdiccionales, constituyendo buena muestra de ello la STS de 27 de mayo de 1999 (RJ 1999, 5081), Recurso de Casación núm. 2170/1995, en la que se declaró que la objetivación de la responsabilidad patrimonial de la Administración:

«(...) no convierte a ésta en un asegurador que deba responder en todos los casos que se produzca un resultado lesivo a raíz de la utilización de bienes o servicios públicos, sino que es necesario que exista un nexo causal entre el resultado en cuestión y el actuar de la Administración».

Esta tesis se recoge de forma expresa en la Sentencia de la Audiencia Nacional de 22 de octubre de 2002 (RJCA 2002, 1235), Recurso contencioso-administrativo núm. 899/2001, y, previamente, en la Sentencia de la

Audiencia Nacional de 23 de julio de 2002 (RJCA 2002, 1285), Recurso contencioso-administrativo núm. 1886/2001, ya se había declarado:

«No obstante, también ha declarado de forma reiterada el Tribunal Supremo (por todas, sentencia de 5 de junio de 1998 [RJ 1998, 5169], Recurso de Casación núm. 1662/1994) que no es acorde con el referido principio de responsabilidad patrimonial objetiva su generalización más allá del principio de causalidad, aun de forma mediata, indirecta o concurrente, de manera que, para que exista aquélla, es imprescindible la existencia de nexo causal entre la actuación de la Administración y el resultado lesivo o dañoso producido, y que la socialización de riesgos que justifica la responsabilidad objetiva de la Administración cuando actúa al servicio de los intereses generales no permite extender dicha responsabilidad hasta cubrir cualquier evento, lo que, en otras palabras, significa que la prestación por la Administración de un determinado servicio público y la titularidad por parte de aquélla de la infraestructura material para su prestación no implica que el vigente sistema de responsabilidad patrimonial objetiva de las Administración Públicas convierta a éstas en aseguradoras universales de todos los riesgos con el fin de prevenir cualquier eventualidad desfavorable o dañosa para los administrados que pueda producirse con independencia del actuar administrativo, porque de lo contrario se transformaría aquél en un sistema providencialista no contemplado en nuestro ordenamiento jurídico».

Así se ha pronunciado también MARTÍN REBOLLO (1999), al escribir que el régimen de responsabilidad patrimonial no debe «equipararse o confundirse con un sistema de asistencia social universal. Si se confunde, el resultado será más inseguridad y el correlato de que o no se aplica el régimen resarcitorio con todas sus consecuencias o, de aplicarse en su integridad, puede cuestionar sus propios condicionantes económicos».

En definitiva, y para concluir, hay que señalar que la socialización de riesgos que justifica la responsabilidad objetiva de la Administración cuando actúa al servicio de los intereses generales no permite extender dicha responsabilidad hasta cubrir cualquier evento, ya que ello supondría convertir a las Administraciones Públicas en aseguradoras universales de todos los riesgos, con el fin de prevenir cualquier eventualidad desfavorable o dañosa para los administrados que pudiera producirse, aún con independencia del actuar administrativo.

Si así se entendiese se transformaría la responsabilidad patrimonial en una suerte de sistema providencialista, que no aparece contemplado en nuestro ordenamiento jurídico, y de seguirse insistiendo en esta línea, se llegarían a producir más perjuicios que beneficios para el conjunto de la sociedad, toda vez que como bien se ha señalado por GAMERO CASADO (2000): «Es tan amplio el cúmulo de funciones que el legislador encomienda a la Administración, y tales funciones son generadoras de riesgos tan generalizados, que de seguir profundizándose en la generosidad del sistema las partidas comprometidas en el pago de indemnizaciones consumirían un considerable porcentaje de los presupuestos generales de las Administraciones públicas, impidiendo su empleo en la mejora de los propios servicios causantes de los daños».

Y ello no implica, desde luego, que haya que mantener a ultranza el criterio de que la Administración no debe responder jamás.

Nada más lejos de la realidad. Deberá responder cuando se demuestre de modo fehaciente que existe un adecuado nexo de causalidad entre el funcionamiento de la misma, en este caso concreto de la Administración sanitaria, y los daños sufridos por los pacientes, que éstos acrediten suficientemente que han sido debidos al funcionamiento del servicio público sanitario. Pero no deberá, responder, por el contrario, partiendo simplemente del apriorismo, y sin justificación evidente alguna, de que es la Administración la responsable de todos los daños que puedan sufrir los ciudadanos, mucho menos, además, cuando, como ocurre en España, existe un sistema de asistencia social garantizado, plasmado, entre otras cosas, en una sanidad pública y gratuita, razón por la que la responsabilidad debe cumplir otras misiones, y limitarse a ellas.

Estas ideas acerca de la necesaria adaptación y modulación del sistema de responsabilidad patrimonial de la Administración, reconduciéndolo a términos más lógicos y racionales, si no se quiere la quiebra total del mismo, se ha extendido de forma progresiva a otros ámbitos diferentes del sanitario, y, entre ellos, al financiero y tributario, como tendremos ocasión de analizar con posterioridad con más detalle, cuando se trate la cuestión, a la que ahora me remito, de las peticiones de indemnización en concepto de responsabilidad patrimonial por la intervención de letrados en las reclamaciones económico-administrativas.

6

ELEMENTOS NECESARIOS PARA PODER DECLARAR LA RESPONSABILIDAD PATRIMONIAL DE LAS ADMINISTRACIONES PÚBLICAS

Los elementos que deben concurrir en cada supuesto concreto en que se solicite responsabilidad patrimonial de la Administración, para que la misma se pueda conceder son, también expuestos de forma sintética, los siguientes.

6.1. El funcionamiento normal o anormal de los servicios públicos

El artículo 139 de la LRJ-PAC reproduce, básicamente, el texto del artículo 106.2 de la Constitución, añadiendo, sin embargo, las dos precisiones siguientes:

1ª) Que la indemnización a que los particulares tienen derecho corre a cargo de *las Administraciones públicas correspondientes.*

2ª) Que el funcionamiento de los servicios públicos que genera la imputación de daños a la Administración puede ser *normal* o *anormal*, englobándose en este último tanto el mal funcionamiento del servicio público –ejecución de acuerdos ilegales, o funcionamiento irregular por impericia, error, negligencia o dolo–, como la omisión de una actividad ordenada, o el retraso en el obrar; habiéndose definido, entre otras, en las Sentencias del Tribunal Supremo de 17 de noviembre de 1990 (RJ 1990, 9172), 22 de noviembre de 1991 (RJ 1991, 8841), Recurso núm. 1549/ 1988, 20 de octubre de 1997 (RJ 1997, 7254), Recurso contencioso-administrativo núm. 455/1997, 23 de diciembre de 1998 (RJ 1998, 10381), Recurso de Casación núm. 5717/1994, y 25 de mayo de 2000 (RJ 2000, 6278), Recurso de Casación núm. 1495/1996, el concepto de servicio público como toda actuación, gestión o actividad propia de la función administrativa, ejercida, incluso, con la pasividad u omisión de la Administración cuando tiene el deber concreto de obrar o comportarse de modo determinado.

En suma, como ha indicado MARTÍN REBOLLO (1999): «A partir del común entendimiento de que la expresión servicios públicos se está empleando aquí en sentido equivalente a actividad administrativa, ello supone que quedan incluidos en el ámbito del sistema los daños imputables a todo tipo de actuación (tanto formal como simplemente material) de la Administración, y tanto si dicho daño deriva de la acción personal, identificable y conocida de un empleado público como si trae causa de una acción u omisión anónima o intrínseca al servicio».

Como ha puesto de relieve LEGUINA VILLA (1993), la primera puntualización es útil y necesaria porque confirma, de forma indudable, que el sistema público de responsabilidad extracontractual es unitario y aplicable por igual a todas las entidades que, según el artículo 2 de la LRJ-PAC, son Administraciones públicas, o tienen la consideración de Administración pública.

La segunda, por el contrario, es innecesaria, ya que no existe duda alguna de que la expresión constitucional *«funcionamiento de los servicios públicos»* –por la que, según lo dispuesto en el apartado 1 del artículo 106 de la Constitución, debe entenderse toda la «actuación administrativa» cuyo control corresponde a los Tribunales contencioso-administrativos– comprende tanto el funcionamiento normal como el anormal de referidos servicios, como ya manifestó en su momento SERRERA CONTRERAS (1993), por lo que tan indemnizables son, cumpliéndose los requisitos normativamente exigidos para ello, los daños que procedan tanto de uno como de otro.

A este respecto, y con toda claridad, en la STS de 2 de febrero de 1988 (RJ 1988, 645) ya se declaró que «a efectos de la responsabilidad patrimonial, es indiferente que nos hallemos ante un funcionamiento normal o anormal del servicio público, ya que, en primer lugar esa distinción ha desaparecido del precepto constitucional, pero, en todo caso, la Ley de Régimen Jurídico de la Administración y de la Expropiación Forzosa, equiparaban ambos supuestos en los artículos citados anteriormente. Es evidente que un funcionamiento anormal, de un servicio público dejará más patente la responsabilidad patrimonial, pero no influirá en el resultado, siempre que se den los elementos que la Jurisprudencia ha precisado que deben de concurrir para que proceda declarar esa responsabilidad».

En esta misma línea, y por citar algunas de las más recientes, en las Sentencias de la Audiencia Nacional de 23 de junio de 2010 (JUR 2010, 249530), Recurso contencioso-administrativo núm. 851/2009, y 22 de diciembre de 2010 (JUR 2010, 416511), Recurso contencioso-administrativo núm. 841/2009, se ha declarado:

«(...) es de tener en cuenta que la Sala Tercera del Tribunal Supremo ha declarado reiteradamente (así, en Sentencias 14 de mayo, 4 de junio, 2 de julio, 27 de septiembre, 7 de noviembre y 19 de noviembre de 1994, 11 de febrero de 1995, 25 de febrero de 1995, 28 de febrero, 1 de abril y 11 de septiembre de 1995) que la responsabilidad patrimonial de la Administración, contemplada por los artículos 106.2 de la Constitución, 40 de la Ley de Régimen Jurídico de la Administración del Estado de 1957 y 121 y 122 de la Ley de Expropiación Forzosa, se configura como una responsabilidad objetiva o por el resultado en la que *es indiferente que la actuación administrativa haya sido normal o anormal*, bastando para declararla que como consecuencia directa de aquélla, se haya producido un daño efectivo, evaluable económicamente e individualizado».

La normalidad o anormalidad de la actuación opera, en definitiva, como criterio de imputación del daño a la Administración, no como fundamento del deber de indemnizar, toda vez que la responsabilidad patrimonial es, en nuestro Derecho, como ya antes se señaló, un dispositivo objetivo de reparación de todos los daños antijurídicos que los particulares sufran a resultas de las acciones u omisiones administrativas.

6.1.1. Exclusión de la fuerza mayor, pero no del caso fortuito

El artículo 106.2 de la Constitución y el artículo 139.1 de la LRJ-PAC, siguiendo la senda de lo ya señalado por el artículo 40 de la Ley de Régimen Jurídico de la Administración del Estado, sólo excluyen del funcionamiento normal –y, por tanto, de su imputación a la Administración– los supuestos de fuerza mayor, es decir, los daños causados por hechos irresistibles y extraños o ajenos por completo a la actividad administrativa o al funcionamiento de los servicios públicos.

En este mismo sentido en, por ejemplo, las Sentencias del Tribunal Supremo de 15 de marzo de 1999 (RJ 1999, 4440), Recurso de Casación núm. 8170/1994, y 27 de mayo de 1999 (RJ 1999, 5081), Recurso de Casación núm. 2170/1995, se declaró que la fuerza mayor es la única hipótesis excepcionante de la responsabilidad de la Administración, caracterizada por su irresistibilidad, *cui humana infirmitas risistere non potest*, si bien de forma más matizada en las Sentencias del Tribunal Supremo de 20 de octubre de 1997 (RJ 1997, 7254), Recurso contencioso-administrativo núm. 455/1997, y 18 de febrero de 1998 (RJ 1998, 1679), Recurso de Apelación núm. 6742/1990, entre otras, se señaló que:

«La consideración de hechos que puedan determinar la ruptura del nexo de causalidad, (...), debe reservarse para aquellos que comportan fuerza mayor –única circunstancia admitida por la ley con efecto excluyente–, a los cuales importa añadir la *intencionalidad de la víctima en la producción o el padecimiento del daño*, o la *gravísima negligencia de ésta, siempre que estas circunstancias hayan sido determinantes de la existencia de la lesión* y de la consiguiente obligación de soportarla».

Igual doctrina se ha mantenido por, entre otras muchas, las Sentencias de la Audiencia Nacional de 16 de mayo de 2002 (RJCA 2002, 635), Recurso contencioso-administrativo núm. 457/2001, 8 de octubre de 2002 (RJCA 2002, 1224), Recurso contencioso-administrativo núm. 28/2001, 17 de junio de 2008 (JUR 2008, 338272), Recurso contencioso-administrativo núm. 258/2007, 23 de junio de 2010 (JUR 2010, 249530), Recurso contencioso-administrativo núm. 851/2009, y 22 de diciembre de 2010 (JUR 2010, 416511), Recurso contencioso-administrativo núm. 841/2009.

El Consejo de Estado suele definir la fuerza mayor como causa extraña al objeto dañado, excepcional e imprevisible, o que de haberse podido prever fuera inevitable. Así, entre otros, en su Dictamen de 28 de marzo de 1968 señaló que es de esencia a la fuerza mayor «la imprevisibilidad o la inevitabilidad», mientras que en sus Dictámenes de 29 de mayo de 1970, 28 de marzo de 1974, 22 de julio de 1982 y 30 de junio de 1983, reservó el concepto de fuerza mayor para los «acontecimientos insólitos y extraños al campo normal de las previsiones típicas de cada actividad o servicio», o para «aquel suceso que no hubiera podido preverse o que previsto fuera inevitable, que haya causado un daño material y directo que exceda visiblemente de los accidentes del curso normal de la vida por la importancia y trascendencia de su manifestación».

Y, por ejemplo, en las Sentencias del Tribunal Supremo de 2 de febrero de 1980 (RJ 1980, 743), 4 de marzo de 1981 (RJ 1981, 894), 25 de julio de 1982 (RJ 1982, 4852), 28 de junio de 1983 (RJ 1983, 3664), 23 de mayo de 1986 (RJ 1986, 4455), 7 de junio de 1988 (RJ 1988, 4535), 28 de septiembre de 1988 (RJ 1988, 6944), 3 de noviembre de 1988 (RJ 1988, 8628), 10 de noviembre de 1988 (RJ 1988, 8682), 3 de octubre de 1994 (RJ 1994, 7511), Recurso núm. 2694/1990, 23 de febrero de 1995 (RJ 1995, 1280), Recurso núm. 1323/1991, 30 de septiembre de 1995 (RJ 1995, 6818), Recurso núm. 675/1993, 18 de diciembre de 1995 (RJ 1995, 9408), Recurso núm. 824/1993, 31 de enero de 1996 (RJ 1996, 474), Recurso núm. 6953/1994, 19 de abril de 1997 (RJ 1997, 3233), Recurso de Apelación núm. 1075/1992, 18 de julio de 1997 (RJ 1997, 6083), Recurso de Casación núm. 2794/1996, 10 de octubre de 1998 (RJ 1998, 8835), Recurso de Apelación núm. 6619/1992, 16 de febrero de 1999 (RJ 1999, 1622), Recurso de Casación núm. 6361/1994, y 27 de enero de 2001 (RJ 2001, 5377), Recurso de Casación núm. 6360/1996, se ha declarado, en idéntica línea, que la fuerza mayor viene representada por aquellos hechos que aún siendo previsibles, sean sin embargo, inevitables, insuperables e irresistibles, siempre que la causa que los motive sea extraña e independiente del sujeto obligado.

Si responden las Administraciones públicas por *caso fortuito*, esto es, cuando se está en presencia de un evento interno, indeterminado, inscrito en el funcionamiento de los servicios públicos, del que se desconoce la causa desencadenante del mismo, y que tiene lugar dentro del ámbito de actuación propio de la Administración (por ejemplo, avería de un servicio público de origen desconocido, imprevisible e inevitable).

Así se ha declarado, entre otras, por las Sentencias del Tribunal Supremo de 1 de diciembre de 1989 (RJ 1989, 8992), 23 de febrero de 1995 (RJ 1995, 1280), Recurso núm. 1323/1991, 30 de septiembre de 1995 (RJ 1995, 6818), Recurso núm. 675/1993, 18 de diciembre de 1995 (RJ 1995, 9408), Recurso núm. 824/1993, 6 de febrero de 1996 (RJ 1996, 2038), Recurso núm. 13862/1991, 22 de diciembre de 1997 (RJ 1998, 737), Recurso de casación para la unificación de doctrina núm. 1969/1997, 26 de febrero de 1998 (RJ 1998, 1795), Recurso de Apelación núm. 4587/1991, 10 de octubre de 1998 (RJ 1998, 8835), Recurso de Apelación núm. 6619/1992, 13 de febrero de 1999 (RJ 1999, 3015), Recurso de Casación núm. 5919/1994, 16 de febrero de 1999 (RJ 1999, 1622), Recurso de Casación núm. 6361/1994, 11 de mayo de 1999 (RJ 1999, 4917), Recurso de Casación núm. 9655/1995, y 27 de enero de 2001 (RJ 2001, 5377), Recurso de Casación núm. 6360/1996, así como, por ejemplo, por la Sentencia de la Audiencia Nacional de 16 de mayo de 2002 (RJCA 2002, 635), Recurso contencioso-administrativo núm. 457/2001.

La diferencia entre *caso fortuito* y *fuerza mayor* se recoge con claridad en, entre otras, las Sentencias del Tribunal Supremo de 25 de noviembre de 2000 (RJ 2001, 550), Recurso de Casación núm. 7541/1996, 19 de abril de 2001 (RJ 2001, 2896), Recurso de Casación núm. 8770/1996, y 31 de enero de 2002 (RJ 2002, 5055), Recurso de Casación núm. 1880/1997, en las que se ha declarado que existirá caso fortuito cuando estamos en presencia de un evento interno intrínseco, inscrito en el funcionamiento de los servicios públicos; mientras que en la fuerza mayor hay una indeterminación absolutamente irresistible, es decir aun en el supuesto de que hubiera podido ser prevista, de tal modo que la causa productora de la lesión ha de ser ajena al servicio y al riesgo que le es propio.

Interesantes consideraciones a este respecto se contienen también en la Sentencia de la Audiencia Nacional de 23 de julio de 2002 (RJCA 2002, 1285), Recurso contencioso-administrativo núm. 1886/2001, en la que se declaró que «la fuerza mayor entroncaría con la idea de lo extraordinario, catastrófico o desacostumbrado, mientras que el caso fortuito haría referencia a aquellos eventos internos, intrínsecos al funcionamiento de los servicios públicos, producidos por la misma naturaleza, por la misma consistencia de sus elementos, por su mismo desgaste con causa desconocida».

Y en la Sentencia del TSJ de Andalucía (Sevilla) de 7 de noviembre de 2002 (JUR 2003, 66442), Recurso contencioso-administrativo núm. 471/1999, se afirmó a este respecto que: «Son constitutivos de fuerza mayor los acontecimientos imprevisibles e inevitables caso de ser previstos, que excedan de los riesgos propios de la empresa, esto es de los derivados de la propia naturaleza de los servicios públicos (STS de 2 de abril de 1985 [RJ 1985, 2855]) o los acaecimientos realmente insólitos y extraños al campo normal de las previsiones típicas de cada actividad o servicio, según su propia naturaleza (STS de 4 de febrero de 1983 [RJ 1983, 551]). Estos últimos que integran el caso fortuito no son obstáculo a la declaración de responsabilidad pese a ser independientes del actuar del órgano administrativo y incluso de la posibilidad de evitar los efectos dañosos aún empleando la máxima diligencia (STS de 9 de mayo de 1978 [RJ 1978, 1996])».

En parecidos términos DESDENTADO DAROCA (2000) ha señalado que: «El caso fortuito se concibe como un suceso que se caracteriza por las notas de indeterminación e interioridad, es decir, por desconocerse la causa desencadenante del mismo y por tratarse de un evento que se produce dentro del ámbito de actuación propio de la Administración (por ejemplo, avería de un servicio público de origen desconocido, imprevisible e inevitable). Por el contrario, la fuerza mayor es una causa extraña, exterior al ámbito típico de acción del sujeto y a sus riesgos propios (por ejemplo, guerra, tempestad, etcétera)».

En suma, como ha escrito PARADA VÁZQUEZ (1993), la esencia de la fuerza mayor radica «tanto en la externidad del hecho respecto del bien o patrimonio que resulta dañado, como en la imposibilidad de evitar o resistir su producción; y no ciertamente en su imprevisibilidad», ya que pudo haberse imaginado que este se produjera (una tempestad, la gota fría que desencadena graves inundaciones, etcétera). Véase en este sentido, entre otras, la STS de 20 de octubre de 1997 (RJ 1997, 7254), Recurso contencioso-administrativo núm. 455/1997, en la que se declaró: «No puede considerarse fuerza mayor la previsibilidad del desbordamiento del río Júcar (cuya historia acredita en la forma que consta en el expediente administrativo la reiteración de sus inundaciones)».

Así se había indicado ya en el Dictamen del Consejo de Estado de 10 de julio de 1975, en el que se señaló: «La circunstancia de que el desprendimiento de tierras fuera consecuencia del reblandecimiento del terreno y de la insistencia de las lluvias podrá eximir de culpa a la Administración y de toda imputación de anormalidad en la situación administrativa, pero no le permite librarse de las consecuencias económicas de un hecho que, con independencia de que fuera o no previsible, no puede en forma alguna reputarse inevitable. La previsión de los efectos de las lluvias, en zona especialmente lluviosa era obligada y no puede caber la menor duda de que si tales efectos hubieran sido previstos, el daño podría haber sido evitado».

En cualquier caso, hay que indicar [tal como se ha declarado, entre otras muchas, por las Sentencias del Tribunal Supremo de 23 de febrero de 1995 (RJ 1995, 1280) Recurso núm. 1323/1991, 16 de octubre de 1995 (RJ 1995, 7412), Recurso núm. 9888/1990, 20 de octubre de 1997 (RJ 1997, 7254), Recurso contencioso-administrativo núm. 455/1997, 5 de diciembre de 1997 (RJ 1998, 177), Recurso de Casación núm. 4427/1993, 15 de diciembre de 1997 (RJ 1997, 9357), Recurso de Casación núm. 4958/1993, 18 de febrero de 1998 (RJ 1998, 1679), Recurso de Apelación núm. 6742/1990, 26 de febrero de 1998 (RJ 1998, 1795), Recurso de Apelación núm. 4587/1991, 10 de octubre de 1998 (RJ 1998, 8835), Recurso de Apelación núm. 6619/1992, 15 de marzo de 1999 (RJ 1999, 4440), Recurso de Casación núm. 8170/1994, 9 de abril de 2002 (RJ 2002, 3461), Recurso de Casación núm. 6338/1998, 4 de junio de 2002 (RJ 2002, 6292), Recurso de Casación núm. 930/1998, 9 de julio de 2002 (RJ 2002, 7648), Recurso de Casación núm. 3938/1998, 18 de octubre de 2002 (RJ 2002, 10223), Recurso de Casación núm. 5590/1998, 3 de diciembre de 2002 (RJ 2003, 293), Recurso de casación para la unificación de doctrina núm. 38/2002, 23 de diciembre de 2002 (RJ 2003, 591), Recurso de Casación núm. 7466/1998, 20 de enero de 2003 (RJ 2003, 886), Recurso de Casación núm. 8543/1998, y 24 de febrero de 2003 (RJ 2003, 2142), Recurso de Casación núm. 9283/1998] que el carácter objetivo de la responsabilidad de la Administración impone que la prueba de la concurrencia de acontecimientos de fuerza mayor o circunstancias demostrativas de la existencia de dolo o negligencia de la víctima para considerar roto el nexo de causalidad corresponde a la Administración.

Y ello porque, como se señaló en la última de las Sentencias citadas, «no sería objetiva aquella responsabilidad que exigiese demostrar que la Administración que causó el daño procedió con negligencia, ni aquella cuyo reconocimiento estuviera condicionada a probar que quien padeció el perjuicio actuó con prudencia», idea ésta, cuya relevancia ha sido explicitada por MESEGUER YEBRA (2000), también sustentada, entre otras muchas, por las Sentencias de la Audiencia Nacional de 24 de septiembre de 2002 (RJCA 2002, 1210), Recurso contencioso-administrativo núm. 1488/1999, 8 de octubre de 2002 (RJCA 2002, 1224), Recurso contencioso-administrativo núm. 28/2001, 22 de octubre de 2002 (RJCA 2002, 1231), Recurso contencioso-administrativo núm. 228/2001, 22 de octubre de 2002 (RJCA 2002, 1235), Recurso contencioso-administrativo núm. 899/2001, 16 de enero de 2003 (JUR 2003, 26461), Recurso contencioso-administrativo núm. 6/2002, y 22 de diciembre de 2010 (JUR 2010, 416511), Recurso contencioso-administrativo núm. 841/2009.

6.2. La concurrencia de la imprescindible relación de causalidad entre la actuación de las Administraciones públicas y el daño por ellas generado

Entre la actuación administrativa y el daño ocasionado o producido tiene que existir, de modo obligatorio, una relación de causalidad, esto es, una conexión directa, inmediata y exclusiva de causa o efecto, sin intervención extraña que pudiera influir, alterando dicho nexo causal, habiéndose afirmado así por numerosos autores –entre otros NIETO GARCÍA (1975), BLASCO ESTEVE (1987), PARADA VÁZQUEZ (1993), LEGUINA VILLA (1993) y DESDENTADO DAROCA (2000), quien ha escrito que «El elemento central del sistema de responsabilidad de la Administración no es, por tanto, la vulneración de la legalidad o de un estándar de diligencia o eficacia, sino única y exclusivamente la existencia de una lesión del patrimonio del particular que puede vincularse causalmente al desarrollo de una actividad administrativa»–, así como por reiterada y constante jurisprudencia.

Ésta ha declarado a este propósito, en la mayoría de las ocasiones, como bien ha escrito MARTÍN REBOLLO (1999), que debe aplicarse a estos efectos el principio de «causalidad adecuada», que exige, para observar la culpa del agente, como por ejemplo se expone con claridad en la STS de 28 de noviembre de 1998 (RJ 1998, 9967), Recurso de Casación núm. 2864/1994, que «el resultado sea una consecuencia natural, adecuada y suficiente de la determinación de la voluntad; debiendo entenderse por consecuencia natural, aquella que propicia, entre el acto inicial y el resultado dañoso, una relación de necesidad, conforme a los conocimientos normalmente aceptados; y debiendo valorarse en cada caso concreto, si el acto antecedente que se presenta como causa, tiene virtualidad suficiente para que del mismo se derive, como consecuencia necesaria, el efecto lesivo producido, no siendo suficiente las simples conjeturas, o la existencia de datos fácticos, que por una mera coincidencia, induzcan a pensar en una posible interrelación de esos acontecimientos, sino que es necesaria la existencia de una prueba terminante relativa al nexo entre la conducta del agente y la producción del daño, de tal forma que haga patente la culpabilidad que obliga a repararlo».

Habiéndose producido referido nexo causal –cuyo «secreto», según han indicado LEGUINA VILLA (1970) y FERNÁNDEZ RODRÍGUEZ (1977) consiste en «eliminar aquellos hechos que, con toda evidencia, no hayan tenido ningún poder determinante en la producción del daño final», quedando, pues, incluidos dentro del concepto todos los demás hechos concurrentes, a cargo de sus respectivos autores– surge la responsabilidad patrimonial de la Administración, a salvo de que exista una *«concausa»* que genere la atemperación o, inclusive, la exoneración de responsabilidad, cuestión ésta a la que luego me referiré con más detalle.

6.2.1. Algunos ejemplos de aplicación de esta exigencia de nexo de causalidad en la esfera tributaria

6.2.1.1. La eliminación de máquinas recreativas como consecuencia del aumento del gravamen complementario sobre el juego

Acerca de esta exigencia, y por centrarme en la materia tributaria, resulta útil y esclarecedora la Sentencia de la Audiencia Nacional de 10 de enero de 2002 (JUR 2002, 143864), Recurso contencioso-administrativo núm. 1055/1998, en la que –refiriéndose a la cuestión de la declaración de responsabilidad patrimonial de la Administración del Estado, al haberse declarado por el Tribunal Constitucional en Sentencia 173/1996, de 31 de octubre (RTC 1996, 173), inconstitucional y nulo el gravamen complementario sobre la tasa de juego establecido por el artículo 38.2.2 de la Ley 5/1990, de 29 de junio, y ante la afirmación de la parte actora de que se había visto obligada a dar de baja las máquinas recreativas de tipo B, porque el conjunto de la carga fiscal soportada, constituida por la tasa fiscal, la licencia fiscal y el gravamen complementario, hacia antieconómica la gestión empresarial de dichas máquinas– se afirmó:

«En el supuesto enjuiciado, con independencia de otras consideraciones es preciso comprobar si se ha producido o no la ruptura del nexo causal.

En relación a la desaparición de máquinas de su actividad profesional como consecuencia del aumento del gravamen complementario del juego posteriormente anulado por sentencias del Tribunal Constitucional y la jurisdicción ordinaria: en primer lugar no se ha acreditado que la baja de las máquinas estuviese directamente ligada al aumento del gravamen luego anulado, lo que es relevante teniendo en cuenta las sucesivas modificaciones en la tributación de estas máquinas de juego, que incluyeron otras subidas en la tasa fiscal sobre el juego, declaradas conformes a la Constitución y el ordenamiento jurídico, al igual que lo es la Licencia Fiscal.

La retirada del mercado de las máquinas pudo deberse a su obsolescencia o a otras causas no directamente vinculadas a dicho devenir tributario, cuya importancia relativa en el sector empresarial es preciso que sea trasladable al caso concreto de la recurrente con previa documentación de la decisión tomada al respecto por la Dirección de la actora. El móvil exclusivamente económico de falta de rentabilidad, no es suficiente para fundar la relación causal necesaria en este caso. No bastando la presunción invocada por ésta en su demanda de que concurra el principio de confianza legítima en conexión con los de buena fe y seguridad jurídica para determinar que prospere la pretensión rectora de autos en base a la simple declaración del derecho al resarcimiento por detrimento patrimonial "efectivo, evaluable económicamente e individualizado en relación a personas" sufrido como consecuencia de modificaciones normativas de rango superior y que impliquen una alteración de situaciones cuya permanencia era legítimamente de esperar por los afectados.

En consecuencia, no resulta de la prueba practicada que la retirada o baja de las máquinas recreativas tipo B haya sido determinada ni por el gravamen complementario ni por el conjunto de la presión fiscal (...).

No se ha probado, en conclusión, que el perjuicio económico padecido por encima de los abonos realizados haya obedecido en proporción suficiente a la obligación inesperada de satisfacer el gravamen, que exceda del riesgo normalmente imputable al empresario, que este tiene la obligación de soportar.

Del conjunto de los razonamientos expuestos resulta a juicio de esta Sala, que con independencia de que concurran o no los restantes requisitos, falta uno de aquellos reseñados más arriba y previstos por la Ley como necesarios para declarar la responsabilidad de la Administración: el nexo causal. La falta de este requisito hace innecesario el examen de la concurrencia de los restantes».

6.2.1.2. Retraso de la devolución del IVA debido a la existencia de un procedimiento penal contra el actor

En similares términos a los expuestos en el epígrafe anterior, en la Sentencia de la Audiencia Nacional de 23 de julio de 2003 (JUR 2004, 24859), Recurso contencioso-administrativo núm. 401/2002, ante la solicitud de indemnización de responsabilidad patrimonial de la Administración formulada por un obligado tributario basada en el retraso por tiempo mayor de seis meses de la devolución del IVA en su favor, establecida en el artículo 115.3 de la Ley del IVA, se declaró que si la devolución no se verificó con anterioridad, ello no fue imputable a la Administración tributaria, toda vez que había existido un procedimiento penal, tramitado por juez instructor, aunque luego concluyera en archivo, por presuntos delitos de falsedad y contra la Hacienda Pública, e, igualmente el Juzgado de Primera Instancia núm. 3 de (...) ordenó a la Delegación de la Agencia Tributaria de (...) la retención y embargo de posibles cantidades a devolver por IVA a favor del recurrente; por lo que, en definitiva, la dilación por más de seis meses en resolver el expediente de devolución por IVA fue debida a circunstancias ajenas a la Administración tributaria, no siendo, por ello, imputable dicho retraso a dicha Administración, y, al ser ello así, era obvio que faltaba uno de los requisitos configuradores de la responsabilidad patrimonial, por lo que no cabía atender las pretensiones del recurrente.

6.2.1.3. Imposibilidad de participar en un concurso convocado para la adjudicación de una obra pública, por no estar el interesado al corriente en el cumplimiento de sus obligaciones tributarias

Similar orientación a la hasta aquí citada se siguió, asimismo, por la Sentencia de la Audiencia Nacional de 8 de febrero de 2005 (JUR 2005, 226294), Recurso contencioso-administrativo núm. 521/2003, en la que –ante la alegación realizada por un obligado tributario de que había sufrido unos determinados perjuicios derivados de la imposibilidad de participar en un concurso convocado para la adjudicación de una obra pública, y ello como consecuencia, según el recurrente, de la consideración, por errores administrativos, de no estar al corriente en el cumplimiento de sus obligaciones tributarias– se declaró que no existía nexo causal entre la actuación administrativa y el daño reclamado, señalándose en concreto a este respecto lo siguiente:

«(...) amén del daño efectivamente producido, faltaría el inexcusable nexo causal entre la actuación administrativa y el daño que se dice padecido. En efecto, en dicho certificado (acompañado como documento núm. 19 a la demanda) emitido a solicitud del contribuyente por la Agencia

Tributaria (Administración de Moratalaz resulta que la recurrente tenía otras deudas (dos relativas al IS, ejercicio 2001, y, además, otras cuatro por el concepto "sanción" haciéndose constar muy claramente en dicho certificado que tales deudas "se encuentran recurridas y suspendidas", por lo que ello no había de suponer ningún obstáculo para que la actora pudiese participar en cualquier procedimiento de licitación pública ya que, si bien con arreglo al Texto Refundido de la Ley de Contratos de las Administraciones Públicas (artículo 79) aprobado por Real Decreto Legislativo 2/2000, de 16 de junio, las proposiciones deberán ir acompañadas de determinada documentación, en ningún caso se prescribe que se acompañe dicho certificado sino "la declaración responsable... de hallarse al corriente del cumplimiento de las obligaciones tributarias...";, y por otra parte, si bien el propio Texto Refundido (esta vez en su artículo 20) incluye entre las prohibiciones de contratar el no hallarse al corriente en el cumplimiento de las obligaciones tributarias, lo cierto es que el Real Decreto 1098/2001, de 12 de octubre, por el que se aprueba el Reglamento General de la Ley de Contratos de las Administraciones Públicas, (en su artículo 13) establece que "... se considerará que las empresas se encuentran al corriente en el cumplimiento de sus obligaciones tributarias cuando, en su caso, concurran las siguientes circunstancias:... se considerará que las empresas se encuentran al corriente en el cumplimiento de sus obligaciones tributarias cuando las deudas estén aplazadas, fraccionadas o se hubiera acordado su suspensión con ocasión con la impugnación de las correspondientes liquidaciones", supuesto precisamente ante el que se encontraba el recurrente como con toda claridad resulta del certificado expedido por la Agencia Tributaria en el que explícitamente figuraba que las deudas tributarias se encontraban recurridas y suspendidas; de ahí que dicho certificado en absoluto puede invocarse como obstáculo para participar en la licitación pública a que se refiere la recurrente lo que, en definitiva, impide también apreciar en el presente caso la necesaria concurrencia del nexo causal entre la actuación administrativa y el daño que se reclama».

6.2.1.4. *Improcedencia del abono de honorarios a un tercer perito que participó en unas inspecciones tributarias, ya que su actuación había sido innecesaria*

Un ejemplo más de inexistencia de responsabilidad patrimonial de la Administración tributaria por la causa que se viene analizando, está representado por la STS de 3 de mayo de 2007 (RJ 2007, 3689), Recurso núm. 3578/2003, en la que se declaró no apreciarse tal responsabilidad en referencia a unos daños derivados del pago de honorarios a un tercer perito dilucidador de la valoración de costos efectuada en una serie de inspecciones tributarias, ya que tal intervención de dicho perito había sido, en rigor, innecesaria, puesto que la cuestión se habría resuelto, sin tener que acudir al mismo, si el interesado hubiese aportado de forma correcta la información que le fue solicitada, indicándose a este propósito en esta Sentencia:

«De la argumentación recogida en dicha resolución, y en cuanto conclusiones relevantes de la misma, no desde la perspectiva del ámbito tributario, sino de determinar si concurren los presupuestos definidores de la responsabilidad patrimonial que se reclama, ha de tenerse en cuenta: A) que la tasación pericial contradictoria, cuyo importe ahora se reclama era desde el punto de vista del procedimiento tributario innecesaria, puesto que la Inspección ante la falta de declaración por parte de la reclamante de las retribuciones en especie satisfechas se limitó a efectos de cuantificarlas a utilizar los datos suministrados por la propia interesada y los importes que figuraban en las tarifas oficiales de la misma. B) que la hoy actora incumplió el deber de aportar a la Administración tributaria la información solicitada (artículo 111 LGT)».

6.2.1.5. *Pérdida de la mercancía depositada en un almacén como consecuencia de diligencia de entrada ordenada por Juzgado de Instrucción, y no imputable al servicio de vigilancia aduanera*

Véase también en esta misma línea de declarar la inexistencia de nexo causal la más reciente Sentencia de la Audiencia Nacional de 8 de junio de 2010 (JUR 2010, 228194), Recurso contencioso-administrativo núm. 210/2009, en la que se ventiló la cuestión de la pérdida de mercancía depositada en un almacén como consecuencia de diligencia de entrada ordenada por Juzgado de Instrucción, afirmándose en ella que tal pérdida no era imputable al servicio de vigilancia aduanera al no ser depositaria de la misma, declarándose al respecto:

«Las circunstancias concurrentes en el recurso que enjuiciamos nos conduce a examinar si ha existido una relación causal, entre el actuar de la Agencia Tributaria y la pérdida de la mercancía ubicada en el almacén en el que quedó depositada, siendo la respuesta negativa ya que no se puede anudar el resultado lesivo a la actuación de la Agencia Tributaria por cuanto no consta que la Agencia Tributaria y en concreto el Servicio de Vigilancia Aduanera quedaran como depositarios de las mercancías a la vista de la diligencia de entrada y registro de 30 de noviembre de 2006 de la que resulta que sólo "Los efectos intervenidos en la planta 2ª y las CPUžS planta 1ª y documentos de la planta baja-nave quedan depositados en los agentes intervinientes quienes manifiestan que se depositarán en la Dependencia de Aduanas sita en Avda. Llano Castellano nº 17 Madrid" (documento nº 21 acompañado con el escrito de demanda).

En consecuencia no existe nexo de causalidad entre el funcionamiento de la Administración Pública y los daños ocasionados a las mercancías propiedad de INCOPARTS BV depositadas en la Calle Camino de Hormigoneras nº 125 de Vallecas (Madrid) por lo que procede desestimar el recurso».

6.2.2. El nexo causal puede ser directo e inmediato, o indirecto y concurrente

Este necesario e imprescindible, por usar la expresión de la STS de 3 de mayo de 2007 (RJ 2007, 3689), Recurso núm. 3578/2003, nexo causal –que ha llegado a ser calificado de verdadero nudo gordiano de la declaración de responsabilidad patrimonial por la Sentencia del TSJ de Andalucía (Granada) de 30 de septiembre de 2002 (RJCA 2002, 1117), Recurso contencioso-administrativo núm. 2348/1997– ha de ser, por lo general, directo, inmediato y exclusivo, lo que se tendrá que apreciar de forma casuística; pero debe tenerse presente, sin embargo, que a veces la relación de causalidad puede aparecer bajo formas mediatas, indirectas o concurrentes, tal como ha declarado el Tribunal Supremo, desde su Sentencia de 16 de noviembre de 1974 (RJ 1974, 4510), en múltiples y reiteradas ocasiones, afirmándose lo mismo por parte de la Audiencia Nacional.

Véase, por citar algunas de las más recientes, sus Sentencias de 1 de octubre de 2008 (JUR 2008, 367212), Recurso contencioso-administrativo núm. 263/2007, 16 de junio de 2010 (JUR 2010, 228103), Recurso contencioso-administrativo núm. 693/2009, 23 de junio de 2010 (JUR 2010, 249530), Recurso contencioso-administrativo núm. 851/2009, 22 de diciembre de 2010 (JUR 2010, 416511), Recurso contencioso-administrativo núm. 841/2009, y 25 de mayo de 2011 (JUR 2011, 195205), Recurso contencioso-administrativo núm. 303/2010, en la que se afirmó que la STS de 21 de julio de 2001 (RJ 2001, 9167), dictada en el recurso de casación 2193/97, especificó respecto del nexo causal, que no se requiere que el mismo sea directo, inmediato y exclusivo –doctrina ésta abandonada por el Alto Tribunal–, admitiéndose una relación de causalidad bajo formas mediatas, indirectas o concurrentes, que de existir moderan la reparación a cargo de la Administración.

6.2.2.1. La relación mediata o indirecta entre el daño y la actuación de la Administración tributaria: Análisis de algunos asuntos

6.2.2.1.1. Paralización procedimental por un periodo superior al de prescripción en la tramitación de una reclamación económico-administrativa

Respecto a esta relación indirecta con el daño, y refiriéndome a la materia tributaria, es oportuna la cita de, por ejemplo, las Sentencias de la Audiencia Nacional de 29 de abril de 1999 (JT 1999, 1486), Recurso contencioso-administrativo núm. 531/1997, y 2 de marzo de 2001 (RJCA 2001, 889), Recurso contencioso-administrativo núm. 1761/1998, en las que se declaró que la paralización procedimental por un periodo superior al de prescripción en la tramitación de una reclamación económico-administrativa, provocando con ello la declaración de prescripción del derecho de un Ayuntamiento a exigir el pago derivado de la liquidación, que había sido cuestionada, de un tributo local, conllevaba que debía atenderse la solicitud del Ayuntamiento de indemnización por un anormal funcionamiento de la Administración pública estatal.

En ambas Sentencias [con cita expresa de las del Tribunal Supremo de 21 de marzo de 1991 (RJ 1991, 2404) –en la que se consideró que en un supuesto así: «Existe un quebranto patrimonial que aun siendo de escasa entidad económica no sólo resulta individualizado sino perfectamente evaluable y la actuación administrativa que por un error reconocido, ha dado lugar al defectuoso funcionamiento de un servicio público, viene expresada por la tardanza en resolver la reclamación mas allá de lo razonable en relación con la complejidad de la cuestión debatida y con el estándar medio admisible a este tipo de reclamaciones»–, y de 20 de febrero de 1996 (RJ 1996, 1727) –en la que se afirmó «No puede pasarse por alto la circunstancia de que la inactividad de una Administración –la del Estado– en los órganos económico-administrativos acabe perjudicando a otra –la del Ayuntamiento exaccionante– que en principio no participa en el retraso, como no sea a través de la ausencia de escritos que reclamaran la continuación del procedimiento, lo que no puede estimarse bastante para justificar aquel resultado»] se concluyó declarando que concurrían todos los requisitos necesarios para apreciar la existencia de un supuesto de responsabilidad patrimonial a cargo del Ministerio de Economía y Hacienda, por un retraso anormal en resolver de los Tribunales Económico-Administrativos, lo que había propiciado la concurrencia de un daño real, efectivo, evaluable económicamente, e individualizable con relación al Ayuntamiento perjudicado, y una evidente relación de causalidad entre dicho retraso y el perjuicio patrimonial producido a citado Ayuntamiento.

En idéntica línea cabe citar asimismo, entre otras, las Sentencias del Tribunal Supremo de 14 de febrero de 1997 (RJ 1997, 2391), Recurso de apelación 11198/1991, 20 de marzo de 1999 (RJ 1999, 2532), Recurso de casación 3962/1994, 15 de marzo de 2000 (RJ 2000, 2815), Recurso de casación para la unificación de doctrina 1843/1995, 1 de junio de 2001 (RJ 2001, 6271), Recurso de casación para la unificación de doctrina 2757/1996, 16 de noviembre de 2001 (RJ 2001, 10270), Recurso de casación

8363/1994, 28 de junio de 2002 (RJ 2002, 6361), Recurso de casación para la unificación de doctrina 4120/1997, y 8 de julio de 2002 (RJ 2002, 8236).

Todas ellas se articulan en torno a estas dos ideas:

– La inactividad durante el tiempo señalado produce siempre la prescripción, aun cuando el órgano que la provoca pertenezca a una Administración distinta a la que es titular del crédito tributario, pues el reparto territorial de las potestades públicas no puede alterar la relación esencialmente unívoca entre el ciudadano y el Poder y menos justificar la pérdida de derecho alguno por el administrado que no puede terminar sufriendo el perjuicio de inactividades de otros y de retrasos que le sean ajenos, solución que es la más acorde con el principio de seguridad jurídica, al que sirve, en lo fundamental, el instituto de la prescripción

– Tal resultado, que lesiona a una Administración (el Ayuntamiento titular del crédito tributario) por la parálisis de otra (la del Estado, a través de los órganos tributarios de gestión, de inspección o de revisión), podía haberse evitado –y con ello entramos en la cuestión de las «concausas», que con posterioridad trataré– si la Administración local hubiere denunciado la mora; dicho de otra forma, la única manera en la que participa el Ayuntamiento en el retraso que le perjudica es a través de la ausencia de escritos pidiendo la continuación del procedimiento.

Como se expuso por la STS de 27 de junio de 2008 (RJ 2008, 3287), Recurso de Casación núm. 4568/2004, de las dos, la primera idea es la nuclear, la que sustenta la decisión, mientras que la segunda, accesoria, viene a dar respuesta a la paradójica situación de que una persona jurídica resulte perjudicada por la pasividad de otra, indicando que pudo evitar el resultado excitando a esta última para que actuase.

En ambas Sentencias de la Audiencia Nacional antes referidas se puso de manifiesto, por otra parte, que la legitimación activa de las Corporaciones Locales demandantes era incuestionable a partir de la doctrina jurisprudencial emanada entre otras de la STS de 24 de febrero de 1994 (RJ 1994, 1235), Recurso núm. 9267/1990, para esta clase de asuntos sobre responsabilidad patrimonial de la Administración, que se remite a la STS de 8 de febrero de 1964 (RJ 1964, 1652), debiendo incluirse dentro de la acepción: «los particulares» del artículo 106.2 de la Constitución, tanto a los sujetos privados como a los públicos cuando se consideren lesionados por la actuación de otra Administración Pública, cuestión ésta ya tratada en páginas precedentes.

6.2.2.1.2. Prescripción del derecho a liquidar una deuda tributaria cuya liquidación había sido anulada

Distinto es el supuesto, aunque en principio pudiese parecer igual, del asunto resuelto por la ya citada STS de 27 de junio de 2008 (RJ 2008, 3287), Recurso de Casación núm. 4568/2004.

En ella se trató sobre la cuestión de la prescripción del derecho a liquidar una deuda tributaria correspondiente a la Contribución Territorial Urbana en un caso en el que se había producido la anulación de la liquidación efectuada por la Administración del Estado, no procediéndose por el Ayuntamiento afectado a realizar una nueva liquidación, aplicándose en este supuesto por el Tribunal Supremo una tesis diversa –al declararse aquí la inexistencia de responsabilidad patrimonial de la Administración tributaria– a la por él sustentada en sus Sentencias antes referidas, basándose para ello en que en este caso el transcurso de plazo de prescripción de la deuda tributaria no había acaecido en sede económico-administrativa. Se afirmó a este respecto lo siguiente:

«La parálisis administrativa acaeció después, cuando nadie practicó de nuevo una liquidación para el segundo semestre de 1988. En este punto es en el que quiebra la tesis del Ayuntamiento recurrente, porque, si bien hasta 1991 la competencia para practicar esa liquidación pudiera corresponder a la Administración del Estado, lo cierto es que, ya en 1992, la tarea incumbía a la municipal, que nada hizo. El plazo de prescripción empezó a correr en julio de 1992, mes durante el que se notificó a las partes la resolución de la reclamación económico-administrativa, por lo que sólo podía interrumpirlo el Ayuntamiento de..., practicando la correspondiente liquidación; en estas circunstancias, le resulta imputable el eventual perjuicio que padeció por la extinción de la potestad enderezada a la fijación de la deuda tributaria.

El Ayuntamiento argumenta que no fue parte en la reclamación económico-administrativa y que, por consiguiente, no llegó a conocer el contenido de la resolución estimatoria, quedando impedido, por su ignorancia, para proceder a la liquidación que esa resolución permitía. Ahora bien, aun así el resultado lesivo le resulta achacable, al menos en parte, por dos razones. En primer lugar, porque, como se explica a efectos meramente dialécticos en la resolución administrativa impugnada, tuvo conocimiento de la existencia de la reclamación y de la suspensión de la ejecución del acto combatido, sin que, de un lado, se personara para defender los intereses de la comunidad vecinal, como le autorizaba el artículo 33 del Reglamento de procedimiento en las reclamaciones económico-administrativas, aprobado por Real Decreto 1999/1981, de 20 de agosto (BOE de 9 de septiembre), entonces vigente, y, de tal modo, tener conocimiento del curso de las actuaciones, y, de otro, ante la supuesta tardanza del Tribunal Económico-Administrativo en decidir, nada hizo para excitar su celo y evitar el transcurso del plazo de prescripción.

En segundo término, porque el ejercicio de potestades públicas, además de con pleno sometimiento a la Ley y al derecho, ha de desarrollarse con objetividad y eficacia [artículos 103, apartado 1, de la Constitución y 6, apartado 1, de la Ley 7/1985, de 2 de abril, reguladora de las bases de régimen local (BOE de 3 de abril)], máxime si se tratan de competencias privativas, en cuyo caso se ejercen bajo la propia responsabilidad (artículo 7, apartado 2, de la citada Ley 7/1985). Los anteriores preceptos exigían del Ayuntamiento de... que, una vez expirado el período transitorio sobre la gestión de la contribución territorial urbana y su sucesor, el impuesto sobre bienes inmuebles, no se desentendiera de la suerte de los expedientes vivos o en curso, impulsando su tramitación hasta hacer efectivos los créditos tributarios de los que fuere titular.

En suma, no se le notificó la decisión de la reclamación económico-administrativa, pero la mínima diligencia como gestor de los intereses públicos debió impulsarle a interesarse sobre la situación del expediente, sin dejar transcurrir el tiempo y prescribir la potestad para liquidar y recaudar la contribución territorial urbana que...estaba obligada a pagar por el segundo semestre de 1988.

No cabe, pues, hablar de la existencia de un daño padecido por el Ayuntamiento de... que sea consecuencia exclusiva del funcionamiento de la Administración del Estado, sino que en el resultado lesivo tuvo que ver su comportamiento, de modo que ahora no puede pretender el resarcimiento de una situación a cuya creación contribuyó, debiendo desestimarse los dos motivos de casación y ratificarse el fallo de la sentencia impugnada».

6.2.3. La existencia de «concausas»: Su aplicación en la órbita tributaria, y efectos que ello genera

Ya indiqué con anterioridad que apreciándose la existencia de una relación de causalidad entre el funcionamiento de la Administración y los perjuicios así generados, y cumpliéndose, es obvio, todos los restantes requisitos exigidos normativamente para ello, debe apreciarse la existencia de tal responsabilidad patrimonial, salvo, como también apunté, que se aprecie la existencia de una «concausa», ya que si fuese así tal responsabilidad puede verse disminuida o, incluso, excepcionada.

Respecto a esta última precisión relativa a la posible existencia de «concausas», BLASCO ESTEVE (1987) ya escribió en su momento que: «Frente a la doctrina jurisprudencial que exige causalidad administrativa exclusiva, se ha abierto paso desde hace ya algunos años la doctrina opuesta, que admite el concurso causal en la producción del daño. Concretamente, junto al hecho dañoso procedente de la Administración se reconoce la existencia de otras concausas como puede ser la culpa de la víctima o el hecho de tercero».

En este sentido, en la STS de 30 de julio de 1994 (RJ 1994, 6309), Recurso núm. 2732/1991, citando otra precedente de este mismo órgano jurisdiccional de 23 de marzo de 1990 (RJ 1990, 2218), se declaró que la: «(...) exoneración de responsabilidad sólo se da cuando se acredite otra "concausa" producida por persona ajena a la Administración que se interfiera significativamente en la anterior relación con entidad suficiente para producir el daño o perjuicio en el patrimonio del reclamante, sin cuya "concausa" éste no se hubiera producido».

Esa concausa nada impide que pueda proceder del mismo perjudicado, tal como se ha declarado, en numerosas ocasiones por el Tribunal Supremo.

Así, por ejemplo, en la STS de 11 de julio de 1990 (RJ 1990, 5852) se afirmó, en términos generales, que «la teoría del riesgo no descansa en la mera causación de un evento lesivo dañoso ya que si la víctima se interfiere en la cadena causal, quedará el agente exonerado de responsabilidad»; en la STS de 21 de octubre de 1991 (RJ 1991, 7231), Recurso núm. 2213/1989, se señaló que «la responsabilidad se esfuma cuando el resultado dañoso se hubiese producido por descuido, yerro, omisión o falta de diligencia exclusivamente de la víctima del daño»; y en la STS de 27 de diciembre de 1999 (RJ 1999, 10072), Recurso de Casación núm. 6998/1995, se declaró que:

«(...) es doctrina jurisprudencial consolidada la que sostiene la exoneración de responsabilidad para la Administración, a pesar del carácter objetivo de la misma, cuando es la conducta del propio perjudicado o la de un tercero la única determinante del daño producido aunque hubiese sido incorrecto el funcionamiento del servicio público (Sentencias, entre otras, de 21 marzo, 23 mayo, 10 octubre y 25 noviembre 1995 (RJ 1995, 1981, RJ 1995, 4220, RJ 1995, 7049 y RJ 1995, 9501), 25 noviembre y 2 diciembre 1996 (RJ 1996, 8074 y RJ 1996, 8754), 16 noviembre 1998 (RJ 1998, 9876), 20 febrero, 13 marzo y 29 marzo 1999 (RJ 1999, 3146, RJ 1999, 3151 y RJ 1999, 3241))».

Idéntica doctrina se recoge también en, por ejemplo, por citar algunas más recientes, las Sentencias del Tribunal Supremo de 19 de junio de 2007 (RJ 2007, 3813), Recurso de casación núm. 10231/2003, y 21 de marzo de 2011 (RJ 2011, 3376), Recurso de Casación núm. 3656/2009.

En supuestos como los descritos lo usual es que se modere el importe de la indemnización.

Así, por ejemplo, en la STS de 30 de junio de 1997 (RJ 1997, 5409), Recurso de Casación núm. 2411/1993, se afirmó que: «Cuando ambos litigantes han incurrido en actuar culposo y sus respectivos comportamientos no llegaron a romper la relación de causalidad, como declara la Sentencia de 7 de junio de 1991 (RJ 1991, 4431), Recurso núm. 1545/1989, sin alzarse alguno de ellos en el único y decisivo factor desencadenante al accidente, esta situación no elimina el deber de indemnizar e impone una equitativa moderación y repartimiento del *quantum* a resarcir»; mientras que en la STS de 13 de abril de 1998 (RJ 1998, 2390), Recurso de Casación núm. 1147/1994, se manifestó que: «si un accidente se produce por varias causas –concausas– cuya conjunción provoca el suceso y todas provienen o responden a –autorías– sujetos distintos, no cabe sino computar en el resarcimiento reparador del daño declarado a favor de la víctima o dañado, su tanto de (...) autoría en aquella concausa, y, por ende, disminuir en el beneficio atributivo la suma que se considere porcentualmente adecuada en el parámetro de cien con el preciso módulo aritmético de que estará más próxima a éste, cuanto mayor haya sido su gravedad o influencia etiológica».

Esto conlleva, en suma, una modulación de la indemnización que corresponda, que, en palabras de MUÑOZ MACHADO (1998), «no es otra cosa que una compartición del detrimento patrimonial que la lesión ha producido, que se rellena por la doble contribución de la víctima (que se resigna en parte al restablecimiento pleno) y la Administración causante del daño».

Véanse asimismo en similares términos, entre otras muchas, las Sentencias del Tribunal Supremo de 10 de febrero de 1998 (RJ 1998, 1786), Recurso contencioso-administrativo núm. 496/1997, 12 de mayo de 1998 (RJ 1998, 4640), Recurso de Casación núm. 7113/1993, 22 de julio de 1988 (RJ 1988, 6095), Recurso de Apelación núm. 5400/1992, 26 de septiembre de 1998 (RJ 1998, 7071), Recurso de Casación núm. 1370/1994, 15 de marzo de 1999 (RJ 1999, 2147), Recurso de Casación núm. 2929/1994, 8 de julio de 1999 (RJ 1999, 4766), Recurso de Casación núm. 3633/1994, 14 de febrero de 2000 (RJ 2000, 675), Recurso de Casación núm. 1460/1995, 25 de mayo de 2000 (RJ 2000, 6278), Recurso de Casación núm. 1495/1996, 6 de octubre de 2000 (RJ 2000, 8136), Recurso de Casación núm. 2821/1995, 14 de noviembre de 2000 (RJ 2000, 8981), Recurso de Casación núm. 2944/1995, 29 de noviembre de 2001 (RJ 2001, 9519), Recurso de Casación núm. 2381/1996, 19 de julio de 2002 (RJ 2002, 8544), Recurso de Casación núm. 292/1997, 22 de julio de 2002 (RJ 2002, 7479), Recurso de Casación núm. 619/1997, 6 de noviembre de 2002 (RJ 2002, 9637), Recurso de Casación núm. 1021/1997, 21 de diciembre de 2002 (RJ 2002, 10934), Recurso de Casación núm. 1709/1997, 20 de enero de 2003 (RJ 2003, 886), Recurso de Casación núm. 8543/1998, 23 de enero de 2003 (RJ 2003, 800), Recurso de Casación núm. 8435/1998, 27 de enero de 2003 (RJ 2003, 2478), Recurso de Casación núm. 8312/1998, y 10 de junio de 2003 (RJ 2003, 5630), Recurso de Casación núm. 2025/2000.

El Consejo de Estado, por su parte, y como ha escrito NIETO GARCÍA (1986), ha insistido en la misma tendencia. Así, en su Dictamen de 1 de julio de 1971 afirmó que: «la concurrencia de culpas ha sido ampliamente aceptada por la jurisprudencia civil como circunstancia determinante no de una exoneración total de la responsabilidad, pero sí de una prudente moderación de la misma en los supuestos de responsabilidad extracontractual y *la misma doctrina es aplicable a los supuestos de responsabilidad de la Administración*».

Efectivamente así es, constituyendo simple muestra de ello, entre otras muchas que se podrían citar, las Sentencias del Tribunal Supremo de 11 de abril de 1986 (RJ 1986, 2633), 4 junio 1992 (RJ 1992, 4928), Recurso núm. 10905/1990, y 27 enero 2003 (RJ 2003, 2478), Recurso de Casación núm. 8312/1998, así como también la Sentencia de la Audiencia Nacional de 29 de noviembre de 2002 (JUR 2003, 26099), Recurso contencioso-administrativo núm. 84/2001.

Es preciso, en cualquier caso, poner de relieve que en este último caso, esto es, en el de responsabilidad patrimonial de la Administración, no cabe en puridad hablar de «compensación de culpas», ya que aquí no es necesario, hablar de culpa, aunque pueda existir, tal como bien afirmó en su momento MARTÍN REBOLLO (1994).

Dicha exoneración de responsabilidad patrimonial puede ser también, como es obvio, parcial, lo que se producirá en el supuesto de que el daño ocasionado haya sido debido tanto a la conducta de la Administración como a la del propio afectado, sea este público o privado.

Véanse a este respecto, por ceñirme a la esfera tributaria, las antes citadas Sentencias de la Audiencia Nacional de 29 de abril de 1999 (JT

1999, 1486) Recurso contencioso-administrativo núm. 531/1997, y 2 de marzo de 2001 (RJCA 2001, 889), Recurso contencioso-administrativo núm. 1761/1998, en las que se declaró:

«(...) la Sala entiende que la parte actora (*esto es, la correspondiente Corporación local*) pudo y debió interrumpir la prescripción mediante la oportuna presentación de escritos al TEAC, instándole a resolver la alzada en tiempo y forma, para que la notificación del acuerdo definitivo en la vía económica-administrativa fuera realizada dentro del oportuno plazo legal para impedir la producción de los efectos prescriptivos, porque si en las disposiciones especiales se prevé, artículos 40 núm. 2 de la LGP y 66 de la LGT, que cualquier reclamación o petición interrumpe la prescripción, es incuestionable que las deducibles en el procedimiento enjuiciado tienen suficiente virtualidad jurídica para interrumpirla, estando a cargo de la demandante, cuya falta de diligencia en este supuesto, si bien es cierto que no disculpa el tardío funcionamiento del TEAC determina la consideración equitativa de que *se debe repartir la culpa por mitad, entre la Administración Central y la Administración Local, correspondiendo el abono indemnizatorio de sólo el 50% de lo reclamado por la actora al Ministerio de Economía y Hacienda*».

6.3. La antijuricidad del daño

De acuerdo con el artículo 141.1 de la LRJ-PAC, en la redacción dada al mismo por la Ley 4/1999, de 13 de enero, «sólo serán indemnizables las lesiones producidas al particular provenientes de daños que éste no tenga el deber jurídico de soportar de acuerdo con la Ley».

Con ello, en suma, el legislador ha acogido el concepto de antijuricidad tradicional y usualmente admitido tanto en la doctrina como en la jurisprudencia, habiéndose declarado en, por ejemplo, las Sentencias del Tribunal Supremo de 4 de octubre de 1978 (RJ 1978, 3319), 31 de octubre de 1978 (RJ 1978, 3989), 10 de diciembre de 1979 (RJ 1979, 4153), 8 de marzo de 1982 (RJ 1982, 1242) y de 2 junio de 1982 (RJ 1982, 4177), que el daño es antijurídico o ilícito en todos los casos en que la Administración carezca de título legítimo que justifique en Derecho la irreversible carga impuesta al administrado, habiendo escrito a este respecto MARTÍN QUERALT (1978) que «la antijuricidad del efecto dañoso, subsiguiente a la actividad administrativa e imputable a la misma, se revela como el elemento determinante a la hora de fundamentar la exigencia de responsabilidad».

6.3.1. Existe daño antijurídico cuando no se tiene el deber jurídico de soportarlo

Conforme a lo expuesto el daño es antijurídico cuando el particular no tiene el deber jurídico de soportarlo, o, dicho de manera más técnica, en palabras de LEGUINA VILLA (1993), cuando la norma no obliga al perjudicado a soportar dicho daño, lo que se produce, de acuerdo con MARTÍN REBOLLO (1994) «cuando no haya, causas justificativas, legalmente previstas, que impongan el citado deber de tolerarlo».

Véanse, por ejemplo, las Sentencias del Tribunal Supremo de 19 de mayo de 1989 (RJ 1989, 2915), 19 de diciembre de 1989 (RJ 1989, 9867), 2 de noviembre de 1993 (RJ 1993, 8182), Recurso núm. 871/1990, 22 de abril de 1994 (RJ 1994, 2722), Recurso núm. 3197/1991, 20 de mayo de 1998 (RJ 1998, 4967), Recurso de Casación núm. 1339/1994, 18 de junio de 1999 (RJ 1999, 6238), Recurso de Casación núm. 3032/1995, 29 de junio de 1999 (RJ 1999, 6332), Recurso de Casación núm. 3233/1995, 13 de enero de 2000 (RJ 2000, 659), Recurso de Casación núm. 7837/1995, 14 de octubre de 2002 (RJ 2003, 861), Recurso de Casación núm. 5448/1998, 28 de octubre de 2002 (RJ 2002, 10234), Recurso de Casación núm. 5956/1998, 3 de mayo de 2007 (RJ 2007, 3689), Recurso núm. 3578/2003, 25 de septiembre de 2007 (2007, 7017), Recurso de Casación núm.2052/2003, 17 de marzo de 2009 (RJ 2009, 2270), Recurso de Casación núm. 11066/2004, 1 de julio de 2009 (RJ 2009, 6877), Recurso de Casación núm. 1515/2005, 20 de julio de 2010 (RJ 2010, 6499), Recurso de Casación núm. 5477/2008, 21 de marzo de 2011 (RJ 2011, 3376), Recurso de Casación núm. 3656/2009, y 21 de junio de 2011 (JUR 2011, 236398), Recurso de Casación núm. 3002/2007, en las que se ha declarado que no es el aspecto subjetivo del actuar antijurídico de la Administración el que debe exigirse para sostener el derecho a la indemnización, sino el objetivo de la ilegalidad del perjuicio, en el sentido de que el ciudadano no tenga el deber jurídico de soportarlo, añadiéndose que, en definitiva, la antijuridicidad es un elemento objetivo del daño, no una cualificación subjetiva de la actividad dañosa.

Y lo mismo se ha afirmado, entre otras, por las Sentencias de la Audiencia Nacional de 16 de enero de 2003 (JUR 2003, 26448), Recurso contencioso-administrativo núm. 1123/2001, y 21 de junio de 2006 (JUR 2006, 246300), Recurso contencioso-administrativo núm. 507/2005, en la que se señaló que «para que exista lesión en sentido propio no es suficiente con que exista un perjuicio material, sino que se requiere que ese perjuicio patrimonial sea antijurídico, y el perjuicio es antijurídico y se convierte en lesión resarcible siempre y cuando la persona que lo sufre no tiene el deber jurídico de soportarlo».

Véase también en esta línea la Sentencia del TSJ de Extremadura de 11 diciembre de 2001 (JUR 2002, 57295), Recurso contencioso-administrativo núm. 1912/1998, en la que, con alcance general, se afirmó que: «La jurisprudencia ha declarado reiteradamente que para que el daño concreto producido por el funcionamiento del servicio a uno o varios particulares sea antijurídico, basta con que el riesgo inherente a su utilización haya rebasado los límites impuestos por los estándares de seguridad exigibles conforme a la conciencia social», afirmaciones que se encuentran igualmente recogidas, entre otras, en las Sentencias del TSJ del Principado de Asturias de 8 de enero de 2002 (RJCA 2002, 281), Recurso contencioso-administrativo núm. 133/1998, del TSJ de las Islas Canarias (Las Palmas) de 8 de febrero de 2002 (RJCA 2002, 1143), Recurso contencioso-administrativo núm. 2354/1997, y del TSJ de Castilla-León, Burgos, de 5 de julio de 2002 (RJCA 2002, 720), Recurso contencioso-administrativo núm. 174/2001, 10 de octubre de 2002 (RJCA 2002, 1123), Recurso contencioso-administrativo núm. 374/2001, y 29 de noviembre de 2002 (RJCA 2002, 1124), Recurso contencioso-administrativo núm. 424/2001.

6.3.1.1. Algunos ejemplos de aplicación de esta tesis en la esfera tributaria

6.3.1.1.1. Procedimiento de apremio nulo, con pérdida de la propiedad de un terreno, siendo imposible la devolución

En la órbita específicamente tributaria puede citarse, por ejemplo, como muestra de lo hasta aquí señalado, la STS de 20 de marzo de 1998 (RJ 1998, 3315), Recurso de Apelación núm. 4004/1992, referida a un procedimiento de apremio nulo, con pérdida de la propiedad de un terreno, resultando imposible la devolución, por existencia de terceros hipotecarios, procediendo, por ello, la subsiguiente indemnización, integrada tanto por daño emergente, por el valor de mercado en la fecha en que se produjo el daño según prueba pericial, como por el lucro cesante, por la pérdida de un terreno urbano por una empresa inmobiliaria.

Se afirmó en concreto en esta Sentencia, como base de su resolución, que la entidad reclamante, una inmobiliaria, «no estaba obligada, en absoluto, a soportar el procedimiento ejecutivo a que fue sometida, toda vez que la providencia de apremio, la providencia de embargo, y el acuerdo de subasta pública, no fueron debidamente notificados, de ahí que hayan sido anulados, con carácter firme, por la sentencia de instancia».

Todo ello unido a que el daño sufrido por dicha inmobiliaria había sido efectivo y real por cuanto había sido desposeída o mejor dicho despojada de un terreno de su legítima propiedad, sin título jurídico válido alguno; a que el daño era evaluable económicamente, por tratarse de un bien patrimonial; a que existió una relación de causalidad entre el daño sufrido y la actuación de la Administración (procedimiento ejecutivo nulo) que no ofrecía la menor duda; y a que el daño causado estaba perfectamente individualizado en la persona de dicha inmobiliaria, justificó la declaración final de esta Sentencia estimatoria del recurso de apelación interpuesto.

6.3.1.1.2. Errónea adjudicación de una finca en un procedimiento ejecutivo, por continuar la misma indebidamente inscrita a nombre del deudor tributario en el Registro de la Propiedad

En parecidos términos, en la Sentencia de la Audiencia Nacional de 20 de julio de 2001 (JUR 2001, 296153), Recurso núm. 237/1999, se declaró que se había producido la errónea adjudicación de una finca en un procedimiento ejecutivo, siendo ello debido a que la misma continuaba inscrita en el Registro de la Propiedad a nombre del deudor tributario, no habiendo sido inscrita como bien de dominio público, lo que era imputable al expropiante de los terrenos, obligado a inscribir la ocupación de los mismos, por lo que habiéndose adjudicado y vendido, como propiedad del deudor tributario, una finca que no lo era, por encontrarse expropiada, había que reconocer la existencia de responsabilidad patrimonial de la Administración y, por consiguiente, el correspondiente derecho a una indemnización, afirmándose a este propósito:

«En el procedimiento administrativo de apremio seguido contra el deudor tributario se cumplieron los trámites y formalidades legales previstos en el RGR, pero la Administración dirigió la ejecución contra un bien que en ese momento ya no pertenecía al deudor ejecutado, porque había sido objeto de expropiación forzosa para su ocupación por la vía férrea, razón por la cual dichos terrenos habían pasado a tener la consideración de bien de dominio público, de acuerdo con lo dispuesto en el art. 33 del Real Decreto 121/94 de 28 de enero, siendo por lo tanto inembargable, según el artículo 132 de la Constitución.

La errónea adjudicación de la finca se debió a que la misma continuaba inscrita en el Registro de la Propiedad a nombre del deudor tributario, no habiendo sido inscrita como bien de dominio público, lo que es imputable al expropiante de los terrenos: RENFE. Concurriendo un funcionamiento normal de la Agencia Tributaria y anormal de RENFE, obligado a inscribir la ocupación de los terrenos, según el art. 63 del Reglamento Hipotecario.

El daño ocasionado por la Agencia Tributaria a la actora se debe al hecho de haberle adjudicado y vendido, como propiedad del deudor tributario, una finca que no lo era, por encontrarse expropiada y el error en la identidad física del inmueble al no constar inscrita a favor de RENFE, y a haber sido calificada en el Plan General de Ordenación Urbana de Reus como "Unidad de Actuación Industrial".

Dicha calificación, que consta en el escritura de venta de 25 de Octubre de 1990, pone de manifiesto la existencia de un error esencial en la identidad física de la finca, acreditado en el expediente, donde consta un certificado del Centro de Gestión Catastral y Cooperación Tributaria de Tarragona en el que D. MIGUEL R. C. aparece como titular catastral de la finca que se declaró de propiedad de D. Ernesto T. A. y Dª Juana B. B.

Así pues, la no inscripción del resto de la finca matriz a favor de la RENFE; la confusión de esta finca con la de referencia catastral 53.01.001, cuya titularidad se atribuyó a D. MIGUEL R. C. por el Centro de Gestión Catastral y Cooperación Tributaria, dependiente del Ministerio de Economía y Hacienda; y, la calificación de la finca como "Unidad de Actuación Industrial" por parte del Ayuntamiento de Reus, determinaron que el bien que se adjudicó a la actora no era el que certificaba el Centro de Gestión Catastral ni el que calificaba como suelo industrial el Ayuntamiento de Reus, como se hacía constar en la escritura de venta sino un bien de carácter inembargable e inalienable por su condición de dominio público, siendo esta actuación irregular, la causa de que el acto de adjudicación no tuviera eficacia traslativa de la propiedad del inmueble ejecutado al rematante por nulidad sobrevenida causada por error esencial sobre el objeto dando así lugar al detrimento patrimonial sufrido por los adjudicatarios, *que no tenían el deber jurídico de soportarlo* y determina que sea irrelevante la inexistencia de culpa o negligencia en la Administración, una vez acreditado que la lesión sufrida por la actora tiene su origen en un procedimiento administrativo de apremio que formalmente fue tramitado con regularidad, pero materialmente por la demandante se incurrió en la nulidad citada, y procede declarar la responsabilidad patrimonial de la Administración según el art. 139 de la Ley 30/92».

6.3.1.1.3. *Actuaciones practicadas por la Inspección derivadas del cambio de criterio de la Administración tributaria respecto del tipo de IVA aplicado a los productos zoosanitarios*

En similar línea, en la STS de 17 de noviembre de 2010 (RJ 2010, 8531), Recurso de Casación núm. 1316/2009, se estimó también la existencia de nexo causal y de daño antijurídico, reconociéndose, pues, la solicitud de responsabilidad patrimonial de la Administración tributaria, en relación con los daños y perjuicios ocasionados como consecuencia de las actuaciones realizadas por la Inspección de Madrid, derivadas del cambio de criterio de la Administración tributaria respecto del tipo de IVA aplicado a los productos zoosanitarios para la higiene, cuidado y productos de alimentos. Se declaró, en concreto, en esta Sentencia lo siguiente:

«Si entre la actuación administrativa y el daño tiene que haber una relación de causalidad, una conexión de causa o efecto, que puede ser directo, inmediato o exclusivo, o indirecto, sobrevenido o concurrente con hechos dañosos de terceros o de la propia víctima, siempre que exista algún punto de conexión entre el perjuicio patrimonial sufrido y el servicio público, resulta que en el supuesto que enjuiciamos, la recurrente a pesar de que no era la destinataria final del impuesto, sino un mero obligado a ingresar las cantidades que se habían de repercutir en los precios abonados por sus clientes en el período impositivo por el IVA, es evidente que al firmar un acta previa de conformidad ante la Inspección de la Agencia Estatal de Tributos por la que tuvo que ingresar otras cantidades además de sus intereses por el diferencial del IVA, con la seguridad que dicho importe podía ser recuperado de sus clientes, y con la confianza de que aquellas actas eran conformes a Derecho, pues, se sustentaban en el criterio señalado por la Dirección General de Tributos en su respuesta de fecha veintitrés de mayo de dos mil dos a la consulta 0781-0256 formulada respecto del tipo aplicable de forma genérica sobre los productos de higiene y cuidado de ubres de los animales en la que se concluyó que el tipo impositivo aplicable era el dieciséis por ciento y no el siete por ciento, sufrió un perjuicio jurídico al conocer posteriormente como reconoció la Administración el cambio de criterio de la Dirección General de Tributos respecto del tipo impositivo del IVA a los productos sanitarios comercializados, que se estableció en el tipo reducido del siete por ciento.

De ahí, existió nexo causal entre la actuación administrativa y el perjuicio sufrido por el reclamante, pues, este daño es antijurídico y como tal el recurrente no tiene la obligación de soportar, máxime cuando su actuación fue *civiliter* al aquietarse al criterio de la Administración».

6.3.1.1.4. Actos de ejecución y subasta de bienes por la Agencia Tributaria anulados por estimación de recursos posteriores

También se ha reconocido estar en presencia de un daño antijurídico, siendo por ello procedente la indemnización en concepto de responsabilidad patrimonial de la Administración, en el supuesto resuelto por la STS de 5 de mayo de 2010 (RJ 2010, 4798), Recurso de Casación núm. 559/

2006, en relación con unos actos de ejecución y subasta de bienes por la Agencia Tributaria anulados por estimación de ulteriores recursos, afirmándose en esta Sentencia –en contra de la alegación del Abogado del Estado de que «debió el recurrente de intentar evitar, a través de la suspensión, que entre tanto se resuelvan los recursos, se realizara la ejecución, por lo que, al no haberse opuesto eficazmente con las medidas suspensivas a su alcance y adoptar una actitud pasiva, ello excluía la responsabilidad (...) de la Administración»– que este argumento carece de sentido a efectos de enervar la responsabilidad de la Administración, «dado que, evidentemente, al actor no se le puede exigir, ante una conducta disconforme a derecho, la realización de una actividad dirigida a obtener la suspensión de las actuaciones administrativa que, inevitablemente hubiera originado gastos, resultando la argumentación del Sr. Abogado del Estado, como lo entendió la sentencia de instancia, ineficaz a efectos de cuestionar la responsabilidad de la Administración».

6.3.2. Se excluye la antijuricidad, no existiendo responsabilidad patrimonial de la Administración, en el supuesto de que exista el deber jurídico de soportar el daño

Si existe la obligación de soportar el perjuicio causado por la Administración, si las normas imputan al particular los efectos dañosos de una determinada intervención administrativa, esto es, si alguna norma permite expresamente a la Administración la producción del detrimento patrimonial, ello significa, en palabras de LEGUINA VILLA (1980), «que la víctima tiene el deber de soportarlo, el perjuicio causado no es antijurídico y, en consecuencia, la Administración no estará obligada a repararlo».

En tal caso sí concurre una causa o título de justificación excluyente de la antijuricidad del daño producido por mencionada actuación administrativa, tal como se declaró, entre otras, por las Sentencias del Tribunal Supremo de 3 de enero de 1979 (RJ 1979, 7), 27 de septiembre de 1979 (RJ 1979, 3299), 7 de octubre de 1995 (RJ 1995, 7149), Recurso núm. 878/1993, 27 de junio de 1997 (RJ 1997, 5352), Recurso de Apelación núm. 5252/1990, 16 de diciembre de 1997 (RJ 1997, 8786), Recurso de Casación núm. 4880/1993, 18 de febrero de 1998 (RJ 1998, 1679), Recurso de Apelación núm. 6742/1990, 20 de mayo de 1998 (RJ 1998, 4967), Recurso de Casación núm. 1339/1994, 11 de marzo de 1999 (RJ 1999, 3035), Recurso de Casación núm. 6616/1994, 18 de octubre de 1999 (RJ 1999, 8679), Recurso de Casación núm. 5763/1995, 13 de enero de 2000 (RJ 2000, 659), Recurso de Casación núm. 7837/1995, 31 de octubre de 2000 (RJ 2000, 9384), Recurso de casación para la unificación de doctrina núm. 1620/2000, 25 de noviembre de 2000 (RJ 2001, 550), Recurso de

Casación núm. 7541/1996, 10 de febrero de 2001 (RJ 2001, 2629), Recurso de Casación núm. 6806/1996, 19 de abril de 2001 (RJ 2001, 2896), Recurso de Casación núm. 8770/1996, 12 de julio de 2001 (RJ 2001, 6692), Recurso de Casación núm. 3655/1997, 27 de enero de 2003 (RJ 2003, 971), Recurso de Casación núm. 8307/1998, y 3 de mayo de 2007 (RJ 2007, 3689), Recurso núm. 3578/2003; habiéndose declarado también que las restricciones o limitaciones impuestas por una norma, precisamente por el carácter de generalidad de la misma, deben ser soportadas, en principio, por cada uno de los individuos que integran el grupo de afectados, en aras del interés público, tesis ésta recogida en, por ejemplo, las Sentencias del Tribunal Supremo de 4 de junio de 1990 (RJ 1990, 4689), 21 de enero de 1991 (RJ 1991, 1667), 25 de junio de 1992 (RJ 1992, 5996), Recurso núm. 37/1989, y 7 de julio de 1997 (RJ 1997, 5636), Recurso de Apelación núm. 8582/1991, y la Sentencia de la Audiencia Nacional de 23 de junio de 2010 (JUR 2010, 249530), Recurso contencioso-administrativo núm. 851/2009.

En algunas de las Sentencias referidas se ha afirmado, aludiendo a la cuestión del ejercicio de potestades discrecionales y a la aplicación de conceptos jurídicos indeterminados por parte de la Administración, y recogiendo doctrina ya sustentada por la precedente STS de 5 de febrero de 1996 (RJ 1996, 987), Recurso núm. 2034/1993, que en los supuestos de ejercicio de potestades discrecionales por la Administración «parece que no existiría duda de que siempre que el actuar de la Administración se mantuviese en unos márgenes de apreciación no sólo razonados sino razonables debería entenderse que no podría hablarse de existencia de lesión antijurídica, dado que el particular vendría obligado por la norma que otorga tales potestades discrecionales a soportar las consecuencias derivadas de su ejercicio siempre que éste se llevase a cabo en los términos antedichos».

En casos así estaríamos, pues, ante un supuesto en el que existiría una obligación de soportar el posible resultado lesivo, añadiéndose en dichas Sentencias que esta doctrina es igualmente aplicable a aquellas situaciones «en que en la aplicación por la Administración de la norma jurídica al caso concreto no haya de atender sólo a datos objetivos determinantes de la preexistencia o no del derecho en la esfera del administrado, sino que la norma antes de ser aplicada ha de integrarse mediante la apreciación, necesariamente subjetivada, por parte de la Administración llamada a aplicarla, de conceptos indeterminados determinantes del sentido de la resolución».

En ambos casos es necesario reconocer, por tanto, según esta doctrina, un determinado margen de apreciación a la Administración que, en tanto en cuanto se ejercite dentro de márgenes razonados y razonables conforme a los criterios orientadores de la jurisprudencia y con absoluto respeto a los aspectos reglados que pudieran concurrir, haría desaparecer el carácter antijurídico de la lesión y, por tanto, faltaría uno de los requisitos exigidos con carácter general para que pueda operar el instituto de la responsabilidad patrimonial de la Administración.

6.3.2.1. Supuestos de acogimiento de esta doctrina en la órbita tributaria

6.3.2.1.1. Los Ayuntamientos tienen la obligación jurídica de soportar las consecuencias de una incorrecta valoración catastral

En la esfera tributaria esta situación de falta de antijuricidad del daño y, por ende, de inexistencia de responsabilidad patrimonial de la Administración tributaria, se recoge en, por ejemplo, la Sentencia de la Audiencia Nacional de 20 de enero de 2006 (JUR 2006, 265143), Recurso contencioso-administrativo núm. 423/2003, en la que se declaró, en relación con unos daños y perjuicios causados a un Ayuntamiento como consecuencia de anulación de liquidación del IIVTNU, debido a la incorrecta asignación del valor catastral atribuido por la Gerencia Territorial del Catastro, que el Ayuntamiento tenía la obligación jurídica de soportar las consecuencias de una incorrecta valoración catastral, en cuanto la Ley ha atribuido la competencia para la fijación del valor a la Administración estatal, dividiendo las competencias en materia de gestión tributaria, señalándose a este respecto lo siguiente:

«(...) conforme a la Ley 39/1988 –en la redacción vigente en 1990–, es competencia del Centro de Gestión Catastral la atribución del valor catastral a los bienes inmuebles a efectos de determinar la base imponible del IBI y los parámetros del IIVT. Significa ello que nos encontramos ante conceptos tributarios cuya gestión es compartida en cuanto a la Administración del Estado corresponde una fase y al Ayuntamiento otra –esencialmente liquidación y recaudación–.

Existe pues un reparto competencial entre ambas Administraciones. Así las cosas, la asignación del valor catastral corresponde a la Administración del Estado en una fase de gestión tributaria a la que es ajena el Ayuntamiento. Pues bien, las consecuencias de una incorrecta valoración catastral, es algo que el Ayuntamiento tiene la obligación jurídica de soportar en cuanto la Ley ha atribuido la competencia para la fijación del valor a la Administración estatal, suponiendo ello una división de las competencias en materia de gestión tributaria en los conceptos tributarios que analizamos. Se trata de fases distintas en la gestión tributaria, por ello no es susceptible de causar responsabilidad patrimonial lo actuado en cada una de ellas, respecto de la Administración competente para la otra fase.

Falta pues el elemento de la no obligatoriedad jurídica de soportar el daño causado, lo que imposibilita el reconocimiento de una responsabilidad patrimonial a cargo del Estado».

6.3.2.1.2. Liquidaciones tributarias anuladas, no por su improcedencia, sino por razones de anulabilidad

En similares términos nos encontramos con la STS de 4 de mayo de 2011 (RJ 2011, 3928), Recurso de Casación núm. 2/2007, recaída en un recurso en el que se había solicitado esta responsabilidad por la práctica de unas liquidaciones, con el apremio correspondiente, que posteriormente fueron anuladas por el TEAR, siendo así que tal la anulación no se había debido a la improcedencia de las liquidaciones, sino a razones de anulabilidad, dando lugar a nuevas liquidaciones en las que subsanaron los vicios, por lo que actuación de la Administración había sido conforme a Derecho.

Se declaró a este respecto en esta Sentencia lo siguiente:

«El segundo de los motivos plantea la infracción por inaplicación del artículo 106.2 de la Constitución y los artículos 139 y siguientes de la Ley 30/1992 y jurisprudencia aplicable.

Cita el artículo 142.4 de la Ley 30/1992 que invoca la sentencia de instancia. Se opone por la Administración que los perjuicios fueron reparados con las devoluciones y los intereses abonados de modo que no hubo perjuicio alguno que pudiera ser objeto de reclamación.

Tampoco este motivo puede seguir suerte distinta del anterior. Y ello porque como expresó la sentencia de instancia la actuación de la Administración siguió los cauces adecuados para ello, de modo que su actuación fue conforme a Derecho sin que concurriera en el modo en que procedió el requisito de la antijuridicidad del daño. Lo cierto es que se produjeron actuaciones de la Administración tributaria que fueron sucesivamente anuladas por el Tribunal Administrativo Regional por diferentes razones que la sentencia expone, y que dieron lugar a nuevas liquidaciones en las que se subsanaron los vicios de los que aquellas adolecían. Como la propia sentencia expresa la Administración en los supuestos que se declaró procedente devolvió las cantidades indebidamente ingresadas con los intereses correspondientes, y en el resto de los supuestos se giraron las liquidaciones definitivas correspondientes a las que el recurrente había de hacer frente para satisfacer en los términos finalmente establecidos y en los que era deudor como sujeto tributario del impuesto sobre sucesiones por el que las liquidaciones se giraban.

En consecuencia la Administración no causó al recurrente daño alguno susceptible de generar responsabilidad patrimonial de la Administración puesto que no se le produjo lesión proveniente de daños que éste no tuviera el deber jurídico de soportar de acuerdo con la Ley».

6.3.2.1.3. *No aplicación por la Inspección de un nuevo criterio jurisprudencial, por considerar que el mismo no procedía, al existir sólo una STS, que no constituye jurisprudencia*

En la misma línea apuntada en las páginas precedentes se encuentra la Sentencia de la Audiencia Nacional de 25 de mayo de 2011 (JUR 2011, 195205), Recurso contencioso-administrativo núm. 303/2010, en la que se examinó la pretensión de un obligado tributario al que se había denegado la indemnización por él solicitada, con base a la liquidación derivada de un acta de 20 de noviembre de 2007, firmada en conformidad, referida a retenciones en concepto de IRPF, ejercicios 2002 a 2004, y ante lo que el actor –al haber aplicado la Administración los criterios jurisprudenciales anteriores a la STS de 27 de febrero de 2007, por entender que el nuevo criterio, al existir sólo una sentencia, no podía entenderse que implicase una línea jurisprudencial– pretendía que se tuviese en cuenta la doctrina de dicha Sentencia.

Frente a dicha alegación la Audiencia Nacional estimó que el recurrente debía soportar los perjuicios derivados de la interpretación realizada por la Inspección tributaria, afirmando a este respecto lo siguiente:

«Resulta claro que el interesado tiene la obligación de soportar la actuación de la Administración Inspectora en el ejercicio de las facultades que le vienen atribuidas por la Ley. El problema es el alcance de ese deber de soportar la actuación de la Inspección. Pues bien, en el presente caso, la Hacienda liquidó una deuda tributaria en concepto de retenciones de IRPF tras el correspondiente procedimiento de comprobación e inspección, si bien, lo hizo sin aplicar un nuevo criterio del TS que contradecía una doctrina reiterada anterior.

La Sala en sus recientes decisiones ha entendido que el deber de soportar la actuación inspectora engloba el de soportar una concreta valoración de hechos e interpretación de las normas realizada por la Inspección para calificar los hechos a efectos tributarios, aplicar las normas y emitir la correspondiente liquidación. Esta facultad interpretativa en la aplicación del ordenamiento jurídico se encuentra implícita en las facultades que los artículos anteriores atribuyen a la Inspección. Ahora bien, la valoración de los hechos y la interpretación de las normas que viene atribuida a la Inspección, ha de desarrollarse en un ámbito de racionalidad y con respeto a las reglas interpretativas, de suerte que los sujetos pasivos están obligados a soportar interpretaciones que se ajusten a las reglas de la lógica jurídica, no aquellas que se separen de ella.

Por ello, sólo los planteamientos que contradigan otros reiterados anteriores, se separen de una interpretación judicial reiterada, de instrucciones de los superiores jerárquicos, o de una interpretación asumible desde las reglas de la lógica jurídica, pueden dar lugar a la Responsabilidad que nos ocupa, porque en tales casos la labor interpretativa no es conforme a las reglas de la interpretación de las normas jurídicas, y por tal razón el perjudicado no tiene obligación de soportar los perjuicios derivados de esa concreta interpretación.

En el presente caso no se aprecia, además de lo dicho anteriormente, una actuación arbitraria de la Inspección. Efectivamente, la cuestión que se discutió era la referente a la aplicación de un nuevo criterio jurisprudencial, que la Administración entendió que no procedía ya que sólo existía una sentencia del Alto Tribunal, que no constituye jurisprudencia. Esta afirmación encuentra fundamento jurídico en el artículo 1.6 del Código Civil y por ello, es una interpretación razonable.

Por tal razón, los perjuicios derivados de la interpretación realizada por la Inspección debían legalmente ser soportados por el interesado, sin perjuicio, obviamente, de su derecho a recurrir, ya que la cuestión de fondo sobre la liquidación debió ventilarse por las vías ordinarias de impugnación, pues lo que subyace es una diferencia interpretativa. La recurrente sin embargo firmó el acta en conformidad aceptando la interpretación de la Administración, por ello no puede ahora pretender una indemnización como consecuencia de una actuación de la Administración, razonable desde el punto de vista jurídico y aceptada por ella».

6.3.2.1.4. *Análisis específico de la obligación de la Administración tributaria de indemnizar al reclamante por el coste de los avales ofrecidos para suspender la ejecución de una deuda tributaria, incluidos los intereses legales, y del resarcimiento de los gastos satisfechos por los reclamantes a abogados y procuradores*

Una cuestión concreta relacionada con la que se viene analizando se ha planteado respecto a la obligación de la Administración de reembolsar el coste de las garantías ofrecidas para suspender la ejecución de una deuda tributaria, cuando ésta haya sido declarada improcedente.

En el supuesto de que la reclamación económico-administrativa fuese estimada en sentido favorable a las pretensiones del reclamante, y este hubiese aportado garantías para alcanzar la suspensión de la ejecución del acto impugnado, parece evidente que tiene que ser la Administración tributaria la que debe soportar el coste que al interesado le supuso la constitución de la garantía, básicamente del aval, para alcanzar la suspensión, en el supuesto de que ésta hubiese sido necesaria a estos fines.

Así lo impone la lógica, ya que tales gastos se han generado, cuando se produce la anulación del acto reclamado, como consecuencia de un incorrecto actuar administrativo, de un deficiente funcionamiento de los servicios públicos.

Así lo reconoció también el Consejo de Estado, el cual, por ejemplo en su Dictamen de 15 de diciembre de 1988, indicó que: «el principio general de indemnidad consagrado en nuestro ordenamiento, supone restituir al particular de toda lesión patrimonial sufrida cuando ésta sea consecuencia directa del funcionamiento normal o anormal de la Administración, en una cuantía tal que se restablezca en su integridad su situación patrimonial en idénticos términos a los que ésta se encontraba antes de producirse el evento lesivo».

Así se señaló asimismo por la práctica generalidad de la doctrina –véanse, entre otros muchos autores, IBAÑEZ GARCÍA (1992), CAAMAÑO ANIDO (1993), HERRANZ DÍAZ (1994), BANACLOCHE PALAO (1995) y MATA SIERRA (1997)–, que puso de relieve a este respecto que el fundamento de esta devolución radica en el principio general de responsabilidad de la Administración, en cuanto nos hallamos en presencia de una actuación administrativa antijurídica que ocasiona al contribuyente una lesión patrimonial efectiva, individualizada y económicamente evaluable, siendo evidente la relación de causalidad entre la adopción del acto recurrido y la prestación de la garantía, y que el resarcimiento por parte de la Administración de los gastos ocasionados al reclamante para constituir la garantía, en el supuesto de que se anule el acto impugnado por los órganos económico-administrativos, es una solución lógica de acuerdo con el principio de responsabilidad de la Administración.

Y así, en fin, se declaró por la jurisprudencia, siendo ilustrativas a este fin, entre otras muchas, las Sentencias del Tribunal Supremo de 3 de febrero de 1989 (RJ 1989, 847), 3 de abril de 1990 (RJ 1990, 2774), 10 de diciembre de 1991 (RJ 1991, 9418), Recurso núm. 2299/1989, 19 de julio de 1995 (RJ 1995, 6041), Recurso núm. 372/1991, 9 de octubre de 1996 (RJ 1996, 7255), Recurso de Casación núm. 221-3/1994, 30 de abril de 1997 (RJ 1997, 3475), Recurso de Apelación núm. 7009/1992, 1 de octubre de 1997 (RJ 1997, 7741), Recurso contencioso-administrativo núm. 427/1994, 18 de febrero de 1998 (RJ 1998, 1393), Recurso de Apelación núm. 8104/1991, 2 de julio de 1998 (RJ 1998, 6026), Recurso de Apelación núm. 7252/1992, 18 de septiembre de 1998 (RJ 1998, 7519), Recurso de Apelación núm. 239/1993, 26 de septiembre de 1998 (RJ 1998, 7885), Recurso de Apelación núm. 6394/1992, 13 de marzo de 1999 (RJ 1999, 2519), Recurso de Casación núm. 3068/1994, 3 de abril de 1999 (RJ 1999, 2963), Recurso de Casación núm. 5201/1994, 28 de julio de 1999 (RJ 1999, 7109), Recurso de casación para la unificación de doctrina núm. 8746/1994, 30 de julio de 1999 (RJ 1999, 6391), Recurso de Casación núm. 7007/1994, 23 de abril de 2002 (RJ 2002, 4254), Recurso contencioso-administrativo núm. 480/1998, 19 de junio de 2002 (RJ 2002, 5609), Recurso de Casación núm. 3171/1997, 20 de enero de 2003 (RJ 2003, 672), Recurso de Casación núm. 8474/1998, 31 de enero de 2003 (RJ 2003, 2708), Recurso de Casación núm. 1124/1998, 19 de septiembre de 2007 (RJ 2007, 6304), Recurso de casación para la unificación de doctrina núm. 383/2003, 20 de diciembre de 2007 (RJ 2008, 76), Recurso de casación para la unificación de doctrina núm. 386/2003, y 11 de noviembre de 2008 (RJ 2008, 5552), Recurso de Casación núm. 5175/2004.

En ellas se afirmó que cuando se anule un acto administrativo los gastos bancarios del aval prestado constituyen un daño que el ciudadano no está obligado a soportar, ya que se ha visto obligado a ello para mantener indemne su patrimonio frente al acto ilegal, por lo que la Administración debe responder debe responder del gasto causado por esta actuación para así alcanzar el pleno restablecimiento de la situación jurídica.

Lo mismo se ha declarado por, entre otras, las Sentencias de la Audiencia Nacional de 19 de mayo de 2006 (JUR 2006, 187838), Recurso contencioso administrativo núm. 153/2004, 26 de mayo de 2006 (JUR 2006, 187630), Recurso contencioso-administrativo núm. 233/2004, y 28 de junio de 2007 (JUR 2007, 229086), Recurso contencioso-administrativo núm. 15/2005.

Esta tesis de tener que proceder a reembolsar los gastos incurridos por la constitución de una garantía para alcanzar la suspensión de la ejecución del acto reclamado es la que, por fortuna, terminó por prevalecer, puesto que el artículo 12 de la actualmente derogada Ley 1/1998, de 26 de febrero, reguladora de los Derechos y Garantías de los Contribuyentes –Ley a partir de la cual, como se declaró, de forma clara y concluyente, por la STS de 18 de septiembre de 1998 (RJ 1998, 7519), Recurso de

Apelación núm. 239/1993, el reembolso de los gastos de avales es materia económico-administrativa, por lo que, se indicó, el TEAC debería abstenerse ya de seguir manteniendo lo contrario, como hasta entonces había venido entendiendo de forma reiterada–, señaló que la Administración tributaria reembolsaría, previa acreditación de su importe, el coste de las garantías aportadas para suspender la ejecución de una deuda tributaria, en cuanto ésta fuese declarada improcedente por sentencia o resolución administrativa y dicha declaración adquiriese firmeza, añadiéndose que en el supuesto de que la deuda tributaria fuese declarada parcialmente improcedente el reembolso alcanzaría a la parte correspondiente del coste de susodichas garantías.

Citado artículo 12 de la Ley de Derechos y Garantías de los Contribuyentes fue reglamentariamente desarrollado por el Real Decreto 136/2000, de 4 de febrero, en el que se indicó que el reembolso a cargo de la Administración del gasto de dichas garantías aportadas por los reclamantes alcanzaría a «los costes necesarios para su formalización, mantenimiento y cancelación», no diciéndose nada, sin embargo, respecto a la obligación de reembolsar, asimismo, los intereses legales de las cantidades satisfechas.

Pese a este silencio normativo en cuanto al resarcimiento de los intereses legales satisfechos por la constitución de aval, para conseguir la suspensión de la ejecución de la deuda tributaria reclamada, la jurisprudencia se mostró receptiva a esta, sin duda, acertada petición de los obligados tributarios, y buena muestra de ello es, por ejemplo, por citar alguna en concreto, la STS de 20 de enero de 2003 (RJ 2003, 672), Recurso de Casación núm. 8474/1998, en la que se declaró, sin sombra de duda, el derecho que los recurrentes tenían a ser oportunamente indemnizados con los intereses legales devengados por los gastos financieros en que habían incurrido para constituir los avales garantizadores del pago de la deuda tributaria.

Esta solución terminó por adquirir rango legal, toda vez que el artículo 33 de la vigente LGT, tras indicar en su apartado 1 que: «La Administración tributaria reembolsará, previa acreditación de su importe, el coste de las garantías aportadas para suspender la ejecución de un acto o para aplazar o fraccionar el pago de una deuda si dicho acto o deuda es declarado improcedente por sentencia o resolución administrativa firme» –la obligación de reembolsar los costes de las garantías es una de las obligaciones de contenido económico establecidas en la LGT a cuyo cumplimiento queda obligada la Administración tributaria de conformidad con lo establecido en el artículo 30.1 de dicha Ley–, añade, en su apartado 2, que: «Con el reembolso de los costes de las garantías, la Administración tributaria abonará el interés legal vigente a lo largo del período en el que se devengue sin necesidad de que el obligado tributario lo solicite», a cuyos efectos el interés legal se devengará desde la fecha debidamente acreditada en que se hubiese incurrido en tales costes hasta la fecha en que se ordene el pago, afirmándose lo propio en la letra d) del apartado 1 del artículo 74 del Real Decreto 520/2005, de 13 de mayo, por el que se aprueba el Reglamento general de desarrollo de la LGT en materia de revisión en vía administrativa (RRVA).

En citado Reglamento se detalla de forma pormenorizada el alcance del reembolso del coste de las garantías en sus artículos 72 a 74, así como el procedimiento a seguir para hacer efectivo susodicho reembolso, en sus artículos 75 a 79.

En cuanto al alcance del reembolso del coste de estas garantías se precisa que el ámbito de aplicación de tal reembolso alcanzará a los costes necesarios para su formalización, mantenimiento y cancelación de las garantías que, prestadas de conformidad con la normativa aplicable, hayan sido aceptadas, citando expresamente los avales o fianzas de carácter solidario de entidades de crédito o sociedades de garantía recíproca o certificados de seguro de caución, las hipotecas mobiliarias e inmobiliarias, las prendas con o sin desplazamiento, y cualquier otra garantía que la Administración o los Tribunales hubiesen aceptado; y se añade, en análogos términos al artículo 33.1 de la LGT, que en los casos de resoluciones administrativas o sentencias judiciales que declaren parcialmente improcedente el acto impugnado, mencionado reembolso alcanzará a los costes proporcionales de la garantía que se haya reducido, habiéndose pronunciado por ejemplo en este sentido la STSJ de Andalucía, Sevilla, de 11 de febrero de 2010, Recurso contencioso-administrativo núm. 413/2007.

Sobre esta cuestión se ha manifestado con detalle la Resolución del TEAC de 6 de octubre de 2010, Recurso extraordinario de alzada para unificación de criterio núm. 3286/2010, en la que se declaró que no procede el reembolso total de los costes pagados por formalización del aval aportado para suspender la ejecución de un acto, cuando dicho acto o la deuda se declare parcialmente improcedente en virtud de sentencia o resolución administrativa firme, sino que únicamente tendrá derecho, en su caso, a ser reintegrado de la parte proporcional de dichos costes asociados a la garantía prestada en la porción de la deuda declarada improcedente, todo ello sin perjuicio de que el obligado tributario inste procedimiento de responsabilidad patrimonial respecto de otros costes distintos, añadiendo que el obligado que pretenda la suspensión de la inmediata ejecutividad del acto administrativo debe soportar los costes de la cuantía cubierta por la caución que resulte declarada procedente por cuanto que la garantía prestada cubre el resultado económico que se derive de la resolución a la impugnación del acto administrativo con independencia de que, en ejecución de fallo, se dicte nuevo acto administrativo de liquidación por la parte no afectada por la anulación declarada.

Por su parte, el artículo 74 del RRVA puntualiza que el coste de las garantías se integra, según cuáles hayan sido las aportadas, por las partidas siguientes:

a)   En los avales o fianzas de carácter solidario y certificados de seguro de caución, por las cantidades efectivamente satisfechas a la entidad de crédito, sociedad de garantía recíproca o entidad aseguradora en concepto de primas, comisiones y gastos por formalización, mantenimiento y cancelación del aval, fianza o certificado, que se hayan devengado hasta la fecha en que se produzca la devolución de referidas garantías.

b)   En las hipotecas mobiliarias e inmobiliarias y prendas con o sin desplazamiento, el coste de las mismas incluirá las cantidades satisfechas por los gastos derivados de la intervención de un fedatario público; los registrales; los derivados de la tasación o valoración de los bienes ofrecidos en garantía a que se refiere la normativa reguladora de las reclamaciones económico-administrativas; y los tributos derivados directamente de la constitución de la garantía y, en su caso, de su cancelación.

c)   Y cuando se hubiesen aceptado por la Administración o por los Tribunales garantías diferentes de las especificadas en las dos letras anteriores, se admitirá el reembolso de los costes de las mismas, los cuales están limitados, de forma exclusiva, a los acreditados en que se hubiera incurrido de manera directa para su formalización, mantenimiento y cancelación, y que se hayan devengado hasta la fecha en que se produzca la devolución de la garantía.

En cualquier caso, se abonará el interés legal vigente que se devengue desde la fecha debidamente acreditada en que se hubiese incurrido en dichos costes hasta la fecha en que se ordene el pago; interés este que igualmente se tiene que satisfacer, hasta el día en que se produzca la devolución del depósito, en el supuesto de que la garantía constituida lo hubiese sido mediante depósito de dinero, sin perjuicio de la aplicación también de lo indicado en las letras c) y d) del apartado 1 del artículo 74 del RRVA respecto a los costes de constitución del depósito.

El procedimiento se iniciará a instancia del interesado mediante escrito que se dirigirá al órgano competente para su resolución, el cual, a tenor del artículo 75 del RRVA, es la Administración, entidad u organismo que hubiere dictado el acto posteriormente declarado improcedente.

Citado escrito deberá contener los extremos que se mencionan en el artículo 2 del RRVA, ya tratados precedentemente en esta obra, y al mismo deben acompañarse los siguientes datos o documentos:

– Copia de la resolución administrativa o sentencia judicial firme por la que se declare improcedente, de forma total o parcial, el acto administrativo o deuda cuya ejecución se suspendió.

– Acreditación del importe al que ascendió el coste de las garantías cuyo reembolso se solicita e indicación de la fecha efectiva de pago.

– Declaración expresa del medio elegido por el que haya de efectuarse el reembolso, de entre los señalados por la Administración competente.

– Y, en su caso, una solicitud de compensación, en los términos previstos en el RGR.

El órgano que tramite el procedimiento –competentes a estos efectos son los órganos de la Administración, entidad u organismo que determine su norma de organización específica (artículo 75 del RRVA)– podrá llevar a cabo las actuaciones que resulten necesarias para comprobar la procedencia del reembolso que se solicita y podrá recabar los informes e instar las actuaciones que juzgue necesarios, entre ellas la de requerir para que se subsane el escrito de solicitud, para lo que se concederá al interesado un plazo de diez días, contados a partir del día siguiente al de la notificación del requerimiento, si bien dicho plazo, a tenor del artículo 77.3 del RRVA, podrá ser ampliado a petición del interesado.

Antes de redactarse la propuesta de resolución, se dará audiencia a este último para que, si lo estima oportuno, alegue lo que considere conveniente a su derecho, pudiéndose prescindir de este trámite cuando no figuren en el procedimiento ni sean tenidos en cuenta en la resolución otros hechos ni otras alegaciones que las presentadas por el solicitante.

El órgano competente, que ya se ha dicho que es la Administración, entidad u organismo que hubiese dictado el acto luego declarado improcedente, dictará la resolución y la notificará en un plazo máximo de seis meses a contar desde la fecha en que el escrito de solicitud del interesado hubiese tenido entrada en el registro de susodicho órgano.

Transcurrido tal plazo sin que la notificación se produzca, se puede entender desestimada la petición de reembolso a los efectos de interponer contra la resolución presunta el correspondiente recurso o reclamación, añadiéndose que la resolución expresa posterior al vencimiento del plazo, que es obligatoria de conformidad con lo establecido por el artículo 42.1 de la LRJ-PAC, se adoptará por la Administración sin vinculación alguna al sentido del silencio, tal como también previene el artículo 43.4.b) de la LRJ-PAC.

Citada resolución, según dispone el artículo 78 del RRVA, es reclamable en la vía económico-administrativa, previo recurso potestativo de reposición.

Confirmando lo que ya antes se apuntó acerca de la distinción y diferencia entre reembolso y responsabilidad patrimonial, es preciso poner de manifiesto que el reembolso del coste de las garantías aportadas para lograr la suspensión de la ejecución está sujeto al común plazo de prescripción de cuatro años establecido por el artículo 66 de la LGT, cuya letra c) señala que prescribe en dicho plazo el derecho a solicitar el reembolso del coste de las garantías, empezando a contar dicho plazo, a tenor del artículo 67.1 de dicha Ley desde el día siguiente a aquel en que adquiera firmeza la sentencia o resolución administrativa que declara, de forma total o parcial, improcedente el acto impugnado.

Por tanto, en suma, no rige en esta materia el plazo de prescripción de un año fijado por el artículo 142.5 de la LRJ-PAC para la exigencia de responsabilidad patrimonial de las Administraciones públicas, sino el específico y concreto de cuatro años establecido a estos fines por la LGT, tal como con acierto se ha declarado por, entre otras, las Sentencias del TSJ de Castilla-La Mancha de 13 de octubre de 2004 (JUR 2004, 308169), Recurso contencioso-administrativo núm. 237/2001, del TSJ de la Comunitat Valenciana de 24 de octubre de 2005 (JUR 2006, 107637), Recurso contencioso-administrativo núm. 800/2004, y 12 de julio de 2006 (JUR 2007, 87227), Recurso contencioso-administrativo núm. 1972/2004, del TSJ de Cataluña de 5 de julio de 2006 (JUR 2007, 87253), Recurso contencioso-administrativo núm. 365/2002, y del TSJ de Galicia de 10 de julio de 2007 (JUR 2009, 23028), Recurso contencioso-administrativo núm. 7358/2005, refrendándose esta tesis en la más reciente STS de 21 de septiembre de 2010 (RJ 2010, 6700), Recurso de Casación núm. 533/2006.

Aprovechando la ocasión, conviene poner de manifiesto, aunque sea de forma incidental, que no debe extremarse el rigor en la exigencia de dicho plazo de un año requerido por citado artículo 142.5 de la LRJ-PAC cuando se está en presencia de reclamaciones de responsabilidad patrimonial de las Administraciones públicas.

Y ello, por una parte, y como tesis general, por la doctrina sentada por las Sentencias del Tribunal Europeo de Derechos Humanos de 28 de octubre de 1998 (TEDH 1998, 52), Pérez de Rada Cavanilles, y 25 de enero de 2000 (TEDH 2000, 11), Miragall, Escolano y otros, en las que se declaró que las reglas relativas a los plazos para recurrir tienen como finalidad el garantizar una buena administración de justicia, por lo que la regulación en cuestión, o la aplicación que de ella se haga, no debería impedir al justiciable utilizar una vía de recurso disponible, por lo que, en suma, no es admisible una interpretación excesivamente rigurosa hecha por los Tribunales de una regla procesal, si con ello se priva a los demandantes del derecho de acceso a un Tribunal para que examine sus solicitudes de indemnización.

Y, por otra, que nuestro Tribunal Supremo ha declarado en reiteradas ocasiones que ese plazo de un año debe interpretarse de manera flexible, de acuerdo con los principios de la prescripción, entendiendo que debe iniciarse su cómputo desde el día en que es posible el ejercicio del derecho a reclamar por ser conocidos ya la naturaleza y la extensión de los daños y perjuicios causados.

Véanse, en este sentido, entre otras muchas las Sentencias del Tribunal Supremo de 30 de abril de 1996 (RJ 1996, 3644), Recurso núm. 6953/1991, 12 de mayo de 1997 (RJ 1997, 3976), Recurso contencioso-administrativo núm. 670/1994, 4 de noviembre de 1997 (RJ 1997, 8203), Recurso de Casación núm. 3594/1993, 5 de noviembre de 1997 (RJ 1997, 8298), Recurso de Casación núm. 2807/1993, 28 de abril de 1998 (RJ 1998, 4065), Recurso de Casación núm. 7652/1993, 31 de mayo de 1999 (RJ 1999, 6154), Recurso de Casación núm. 2132/1995, 6 de julio de 1999 (RJ 1999, 6536), Recurso núm. 308/1995, 23 de enero de 2001 (RJ 2001, 2408), Recurso de Casación núm. 7725/1996, 20 de febrero de 2001 (RJ 2001, 4201), Recurso de Casación núm. 7251/1996, y 27 de febrero de 2001 (RJ 2001, 5382), Recurso de Casación núm. 6006/1996, así como, por ejemplo, la Sentencia de la Audiencia Nacional de 20 de julio de 2001 (JUR 2001, 296153), Recurso núm. 237/1999.

En ellas se ha declarado que la normativa reguladora del plazo ha de interpretarse en un sentido ampliatorio y favorable para el actor, siendo de tener en cuenta, a mayor abundamiento, el principio *pro actione*, sumamente flexible en cuanto a las inadmisibilidades por defectos procesales, con sujeción a lo propugnado por el artículo 24 de la Constitución, por lo que, en definitiva el inicio del plazo para reclamar debe computarse desde que el interesado tuvo conocimiento de modo definitivo del daño o quebranto por él sufrido.

Esta doctrina ha sido confirmada de modo pleno por el legislador, ya que el artículo 142.5 de la LRJ-PAC, recogiendo la interpretación jurisprudencial, califica el plazo de un año para reclamar como de *prescripción* del derecho, y determina como momento inicial para su cómputo no sólo aquél en que se produce el hecho o acto causante del daño, sino también aquél en que termina de manifestarse su efecto lesivo.

Véase a este respecto, por citar una de las más próximas en el tiempo, la Sentencia de la Audiencia Nacional de 18 de febrero de 2011 (JT 2011, 149), Recurso contencioso-administrativo núm. 60/2009, en la que se ha declarado a este respecto que «el perjuicio irrogado a los interesados no estaba definitiva y claramente concretado (a efectos de iniciarse el cómputo del plazo prescriptorio de un año) cuando se notificó la sentencia del Tribunal Supremo que desestimaba el recurso de casación, sino cuando el afectado por el presunto funcionamiento anormal tiene conocimiento del alcance del daño causado. Dicho en otros términos, cuando se da fin al proceso la parte actora sólo podía intuir el daño que la tardanza en su tramitación le pudiera haber provocado; sólo cuando se materializa dicho daño, a través de la oportuna cuantificación de los intereses de demora, cabe exigir su reparación a través del oportuno ejercicio de una acción de responsabilidad patrimonial».

Debe tenerse presente, en todo caso, que el artículo 142.4 de la LRJ-PAC dispone de forma terminante que: «La anulación en vía administrativa o por el orden jurisdiccional contencioso-administrativo de los actos o disposiciones administrativas no presupone derecho a la indemnización, pero si la resolución o disposición impugnada lo fuese por razón de su fondo o forma, el derecho a reclamar prescribirá al año de haberse dictado la sentencia definitiva, no siendo de aplicación lo dispuesto en el punto 5», que es al que se ha hecho referencia en las líneas anteriores, por lo que hay que tener en cuenta este mandato, como, por ejemplo, se llevó a cabo por la STS de 6 de abril de 2011 (RJ 2011, 2954), Recurso de Casación núm. 4089/2009, en relación con una resolución del TEAR anulando unas liquidaciones, que la reclamación de indemnización: sólo podía interponerse en el transcurso de un año desde la notificación de la resolución, afirmándose en este sentido:

«(...) si la resolución del TEAR de Murcia, de fecha once de octubre de dos mil cinco, fue notificada al recurrente el veintiocho de febrero de dos mil seis, el cómputo para el ejercicio de la acción por responsabilidad patrimonial se inició a partir de los dos meses en que se practicó la citada notificación de la mencionada resolución, por lo que la reclamación formulada en vía administrativa por responsabilidad patrimonial fue presentada fuera del plazo de un año, y por ende, había prescrito tal acción, y, esto es así, por cuanto que el reclamante, lejos de solicitar una indemnización por los daños y perjuicios ocasionados por la privación de su patrimonio, embargos a consecuencia de su separación patrimonial y préstamos que recibió para atender el apremio de la Agencia Tributaria, reclama una indemnización por el cese de su actividad empresarial de la que voluntariamente se dio de baja –en fecha de doce de enero de mil novecientos noventa y nueve– del impuesto de actividades económicas, incrementando a los efectos de fijar el *"quantum* indemnizatorio"* en un porcentaje variable para los ejercicios 2001 al 2006».

De lo hasta aquí expuesto se comprueba que la normativa tributaria ha avanzado de manera significativa, desde un punto de vista sustantivo, en esta cuestión del reembolso del coste de las garantías.

Ello no obstante, aún restan pasos fundamentales a dar en este ámbito, y uno de ellos es, sin duda, el de reconocer de forma abierta en la norma que los reclamantes o recurrentes a quienes se reconozca que tienen razón en su pretensión impugnatoria frente a la Administración tributaria, tienen derecho, además, a ser resarcidos por la misma también de los demás costes que el procedimiento les pueda haber ocasionado, tales como los de abogado, procurador, peritos, etcétera.

A ellos no alude, sin embargo, de forma directa la normativa vigente, y, es más, en el caso de los abogados, nos encontramos, además, con la dificultad añadida para reconocerse al interesado el resarcimiento de estos gastos, con la circunstancia –vigente desde que la Ley 25/1995, de 20 de julio, de Modificación parcial de la LGT, suprimió el artículo 13 del TAPEA– de que ya no es preceptiva la intervención de los mismos para interponer una reclamación económico-administrativa, por lo que, en definitiva, su intervención es potestativa.

Por tanto, ante esta regulación –cuyos antecedentes, justificación de la reforma, y estado de la cuestión, fueron analizados de forma minuciosa y exhaustiva por la STS de 7 de mayo de 1998 (RJ 1998, 4464), Recurso de Apelación núm. 4154/1992– parece que la única solución posible es la de que cuando el reclamante se haya auxiliado de un abogado para interponer una reclamación económico-administrativa, y ésta se resuelve en su favor, no tiene derecho a ser resarcido por la Administración de los gastos en que haya incurrido para contratar a dicho profesional, habida cuenta que la actuación del mismo ha sido de forma libre querida y buscada por el reclamante, toda vez que el ordenamiento jurídico no le ha forzado a tal proceder.

Así se afirmó, por ejemplo, por la Sentencia de la Audiencia Nacional de 24 de marzo de 1997 (RJCA 1997, 1352), Recurso contencioso-administrativo núm. 22/1996, en la que –ante la pretensión del actor, que era

Letrado, y sostuvo que puesto que se defendió a sí mismo, debía abonársele la correspondiente minuta de honorarios que al parecer se giró y se abonó a sí mismo, y que, por ello, reclamó una indemnización por responsabilidad patrimonial de la Administración, al haber dictado el TEAC una resolución estimatoria de la reclamación económico-administrativa interpuesta por el mismo contra la sanción derivada de un acta tributaria, solicitando se le abonasen tanto los gastos de aval soportados para obtener la suspensión del acto administrativo impugnado en su momento, cuanto los honorarios profesionales devengados, alegando que se trataba de un supuesto de autoconsumo– se declaró que:

«El daño en cuestión considera esta Sala no reúne los requisitos indicados: no es efectivo, ni evaluable económicamente, y desde luego no puede tomarse en cuenta que el pretendido lucro cesante deba ser abonado por la Administración. A tales efectos, por mucho que en la normativa del IRPF y del IVA se regule el autoconsumo, no está previsto como tal la prestación de servicios a uno mismo (artículo 12 del Reglamento del IVA y artículo 39 del Reglamento del IRPF), como pretende el recurrente al sostener que la sofisticación del ordenamiento tributario exige la asistencia de Letrado en las reclamaciones económico-administrativas (conclusión a la que debe llegarse examinando cada supuesto concreto) por lo que se contrató a sí mismo».

Y así se pronunció también el Consejo de Estado, que, por ejemplo, en su dictamen de 18 abril 2002, número de expediente 971/2002, señaló que en la medida en que en la vía económico-administrativa no resulta preceptiva la intervención de letrado (artículo 33 del RPREA de 1996), tales costes no son indemnizables, por tratarse, en definitiva, de unos gastos que tuvieron su origen en la propia conducta de la parte interesada, quien de forma libre decidió recurrir a los servicios de un abogado, quedando, en consecuencia, así rota la relación de causalidad.

Pese a que formalmente estas afirmaciones son correctas, es conveniente y razonable, a mi juicio, no ser tan tajante sobre este extremo, porque una cosa es que ya no sea obligatoria la preceptiva intervención de Letrado en la vía económico-administrativa; y otra, bien distinta, es que en no pocas ocasiones los particulares para poder defenderse de manera adecuada, a la vista de la complejidad del ordenamiento jurídico tributario, precisan el amparo de un profesional experto en la materia, ya que en caso contrario se encontrarán en una difícil situación, corriéndose un riesgo muy elevado de que sus pretensiones no prosperasen por no haber sabido articular de forma eficaz los correspondientes alegatos de defensa, con el evidente perjuicio que ello implica.

Por ello, en suma, considero que deben distinguirse los distintos supuestos que en la práctica se pueden producir, y así si el reclamante recurre a un Letrado en un asunto no excesivamente complejo, siendo por ello razonable que él se pueda defender por sí mimo, no cabría luego solicitar el resarcimiento de dichos costes.

En cambio, si, por el contrario, la cuestión es compleja técnicamente, y por ello muy complicado que el interesado por sí sólo, sin una adecuada ayuda jurídica, pueda hacer valer sus pretensiones de la forma más satisfactoria, o menos gravosa, posible, parece justo que de llegarse a una solución condenatoria de la Administración y favorable, pues, a quien reclame, éste sea resarcido de los costes económicos que le supuso contratar a un profesional, cuya intervención ha resultado decisiva para el resultado alcanzado, que, de otro modo, casi con seguridad, no se hubiese producido.

Esta tesis ha sido mantenida por la Audiencia Nacional en diversas ocasiones, siendo ilustrativas de ello, entre otras, sus Sentencias de 16 de diciembre de 1996 (RJCA 1996, 2272), Recurso contencioso-administrativo núm. 1494/1993, 18 de septiembre de 2002 (JUR 2006, 283032), Recurso contencioso-administrativo núm. 241/2000, 19 de febrero de 2003 (JUR 2004, 107820), Recurso contencioso-administrativo núm. 821/2001, 22 de septiembre de 2003 (JUR 2004, 84627), Recurso contencioso-administrativo núm. 453/2000, 19 de noviembre de 2003 (JUR 2004, 144634), Recurso contencioso-administrativo núm. 207/2003, 4 de febrero de 2004 (JT 2004, 1031), Recurso contencioso-administrativo núm. 317/2003, 22 de marzo de 2005 (JUR 2007, 141364), Recurso contencioso-administrativo núm. 336/2002, 29 de junio de 2005 (JUR 2005, 238380), Recurso contencioso-administrativo núm. 101/2004, 22 de julio de 2005 (JUR 2005, 237458), Recurso contencioso-administrativo núm. 105/2003, 30 de noviembre de 2005 (JUR 2006, 243993), Recurso contencioso-administrativo núm. 415/2003, 10 de febrero de 2006 (JUR 2006, 119742), Recurso contencioso-administrativo núm. 549/2003, 30 de marzo de 2006 (JUR 2006, 126576), Recurso contencioso-administrativo núm. 12/2004, y 19 de mayo de 2006 (JUR 2006, 183440), Recurso contencioso-administrativo núm. 27/2005.

Y así fue reconocido también en la, en mi opinión, muy acertada Sentencia del TSJ de la Comunitat Valenciana de 24 de enero de 2002 (JT 2002, 980), Recurso contencioso-administrativo núm. 2773/1998, en la que partiendo de lo declarado por la STS de 4 de abril de 1997 (RJ 1997, 2662), Recurso núm. 945/1990 –en la que se declaró que los honorarios profesionales que se hubieran tenido que abonar para efectuar una reclamación en vía administrativa son voluntarios «pero tal voluntariedad que si bien es cierta a efectos jurídicos, a efectos fácticos, que son los que importan en la relación causal indemnizatoria, la necesidad de contar con asesoramiento jurídico es evidente dada la complejidad del asunto por lo que no cabría rechazar sin más la pretensión en este punto»– se resolvió que la Administración debía satisfacer la suma en que la parte había incurrido en concepto de indemnización por honorarios de Letrado, afirmando a este respecto:

«La cuestión como se observa no radica tanto en la posibilidad que se ofrece a los administrados de comparecer por sí mismos ante las Administraciones públicas, cuanto en la necesidad de asistencia jurídica para obtener asesoramiento frente a los actos de las administraciones públicas. De forma tal que, dicho asesoramiento, deviene necesario en aquellos casos en los que el acto administrativo, además de ser de gravamen, y consiguientemente afectar de manera substancial al patrimonio del sujeto pasivo, es complejo, o la actuación de la administración exige, por su inminencia, intervenciones rápidas propias de un profesional. En el supuesto de autos, fue la intervención de un profesional la que evitó, un día antes del vencimiento del término concedido a la entidad bancaria por la AEAT, la venta en pública subasta de los títulos. Asimismo, e inmediatamente, obtuvo la liberación de los saldos incautados, lo que no dejaba de tener interés dadas las fechas en las que se incautaron los saldos. Además, por las condiciones personales de la actora, recientemente viuda cuando ocurrieron los hechos, de los que no tuvo conocimiento pues, precisamente a raíz de su viudez, había cambiado de domicilio, lo que motivó que se enterase de la anómala situación tributaria, cuando la ejecución estaba notablemente avanzada, la Sala entiende que, la prudencia, y el combate eficaz de los actos recurridos, notablemente consistentes desde un punto de vista económico, aconsejaba la asistencia de un letrado».

Análoga doctrina se ha mantenido también en, por ejemplo, las Sentencias de este mismo Tribunal de la Comunitat Valenciana de 15 de julio de 2004 (JT 2004, 1652), Recurso contencioso-administrativo núm. 504/2000, y 12 de mayo de 2005 (JUR 2005, 177824), Recurso contencioso-administrativo núm. 942/2003, y del TSJ de Andalucía, Granada, de 29 de enero de 2001 (JUR 2001, 115778), Recurso núm. 1153/1997.

Sin embargo, el Tribunal Supremo, por medio de su Sentencia de 14 de julio de 2008 (RJ 2008, 3432), Recurso de casación para la unificación de doctrina núm. 289/2007, ha desestimado esta tesis, basándose para ello en la precedente doctrina por él sustentada de que no existe responsabilidad patrimonial de la Administración cuando ésta ha actuado dentro de unos márgenes razonables y razonados –tesis también mantenida en, por ejemplo, las posteriores Sentencias de la Audiencia Nacional de 27 de octubre de 2009 (JUR 2010, 151394), Recurso contencioso-administrativo núm. 64/2009, y 10 de junio de 2010 (JUR 2010, 329482), Recurso contencioso-administrativo núm. 534/2009, y del Tribunal Supremo de 27 de octubre de 2010 (RJ 2010, 7700), Recurso de Casación núm. 783/2009–, ya que cuando ello sucede no es posible apreciar la antijuricidad del daño y, por ello, el interesado está obligado a soportar el posible daño a él causado, afirmándose a este respecto que:

«Resulta innegable que la precisión de esa ubicación objetiva del sujeto pasivo en el sistema jurídico, que define si está obligado a soportar el daño y, por consiguiente, la condición de este último y el deber de reparación de la Administración *ex* artículo 106, apartado 2, de la Constitución, se perfila gracias a elementos de muy diversa factura: unos tienen que ver con la naturaleza misma de la actividad administrativa y otras con las condiciones personales del afectado.

En efecto, el panorama no es igual si se trata del ejercicio de potestades discrecionales, en las que la Administración puede optar entre diversas alternativas, indiferentes jurídicamente, sin más límite que la arbitrariedad que proscribe el artículo 9, apartado 3, de la Constitución, que si actúa poderes reglados, en lo que no dispone de margen de apreciación, limitándose a ejecutar los dictados del legislador. Y ya en este segundo grupo, habrá que discernir entre aquellas actuaciones en las que la predefinición agotadora alcanza todos los elementos de la proposición normativa y las que, acudiendo a la técnica de los conceptos jurídicos indeterminados, impelen a la Administración a alcanzar en el caso concreto la única solución justa posible mediante la valoración de las circunstancias concurrentes, para comprobar si a la realidad sobre la que actúa le conviene la proposición normativa delimitada de forma imprecisa. Si la solución adoptada se produce dentro de los márgenes de lo razonable y de forma razonada, el administrado queda compelido a soportar las consecuencias perjudiciales que para su patrimonio jurídico derivan de la actuación administrativa, desapareciendo así la antijuridicidad de la lesión [véase nuestra sentencia de 5 de febrero de 1996 (RJ 1996, 987), ya citada, F. 3º, rememorada en la de 24 de enero de 2006 (casación 536/02 [RJ 1006, 734]), F. 3ª, que, a su vez, se reproduce en parte por la de la Audiencia Nacional que es objeto del presente recurso de casación para la unificación de doctrina; en igual sentido se manifestaron las sentencias de 13 de enero de 2000 (casación 7837/95 [RJ 2000, 659], F. 2º), 12 de septiembre de 2006 (casación 2053/02 [RJ 2006, 6346], F. 5º), 5 de junio de 2007 (casación 9139/03 [RJ 2007, 4991], F. 2º), 31 de enero de 2008 (casación 4065/03 [RJ 2008, 1347], F. 3º) y 5 de febrero de 2008 (recurso directo 315/06 [RJ 2008, 1351], F. 3º)].

Ahora bien, no acaba aquí el catálogo de situaciones en las que, atendiendo al cariz de la actividad administrativa de la que emana el daño, puede concluirse que el particular afectado debe sobrellevarlo. También resulta posible que, ante actos dictados en virtud de facultades absolutamente regladas, proceda el sacrificio individual, no obstante su anulación posterior, porque se ejerciten con los márgenes de razonabilidad que cabe esperar de una Administración pública llamada a satisfacer los intereses generales y que, por ende, no puede quedar paralizada ante el temor de que, si revisadas y anuladas sus decisiones, tenga que compensar al afectado con cargo a los presupuestos públicos, en todo caso y con abstracción de las circunstancias concurrentes. Esta idea cobra especial fuerza tratándose de la Administración tributaria, a la que el constituyente y el legislador demandan una actitud activa consistente en, como ya hemos apuntado, comprobar, investigar, inspeccionar y, si procede, corregir los hechos de los administrados con trascendencia fiscal. Con esta perspectiva parece evidente la diferencia, a los efectos que nos ocupan, entre, por ejemplo, la situación de un sujeto pasivo que acude al asesoramiento legal para enfrentarse a una liquidación impositiva practicada en el ejercicio de una potestad groseramente prescrita que la del que utiliza el mismo instrumento a fin de discutir otra en la que se eliminan como gastos deducibles los intereses pagados por un establecimiento en España a una sociedad matriz foránea como retribución de la financiación que recibe de ella.

En definitiva, para apreciar si el detrimento patrimonial que supone para un administrado el pago del asesoramiento que ha contratado constituye una lesión antijurídica, ha de analizarse la índole de la actividad administrativa y si responde a los parámetros de racionalidad exigibles. Esto es, si, pese a su anulación, la decisión administrativa refleja una interpretación razonable de las normas que aplica, enderezada a satisfacer los fines para lo que se la ha atribuido la potestad que ejercita».

Esta doctrina –pese a que en esta Sentencia se afirma que «con este planteamiento no se "subjetiviza" el instituto de la responsabilidad patrimonial de las organizaciones públicas, que sigue haciendo abstracción de todo elemento culpabilístico en la conducta administrativa, sino, muy al contrario, se traslada el debate a un dato de innegable talante objetivo cual es el resultado, indagando su antijuridicidad»– constituye, a mi juicio, una evidente muestra de la actual tendencia a la subjetivización por parte de la jurisprudencia de la responsabilidad patrimonial de la Administración, alejándola de sus primitivas líneas objetivas a ultranza, fruto, sin duda, como también se indicó ya, de la necesidad de acotar a límites razonables las muy numerosas demandas de responsabilidad patrimonial.

Con todo, y aun partiendo de esta premisa, que en líneas generales debe reputarse racional y acertada, entiendo que esta Sentencia del Tribunal Supremo de 14 de julio de 2008 (RJ 2008, 3432) (cuya doctrina se reiteró por sus Sentencias de 22 de septiembre de 2008 [RJ 2008, 4543], Recurso de Casación núm. 324/2007, 10 de noviembre de 2009 [RJ 2010, 1712], Recurso de casación para la unificación de doctrina núm. 184/2008, 1 de diciembre de 2009 [RJ 2010, 368], Recurso de Casación núm. 48/2009, 15 de junio de 2010 [RJ 2011, 945], Recurso de Casación núm. 4634/2008, y 6 de julio de 2010 [RJ 2010, 6058], Recurso de Casación núm. 2044/2006, y se acogió en, por ejemplo, la Sentencia de la Audiencia Nacional de 23 de julio de 2010 [JUR 2010, 328080], Recurso contencioso-administrativo núm. 344/2009) ha ido más lejos de lo que puede considerarse razonable, ya que, como bien ha escrito PÉREZ POMBO (2008), al establecer como criterio que cuando el acto administrativo es acorde con una «interpretación razonable» de la norma no se produce lesión o daño antijurídico, debería haberse señalado cuál es el órgano competente para definir y calificar la actuación administrativa como razonable o no, siendo sumamente difícil, como señala este mismo autor, que el Tribunal Económico-Administrativo califique un acto administrativo como irrazonable, y más aún que sea la propia Administración la que, al conocer la pretensión del obligado tributario de responder patrimonialmente reconozca y califique un acto propio como antijurídico, por lo que, en la práctica, «el criterio del Tribunal supone que el contribuyente, además de los costes que deberá pechar para afrontar la defensa de sus intereses en la vía económico-administrativa, deberá hacer frente a costes adicionales para sustentar el procedimiento d exigencia de responsabilidad patrimonial en sus distintas fases e instancias».

Ello, a juicio de este autor, supone una barrera prácticamente definitiva para que el obligado tributario consiga que la Administración tributaria le indemnice por sus errores, y conlleva, en palabras de MERINO JARA (2009) –que asimismo critica las consideraciones recogidas en esta Sentencia acerca de considerar también relevantes las condiciones personales del administrado para perfilar el deber de reparación de la Administración–, que a partir de ahora el resarcimiento en esta esfera va a ser la excepción, y no la regla.

Ello no obstante, debe indicarse que en otras, y recientes Sentencias del Tribunal Supremo, tales como las de 18 de febrero de 2011 (RJ 2011, 1234), Recurso de Casación núm. 3986/2006, y 11 de mayo de 2011 (RJ 2011, 4129), Recurso de Casación núm. 64/2007, parece desconocerse la doctrina por él sustentada en las anteriores y ya mencionadas Sentencias de este mismo Órgano, al afirmarse en la primera de estas últimas Sentencias que «esta Sala viene distinguiendo entre los honorarios que se hubieran tenido que abonar para efectuar la reclamación administrativa y aquellos otros que se devengan como consecuencia del ejercicio de acciones judiciales, apreciando, en supuestos como el que aquí nos ocupa de responsabilidad patrimonial, la procedencia de que los primeros, pese a su carácter voluntario, conformen el *quantum* indemnizatorio, en atención a la necesidad de contar con asesoramiento jurídico por la complejidad del asunto, pero no así la de los segundos, y ello al tener en cuenta que en estos casos opera el instituto jurídico de la condena en costas (Sentencia de 4 de abril de 1997 [RJ 1997, 2662] –recurso de casación 945/1990–, entre otras)».

Es cierto que en citada STS de 18 de febrero de 2011 (RJ 2011, 1234) no se terminó reconociendo la pretensión del recurrente de ser indemnizado por los gastos del letrado que le había asistido en vía económico-administrativa; pero ello fue debido a que, según se afirma en esta Sentencia, «el documento aportado con la demanda carece de garantías suficientes para concederle valor probatorio, ya no solo si atendemos a la fecha de su confección, posterior a una minuta que adolecía de la concreción que ahora con el documento se ofrece, sino también porque se incluyen en él unos honorarios como devengados en vía administrativa que requerían un mayor apoyo probatorio, de fácil aportación. Pero es que además llama poderosamente la atención el elevado montante de esos honorarios devengados en vía administrativa en relación con los devengados en vía judicial, hasta el punto que permite considerar que se trata de un documento confeccionado "a la carta", con el preconcebido propósito de que sirva de justificante para de dar acogida a la pretensión», por lo que hay que entender que si citado documento no hubiese presentado las anomalías que le imputa el Tribunal si se habría reconocido esta petición del actor.

Desconozco si estas Sentencias del Tribunal Supremo de 18 de febrero de 2011 (RJ 2011, 1234) y 11 de mayo de 2011 (RJ 2011, 4129) suponen un cambio de rumbo en esta cuestión o si, por el contrario, implica que los ponentes de las mismas desconocías la doctrina de las antes referidas Sentencias del Tribunal Supremo de 14 de julio de 2008 (RJ 2008, 3432) y 1 de diciembre de 2009 (RJ 2010, 368), cuya doctrina era contraria. El tiempo nos confirmará cuál de estas dos hipótesis es la correcta.

7

ELEMENTOS QUE DEBEN CONCURRIR EN EL DAÑO ALEGADO PARA PODER SER EL MISMO OBJETO DE INDEMNIZACIÓN

A tenor del artículo 139.2 de la LRJ-PAC, el daño alegado –que ha de ser acreditado mediante una prueba suficiente, la cual pesa, de acuerdo con los viejos aforismos *necessitas probandi incumbit ei qui agit* y *onus probandi incumbit actori*, y conforme a las reglas generales de la carga de la prueba del artículo 217 de la Ley de Enjuiciamiento Civil, sobre el solicitante, tal como se declarado, entre otras muchas, por las Sentencias del Tribunal Supremo de 3 de mayo de 1977 (RJ 1977, 2688), 9 de mayo de 1978 (RJ 1978, 1996), 18 de enero de 1982 (RJ 1982, 13), 12 de mayo de 1982 (RJ 1982, 3326), 13 de marzo de 1986 (RJ 1986, 2298), 2 de marzo de 1994 (RJ 1994, 1722), Recurso núm. 2095/1991, 16 de octubre de 1995 (RJ 1995, 7412), Recurso núm. 9888/1990, 24 de mayo de 2002 (RJ 2002, 5871), Recurso de Casación núm. 629/1998, 26 de septiembre de 2006 (RJ 2006, 8640), Recurso núm. 5683/2002, 9 de diciembre de 2008 (RJ 2009, 67), Recurso de Casación núm. 6580/2004, 23 de marzo de 2010 (RJ 2010, 4470), Recurso de Casación núm. 2251/2008, y 21 de marzo de 2011 (RJ 2011, 3376), Recurso de Casación núm. 3656/2009; por las Sentencias de la Audiencia Nacional de 17 de junio de 2008 (JUR 2008, 338272), Recurso contencioso-administrativo núm. 258/2007, y 1 de octubre de 2008 (JUR 2008, 367212), Recurso contencioso-administrativo núm. 263/2007; así como, por ejemplo, por el Dictamen del Consejo de Estado, núm. 98/2002, de 31 de enero– ha de ser, en cualquier caso, «efectivo, evaluable económicamente e individualizado con relación a una persona o grupo de personas», conceptos estos que han ido perfilándose y dotándose de contenido a lo largo del tiempo por una abundante doctrina jurisprudencial.

7.1. Ha de ser efectivo

Por daño efectivo se entiende el daño cierto ya producido, no simplemente posible, contingente, hipotético o futuro, no bastando, en definitiva, como ha escrito MATA SIERRA (1997), «la mera frustración de una expectativa».

Así se ha afirmado, entre otras muchas, por las Sentencias del Tribunal Supremo de 18 de octubre de 1993 (RJ 1993, 7498), Recurso núm. 8002/1990, 2 de marzo de 1994 (RJ 1994, 1722), Recurso núm. 2095/1991, 11 de febrero de 1995 (RJ 1995, 2061), Recurso núm. 1619/1992, 16 de octubre de 1995 (RJ 1995, 7412), Recurso núm. 9888/1990, 12 de mayo de 1997 (RJ 1997, 3976), Recurso contencioso-administrativo núm. 670/1994, 27 de junio de 1997 (RJ 1997, 5352), Recurso de Apelación núm. 5252/1990, 20 de octubre de 1997 (RJ 1997, 7254), Recurso contencioso-administrativo núm. 455/1997, 18 de febrero de 1998 (RJ 1998, 1679), Recurso de Apelación núm. 6742/1990, 1 de octubre de 1999 (RJ 1999, 1395), Recurso de Casación núm. 3536/1995, 25 de octubre de 1999 (RJ 2000, 862), Recurso de Casación núm. 6576/1995, 23 de marzo de 2009 (RJ 2009, 2301), Recurso de Casación núm. 379/2006, y 11 de mayo de 2011 (RJ 2011, 4129), Recurso de Casación núm. 64/2007, así como, por ejemplo, por las Sentencias de la Audiencia Nacional de 23 de julio de 2001 (RJCA 2002, 1285), Recurso contencioso-administrativo núm. 1886/2001, 8 de octubre de 2002 (RJCA 2002, 1224), Recurso contencioso-administrativo núm. 28/2001, 16 de junio de 2010 (JUR 2010, 228103), Recurso contencioso-administrativo núm. 693/2009, y 18 de febrero de 2011 (JT 2011, 149), Recurso contencioso-administrativo núm. 60/2009, en las que se ha declarado que para ser resarcible el daño ha de consistir en un daño real y no en meras especulaciones o expectativas sobre perjuicios o pérdidas contingentes o dudosas.

En el Dictamen del Consejo de Estado de 26 de junio de 1969 se manifestó que no se incluyen los daños eventuales o simplemente posibles, pero no actuales, y en análogos términos en el Dictamen de 6 de noviembre de 1969 se señaló que «las situaciones de expectativa, en las que no existe la certidumbre de un resultado dañoso, sino todo lo más una simple conjetura no verificada en la realidad, componen el llamado daño eventual o simplemente posible, que cae fuera del ámbito material de la responsabilidad administrativa, circunscrito estrictamente por la legislación a los quebrantos efectivos».

Ello no obstante, como bien se declaró por la STS de 17 de noviembre de 1990 (RJ 1990, 9172), ello es «sin perjuicio de que puedan ser reclamados cuando esa actualización se produzca en el futuro».

Ello no excluye, además, que, en algún supuesto concreto, deba, asimismo, indemnizarse el daño que haya de ocurrir en el porvenir, pero cuya producción, como se declaró por ejemplo por la STS de 2 de enero de 1990 (RJ 1990, 147), sea «indudable y necesaria por la anticipada certeza de su acaecimiento en el tiempo».

7.2. Tiene que ser evaluable

El carácter evaluable del daño concurre tan sólo cuando haya tenido lugar un auténtico quebranto patrimonial; pero no así cuando únicamente hayan existido simples molestias o perjuicios sin trascendencia económica subjetiva.

Véase, por ejemplo, a este respecto la STS de 18 de octubre de 2002 (RJ 2002, 10223), Recurso de Casación núm. 5590/1998, en la que con relación a la anulación en vía jurisdiccional de una providencia de apremio que había conllevado la enajenación de una serie de bienes embargados en subasta pública por impago de deuda tributaria, se estimó que el daño ocasionado ni había sido efectivo ni era evaluable económicamente, ya que los bienes habían sido cedidos por el rematante a un hijo de los actores, declarándose a este propósito:

«A raíz de lo razonado, debemos desestimar el motivo de casación aducida, pues, si es un hecho incontestable que la anulación de la providencia de apremio pudo acarrear por su ejecutividad unos daños a los recurrentes al verse privados coercitiva y temporalmente de unos determinados bienes inmuebles de su propiedad, extremo que también se acredita por el comportamiento que tuvo la Administración demandada al reintegrar a los actores las cantidades que fueron ingresadas en el tesoro a raíz de la subasta; lo cierto es, que en el caso que analizamos, no se produjo en perjuicio de los reclamantes un desapoderamiento real y efectivo de los bienes que inicialmente les fueron enajenados en pública subasta y sobre los que fundamentan su acción de responsabilidad, pues tales bienes inmuebles fueron cedidos por el rematante a un hijo de los recurrentes, don Luis R. G., que convivía con ellos, quien satisfizo la cantidad de un millón trescientas setenta y siete mil pesetas, a través de unas letras de cambio que fueron avaladas (...) por sus propios padres.

En definitiva, los daños invocados no fueron efectivos, no son evaluables económicamente, y consiguientemente no existe un nexo causal entre el actuar administrativo y el resultado producido».

7.2.1. La indemnización por daños morales

La dificultad de valorar y cuantificar económicamente los daños morales en sentido estricto, ha conducido en ocasiones a la jurisprudencia a no estimarlos como concepto indemnizable, habiendo escrito a este respecto Marcos Oyarzun (2001) que: «La problemática innata a este tipo de daños: primero, la dificultad de su prueba, dado que se afecta un bien jurídico no material, y posteriormente, su casi imposible valoración pecuniaria, cuando en la misma no intervienen criterios objetivos, fijos y aisladamente considerados, sino que entran en juego variables del todo tipo particulares, que alcanzan además a sujetos diferentes de los implicados originariamente en la relación causal, llevó durante mucho tiempo a los Tribunales Contencioso-Administrativos, a la negación sistemática del daño moral, al postular, como característica intrínseca de todo perjuicio indemnizable, su necesaria materialidad».

Ilustrativas de esta falta de toma en consideración de esta clase de daños son, por ejemplo, las Sentencias del Tribunal Supremo de 11 de abril de 1972 (RJ 1972, 2660), 12 de junio de 1972 (RJ 1972, 3173), 11 de diciembre de 1972 (RJ 1972, 5269), 17 de enero de 1975 (RJ 1975, 4), 25 de febrero de 1975 (RJ 1975, 1601), 21 de abril de 1977 (RJ 1977, 2644), 10 de marzo de 1978 (RJ 1978, 3319), 15 de noviembre de 1979 (RJ 1979, 4252), 5 de febrero de 1980 (RJ 1980, 582) y 20 de septiembre de 1982 (RJ 1982, 5531).

Afortunadamente, sin embargo, otros pronunciamientos jurisdiccionales del Tribunal Supremo –por ejemplo, sus Sentencias de 12 de marzo de 1975 (RJ 1975, 1798), que contempla el conocido caso de «los novios de Granada», y que es la que inicia la nueva orientación [que, por cierto, como ha escrito Martín Rebollo (1994), ya había sido admitida por el Consejo de Estado desde, al menos, su Dictamen de 22 de octubre de 1970, en el que se basó para admitir la indemnización por esta clase de daños sobre la base de la expresión «cualquiera de los bienes y derechos» del antiguo artículo 40 de la LRJAE], 26 de septiembre de 1977 (RJ 1977, 3545), 4 de julio de 1979 (RJ 1979, 3047), 13 de diciembre de 1979 (RJ 1979, 4726), 2 de febrero de 1980 (RJ 1980, 743), 18 de febrero de 1980 (RJ 1980, 735), 4 de diciembre de 1980 (RJ 1980, 4962), 7 de diciembre de 1981 (RJ 1981, 5370), 18 de enero de 1982 (RJ 1982, 346), 30 de marzo de 1982 (RJ 1982, 2356), 8 de junio de 1982 (RJ 1982, 4773), 18 de diciembre de 1982 (RJ 1982, 8028), 12 de marzo de 1984 (RJ 1984, 2508), 16 de julio de 1984 (RJ 1984, 4231), 18 de marzo de 1985 (RJ 1985, 2635), 28 de enero de 1986 (RJ 1986, 69), 7 de octubre de 1989 (RJ 1989, 7331), 1 de diciembre de 1989 (RJ 1989, 8992), 17 de noviembre de 1990 (RJ 1990, 9172), 13 de enero de 2000 (RJ 2000, 659), Recurso de Casación núm. 7837/1995, 24 de septiembre de 2002 (RJ 2002, 7869), Recurso de Casación núm. 488/1997, 23 de octubre de 2002 (RJ 2002,

10230), Recurso de Casación núm. 5406/1998, y 23 de octubre de 2002 (RJ 2003, 259), Recurso de Casación núm. 5372/1998– han admitido palmariamente, por emplear expresiones de la Sentencia del TSJ de Extremadura de 21 de abril de 1997 (RJCA 1997, 722), Recurso contencioso-administrativo núm. 147/1995, «junto al daño patrimonial el daño moral o *pecunia doloris* entendido, no como resarcimiento de empobrecimiento o ausencia o demérito de ganancias de elementos patrimoniales lesionados, sino como compensación del dolor o sufrimiento que determinados actos tienen sobre las personas, como lo son la muerte de seres queridos o la existencia de dolor por las lesiones producidas».

E incluso se ha declarado, por la Sentencia de la Audiencia Nacional de 23 de enero de 2003 (RJCA 2003, 53), Recurso contencioso-administrativo núm. 44/2002, que el denominado *pretium dolores* es un concepto «que reviste una categoría propia e independiente de las demás, y comprende tanto el daño moral como los sufrimientos físicos y psíquicos padecidos por los perjudicados (SSTS 23 de febrero de 1988 [RJ 1988, 1451] y 10 de febrero de 1998 [RJ 1998, 1786], Recurso contencioso-administrativo núm. 496/1997)».

En la misma línea, en las más recientes Sentencias del Tribunal Supremo de 23 de marzo de 2010 (RJ 2010, 4470), Recurso de Casación núm. 2251/2008, y 11 de mayo de 2011 (RJ 2011, 4129), Recurso de Casación núm. 64/2007, se ha declarado que: «Daños morales son aquéllos que son infligidos a las creencias, los sentimientos, la dignidad, la estima social o salud física o psíquica de la persona: en suma, aquellos que se suelen denominar derechos de la personalidad o extrapatrimoniales, habiendo tenido refrendo jurisprudencial la posibilidad de indemnizarlos, (...). No obstante la jurisprudencia del Tribunal Supremo recomienda cautela al respecto y, en todo caso, exige también que dichos daños estén indubitadamente acreditados para que nazca y sea exigible la obligación de indemnizar».

Y este reconocimiento de la necesidad de indemnizar también esta clase de daños se ha producido aunque la compensación sea ciertamente difícil de precisar y cuantificar, y ello por carecerse en estos casos de parámetros o módulos objetivos, como han afirmado, entre otras, las Sentencias del Tribunal Supremo de 20 de julio de 1996 (RJ 1996, 5717), Recurso de Casación núm. 2297/1994, 26 de abril de 1997 (RJ 1997, 4307), Recurso de Apelación núm. 7888/1992, 5 de junio de 1997 (RJ 1997, 5945), Recurso de Apelación núm. 645/1993, 28 de diciembre de 1998 (RJ 1998, 10161), Recurso de Casación núm. 925/1994, en la que se afirmó que «en el área de los daños morales, es francamente imposible llevar a los mismos las normas valoradoras que establece el artículo 141.2

de la LRJ-PAC, cuando habla de las "valoraciones predominantes en el mercado"»–, 23 de octubre de 2002 (RJ 2003, 259), Recurso de Casación núm. 5372/1998, y 16 de enero de 2003 (RJ 2003, 1031), Recurso de Casación núm. 7508/1998, en la que se afirmó que es doctrina constante «que el *pretium doloris* carece de parámetros o módulos objetivos, lo que conduce a valorarlo en una cifra que, si bien debe ser razonable, siempre tendrá un componente subjetivo».

A este respecto es muy clara y concluyente la STS de 29 de diciembre de 1998 (RJ 1998, 9980), Recurso de Casación núm. 2172/1994, en la que se declaró:

«(...) el daño moral afecta a intereses espirituales del ser humano que son atacados; puede ser directo o, más frecuentemente indirecto, que es el sufrido a consecuencia de un daño personal: el atentado a la integridad física no sólo produce daños directamente, sino también un indudable daño moral, el *pretium doloris* que debe ser resarcido y no cabe mantener que la indemnización no puede saciar los sentimientos del dolor (lo que es cierto) por lo que no cabe indemnizar (lo que no es cierto) sino que la indemnización valora económicamente y sin duda parcialmente este daño moral, es el llamado en la doctrina alemana el "dinero del dolor" *(Echmerzengeld)»*.

La indemnización económica del perjuicio moral se reserva al prudente arbitrio del Tribunal de instancia, sin otra limitación que la razonabilidad en su determinación, según se ha declarado en, por ejemplo, las Sentencias del Tribunal Supremo de 20 de julio de 1996 (RJ 1996, 5717), Recurso de Casación núm. 2297/1994, 24 de enero de 1997 (RJ 1997, 739), Recurso de Casación núm. 346/1995, 26 de abril de 1997 (RJ 1997, 4307), Recurso de Apelación núm. 7888/1992, 2 de marzo de 2000 (RJ 2000, 2455), Recurso de Casación núm. 253/1996, 16 de marzo de 2002 (RJ 2002, 3336), Recurso de casación para la unificación de doctrina núm. 2085/2001, 18 de mayo de 2002 (RJ 2002, 5740), Recurso de Casación núm. 280/1998, y 1 de febrero de 2003 (RJ 2003, 2358), Recurso de Casación núm. 7061/2001; habiéndose afirmado por la Sentencia de la Audiencia Nacional de 20 de noviembre de 2002 (RJCA 2003, 51), Recurso contencioso-administrativo núm. 166/2001, casada por la STS de 25 de junio de 2007 (RJ 2007, 3815), Recurso núm. 1298/2003, que:

«A la hora de efectuar la valoración, la Jurisprudencia (SSTS 20 de octubre de 1987 [RJ 1987, 8676]; 15 de abril de 1988 [RJ 1988, 3072] o 5 de abril y 1 de diciembre 1989 [RJ 1989, 8992]) ha optado por efectuar una valoración global que, a tenor de la STS 3 de enero de 1990 (RJ 1990, 154), derive de una "apreciación racional aunque no matemática" pues, como refiere la Sentencia del mismo Alto Tribunal de 27 de noviembre de 1993 (RJ 1993, 8945), Recurso núm. 395/1993, se "carece de parámetros o módulos objetivos", debiendo ponderarse todas las circunstancias concurrentes en el caso, incluyendo en ocasiones en dicha suma total el conjunto de perjuicios de toda índole causados, aun reconociendo, como hace la Sentencia 23 de febrero de 1988 (RJ 1988, 1451), "las dificultades que comporta la conversión de circunstancias complejas y subjetivas" en una suma dineraria. La reciente STS de fecha 19 de julio de 1997 (RJ 1997, 6732), Recurso de Apelación núm. 9285/1992, habla de la existencia de un innegable "componente subjetivo en la determinación de los daños morales". La STS de fecha 21 de abril de 1998 (RJ 1998, 4045), Recurso de Casación núm. 7223/1993, insiste en que, si bien no es posible una valoración fundada en datos cuantitativamente precisos, se exige el Tribunal una ponderación de las circunstancias que puedan afectarle».

Debe tenerse presente, en cualquier caso, como se declaró por la STS de 30 de diciembre de 2002 (RJ 2003, 242), Recurso de Casación núm. 7300/1998, que «el daño moral es personalísimo, de modo que sólo puede reclamarse su reparación para un tercero cuando éste confiere su representación para formularla o se ostenta su representación legal».

Todo cuando se ha expuesto es de plena aplicación a la esfera tributaria, en la que también, como ha escrito MERINO JARA (2009), los Tribunales se muestran muy cautelosos a la hora de considerar la existencia de daños morales acreditables como consecuencia de actuaciones de la Administración tributaria.

Véase en este sentido, por ejemplo, la Sentencia de la Audiencia Nacional de 14 de noviembre de 2001 (JT 2002, 1407), Recurso contencioso-administrativo núm. 1854/1998, en la que se afirmó, en contra de las pretensiones del recurrente, que éste no había padecido un acoso fiscal continuado, como él sostenía, no siendo, pues, apreciable la existencia de responsabilidad patrimonial de la Administración, afirmándose para ello, entre otros extremos, que:

«La inspección tributaria realizada en 1997 no se considera una muestra más del "acoso total", ni duró 5 meses como indica la demanda. Como quedó acreditado en el período de prueba, la inspección no se realizó de forma caprichosa o injustificada, sino a consecuencia del programa de selección 65015 denominado "gestión control de obligaciones periódicas" del ejercicio 1996. Ni las formas de la inspección, ni su duración, ni el resultado relevan ninguna anormalidad, ni menos aún una intención de acoso o persecución del demandante, como lo demuestra que prevista la primera comparecencia del recurrente el 30 de junio de 1997, éste solicitó

3 meses para organizar su documentación, que se le concedieron, por lo que se señaló nueva comparecencia el 3 de octubre de 1997, con una duración de la inspección inferior a los 2 meses, entre dicho 3 de octubre y el 26 de noviembre siguiente, existiendo conformidad del demandante con el resultado de la inspección, que se concretó en 3 actas de comprobado y conforme y 1 acta de conformidad, con una liquidación por importe de 683.930 pesetas, incluidos intereses de demora y sanción».

Y que: «También en relación con el IVA del 4º trimestre de 1993, el recurrente indica en su demanda que presentó el 20 de enero de 1994 ante la AEAT un escrito en el que comunicaba que le había sido sustraída de su vehículo la documentación de su actividad, por lo que solicitaba un plazo razonable para conseguir duplicado de sus facturas y pagar sus impuestos sin sanción y considera otra prueba más del que califica como increíble acoso sufrido, la respuesta de la AEAT, que no se hizo esperar y le amenaza con sanciones. Tampoco entiende la Sala que exista acoso u hostigamiento ninguno en el presente caso, si se tiene en cuenta que la solicitud de un plazo razonable se produjo el último día del período voluntario de pago (20 de enero de 1994) y la contestación de la AEAT es de fecha 22 de abril de 1994, notificada el 6 de mayo de 1994, esto es, más de 3 meses después de la solicitud, lo que ya es de por sí un plazo razonable para reunir los duplicados de las facturas que habían sido robadas e ingresar el IVA correspondiente al 4º trimestre de 1993. Además, el escrito de la AEAT, que le concede otros 15 días más para la presentación de las declaraciones y el ingreso de las cantidades correspondientes, no contiene amenaza alguna, sino un simple apercibimiento de incurrir el demandante en las sanciones previstas por la ley, en particular en el artículo 78.1.b) de la LGT, para el caso de incumplimiento de los deberes de suministrar datos a la Hacienda Pública».

Tampoco se reconoció la existencia de esta clase de daños morales en, por ejemplo, la Sentencia de la Audiencia Nacional de 26 abril de 2002 (JT 2003, 417), Recurso contencioso-administrativo núm. 827/1999, en la que se analizó la reclamación de una empresa por los daños morales y perjuicios que a ella se le habían causado a consecuencia de la publicación en un diario de tirada nacional de una noticia en la que se afirmaba que Hacienda había reclamado a la misma una determinada cantidad por presunto delito fiscal y que la Fiscalía de Barcelona había presentado una querella por esa cuestión, siendo así que el procedimiento penal instado por la ONI de la AEAT en Barcelona fue, por la falta de tipicidad de los hechos denunciados y por la ausencia de cualquier indicio delictivo, sobreseído sin precisar la declaración de los querellados, dictándose el archivo sin más trámites de la causa, que fue confirmado por la Audiencia

Provincial de Barcelona por lo que el procedimiento quedó archivado, mientras que el procedimiento inspector donde se produjo la filtración finalizó con la estimación por parte de la Inspección de la Hacienda Pública del carácter no sancionable de las operaciones recogidas en la noticia publicada en referido periódico.

La Audiencia Nacional –con base en una STS de 10 de enero de 1996 (RJ 1996, 2248), Recurso de casación núm. 7164/1993, en la que se había afirmado que «quien ha de probar que la noticia la difundió un funcionario del servicio correspondiente es la parte que reclama la indemnización de daños y perjuicios por responsabilidad patrimonial de la Administración, de manera que, una vez establecida la fuente de la información, correspondería a aquélla justificar que no está obligada a resarcimiento alguno por los efectos producidos con la divulgación, pero, mientras no se acredite la autoría de aquélla, no cabe entender que exista vínculo alguno de causalidad entre el resultado dañoso producido con tal noticia y el funcionamiento del servicio público– declaró a este respecto que:

"(...) la vulneración del carácter reservado de los informes de la Administración precisa de la determinación de una autoría concluyente, requisito que no se ha cumplido en el presente caso, donde la premisa fáctica establecida por la Sala, al declarar que no se ha probado que la información causante de los perjuicios partiese del ámbito de la Administración demandada, impide declarar la responsabilidad patrimonial de ésta por no concurrir el expresado requisito de la relación de causalidad entre el funcionamiento del servicio público y los perjuicios causados a la entidad recurrente, teniendo en cuenta que otras personas ajenas a la Administración tuvieron acceso legal a las actuaciones, sin que con la prueba practicada se haya podido determinar de forma incuestionable que la información partiera de aquel ámbito de la Administración"».

En la misma línea, en la STS de 24 de mayo de 2002 (RJ 2002, 5871), Recurso de Casación núm. 629/1998, que trató la cuestión de unos daños morales derivados de unas actuaciones penales y sancionadoras iniciadas como consecuencia de la emisión de unas certificaciones erróneas por la Agencia tributaria, relativas a operaciones comerciales llevadas a cabo por el recurrente, denegándose el reconocimiento de tales daños por ausencia de la prueba de la existencia de los mismos.

La parte actora adujo en su demanda que este proceder le había causado una lesión real y efectiva desde un triple punto de vista: material –al embargarse cuentas bancarias muchas de las cuales no tenían como titular al recurrente–, psicológico –al entrar el recurrente en una fuerte depresión que ha afectado tanto a su ámbito familiar como personal–, y social –por el desprestigio que alcanzó en su ámbito profesional, perdiendo clientes lo que le ocasionó considerables pérdidas económicas–.

El Tribunal Supremo –luego de afirmar que no podía pretenderse que en todo caso en que una persona se vea envuelta en un proceso penal, que finalmente concluya por sentencia absolutoria o sobreseimiento libre, como consecuencia de una actuación u omisión de un poder público, proceda declarar la responsabilidad extracontractual del mismo, ya que ello no es ni puede ser así, y, desde luego, no puede serlo de modo automático, porque el sometimiento a un proceso judicial, cualquiera que sea el orden jurisdiccional de que se trate, no es más que el reverso del ejercicio del derecho a la tutela judicial que proclama el artículo 24 de la Constitución, toda vez que el derecho de acceso a los Tribunales de justicia tiene como contrapartida el deber de someterse al proceso que pesa sobre aquellos contra los que la acción se ejercite, así como también la carga de comparecer en el mismo, consecuencia de lo cual es que no es fácil evitar que todo proceso, sea o no un proceso penal, pueda producir inquietud, molestias, e incluso consecuencias de muy distinta naturaleza al demandado o al imputado, pero no cabe pretender que, sin más, ello deba dar origen a responsabilidad extracontractual de la Administración– declaró que en esta caso concreto tal responsabilidad era inexistente por no haberse acreditado en modo alguno la existencia de susodichos daños.

El Tribunal precisó que «si se alega que, como consecuencia de un proceso judicial, se ha generado daño al patrimonio, al honor o al bienestar físico o psíquico de quien se ha visto sometido a aquel, es necesario siempre que la realidad del daño esté acreditada, sin que, en modo alguno, pueda entenderse que ese daño, y su antijuridicidad, existe, sin más, por el hecho de haber existido un proceso contra quien en el mismo ha ocupado la posición de demandado o, en su caso, de imputado. Entenderlo de otro modo supondría estimar que el proceso constituye *per se* una lesión antijurídica lo que resulta incompatible con el derecho fundamental a una tutela judicial eficaz. Y sin que –cuando esa prueba tenga que establecerse mediante presunción judicial– pueda admitirse que baste la declaración del juzgador diciendo que se presume probado el hecho de que se trate, para tenerlo efectivamente por probado».

Y, basándose en esta doctrina, precisó que en este supuesto concreto no se había probado de forma fehaciente que hubiese existido daño material, al no existir constancia alguna de que como consecuencia de la actuación administrativa le hubiesen sido embargadas al recurrente cuentas bancarias; ni daño psicológico, ya que de este problema tampoco había prueba de ninguna clase sin que pudiera tenerse por tal una receta en la que, obviamente, ninguna referencia se hacía a la enfermedad que motivó su expedición, ni a la etiología de esa enfermedad, como tampoco el enfermo para el que dicha receta se expidió; ni tampoco, por último, daño social, relativo a una situación de desprestigio en su ámbito profesional, perdiendo clientes, por ausencia de la más mínima prueba sobre estos extremos, concluyendo de ello afirmando:

«No están acreditados en parte alguna, según acabamos de decir, ni el embargo de cuentas bancarias, ni las pérdidas económicas, ni la pérdida de clientes. Y tampoco figura prueba alguna de esa situación de desprestigio a la que alude y que, de haberla habrá que presumirla partiendo de un hecho indicio probado, pues así lo exige el derecho positivo, según hemos dicho. Y otro tanto ocurre con esos daños psicológicos a que alude la demanda».

Y también en esta misma línea cabe citar la Sentencia de la Audiencia Nacional de 21 de junio de 2006 (JUR 2006, 246300), Recurso contencioso-administrativo núm. 507/2005, en la que ante una controversia que versaba sobre unos errores en el procedimiento de liquidación y apremio de deudas tributarias se afirmó la inexistencia de responsabilidad patrimonial de la Administración tributaria por falta de acreditación suficiente de que los daños físicos y psíquicos alegados y la disminución de ingresos profesionales se hubiesen producido como consecuencia de la actuación administrativa, afirmándose a este propósito:

«En suma, de las actuaciones administrativas relacionadas con los expedientes recaudatorios del caso, y aunque efectivamente se cometieran errores de procedimiento, no cabe deducir la causación de los daños psíquicos y morales cuya indemnización se pretende al no existir prueba suficiente, a juicio de la Sala, de que los daños físicos y psíquicos padecidos por el Sr. Domingo, hayan sido causados por la actuación administrativa, al igual que ocurre con las alegadas secuelas causadas a sus hijos y cónyuge, faltando igualmente y por último, la acreditación suficiente de la efectividad del daño y, en todo caso, del nexo causal entre el actuar de la Administración y el daño económico consistente en la disminución del nivel de ingresos respecto del mantenido por el demandante en los años anteriores a 2003 y 2004, cuyo honor profesional como Abogado Tributarista, por lo demás, en ningún momento ha sido puesto en duda por nadie, ni podía haberlo sido por la actuación administrativa de la Agencia Tributaria en este caso».

Sin embargo, tampoco faltan Sentencias estimatorias de la necesidad de indemnizar en la órbita tributaria por la causación de estos daños morales, constituyendo muestra de ello la STS de 10 de noviembre de 2008 (RJ 2008, 6666), Recurso de Casación núm. 5925/2004.

En ella se discutía si había existido relación causal entre las actuaciones administrativas, representadas por un procedimiento de apremio iniciado antes de finalizar el plazo para interponer recurso contencioso-administrativo, y los daños alegados por el recurrente, centrándose el debate en precisar si el nexo entre unas y otros había quedado, o no, roto, por la actuación del propio obligado tributario o de la entidad que lo había avalado, quienes pudieron anunciar a la Administración su intención de interponer recurso contencioso-administrativo o bien cuando se requirió al primero para que efectuase el ingreso voluntario de la deuda tributaria, o bien cuando se notificó a la entidad avalista el comienzo de la ejecución de la garantía ofrecida.

El Tribunal Supremo entendió que «ni el sujeto pasivo ni su avalista estaban obligados a hacer aquel anuncio, por la sencilla razón de que la Dependencia de Recaudación sólo podía iniciar el procedimiento de apremio una vez concluido el plazo para interponer el recurso contencioso-administrativo», afirmando en justificación de ello que «los órganos de recaudación, precipitándose, infringieron la mencionada disposición y actuaron de forma anómala. Así vino a reconocerlo la propia Administración, que ordenó devolver los importes ejecutados. En esta tesitura, la aptitud pasiva del obligado y, en su caso, del avalista no puede considerarse suficiente para romper el nexo causal, pues no parece exigible a un administrado que se anticipe ante un eventual incumplimiento del ordenamiento por parte de la Hacienda y anuncie que va a interponer recurso Contencioso-Administrativo para, así, evitar una actuación apresurada que, en situación normal, no cabe esperar. Los ciudadanos deben confiar en que, habiendo sido suspendida la ejecución en la vía económico-administrativa, los órganos tributarios actuarán sujetándose a la legalidad y que, por consiguiente, no les van a exigir el pago ni abrirán la vía de apremio en tanto no se agote el plazo para interponer el recurso contencioso-administrativo», concluyendo de todo ello con la declaración de que había existido un anormal funcionamiento de los órganos tributarios, que originaba el deber de reparar los daños irrogados al recurrente por la ejecución anticipada decretada por la Dependencia de Recaudación.

Y además, y esto es aquí lo más relevante, también se reconocieron los daños morales que el actor había aducido en su demanda, afirmándose a este respecto:

«El recurrente reclama también una indemnización por los daños morales derivados del juicio ejecutivo. Sostiene que, como consecuencia del mismo, se le embargaron todos sus bienes, sin excepción, perdiendo su crédito profesional. La sentencia de instancia da por probados tales daños y no podía ser de otra forma, ya que en su ramo de prueba constan documentos acreditativos de ese embargo y de que las entidades financieras con las que trabajaban habitualmente las tres compañías de las que era administrador ("Motor Marisma, SA", "Selvauto, SA", y "MaresMóvil, SA") le negaron una línea de crédito por importe de cincuenta millones de pesetas debido a que sus bienes se encontraban trabados, viéndose obligado a abandonar su cargo en aquellas empresas. La Audiencia Nacional niega la indemnización por este concepto por no justificarse la relación causal entre tales secuelas y la actuación administrativa. Para deshacer este planteamiento basta con remitirnos a lo razonado en el párrafo anterior. Ahora bien, hemos de precisar que la reclamación que efectúa el actor lo es por daño moral no por un quebranto patrimonial o por un lucro cesante, por lo que la cuantificación que realiza de este concepto está fuera de lugar, considerando la Sala que la cantidad prudencial que repara esa lesión moral asciende a 30.000 euros».

7.2.2. La indemnización alcanza tanto al daño emergente como al lucro cesante

El objeto de la indemnización, cuando haya lugar a la misma, es tanto el daño emergente como el lucro cesante, como ha declarado de forma reiterada la jurisprudencia, constituyendo buena muestra de ello, entre otras muchas, las Sentencias del Tribunal Supremo de 18 de febrero de 1998 (RJ 1998, 1679), Recurso de Apelación núm. 6742/1990, 18 de diciembre de 2000 (RJ 2001, 221), Recurso de Casación núm. 8669/1996, y 13 de diciembre de 2001 (RJ 2001, 5183), Recurso de Casación núm. 1734/1996.

Ahora bien, del concepto de lucro cesante –que debe probarse para determinar su certeza, siendo necesaria, como ha escrito MESEGUER YEBRA (2000), «una prueba rigurosa de las ganancias dejadas de obtener, que no sean dudosas o meras hipótesis, apreciándose de modo prudente y restrictivo, puesto que no es admisible una mera posibilidad de dejar de obtener unos beneficios, los "sueños de ganancias"»–, se excluyen [tal como se declaró, por ejemplo, por las Sentencias del Tribunal Supremo de 12 de mayo de 1997 (RJ 1997, 3976), Recurso contencioso-administrativo núm. 670/1994, 24 de mayo de 2002 (RJ 2002, 5871), Recurso de Casación núm. 629/1998, y 23 de octubre de 2002 (RJ 2002, 10230), Recurso de Casación núm. 5406/1998, y las Sentencias de la Audiencia Nacional de 19 de junio de 2002 (RJCA 2003, 113), Recurso contencioso-administrativo núm. 543/2000, 20 de noviembre de 2002 (RJCA 2003, 51), Recurso contencioso-administrativo núm. 166/2001, 23 de enero de 2003 (RJCA 2003, 53), Recurso contencioso-administrativo núm. 44/2002, 1 de octubre de 2008 (JUR 2008, 367212), Recurso contencioso-administrativo núm.

263/2007, y 25 de mayo de 2011 (JUR 2011, 195205), Recurso contencioso-administrativo núm. 303/2010] «las meras expectativas o ganancias dudosas o contingentes, puesto que es reiterada la postura jurisprudencial del Tribunal Supremo (así en Sentencia de 15 de octubre de 1986 [RJ 1986, 5688]) que no computa las ganancias dejadas de percibir que sean posibles, pero derivadas de resultados inseguros y desprovistos de certidumbre, cuando las pruebas de las ganancias dejadas de obtener sean dudosas o meramente contingentes».

Así se ha declarado, asimismo, como no podía ser de otra forma, respecto a la materia tributaria, siendo ilustrativa a este respecto la STS de 23 de marzo de 2010 (RJ 2010, 4470), Recurso de Casación núm. 2251/2008, en la que se afirmó: «No es ciertamente tarea fácil la prueba del lucro cesante, al ser exigible no sólo la preexistencia del hecho del cual deriva la ganancia esperada, sino también la de que la ganancia sería obtenida con seguridad, ya que están excluidas, con arreglo a la precitada jurisprudencia del Tribunal Supremo, las meras expectativas o ganancias dudosas o contingentes, en definitiva desprovistas de la certidumbre necesaria que conlleve la certeza de la ganancia dejada de obtener, en este caso por la pérdida de ingresos de clientes que fueron notificados del embargo».

Véanse también, entre otras, sobre esta cuestión las Sentencias del Tribunal Supremo de 20 de marzo de 1998 (RJ 1998, 3315), Recurso de Apelación núm. 4004/1992, 29 de febrero de 2000 (RJ 2000, 2730), Recurso núm. 49/1998, 13 de junio de 2000 (RJ 2000, 5939), Recurso contencioso-administrativo núm. 567/1998, 23 de diciembre de 2000 (RJ 2001, 561), Recurso contencioso-administrativo núm. 475/1998, y 20 de enero de 2001 (RJ 2001, 641), Recurso contencioso-administrativo núm. 469/1998.

En estas cuatro últimas, refiriéndose a la cuestión, que posteriormente trataré con mayor detenimiento, de la responsabilidad patrimonial de la Administración del Estado, al haberse declarado por el Tribunal Constitucional en Sentencia 173/1996, de 31 de octubre (RTC 1996, 173), inconstitucional y nulo el gravamen complementario sobre la tasa de juego establecido por el artículo 38.2.2 de la Ley 5/1990, de 29 de junio, se ha señalado que procedía devolver a los recurrentes el importe de las cantidades ingresadas en las arcas públicas por tal concepto; pero no así, no existiendo, pues, obligación de indemnizar, por conceptos tales como el del valor residual de las máquinas desaparecidas, esto es, por las máquinas de juego que habían sido dadas de baja, las cantidades satisfechas en concepto de segundo plazo de la tasa de juego del ejercicio 1990 y el lucro cesante por las recaudaciones dejadas de percibir, pues:

«(...) no consta que las máquinas fuesen dadas de baja y retiradas del funcionamiento por razón del gravamen complementario, y, por consiguiente, no se ha probado que la disminución de los beneficios haya obedecido, en proporción apreciable, a la obligación inesperada de satisfacer el gravamen y sin que aquélla pueda considerarse al margen del riesgo normal de la empresa, que ésta tiene el deber de soportar, cuya conclusión se corrobora por el hecho de que su cuantía definitiva quedó legalmente consolidada con efectos de primero del año siguiente, de manera que, en cualquier caso, el aumento de la tasa desde esta fecha habría generado unos perjuicios análogos que, indudablemente, tiene el empresario dicho deber de soportar, por lo que la cuantía de la indemnización debe quedar reducida a la cantidad total satisfecha por el gravamen complementario de la tasa de juego y al recargo de apremio e intereses de demora por la liquidación practicada».

Ha de tenerse presente, en todo caso, que tiene que evitarse que a través del concepto de lucro cesante y del daño emergente se produzca un enriquecimiento injusto, puesto que la indemnización ha de limitarse al daño efectivo que genera el derecho a la indemnización.

7.3. Debe consistir en un daño individualizado

Por último, la individualización del daño en una persona o grupo de personas excluye del ámbito de la responsabilidad las cargas e incomodidades generales que, por exigencias del interés público, la Administración pude hacer gravitar sobre los particulares, aun cuando algunos hayan de sufrirlos en mayor medida que otros, al organizar los servicios públicos.

En esta línea, en, por ejemplo, las Sentencias del Tribunal Supremo de 12 de marzo de 1973 (RJ 1973, 1141), 12 de febrero de 1980 (RJ 1980, 707), 27 de marzo de 1980 (RJ 1980, 2249), 7 de diciembre de 1981 (RJ 1981, 5370), 16 de mayo de 1983 (RJ 1983, 3407), 13 de junio de 1984 (RJ 1984, 4374), 7 de junio de 1988 (RJ 1988, 4603), 29 de mayo de 1989 (RJ 1989, 4095), 24 de octubre de 1990 (RJ 1990, 8330), 20 de octubre de 1997 (RJ 1997, 7254), Recurso contencioso-administrativo núm. 455/ 1997, 18 de febrero de 1998 (RJ 1998, 1679), Recurso de Apelación núm. 6742/1990, 18 de junio de 1999 (RJ 1999, 6238), Recurso de Casación núm. 3032/1995, y 13 de enero de 2000 (RJ 2000, 659), Recurso de Casación núm. 7837/1995, se ha declarado que el daño ha de estar concretado en el patrimonio del afectado y que no constituya una carga común que todos los administrados tengan el deber de soportar.

En idéntico sentido, en la Sentencia de la Audiencia Nacional de 8 de octubre de 2002 (RJCA 2002, 1224), Recurso contencioso-administrativo núm. 28/2001 –en un supuesto en el que el propietario de un hotel rural reclamó una indemnización por responsabilidad patrimonial de la Administración, como consecuencia de las obras de construcción de una autovía, alegando que tales obras habían perturbado las características de dicho hotel, pues el pacífico y bello entorno del mismo se había transformado en una vida ocupada por las obras, los camiones, las excavadoras, tierra y rocas levantadas, a lo que había que añadir los continuos ruidos que rompían la paz y tranquilidad, lo que impedía y perjudicaba el normal desarrollo de las actividades de ocio y descanso de las personas que se alojan en él, provocando en ellas un sentimiento de rechazo y mal recuerdo que, con el transcurso del tiempo se había reflejado en los resultados de la explotación del negocio–, se declaró que:

«(...) en el caso de autos no existen elementos probatorios suficientes para poder apreciar la existencia de relación de causalidad entre la actividad administrativa y el daño alegado, en el sentido de que el recurrente haya sufrido un perjuicio superior al que es connatural en infraestructuras de este tipo, y, que *todos los ciudadanos vienen obligados a soportar en beneficio de la colectividad y del interés general, pues la actividad desarrollada por la Administración no excedió de los límites impuestos por los estándares de seguridad exigibles conforme a la conciencia social,* y así no puede afirmarse que el perjuicio invocado sea antijurídico, entendiendo por tal, aquel que el particular no tiene obligación de soportar».

8

LA REPARACIÓN DERIVADA DEL ACOGIMIENTO DE LA RESPONSABILIDAD PATRIMONIAL DE LA ADMINISTRACIÓN TRIBUTARIA TIENE QUE SER INTEGRAL

Concurriendo todos los requisitos reseñados en las páginas precedentes surge la obligación de indemnizar por parte de la Administración, tal como se indica por el artículo 139 de la LRJ-PAC, que manifiesta que «tienen derecho a ser indemnizados» los particulares que hayan sufrido una lesión que reúna las características recogidas en dicho precepto.

El objeto, pues, de la responsabilidad patrimonial es la reparación, consistente, como han indicado entre otros autores LEGUINA VILLA (1980) y GONZÁLEZ PÉREZ, GONZÁLEZ NAVARRO y GONZÁLEZ RIVAS (1999), en la indemnización que deje a la víctima indemne, restaurando la integridad de su patrimonio, ya que, como ha escrito SÁNCHEZ MORÓN (1975), lo que se persigue es «el mantenimiento de la integridad patrimonial de cada individuo frente a las posibles lesiones antijurídicas, es decir, no obligatoriamente soportables por el mismo»; reparación que, como ha señalado de forma reiterada y unánime la jurisprudencia ha de ser integral.

Véanse, a título de mero ejemplo, y entre otras muchas que se podrían citar, las Sentencias del Tribunal Supremo de 5 de febrero de 2000 (RJ 2000, 2171), Recurso de Casación núm. 8960/1995, 18 de marzo de 2000 (RJ 2000, 3827), Recurso de Casación núm. 746/1994, 30 de septiembre de 2000 (RJ 2000, 9093), Recurso contencioso-administrativo núm. 481/1998, 20 de enero de 2001 (RJ 2001, 640), Recurso contencioso-administrativo núm. 562/1998, 27 de octubre de 2001 (RJ 2002, 462), Recurso contencioso-administrativo núm. 281/1998, 31 de diciembre de 2001 (RJ 2002, 783), Recurso de Casación núm. 9834/1997, 9 de febrero de 2002 (RJ 2002, 1957), Recurso de Casación núm. 9199/1997, 18 de mayo de

2002 (RJ 2002, 5740), Recurso de Casación núm. 280/1998, 3 de abril de 2002 (RJ 2002, 5433), Recurso de casación para la unificación de doctrina núm. 3827/2001, 23 de octubre de 2002 (RJ 2002, 10230), Recurso de Casación núm. 5406/1998, 3 de diciembre de 2002 (RJ 2003, 293), Recurso de casación para la unificación de doctrina núm. 38/2002, 16 de enero de 2003 (RJ 2003, 1031), Recurso de Casación núm. 7508/1998, 20 de enero de 2003 (RJ 2003, 672), Recurso de Casación núm. 8474/1998, 28 de abril de 2009 (RJ 2009, 5140), Recurso de Casación núm. 566/2007, y 8 de noviembre de 2010 (RJ 2010, 7949), Recurso de Casación núm. 689/2009, en todas las cuales se ha declarado que la indemnización por responsabilidad de las Administraciones públicas debe cubrir los daños y perjuicios hasta conseguirse la reparación integral de los mismos.

Tal como se señaló por la STSJ de Castilla-La Mancha de 12 de julio de 2001 (RJCA 2001, 1200), Recurso contencioso-administrativo núm. 986/1998, la reparación integral conforma un principio esencial que insufla el sistema español de responsabilidad de las Administraciones públicas (artículos 106.2 de la Constitución y 139.1 de la LRJ-PAC), y, según la doctrina científica, viene a implicar la restitución del patrimonio del sujeto afectado en su pleno valor anterior al suceso dañoso.

En definitiva, como bien han escrito LEGUINA VILLA y DESDENTADO DAROCA (Portalderecho. http://www.iustel.com): «No basta que la Administración indemnice cuando el objeto de su acción es despojar de sus bienes o derechos a los particulares por causa de utilidad pública o interés social: si no lo hiciera, sería una pura confiscación. Es preciso también que cuando el patrimonio de los ciudadanos sufre injustificadamente algún quebranto por efecto directo de la acción pública, esa lesión patrimonial se impute a la Administración para que ésta corra con la indemnización correspondiente. Si el ordenamiento jurídico no ofreciera esta garantía, la situación del perjudicado sería virtualmente idéntica a la de aquél que hubiera sido expropiado sin indemnización. Si no se indemnizara, tan confiscatoria sería una medida de privación singular de un bien o derecho patrimonial como una lesión padecida como consecuencia del funcionamiento de la actividad administrativa».

Es oportuno indicar también que cuando hubiese transcurrido excesivo tiempo entre el momento en que se produjo la lesión y aquel otro en que la Administración paga la indemnización, existe obligación de actualizar esta última, teniendo ello su fundamento, como escribió en su momento SÁINZ MORENO (1978), en las mismas normas que crean la responsabilidad patrimonial de la Administración.

La jurisprudencia, en líneas generales, ha sido proclive a reconocer y estimar esta situación, siendo numerosos los pronunciamientos del Tribunal Supremo –véanse, entre otros muchos, sus Sentencias de 29 de marzo de 1999 (RJ 1999, 3241), Recurso de Casación núm. 8048/1994, 18 de marzo de 2000 (RJ 2000, 3077), Recurso de Casación núm. 922/1996, 30 de enero de 2001 (RJ 2001, 5378), Recurso de Casación núm. 7961/1996, 31 de diciembre de 2001 (RJ 2002, 783), Recurso de Casación núm. 9834/1997, 9 de febrero de 2002 (RJ 2002, 1957), Recurso de Casación núm. 9199/1997, y 1 de febrero de 2003 (RJ 2003, 2358), Recurso de Casación núm. 7061/2001– que han declarado que debe tomarse como fecha de referencia para la valoración de los perjuicios la de la decisión del litigio, y no la del momento de producción del daño.

En esta misma línea, Muñoz Machado (1978) ha escrito que asimismo es procedente realizar susodicha actualización de la pertinente indemnización cuando los daños no sean verificables con exactitud en un momento dado, ya que el alcance de ellos puede variar con el transcurso del tiempo, y si se produce un empeoramiento de la situación originaria es lógico que la Administración responda también de las negativas consecuencias que posteriormente se puedan haber puesto de manifiesto, añadiendo este autor que, por ello, «para verificar la magnitud del daño hace falta prestar siempre *una completa atención a su montante real y a la previsible evolución del mismo*», ya que si «en ocasiones, los daños son verificables en un momento dado con toda precisión, sin que circunstancias sobrevenidas puedan hacer variar su cuantía; esto no sucede, en cambio, por lo común, con los daños corporales, los cuales suelen tener naturaleza evolutiva, pudiendo variar en sentido positivo o negativo el alcance real finalmente esperado de una lesión», razón por la que si esto último sucede habrá que atender debidamente este extremo, ya que, en caso contrario, la indemnización no sería integral o total, ni adecuada a la magnitud del daño sufrido, lo que implicaría hacer soportar al lesionado un detrimento patrimonial no ordenado con carácter general y que, por consecuencia, éste no está obligado a soportar.

A este respecto en el apartado 3 del artículo 141 de la LRJ-PAC se señala que la cuantía de la indemnización –que se fijará con arreglo a los criterios de valoración establecidos en la legislación de expropiación forzosa, legislación fiscal y demás normas aplicables, ponderándose, en su caso, las valoraciones predominantes en el mercado, lo que resulta, como ha escrito López Álvarez (1999), difícilmente aplicable cuando lo que se trata de valorar son, por ejemplo, las lesiones físicas causadas– se calculará con referencia al día en que la lesión efectivamente se produjo, sin perjuicio de su actualización a la fecha en que se ponga fin al procedimiento de responsabilidad con arreglo al índice de precios al consumo, fijado por el Instituto Nacional de Estadística, y de los intereses que procedan por demora en el pago de la indemnización fijada, los cuales se exigirán con arreglo a lo establecido en la Ley General Presupuestaria.

Citada indemnización, de acuerdo con el apartado 4 de este artículo 141 de la LRJ-PAC, puede sustituirse –en términos generales, si bien en el ámbito tributario ello tiene escasa utilidad– por una compensación en especie o ser abonada mediante pagos periódicos, cuando resulte más adecuado para lograr la reparación debida y convenga al interés público, siempre que exista acuerdo con el interesado.

A juicio de LEGUINA VILLA (1993) es esta una de las innovaciones más interesantes y útiles del sistema de responsabilidad, ya que tanto la reparación *in natura* –cuyo supuesto típico, como ha escrito MESEGUER YEBRA (2000), es el del funcionario separado del servicio con motivo de un expediente disciplinario al que, posteriormente, se le repone en su puesto de trabajo por falta de fundamento de la resolución– como el pago fraccionado en el tiempo pueden «adaptarse mejor a las exigencias resarcitorias de ciertos eventos dañosos que el simple pago de una cantidad alzada por una sola vez, lo que es tanto como decir que en tales supuestos la utilización de estos medios alternativos de indemnización puede servir más eficazmente al logro de que la reparación d las víctimas sea de verdad completa e integral, y no ficticia o aproximada, sin que ello suponga un encarecimiento, antes al contrario, del costo de la institución, cuya operatividad y prestigio aumentarán así sin lugar a dudas».

Las rentas obtenidas por las personas físicas en el momento de percibir estas indemnizaciones derivadas del reconocimiento de responsabilidad patrimonial de la Administración están exentas en el IRPF, de acuerdo con lo establecido en este sentido por el artículo 7.q) de la Ley 35/2006, de 28 de noviembre, del IRPF, en el que se dispone que disfrutan de esta exención «las indemnizaciones satisfechas por las Administraciones públicas por daños personales como consecuencia del funcionamiento de los servicios públicos, cuando vengan establecidas de acuerdo con los procedimientos previstos en el Real Decreto 429/1993, de 26 de marzo, por el que se regula el Reglamento de los procedimientos de las Administraciones públicas en materia de responsabilidad patrimonial».

En este marco que se acaba de explicitar, en el que se han pretendido exponer de manera resumida las líneas generales aplicables a la materia, es dónde debe abordarse el examen puntual y particular de cada petición concreta de responsabilidad patrimonial de la Administración tributaria, analizando las circunstancias específicas y peculiares de las mismas hasta llegar a determinar si en ellas concurren, o no, todos los requisitos exigibles para poder declarar referida responsabilidad, con el consiguiente resarcimiento, en un modo u otro, de acuerdo con lo ya previamente manifestado, que ello comporta.

9
UN SUPUESTO ESPECIAL: LA RESPONSABILIDAD DEL ESTADO LEGISLADOR EN LA ESFERA TRIBUTARIA

Llegado a este punto, paso a ocuparme de un supuesto específico de indemnización por parte de las Administraciones Públicas en el que también se requiere, como elemento inexcusable, la no obligación de los particulares de soportar el daño irrogado, supuesto que se recoge en el apartado 3 del artículo 139 de la LRJ-PAC, que alude a la responsabilidad derivada de actos legislativos que sean conformes con el ordenamiento constitucional, a cuyo análisis dedico las páginas siguientes, en las que también me ocuparé de la importante cuestión de la responsabilidad patrimonial derivada de Leyes que hayan sido declaradas inconstitucionales.

9.1. La responsabilidad patrimonial derivada de actos legislativos que sean conformes con el ordenamiento constitucional

El apartado 3 del artículo 139 de la LRJ-PAC es, como ya se ha dicho, el que alude a la responsabilidad derivada de actos legislativos que hayan sido dictados de conformidad con el ordenamiento constitucional.

Dicho precepto –tachado de cicatero, involucionista y difícilmente constitucional, por parte de GARRIDO FALLA (1993)– constituye la respuesta del ordenamiento jurídico español a una cuestión que genera muchos problemas, y ello porque, como bien señaló en su día SANTAMARÍA PASTOR (1972), el planteamiento de la teoría de la responsabilidad del Estado por actos normativos era muy conflictivo por el hecho «de presentarse como una cuña dirigida a los más profundos reductos de la libre decisión política, de la soberanía», añadiendo que: «El proceso histórico de expansión de la garantía patrimonial del súbdito, aparentemente incontenible, choca aquí con un sólido valladar que impide a la doctrina desprenderse de ese temor reverencial que se experimenta cuando se enfrenta con la propia médula del poder».

Como este autor escribió, fueron el *arrêt* La Fleurette, de 14 de enero de 1938, y, sobre todo, el *arrêt* Bovero, de 23 de enero de 1963, del *Conseil d'Etat*, los hitos básicos en el tema de la responsabilidad patrimonial debida a la actuación del Estado legislador, si bien justo es poner de relieve que ya previamente, con la publicación por DUGUIT en 1911, de su *Traité de Droit Constitutionnel*, se había formulado de forma paradigmática la tesis de la responsabilidad del Estado por actos legislativos.

En el *arrêt* La Fleurette –en el que se profundizó en la doctrina del *arrêt* Societé Ammanfirmery, de 16 de marzo de 1934, en donde ya se había indicado que la ejecución de una Ley podía dar lugar, en determinados casos, a una indemnización en beneficio de los particulares perjudicados– se declaró que la sociedad La Fleurette tenía derecho a exigir que el Estado fuese condenado a abonarle una indemnización en reparación del perjuicio por ella sufrido como consecuencia de una prohibición legal impuesta en favor de la industria lechera que había colocado a tal sociedad en la obligación de cesar en la fabricación de un determinado producto que venía explotando.

Con esta tesis era, sin embargo, necesario que el demandante probase, ante el silencio de la ley, que el legislador no había pretendido excluir el derecho a indemnización.

Esta es una consecuencia de citado *arrêt*. Otras, de acuerdo con la sistematización realizada por LINDE PANIAGUA (1978), son las de que la responsabilidad del Estado puede tener su origen en leyes formales, e incluso en medidas individuales adoptadas en ejecución directa de una Ley; no puede reconocerse el derecho a la indemnización cuando la Ley incide sobre una actividad prohibida, inmoral o contraria a la sanidad nacional o al orden público; y, por último, el reclamante debe acreditar la existencia de un perjuicio especial y suficientemente grave, de tal modo que la indemnización no resulta procedente cuando el daño sufrido, por su especialidad o gravedad, no supera el estándar normal de los sacrificios impuestos por la legislación a los ciudadanos, o cuando el sacrificio es impuesto en atención primaria del interés nacional, no en interés de particulares.

No obstante, a partir del *arrêt* Bovero –que implicó un menor grado de exigencia en cuanto al régimen de especialidad del perjuicio, y que desplazó, como ha escrito LINDE PANIAGUA (1978), el centro de gravedad de la consideración de la responsabilidad del Estado como una modalidad de régimen especial de responsabilidad, a ser considerada como una responsabilidad pública de derecho común o *responsabilité sans faute*, al fundarse sobre el principio de igualdad ante las cargas públicas– se mantuvo la doctrina de que la producción de un daño por un acto normativo obliga, como regla general, a indemnizar, a salvo de que el legislador haya excluido expresamente tal derecho.

Con base en todo ello, en citado artículo 139.3 de la LRJ-PAC se dispone que: «Las Administraciones Públicas indemnizarán a los particulares por aplicación de actos legislativos de naturaleza no expropiatoria de derechos y que éstos no tengan el deber jurídico de soportar, cuando así se establezcan en los propios actos legislativos y en los términos que especifiquen dichos actos».

La interpretación de dicha norma es clara y no precisa de razonamientos complementarios, tal como se afirmó por la Sentencia de la Audiencia Nacional de 7 de mayo de 1999 (RJCA 1999, 2916), en la que se declaró la improcedencia de la indemnización solicitada por la expropiación de determinados bienes que había padecido el recurrente en Cuba, indicándose en ella que «el primer requisito para dar lugar a la indemnización administrativa, es que tenga su origen o causa inmediata "por la aplicación de actos legislativos de naturaleza no expropiatoria de derechos". Presupuesto fáctico que no concurre en este caso, donde precisamente es inequívoca la naturaleza expropiatoria de la aplicación del acto legislativo en cuestión, es decir, del Tratado Internacional aludido (*alude al suscrito entre Cuba y España el 16 de noviembre de 1986*). Debiendo tener en cuenta la Sala la definición jurídica de expropiación que contiene el artículo 1 núm. 1 del Reglamento de Expropiación Forzosa: "Toda la intervención administrativa que implique privación singular de la propiedad, derechos o intereses patrimoniales legítimos a que se refiere el artículo 1 de la Ley, es una expropiación forzosa a todos los efectos..."».

Como bien escribió en su momento GARRIDO FALLA (1994): «Cuando el artículo 139.3 de la Ley 30/1992, de Régimen Jurídico de las Administraciones Públicas y Procedimiento Administrativo Común, excluye de la hipótesis que contempla, sobre indemnización por aplicación de actos legislativos, a los de naturaleza expropiatoria, hay que entender que lo hace porque en relación con estos últimos la consecuencia indemnizatoria es axiomática; no merece ni siquiera discusión».

La redacción de este precepto es deficiente, puesto que parece dar a entender que si en los actos legislativos no se establece la obligación de indemnizar ésta no existirá, lo que llevó en su momento a preguntarse a GARRIDO FALLA (1993): «¿cómo puede el legislador autolimitar su responsabilidad, frente al principio general del artículo 9.3 de la Constitución?», mientas que MARTÍN REBOLLO (2002) ha escrito respecto a este artículo 139.3 de la LRJ-PAC que la responsabilidad por actos legislativos en la mente del legislador dependía de lo que al respecto dijeran los propios actos legislativos, lo que constituye una precisión seguramente innecesaria y hasta perturbadora.

Innecesaria porque para decir lo que dice no era precisa una previsión similar. Porque la Ley dice lo que dice, esto es, que como regla no hay responsabilidad, que la Administración no indemnizará por la aplicación de actos legislativos de naturaleza no expropiatoria salvo «cuando así se establezca en los propios actos legislativos y en los términos que especifiquen dichos actos». Sólo que en vez de enunciarlo en negativo lo hace en positivo (indemnizará... cuando se de la circunstancia condicionante) y parece que dice lo que realmente no dice, con lo que al partir de la afirmación positiva (hay responsabilidad sólo cuando así se establezca) sugiere, en una primera lectura, un criterio más amplio que el en verdad estaba en la mente del legislador, resultando por ello esta previsión también perturbadora.

Pese a ello, hay que tener en cuenta, sin embargo, como han puesto de relieve LEGUINA VILLA y DESDENTADO DAROCA (Portalderecho. http://www.iustel.com) que la jurisprudencia «no presta atención a si el acto legislativo recoge o no expresamente la indemnización procedente, sino al hecho de que el daño consista en un sacrificio especial e imprevisible para alguna persona, con quebranto además de los principios de confianza legítima, buena fe, seguridad jurídica y equilibrio de las prestaciones», y, en los mismos términos, GONZÁLEZ-VARAS IBÁÑEZ (1999) ha señalado que la jurisprudencia no viene siguiendo el criterio, presente en el artículo 139.3 de la LRJ-PAC, de si el acto legislativo dispone expresamente o, por el contrario, omite la referencia a la indemnización procedente; ya que lo determinante para el Tribunal Supremo, es, más bien, la prueba de los distintos elementos de la responsabilidad, habiendo por ello podido llegar a afirmar que no es descartable que pueda existir responsabilidad, aun tratándose de actos legislativos, cuando la producción del daño revista caracteres lo suficientemente singularizados e imprevisibles como para que pueda considerarse producida o relacionada con la actividad de la Administración llamada a aplicar la Ley.

Muy ilustrativa es a este propósito la STS de 8 de abril de 1997 (RJ 1997, 2666), Recurso contencioso-administrativo núm. 7504/1992, en la que se declaró que la omisión de previsión legal expresa sobre la materia de responsabilidad no impedirá la correspondiente indemnización, siempre que se demuestre que la norma procedente del Poder Legislativo supone para sus concretos destinatarios un sacrificio patrimonial de carácter especial.

Y similares consideraciones se recogen también en la importante STS 2 de junio de 2010 (RJ 2010, 5494), Recurso contencioso-administrativo núm. 588/2008, al declararse en ella:

«Analizando metódicamente aquellos motivos o razones que la Administración demandada esgrime en su escrito de contestación, el primero de ellos, que es también el que expresa en el primero de los fundamentos jurídicos de dicho escrito, invoca el artículo 139.3 de la Ley 30/1992, sosteniendo que según su inciso final la responsabilidad patrimonial del Estado legislador sólo puede apreciarse «cuando así se establezca en los propios actos legislativos y en los términos que especifiquen dichos actos».

Sin embargo, alumbrada, según dijimos al transcribir algunos razonamientos jurídicos de aquellas sentencias del Pleno de fechas 26 y 27 de noviembre de 2009, la posibilidad jurídico-constitucional de la responsabilidad patrimonial de los poderes públicos sin excepción alguna, o sin más excepción que las que expresamente pueda prever el Ordenamiento; e incluida por tanto en el ámbito de esa posibilidad la del propio poder legislativo, cuyo fundamento específico y singular, capaz de superar el obstáculo derivado de la tradicional concepción de la ley como producto de un poder soberano, es la inserción de ésta en un ordenamiento que queda regido por encima de ella por una norma «más fuerte» que vincula a todos los poderes públicos y, por ende, al legislador mismo, desaparece en buena lógica, al menos como presupuesto o exigencia ineludible a la que hubiera de quedar subordinada en todo caso aquella posibilidad jurídica, la de su previa previsión y aceptación en la propia ley».

Respecto a esta materia, también analizada por MARTÍN QUERALT (1982), existen pronunciamientos jurisdiccionales en ambos sentidos: unos, menos numerosos, que reconocen la responsabilidad de la Administración derivada de actos legislativos; y otros, la mayoría, que se decantan por entender que no se produce en esta situación la concurrencia de los requisitos necesarios para que los daños derivados de actos legislativos sean indemnizables por este concepto.

9.1.1. Admisión jurisprudencial de la obligación de indemnizar como consecuencia de la responsabilidad de la Administración por actos legislativos, con fundamento básico para ello en el principio de confianza legítima

La jurisprudencia ha precisado, en ocasiones, que no puede descar-

125

tarse que pueda existir responsabilidad, aun tratándose de actos legislativos, cuando la producción del daño revista caracteres lo suficientemente singularizados e imprevisibles como para que pueda considerarse intermediada o relacionada con la actividad de la Administración llamada a aplicar la ley.

Y se ha invocado de forma expresa a estos fines el principio de confianza legítima, como argumento básico para llegar a declarar la existencia de responsabilidad patrimonial de la Administración derivada de actos legislativos, en línea como lo que antes se apuntó de que la jurisprudencia no presta atención, de forma usual, a si el acto legislativo recoge o no la indemnización procedente, sino, más bien, al hecho de que el daño consista en un sacrificio especial e imprevisible para alguna persona, con quebranto, además, de los principios de confianza legítima, buena fe, seguridad jurídica y equilibrio de las prestaciones.

Este principio de confianza legitíma tuvo su origen en el Derecho Administrativo Alemán, y constituye en la actualidad desde las Sentencias del Tribunal de Justicia de la Unión Europea de 22 de marzo de 1961 y 13 de julio de 1965, As. 111/63, Lemmerz-Werk, un principio general del Derecho Comunitario, que ha sido objeto de recepción por la jurisprudencia del Tribunal Supremo en múltiples ocasiones.

Véanse, entre otras, sus Sentencias de 1 de febrero de 1990 (RJ 1990, 1066), 13 de febrero de 1992 (RJ 1992, 2233), Recurso núm. 1734/1989, 28 de julio de 1997 (RJ 1997, 6890), Recurso contencioso-administrativo núms. 2434/1991, 6965/1992 y 1392/1993, 23 de mayo de 1998 (RJ 1998, 4150), Recurso contencioso-administrativo núm. 229/1993, 10 de mayo de 1999 (RJ 1999, 3979), Recurso núm. 594/1995, 13 de julio de 1999 (RJ 1999, 6544), Recurso núm. 546/1995, 4 de junio de 2001 (RJ 2001, 6719), Recurso de Casación núm. 2521/1996, 15 de abril de 2002 (RJ 2002, 6496), Recurso de Casación núm. 77/1997, 1 de diciembre de 2003 (RJ 2003, 9362), Recurso de Casación núm. 6383/1999, 9 de febrero de 2004 (RJ 2004, 1586), Recurso de Casación núm. 4130/2001, 21 de febrero de 2006 (RJ 2006, 793), Recurso de Casación núm. 1451/2002, 25 de octubre de 2006 (RJ 2006, 8824), 27 de abril de 2007 (RJ 2007, 5798), Recurso de Casación núm. 6924/2004, 15 de abril de 2008 (RJ 2008, 2452), Recurso de Casación núm. 359/2005, 13 de mayo de 2009 (RJ 2009, 5445), Recurso de Casación núm. 2357/2007, 25 de febrero de 2010 (RJ 2010, 4095), Recurso de Casación núm. 1101/2005, 14 de junio de 2010 (RJ 2010, 5668), Recurso de Casación núm. 5156/2008, 9 de diciembre de 2010 (RJ 2011, 696), Recurso de Casación núm. 1340/2010, 13 de diciembre de 2010 (RJ 2010, 8997), Recurso de Casación núm. 1416/

2010, y 27 de junio de 2011 (JUR 2011, 255442), Recurso de Casación núm. 2806/2010.

Referido principio de protección a la confianza legítima, que está relacionado con los más tradicionales, en nuestro ordenamiento, de la seguridad jurídica y la buena fe en las relaciones entre la Administración y los particulares –y que se ha consagrado también en la LRJ-PAC, tras su modificación por la Ley 4/1999, que en su art. 3, número 1, párrafo 2, dispone que las Administraciones Públicas deben respetar en su actuación los principios de buena fe y de confianza legítima– comporta, según la doctrina del Tribunal de Justicia de la Unión Europea y la jurisprudencia del Tribunal Supremo, el que la autoridad pública no pueda adoptar medidas que resulten contrarias a la esperanza inducida por la razonable estabilidad en las decisiones de aquélla, y en función de las cuales los particulares han adoptado determinadas decisiones.

La virtualidad de este principio puede suponer la anulación de un acto de la Administración o el reconocimiento de la obligación de ésta de responder de la alteración –producida sin conocimiento anticipado, sin medidas transitorias suficientes para que los sujetos puedan acomodar su conducta y proporcionadas al interés público en juego, y sin las debidas medidas correctoras o compensatorias– de las circunstancias habituales y estables, generadoras de esperanzas fundadas de mantenimiento.

En consecuencia, si la Administración desarrolla una actividad de tal naturaleza que pueda inducir razonablemente a los ciudadanos a esperar determinada conducta por su parte, su posterior decisión adversa supondría quebrantar la buena fe en que ha de inspirarse la actuación de la misma y defraudar las legítimas expectativas que su conducta hubiese generado en aquellos; y tal quebrantamiento impondrá el deber de satisfacer dichas expectativas que hubieren resultado defraudadas, o bien de compensar económicamente el perjuicio de todo tipo sufrido con motivo de la actividad desarrollada por el ciudadano bajo la creencia de que la misma es lícita y adecuada a Derecho; debiendo señalarse, en cualquier caso, que la protección de la confianza legítima no abarca cualquier tipo de convicción psicológica subjetiva en el particular, siendo tan solo susceptible de protección aquella «confianza» sobre aspectos concretos, que se base en signos o hechos externos producidos por la Administración suficientemente concluyentes, no garantizando tampoco este principio la perpetuación de la situación existente, la cual puede ser modificada en el marco de la facultad de apreciación de las instituciones y poderes públicos para imponer nuevas regulaciones para atender las necesidades del interés general.

Sobre este extremo, esto es, sobre que este principio de confianza legítima –también invocado por Asorey (1990), cuando escribió: «Al legislador no le está permitido defraudar el principio de confianza vigente en el Estado de Derecho»– pueda utilizarse como guía para el reconocimiento de una responsabilidad patrimonial derivada de las Leyes, se ha mostrado muy crítico García de Enterría (2002), al afirmar que no es admisible que este principio «pueda erigirse en fundamento de la admisión de que los actos del Legislador puedan generar una responsabilidad patrimonial a favor de quien pueda invocar una confianza en que la situación derivada de la Ley anterior se mantendría incambiada», señalando, como conclusión, que: «La democracia, que es la que ha creado enteramente el concepto mismo de Legislación sobre el que hoy vivimos, no tolera –sencillamente– la invocación de ninguna confianza, o comodidad, o interés, de que nadie pueda justificar la imposibilidad de que el Legislador pueda cambiar una Ley a su arbitrio, con la salvedad (...) de los derechos fundamentales del hombre o los demás valores que cada Constitución haya creído oportuno proteger. La libre configuración como facultad necesaria del Legislador resulta insoslayable y echa por tierra, definitivamente, cualquier intento de condicionarla, o de gravarla con costosísimas indemnizaciones, por quien invoque, simplemente, la confianza que ha podido haber puesto en una estabilidad normativa cualquiera».

Disiento de esta opinión, ya que, a mi juicio, no se trata de prohibir al Legislador, en modo alguno, que no pueda modificar las Leyes existentes para adecuarlas convenientemente a las nuevas situaciones, a las nuevas realidades que precisan de una mejor, o más actual, regulación.

Nadie creo que pueda, razonablemente, oponerse a ello, puesto que una prohibición tal conduciría de forma directa a la indeseable situación de la congelación del ordenamiento jurídico y a su petrificación, a la par que se atentaría contra el amplio margen de discrecionalidad política de que, como es obvio, dispone el Legislador.

Ahora bien, debe tenerse presente, asimismo, la indiscutible vigencia del principio de seguridad jurídica, con su correlato de confianza legítima, subyaciendo en éste la idea de la certeza sobre el Derecho, que constituye la exigencia primaria de aquel principio, como bien ha escrito Villar Ezcurra (1997).

En este sentido son ya ilustrativas las Sentencias del Tribunal Constitucional alemán de 1 de julio de 1953, 24 de julio de 1957 y, sobre todo, 19 de diciembre de 1961.

En la primera de ellas se afirmó que: «El derecho constitucional no sólo se encuentra formado por los principios concretos de la Constitución escrita, sino también por un entramado de principios generales o ideas directrices interiores e interrelacionadas que han sido tomadas en consideración por el legislador en el momento de fijar la Constitución, ya que impregnan y configuran la idea anterior a la redacción constitucional, aún cuando no se encuentren concretados en principios jurídicos especiales. *Entre estas ideas –que vinculan también directamente al legislador– se encuentra el principio de Estado de Derecho (...) informado, como uno de sus elementos esenciales, por la garantía de la seguridad jurídica».*

En la segunda de las citadas se declaró que: «Entre las bases en las que se funda un Estado de Derecho no se cuenta únicamente la previsibilidad, sino también la seguridad jurídica y la verdad material o justicia».

Y en la importante STC alemán 26/1961, de 19 de diciembre –calificada de modélica por García-Herrera Blanco (1997)–, se señaló que: «Entre los elementos fundamentales que configuran el Estado de Derecho hay que incluir la seguridad jurídica. El ciudadano ha de poder prever las posibles intervenciones del Estado con respecto a su persona para poderse preparar convenientemente de acuerdo con ello; ha de poder confiar en que su comportamiento, acorde con el derecho vigente, seguirá siendo reconocido por el ordenamiento jurídico con todos los efectos jurídicos que anteriormente se encontraban vinculados al mismo. El ciudadano verá lesionada, sin embargo, su confianza cuando el legislador vincule a hechos anteriormente consumados unas consecuencias jurídicas que resulten más desfavorables que aquellas con las que el ciudadano podía contar al tomar sus decisiones. *Para el ciudadano, seguridad jurídica significa primaria y fundamentalmente, protección de su confianza».*

Parecida doctrina, ha sido asimismo sustentada, con mayor o menor intensidad, y con o más o menos acierto, por parte de nuestro Tribunal Constitucional en diversas ocasiones, pudiendo citarse, como ejemplo, sus Sentencias 27/1981, de 20 de julio (RTC 1981, 27) –en la que se declaró que la seguridad jurídica «es suma de certeza y legalidad, jerarquía y publicidad normativa, irretroactividad de lo no favorable, interdicción de la arbitrariedad, pero que, si se agotara en la adición de estos principios, no hubiera precisado ser formulada expresamente. La seguridad jurídica es la suma de estos principios, equilibrada de tal suerte que permita promover, en el orden jurídico, la justicia y la igualdad, en libertad»–, 6/1983, de 4 de febrero (RTC 1983, 6), 126/1987, de 16 de julio (RTC 1987, 126), 150/1990, de 4 de octubre (RTC 1990, 150) y 197/1992, de 19 de noviembre (RTC 1992, 197).

Sumamente ilustrativa a este respecto es la Sentencia 150/1990, de 4 de octubre (RTC 1990, 150), en la que se afirmó: «(...) cabe observar que el principio de seguridad jurídica, aun cuando no pueda erigirse en valor absoluto, pues ello daría lugar a la congelación del ordenamiento jurídico existente (STC 126/1987, F.J. 11°), ni deba entenderse tampoco como un derecho de los ciudadanos al mantenimiento de un determinado régimen fiscal (SSTC 27/1981 y 6/1983), sí protege, en cambio, como antes se dijo, la *confianza de los ciudadanos*, que ajustan su conducta económica a la legislación vigente, frente a cambios normativos que no sean razonablemente previsibles».

En todas estas Sentencias se ha acogido, pues, la plena y total validez del principio de confianza legítima, como garantía protectora de los ciudadanos ante cambios legislativos injustificados o no razonablemente previsibles.

Cierto es que también en todas ellas se ha afirmado que tal principio no ampara, en ningún caso, un pretendido derecho de los ciudadanos al mantenimiento de un determinado y específico régimen legal, ya que ello conllevaría las consecuencias que antes puse de relieve de congelación del ordenamiento jurídico existente y de su petrificación, y en este sentido, baste por todas, es útil acudir de nuevo a la antes citada STC alemán 26/1961, de 19 de diciembre, en la que se afirmó que existían una serie de excepciones a la aplicación de referido principio de la confianza legítima, señalando al respecto, con consideraciones todas ellas referidas al tema de la retroactividad o irretroactividad de las leyes, que:

«La protección de la confianza se cuestionará en aquellos casos en los que no se encuentre objetivamente justificada con respecto a una situación jurídica determinada. Entre otros, pueden considerarse al respecto los siguientes casos:

a)   No será protegible la confianza cuando el ciudadano, teniendo en cuenta la situación jurídica existente en el momento al que se refieran las consecuencias jurídicas establecidas en la nueva ley con carácter retroactivo, tenga que contar con que se vaya a implantar una nueva regulación.

b)   El ciudadano tampoco podrá alegar, a la hora de realizar sus planes, su confianza en el derecho vigente cuando éste resulte confuso y enmarañado. En estos casos el legislador debe estar facultado para aclarar retroactivamente la situación jurídica existente.

c)   El ciudadano no podrá basar su confianza en la apariencia de legalidad generada por una norma inválida. Por consiguiente y en determinadas circunstancias, el legislador estará facultado para sustituir con efectos retroactivos una disposición inválida por otra que no presente objeciones desde el punto de vista jurídico.

d) Finalmente, pueden darse razones urgentes de bien común que gocen de preferencia sobre el mandato de seguridad jurídica y que justifiquen disposiciones con carácter retroactivo».

Ninguna objeción tengo que hacer a estas excepciones, que me parecen pertinentes y correctas. Pero de lo que tampoco cabe dudar es de que el principio de confianza legítima es fundamental y, por tanto, aún con todos los límites que se quieran, debe constreñir al Legislador a la hora de proceder a dictar las Leyes, toda vez que, como ha escrito PULIDO QUECEDO (2000): Un Estado, aunque sea un Estado democrático, no por ello está libre de incurrir en abusos y atropellos o más sencilla o neutramente, en responsabilidad.

Y de ello puede derivarse, no veo inconveniente jurídico alguno, la posible existencia de responsabilidad patrimonial con base en la existencia de mencionado principio, al cual alude de forma expresa, como ya antes se apuntó, el artículo 3.1 de la LRJ-PAC, el cual, por lo demás, también es frecuentemente invocado, y ello constituye una buena muestra de su operatividad general, y de su pleno reconocimiento, por el Tribunal de Justicia de la Unión Europea.

Véanse en este sentido, entre otras, sus Sentencias de 13 de julio de 1965, As. 111/63, Lemmerz-Werke GmnH/Autorité de la CECA; 5 de junio de 1973, As. 81/72, Comisión/Consejo; 14 de mayo de 1975, As. 74/74, CNTA/Comisión; 8 de junio de 1977, As. 97/76, Merkur AuAenhandel GmbH & Co. Kg./Comisión; 1 de febrero de 1978, As. 78/77, J. Lührs/Hauptzollant-Jonas; 3 de mayo de 1978, As. 112/77, Geselleschaft mbH in firma August Töpfer & Co./Comisión; 16 de mayo de 1979, As. 84/78, Ditta Angelo Tomadini Snc/Amministrazione delle Finanze dello Stato; 5 de mayo de 1981, As. 112/80, Anton Dürbeck/Hauptzollant Frannfur Am Maintlughafen; 28 de octubre de 1982, As. 52/81, Ofene Handelsge Sellschaft in firma Werner Faust/Comisión; 19 de mayo de 1983, As. 289/81, V. Mavridis/Parlament Européen; 21 de septiembre de 1983, Asuntos acumulados 205 a 215/82 Deutsche Milchkontor/República Federal Alemania; 15 de noviembre de 1983, As. 52/82, Comisión/Francia; 1 de diciembre de 1983, As. 18/83, D. Morina/Parlament Européen; 28 de marzo de 1984, As. 8/83, Bertoli SPA/Comisión; 6 de diciembre de 1984, As. 59/83, S.A. Biovilac Nv/Comisión; 12 de diciembre de 1985, As. 67/84, Sideradria SpA/Comisión; 12 de diciembre de 1985, As. 165/84, J.F. Krohn (GmbH & Co. Kg.)/Bundesanstalt Für Landwirts Chaftuche Martordnung; 17 de abril de 1986 (TJCE 1986, 71), As. 133/84, Gran Bretaña/

Comisión; 11 de junio de 1986 (TJCE 1986, 92), As. 235/82, Ferriere San Carlo SpA/Comisión; 14 de febrero de 1990 (TJCE 1990, 102), As. 350/88, Delacre et al./Comisión; 22 de febrero de 1990 (TJCE 1990, 105), As. 221/88, CECA/Fallimento Bussens; 26 de junio de 1990 (TJCE 1991, 14), As. 152/88, Sofrimport Sarl/Comisión; 1 de abril de 1993 (TJCE 1993, 45), Asuntos acumulados 31/91 a 44/91, SpA Alois Lageder et al./Amministrazione delle Finanze dello Stato; 3 de diciembre de 1998 (TJCE 1998, 307), As. C-381/97, Belgocodex SA/ État belge; 8 de junio de 2000 (TJCE 2000, 125), As. C-396/98, Grundstückgemeinschaft Schloßstraße GbR / Finanzamt Paderborn; y 8 de junio de 2000 (TJCE 2000, 127), As. C-400/98 Finanzamt Goslar/Brigitte Breitsohl.

Uno de los criterios tradicionalmente aplicados por el Tribunal Supremo para la determinación de la existencia de perjuicios indemnizables, especialmente adecuado cuando se considera la posible privación de derechos e intereses con un contenido patrimonial, ha consistido en la determinación de si los derechos o intereses de que ha resultado privado el eventual perjudicado han sido incorporados realmente a su patrimonio, o constituyen meras expectativas de derecho –no susceptibles de consideración desde el punto de vista de su titularidad por quien se cree llamado a hacerlas efectivas– o valores que pertenecen a la comunidad en su conjunto para cuya adquisición no se han cumplido todavía las cargas impuestas por el ordenamiento jurídico.

Esta perspectiva ha sido especialmente útil en el ámbito de los derechos generados por el proceso urbanizador. Ya en la aplicación del artículo 87 de la Ley sobre Régimen del Suelo y Ordenación Urbana de 1976 –que concedía una indemnización por cambio de ordenación del suelo antes de transcurrir los plazos de ejecución del planeamiento o por limitaciones o vinculaciones singulares que no puedan ser objeto de distribución equitativa en dicha ejecución–, el Tribunal Supremo ha insistido en la necesidad, para que pueda entenderse procedente el derecho a ser indemnizado por el cambio de planeamiento, de que existan derechos consolidados (STS de 4 de marzo de 1992 [RJ 1992, 3221], Recurso núm. 4729/1990), lo cual ocurre:

– Cuando existe un plazo de ejecución del planeamiento modificado no precluido o se ha producido el transcurso de éste sin ejecución del planeamiento, por causas imputables a la Administración (Sentencias del Tribunal Supremo de 1 de febrero de 1982 [RJ 1982, 773] y 16 de diciembre de 1985 [RJ 1985, 654]).

– Cuando el plan parcial se encuentra en la fase final de realización y la modificación afecta a una parte de los propietarios que han cumplido los requisitos o cargas de la anterior ordenación, sin haber obtenido beneficio equivalente y resultar, por ello, discriminados con el resto de los propietarios del sector (Sentencias del Tribunal Supremo de 30 de junio de 1980 [RJ 1980, 3380], 29 de septiembre de 1980 [RJ 1980, 3463], 24 de noviembre de 1981 [RJ 1981, 5299], 1 de febrero de 1982 [RJ 1982, 773], 6 de julio de 1982 [RJ 1982, 5347], 20 de septiembre de 1982 [RJ 1982, 8148], 28 de marzo de 1983 [RJ 1983, 1629], 25 de abril de 1983 [RJ 1983, 2274], 14 de junio de 1983 [RJ 1983, 3506], 10 de abril de 1985 [RJ 1985, 2197], 12 de mayo de 1987 [RJ 1987, 5255], 24 de abril de 1992 [RJ 1992, 3995], Recurso núm. 5326/1990, y 26 de enero de 1993 [RJ 1993, 451], Recurso núm. 4017/1990).

– Y cuando el cambio de calificación del suelo respecto de una finca individualizada comporta que sólo sea factible, por la imposibilidad de integrarla en un polígono, en razón al desarrollo urbanístico derivado de la aplicación del plan precedente, realizar el pago de la indemnización pertinente en el momento de ejecución del nuevo planeamiento (STS de 20 de mayo de 1986 [RJ 1986, 3262]).

En una línea similar, interpuesto recurso contra la denegación presunta de la reclamación de daños y perjuicios formulada por una sociedad, que había realizado inversiones en actividad urbanizadora, como consecuencia de la publicación de la Ley 1/1991, de 30 de enero, sobre Espacios Naturales y Régimen Urbanístico de las Áreas de Especial Protección de las Islas Baleares, que declaró espacio natural de especial protección desarrollando la anterior Ley de Ordenación y Protección de áreas naturales de interés especial de 14 de marzo de 1984, fruto de lo cual se produjo una alteración del régimen urbanístico, al clasificar como inedificables los terrenos, lo que privó a la parte recurrente del contenido económico que aquellos tenían, en la STS de 16 de mayo de 2000 (RJ 2000, 5487), Recurso de Casación núm. 7217/1995 –recogiendo y aplicando la doctrina de Sentencias anteriores, tales como las de 17 de febrero y 6 de marzo de 1998 (RJ 1998, 1677 y RJ 1998, 2491), Recurso de Apelación núm. 327/1993 y Recurso de Casación núm. 109/1992, respectivamente, y 3 de marzo y 27 de septiembre de 1999 (RJ 1999, 2426 y RJ 1999, 7930), Recursos de Casación núms. 6197/1994 y 4751/1995– se declaró que era procedente acceder a la petición de indemnización solicitada, ya que concurrían los requisitos exigidos para dar lugar a la responsabilidad patrimonial de la Administración, cuales son un resultado dañoso, su imputabilidad a ésta, el nexo causal entre la ley y los daños pedidos y, en fin, la individualización de los derechos afectados, indicándose a este respecto:

«(...) cuando se promulgó la ley a la que se imputa el perjuicio, la cual, en suma, vino a hacer imposible el desarrollo de la urbanización que se había proyectado en la zona declarada área natural de especial interés, los gastos realizados por las sociedades hoy recurridas en consideración directa a la actividad empresarial urbanizadora constituyen un perjuicio indemnizable, habida cuenta de que se desarrollaron ante la confianza legítima suscitada por la aprobación de los correspondientes planes parciales, pues, el principio de vigencia indefinida de los planes de ordenación reiteradamente declarado por la jurisprudencia de esta Sala (v. gr. sentencia de 29 de septiembre de 1980 [RJ 1980, 3463]), permite mantener la razonabilidad y legitimidad de dichos gastos y, por ende, justifica el que no exista por parte de los propietarios la carga de soportar las consecuencias de su inutilidad sobrevenida por la alteración mediante ley de las previsiones urbanísticas que los justificaron».

Véase también en términos similares, y referidas asimismo a circunstancias urbanísticas provocadas por la entrada en vigor de citada Ley 1/1991, de 30 de enero, las Sentencias del Tribunal Supremo de 26 de noviembre de 1999 (RJ 2000, 1376), Recurso de Casación núm. 9375/1995, 13 de junio de 2000 (RJ 2000, 5995), Recurso de Casación núm. 2438/1996, 7 de noviembre de 2000 (RJ 2000, 9393), Recurso de Casación núm. 4941/1994, y 30 de junio de 2001 (RJ 2001, 8220), Recurso de Casación núm. 8016/1995.

Todas estas Sentencias tienen su fundamento en la STC 28/1997, de 13 de febrero (RTC 1997, 28), que resolvió una cuestión de inconstitucionalidad relativa a las Leyes del Parlamento de las Islas Baleares 1/1984, de 14 marzo, de Ordenación y Protección de Áreas Naturales de Interés Especial, y 3/1984, de 31 mayo, de Declaración de «Es Trenc-Salobrar de Campos» como Área Natural de Especial Interés, que luego fueron derogadas por referida Ley 1/1991, de 30 de enero.

En dicha STC 28/1997 se declaró que, desde la óptica competencial, ningún reparo ofrecían las Leyes enjuiciadas; y añadió, y esto es lo más importante a los efectos que se vienen tratando, que tampoco existía reparo de constitucionalidad desde el punto de vista de las garantías del artículo 33.3 de la Constitución, pues el silencio de la Ley no puede ser considerado como una exclusión vulneradora de lo dispuesto endicho precepto constitucional «sino que ha de entenderse que ese extremo quedará sometido a la normativa general del ordenamiento jurídico sobre la responsabilidad patrimonial por actos de los poderes públicos que procede otorgar a quienes, por causa de interés general, resulten perjudicados en sus bienes y derechos».

Partiendo de este mismo supuesto, en la STS de 6 de noviembre de 2000 (RJ 2001, 418), Recurso de Casación núm. 5995/1994 se denegó la indemnización solicitada; pero ello fue debido a que en el caso concreto objeto de enjuiciamiento no quedó fehacientemente acreditado que el titular del suelo hubiese incurrido en gasto alguno, por lo que, en suma, nada había que compensar económicamente al mismo.

En esta misma línea, en la precedente STS de 3 de marzo de 1999 (RJ 1999, 2426), Recurso de Casación núm. 6197/1994, también se denegó la indemnización «al acreditarse en autos que los terrenos propiedad del recurrente afectados por la citada Ley (*la 1/1991, de 30 de enero*) se encuentran en el momento de su entrada en vigor sin servicios ni edificaciones, aun cuando tenían la calificación de ampliación de suelo urbano y urbanizable programado por lo que al no existir un *ius aedificandi* incorporado al patrimonio del propietario no existe daño alguno indemnizable».

Bastante similar es también el supuesto resuelto por la Sentencia del TSJ de Andalucía, Sevilla, de 30 de enero de 2001 (JUR 2001, 219508), Recurso contencioso-administrativo núm. 1524/1998, en la que se declaró la procedencia de la indemnización en concepto daños probados por pérdida de rentas en los años 1995/1996 y 1996/1997, al ser declaradas las lagunas propiedad de la actora Reserva integral por la Ley andaluza 2/1987 de 2 de abril, incluidas en la Z.E.P.A. en aplicación de la Directiva Comunitaria 79/409 C.E.E., en el inventario de Espacios Naturales Protegidos de Andalucía aprobado por Ley 2/1989, en el Programa de Acciones Comunitarias y humedades de importancia internacional, y ello porque el actor no tenía el deber jurídico de soportar el perjuicio, como se deduce de la propia Ley 2/1989 al establecer que dichas limitaciones son indemnizables.

9.1.1.1. *Recepción de esta doctrina en la esfera tributaria*

Entre las Sentencias que han admitido la obligación de indemnizar como consecuencia de la responsabilidad de la Administración por actos legislativos nos encontramos, por ejemplo, y por citar tan sólo cuestiones que tienen trascendencia en el ámbito tributario, con los pronunciamientos jurisdiccionales recaídos en relación con la *eliminación de los cupos de pesca exentos de derechos arancelarios derivado del Tratado de Adhesión de España a la Unión Europea*; o, en fin, con aquellas otras Sentencias en las que también se accedió a la petición de indemnización solicitada por los *perjuicios ocasionados por el hecho de haberse implantado un impuesto por la Ley del Parlamento de Canarias 5/1986, de 28 de julio, del Impuesto Especial sobre Combustibles Derivados del Petróleo*, que las empresas afectadas no pudieron repercutir en cuanto a los *stocks* que tenían en sus depósitos en el momento de aplicarse la nueva imposición, dado que los precios de venta al público eran fijados administrativamente y al rebajarlos resultaron inferiores a la suma del precio de compra y el nuevo impuesto autonómico.

9.1.1.1.1. Eliminación de los cupos de pesca exentos de derechos arancelarios

Ya en las lejanas Sentencias del Tribunal Supremo de 5 de marzo de 1993 (RJ 1993, 1623), Recurso núm. 1318/1990, y 27 de junio de 1994 (RJ 1994, 4981), Recurso núm. 300/1988 –cuya doctrina se reiteró en la STS de 6 de julio de 1999 (RJ 1999, 6536), Recurso núm. 308/1995–, aun reconociendo que la eliminación de los cupos de pesca exentos de derechos arancelarios derivado del Tratado de Adhesión de España a la Comunidad Europea podía considerarse producida «incluso, y más propiamente, como consecuencia de las determinaciones del poder legislativo», se estimó, sin embargo, la existencia de responsabilidad patrimonial, por apreciar que los particulares perjudicados habían efectuado fuertes inversiones –que se vieron frustradas– fundados en la confianza generada por medidas de fomento del Gobierno, que a ello estimulaban, plasmadas en disposiciones muy próximas en el tiempo al momento en que se produjo la supresión de los cupos, de tal suerte que existió un sacrificio particular de derechos o al menos de intereses patrimoniales legítimos, en contra del principio de buena fe que debe regir las relaciones de la Administración con los particulares, de la seguridad jurídica y del equilibrio de prestaciones que debe presidir las relaciones económicas.

9.1.1.1.2. Perjuicios derivados de la implantación del Impuesto Especial sobre Combustibles Derivados del Petróleo

En las Sentencias del Tribunal Supremo de 8 de octubre de 1998 (RJ 1998, 7903), Recurso de Apelación núm. 5578/1992, y 9 de octubre de 1998 (RJ 1998, 7905), Recurso de Apelación núm. 5609/1992, recaídas en el asunto consistente en la petición de indemnización por los perjuicios ocasionados, por el hecho de haberse implantado un impuesto por la Ley del Parlamento de Canarias 5/1986, de 28 julio, del Impuesto Especial sobre Combustibles Derivados del Petróleo, que la empresa apelada no pudo repercutir en cuanto a los *stocks* que tenía en sus depósitos en el momento de aplicarse la nueva imposición, dado que los precios de venta al público son fijados administrativamente y al rebajarlos resultaron inferiores a la suma del precio de compra y el nuevo impuesto autonómico, se declaró –frente a la alegación del representante de la Administración Autonómica de Canarias, para sostener que no le correspondía a ésta el resarcimiento del perjuicio, argumentando que la fijación de precios la realizaba el Ministerio de Industria de la Administración Estatal, comprendiendo el monto total impositivo aplicable a los productos, incluyendo el impuesto autonómico, por lo que debía tenerse en cuenta la posible modificación de éste, modificando el precio final de venta de los productos gravados cuando se produjese variación impositiva, ya que de otro modo la Comunidad Autónoma se vería imposibilitada de ejercer la competencia para modificar su propio impuesto, concluyendo que correspondería la indemnización a la Administración General del Estado por su inactividad en la referida modificación de precios– que «la omisión generadora del perjuicio económico partió del Legislador Canario que no hizo previsión alguna, en forma de disposición transitoria, para impedir la situación, objetivamente injusta, de la imposible repercusión de tributo sobre los productos almacenados con anterioridad, a pesar de serle advertido por la propia recurrente y otras empresas petrolíferas», añadiéndose que «es al Legislador, que toma la iniciativa normativa en el más alto rango, al que corresponde adoptar también las previsiones para evitar el resultado dañoso en la aplicación de aquélla, adquiriendo, en el supuesto contrario, la obligación de indemnizarlo, como en el presente caso, para el mantenimiento de los principios constitucionales de igualdad y justicia fiscal».

En idéntico sentido, en la STS de 20 de octubre de 1998 (RJ 1998, 9455), Recurso de Apelación núm. 5638/1992, se declaró que: «la Comunidad Autónoma debe pechar con las consecuencias dañosas que su actividad legisladora produjo al imponer al particular un sacrificio patrimonial que no tenía la obligación de soportar, concurriendo los requisitos normalmente exigidos para dar lugar a la responsabilidad peticionada al no contemplarse cual se consigna en la resolución judicial impugnada expresamente "la auténtica realidad de los *stocks* de combustibles en el momento de la entrada en vigor de la Ley, esto es, de no regular transitoriamente un específico régimen fiscal para aquellos combustibles ya adquiridos por la recurrente en refinería que necesariamente habría de vender a los precios fijados por la Orden de 1 de agosto de 1986, sin posibilidad de repercusión..."».

9.1.2. Sucinta alusión a ciertos pronunciamientos jurisdiccionales que no han admitido declarar la responsabilidad patrimonial por este concepto

Entre ellos cabe citar, por ejemplo, los recaídos en relación con: a) la *jubilación forzosa de los funcionarios;* b) con los *perjuicios alegados por los Agentes de Cambio y Bolsa con ocasión de lo establecido por la Disposición final primera de la Ley 24/1988, de 28 julio, del Mercado de Valores;* c) con las *incompatibilidades en el sector público;* o d) con la *liberalización de los servicios funerarios.*

A) El problema de la responsabilidad del Estado legislador por las *normas que anticiparon la edad de jubilación forzosa de los funcionarios* fue ya resuelto por la Sentencia del Pleno de la Sala Tercera del Tribunal Supremo de 30 de noviembre de 1992 (RJ 1992, 8769), desestimando el recurso promovido por esta causa, y, desde entonces, han sido muy numerosas las Sentencias del Tribunal Supremo que se han manifestado en igual sentido. Entre otras las de 3 de diciembre de 1997 (RJ 1997, 8879), Recurso contencioso-administrativo núm. 7396/1992, 8 de enero de 1998 (RJ 1998, 773), Recurso de Revisión núm. 310/1995, 21 de enero de 1998 (RJ 1998, 351), Recurso contencioso-administrativo núm. 7476/1992, 23 de febrero de 1998 (RJ 1998, 1787), Recurso contencioso-administrativo núm. 857/1993, 18 de mayo de 1998 (RJ 1998, 4642), Recurso contencioso-administrativo núm. 403/1995, 5 de junio de 1998 (RJ 1998, 5137), Recurso contencioso-administrativo núm. 525/1997, 28 de septiembre de 1998 (RJ 1998, 8830), Recurso contencioso-administrativo núm. 345/1997, 13 de octubre de 1998 (RJ 1998, 8837), Recurso contencioso-administrativo núm. 377/1997, 14 de diciembre de 1998 (RJ 1998, 10308), Recurso contencioso-administrativo núm. 747/1997, 9 de febrero de 1999 (RJ 1999, 727), Recurso de Casación núm. 624/1994, 22 de marzo de 1999 (RJ 1999, 3732), Recurso contencioso-administrativo núm. 33/1996, 23 de marzo de 1999 (RJ 1999, 3175), Recurso contencioso-administrativo núm. 212/1997, 18 de enero de 2000 (RJ 2000, 904), Recurso contencioso-administrativo núm. 692/1994, 22 de septiembre de 2000 (RJ 2000, 8609), Recurso contencioso-administrativo núm. 137/1998, 24 de octubre de 2000 (RJ 2000, 10369), Recurso contencioso-administrativo núm. 220/1997, 19 de diciembre de 2000 (RJ 2000, 10551), Recurso de Casación núm. 6332/1996, 30 de enero de 2001 (RJ 2001, 158), Recurso contencioso-administrativo núm. 387/1998, 14 de noviembre de 2002 (RJ 2002, 9926), Recurso contencioso-administrativo núm. 182/1999, y 15 de noviembre de 2002 (RJ 2003, 1308), Recurso contencioso-administrativo núm. 4/1999.

El Tribunal Supremo declaró a este respecto que el personal sujeto a régimen estatutario que está al servicio del Estado, no goza de un derecho subjetivo o de un interés cierto, efectivo y actual existente en su patrimonio, sino de una simple expectativa a que la jubilación forzosa se produjese a una determinada edad (la vigente en el momento de comenzar la prestación de sus servicios), estando dicha edad sujeta en todo momento a las posibles reformas del aludido régimen estatutario, por lo que, en suma, la jubilación forzosa del referido personal por causa de edad forma parte del contenido de la relación estatutaria que les vincula con el Estado, y la anticipación de la edad de jubilación constituye una legítima modificación legislativa de dicho régimen estatutario, fundada en razones sociológicas y económicas, que no produce a los afectados una lesión que deba ser indemnizada; añadiéndose que no cabe entender que la anticipación de la edad de jubilación forzosa del personal al servicio del Estado sujeto a régimen estatutario constituya una expropiación legislativa, ya que los mismos no se han visto privados de un derecho subjetivo o de un interés cierto, efectivo y actual existente en su patrimonio.

Las Sentencias del Tribunal Constitucional 108/1986, de 29 de julio (RTC 1986, 108), 99/1987, de 11 de junio (RTC 1987, 99), y 70/1988, de 19 de abril (RTC 1988, 70), se hallan en la misma línea, ya que al analizar la constitucionalidad de los preceptos de las Leyes que anticiparon la edad de jubilación de Jueces y Magistrados, funcionarios públicos y Profesores de EGB, negaron que tales preceptos vulnerasen los artículos 9.3, 33.3 y 35 de la Constitución, afirmando que no hay privación de derechos, sino alteración de su régimen en el ámbito de la potestad del legislador constitucionalmente permisible.

Pese a que en dichas Sentencias se indica que ello no impide añadir «que esa modificación legal origine una frustración de las expectativas existentes y en determinados casos perjuicios económicos que pueden merecer algún género de compensación», tal expresión –que en palabras de GARRIDO FALLA (1993) denota un resto de «mala conciencia» en el Alto Tribunal que le invita a sustituir la hipótesis expropiatoria por la tesis de la indemnización por daños, fruto de haber rechazado los derechos adquiridos del funcionario, consecuencia de la técnica estatutaria, lo que, según este autor, no deja de ser un mero artificio jurídico, pues difícilmente podrían negarse aquellos si la relación funcionarial se regulase, como en el campo laboral, mediante convenios colectivos– no supone, como, por ejemplo, se indicó por la STS de 22 de septiembre de 2000 (RJ 2000, 8609), Recurso contencioso-administrativo núm. 137/1998, por el modo verbal empleado, el reconocimiento de un derecho a indemnización, ya que más bien se trata de una reflexión dirigida al propio legislador.

Aplicando esta misma doctrina, en la STS de 25 de enero de 1999 (RJ 1999, 1332), Recurso contencioso-administrativo núm. 6572/1992, siguiendo la doctrina de sus precedentes Sentencias de 15 de noviembre de 1995 (RJ 1995, 8198), Recurso núm. 2135/1991, y 4 de junio de 1996 (RJ 1996, 4736), Recurso núm. 2040/1991, se declaró que también era improcedente la petición de responsabilidad patrimonial en el supuesto de aplicación a los recurrentes, funcionarios jubilados, en situación de alta en la Mutualidad de Previsión Social del Ministerio de Trabajo (integrada en la MUFACE) al tiempo de ser jubilados, lo dispuesto en la disposición adicional quinta de la Ley 74/1980, de 29 diciembre, de PGE para 1981, que dispuso que: «El Estado garantiza a los mutualistas y beneficiarios de las Mutualidades Generales y Obligatorias de funcionarios a que se refiere la disposición transitoria de la Ley 29/1975, de 27 junio, el derecho a percibir las prestaciones existentes en las respectivas Mutualidades al 31 diciembre 1973 y en la cuantía en vigor en tal fecha».

B) Respecto a los *perjuicios alegados por los Agentes de Cambio y Bolsa como consecuencia de lo establecido por la Disposición final primera de la Ley 24/1988, de 28 julio, del Mercado de Valores*, en la STS de 11 de febrero de 1999 (RJ 1999, 1790), Recurso contencioso-administrativo núm. 4930/1992, se declaró, con doctrina ratificada por la posterior Sentencia de 18 de diciembre de 1999 (RJ 1999, 10070), Recurso contencioso-administrativo núm. 7365/1992, que no existía responsabilidad patrimonial en el recurso por ellos interpuesto.

Los Agentes de Cambio y Bolsa basaron su pretensión en lo establecido por la disposición final primera de la Ley 24/1988, de 28 julio, del Mercado de Valores, en la que se señaló que: «En el momento de la entrada en vigor de los preceptos de esta ley referentes a las Bolsas de Valores, los Agentes de Cambio y Bolsa, sin perjuicio de conservar su denominación, pasarán a integrarse en el Cuerpo de Corredores de Comercio Colegiados, ocupando en su escalafón el lugar que les corresponda de acuerdo con la antigüedad de cada uno de ellos como Agentes Mediadores Oficiales y quedando íntegramente sujetos a cuantas normas sean aplicables a los citados Corredores de Comercio colegiados. En dicha fecha quedarán disueltos los Colegios de Agentes de Cambio y Bolsa, entrando a continuación en período de liquidación. El Gobierno determinará el destino que haya de darse a los libros, registros y archivos de los Agentes de Cambio y Bolsa y a cuánta documentación oficial conste en sus Colegios».

A juicio del Tribunal Supremo esta norma no quebrantó la confianza de los Agentes ni vulneró su seguridad jurídica, ya que a las previsiones transitorias existentes en ella había de unirse el amplio período de *vacatio legis* de la misma, y los intereses legítimos de aquellos, derivados del principio de confianza legítima, no pueden considerarse desconocidos, máxime si se tiene en cuenta que entre las previsiones contenidas en la ley se contienen medidas encaminadas a paliar los posibles efectos negativos de la Ley en relación con citados Agentes de Cambio y Bolsa.

De ello concluyó afirmando que «aun cuando puedan existir daños y perjuicios para los Agentes de Cambio y Bolsa como consecuencia de las normas dictadas en el entorno de la suscripción por España del Acta Única Europea, los mismos no pueden generar responsabilidad patrimonial para el Estado por existir, dadas sus características, la carga de soportarlos por los afectados, y no ser imputables, atendidas las circunstancias en que se producen, a medidas de sacrificio singular adoptadas por la Administración respecto de determinados particulares, sino a genéricas disposiciones de rango legal, las cuales imponen limitaciones que se proyectan sobre el conjunto de los ciudadanos, aun cuando puedan afectar desigualmente a los grupos en que se integran».

C) En relación con la cuestión de las *incompatibilidades en el sector público* –y ante la reclamación de daños y perjuicios derivados de la aplicación a los recurrentes del régimen de incompatibilidades para el ejercicio del segundo puesto de trabajo en el sector público establecido en la Ley 53/1984, de 26 de diciembre –Ley ésta que fue declarada plenamente conforme a la Constitución por las Sentencias del Tribunal Constitucional 178/1989, de 2 noviembre (RTC 1989, 178), 41 y 42/1990, de 15 marzo (RTC 1990, 41 y 42) y 65 a 68/1990, de 5 abril (RTC 1990, 65, 66, 67 y 68)– en, por ejemplo, las Sentencias del Tribunal Supremo de 8 de julio de 1999 (RJ 1999, 6717), Recurso contencioso-administrativo núm. 7145/1992, y 17 de enero de 2000 (RJ 2000, 553), Recurso contencioso-administrativo núm. 1286/1991, en términos similares a lo que ya se había señalado, entre otras, por las Sentencias de este mismo Órgano de 27 y 30 de noviembre y 2, 4 y 18 de diciembre de 1993 (RJ 1993, 8261, RJ 1993, 8265, RJ 1993, 9246, RJ 1993, 9249 y RJ 1993, 9361), Recursos núms. 1755/1991, 2156/1991, 267/1993, 2355/1991 y 1292/1991, respectivamente, y 18 de enero de 1994 (RJ 1994, 49), Recurso núm. 1688/1990, se declaró que:

«(...) la modificación del sistema de incompatibilidades de los funcionarios, haciendo más estricta su vinculación con la Administración mediante la prohibición de simultanear el desempeño de dos o más puestos de trabajo de carácter público o uno público y otro privado, no es ni constituye expropiación alguna sin garantía indemnizatoria, por la razón esencial de que los funcionarios, y en general, los empleados públicos no ostentan un derecho constitucional a mantener esas condiciones en que se desarrolla su función al servicio de la Administración en el mismo nivel de exigencia que tuvieron a su ingreso en la misma y por consiguiente, ni existe un derecho patrimonial individual previo ni tampoco una expropiación en cuanto privación singular de derechos patrimoniales, por la mera modificación de la legislación sobre incompatibilidades en el seno de la función pública, razones que determinan la desestimación de la pretensión instada ante el hecho de que expectativas fundadas en la permanencia de un determinado status funcionarial se frustren al modificarse tal estatuto».

D) Por lo que atañe a la *liberalización de los servicios funerarios*, en la STS de 14 de febrero de 2002 (RJ 2002, 1678), Recurso núm. 493/1998, se declaró que no existía derecho a la indemnización solicitada por responsabilidad patrimonial en el supuesto al que dio lugar la promulgación del Real Decreto-ley 7/1996, de 7 de junio, cuyo artículo 22 estableció dicha liberalización.

El Tribunal Supremo afirmó, ante la alegación del recurrente que ello le suponía un perjuicio económico, que estábamos en presencia de «una situación especulativa sobre la posibilidad de que puedan originarse perjuicios por el cambio del sistema en la prestación de servicios funerarios introducido por el Real Decreto-ley 7/1996, pero es lo cierto que no se ha acreditado la existencia de lesión patrimonial efectiva individualizada. El recurrente opera sobre la base de una hipótesis, la previsibilidad de que dicha lesión se produzca, si efectivamente se produce una situación de concurrencia antes de que finalice su concesión, extremo éste que ni se acredita ni se alega se haya producido».

Esta misma doctrina se recoge también en, por ejemplo, las Sentencias del Tribunal Supremo de 14 de marzo de 2002 (RJ 2002, 3004), Recurso contencioso-administrativo núm. 494/1998, 12 de abril de 2002 (RJ 2002, 3466), Recurso contencioso-administrativo núm. 218/1998, y 13 de abril de 2002 (RJ 2002, 3957), Recurso contencioso-administrativo núm. 500/1998, habiéndose declarado en esta última que:

«Nos encontramos, pues, con un cambio de carácter general en el sistema de prestación de los servicios funerarios, que, de ser una actividad reservada a las entidades locales, se ha transformado en una actividad económica libre, sujeta sólo a previa autorización municipal reglada, de modo que la nueva regulación legal carece de contenido expropiatorio por constituir una norma general de obligado cumplimiento, lo cual, aunque repercuta de forma desigual respecto de quienes prestaban los servicios funerarios a la sociedad, no supone una privación singular de derechos o intereses patrimoniales legítimos, como esta Sala declaró, entre otras, en sus Sentencias de 24 de mayo 1997 (RJ 1997, 3983) (recurso 392/1995, fundamento jurídico séptimo) y 18 de octubre del mismo año (RJ 1997, 7941) (recurso 223/1995, fundamento jurídico octavo), siguiendo la doctrina recogida en la Sentencia núm. 227 de 29 de noviembre de 1988 (RTC 1988, 227) (fundamento jurídico undécimo) del Tribunal Constitucional, en la que se expresa que las medidas legales de delimitación o regulación general del contenido de un derecho, sin privar singularmente del mismo a sus titulares, aunque impliquen una reforma restrictiva de derechos individuales o la limitación de algunas de sus facultades, no dan por sí solas derecho a una compensación indemnizatoria, sino que, al establecer con carácter general una nueva configuración legal de los derechos, es ésta procedente teniendo en cuenta las exigencias del interés general.

En este caso, el legislador ha regulado de forma diferente la prestación de los servicios funerarios pero no ha privado a quienes los prestaban de su derecho a continuar haciéndolo, si bien ajustándose a un régimen de libre competencia, con lo que sólo ha limitado el modo de hacerlo por considerar la concurrencia en su prestación, previa autorización municipal reglada, más útil o conveniente para la economía».

9.1.2.1. Aplicación de este criterio en el ámbito tributario

En el ámbito específicamente tributario, entre los pronunciamientos que han declarado que no se producía la concurrencia de los requisitos necesarios para que los daños derivados de actos legislativos fuesen indemnizables en concepto de responsabilidad patrimonial de la Administración, cabe citar, por ejemplo, los que han resuelto las cuestiones referentes a las reclamaciones de daños y perjuicios formuladas a este respecto por los *Agentes de Aduanas como consecuencia de la entrada en vigor del Acta Única Europea;* por los *Ayuntamientos como consecuencia del establecimiento de beneficios fiscales para las autopistas de peaje en la antigua Contribución Territorial Urbana;* por los *recaudadores de tributos con ocasión del cese en el ejercicio de sus funciones;* por las *empresas oleícolas por perjuicios causados por el adelanto en la supresión de los derechos aduaneros entre España y los Países de la Unión Europea para las semillas oleaginosas y los aceites que de ellas se extraen;* y por los Ayuntamientos por la *insuficiente compensación económica, derivada de las reformas introducidas en el Impuesto sobre Actividades Económicas (IAE), establecida para las Corporaciones Locales por la Disposición Adicional 10ª de la Ley 51/2002, de 27 de diciembre.*

9.1.2.1.1. Daños que los Agentes de Aduanas alegaron haber sufrido al entrar en vigor el Acta Única Europea

A la entrada en vigor del Acta Única Europea, cuya firma fue autorizada por acuerdo del Consejo de Ministros de 14 de febrero de 1986, y ratificada por la Ley Orgánica 4/1986, de 26 de noviembre, los Agentes de Aduanas solicitaron ser resarcidos porque, a su juicio, ello había originado a aquellos perjuicios en concepto de indemnizaciones abonadas a trabajadores, no amortización de inversiones, pérdida de instalaciones y clientes, daño moral y profesional, pérdida de trabajo y lucro cesante, reclamando por todo ello la correspondiente indemnización en concepto de responsabilidad patrimonial.

Sin embargo, en la STS de 13 de febrero de 1997 (RJ 1997, 978), Recurso núm. 399/1995 –cuya doctrina se ha reiterado después en numerosas ocasiones, entre otras, a título de mero ejemplo, en las Sentencias de este mismo Órgano de 29 de diciembre de 1997 (RJ 1998, 344), Recurso contencioso-administrativo núm. 338/1995, 12 de enero de 1998 (RJ 1998, 254), Recurso contencioso-administrativo núm. 363/1995, 6 de julio de 1999 (RJ 1999, 7474), Recurso contencioso-administrativo núm. 349/1995, 13 de julio de 1999 (RJ 1999, 6545), Recurso núm. 377/1995, 15 de julio de 1999 (RJ 1999, 7153), Recurso contencioso-administrativo núm. 374/1995, y 15 de julio de 1999 (RJ 1999, 7479), Recurso de Casación núm. 371/1995– se declaró que en este caso no se daban las circunstancias que determinan la concurrencia de un sacrificio particular de derechos o intereses legítimos suficiente para dar lugar a la exigencia de responsabilidad patrimonial derivada de la actuación del Gobierno, y ello:

– Por una parte, porque la medida de ingreso en el mercado común europeo no se adoptó de manera inopinada y brusca, sino que la medida fue conocida desde mucho tiempo antes de ser adoptada.

Efectivamente, el proceso de negociación para la integración de España en las Comunidades Europeas culminó con la firma del Acta de Adhesión de España y Portugal el 12 de junio de 1985. El 8 de agosto de 1985 se publicó la Ley Orgánica 10/1985, de 2 de agosto, de autorización para la adhesión de España a las Comunidades Europeas, que suponía la aplicabilidad del Tratado de Roma de 1957, que implicaba una unión aduanera. El artículo 31 del Acta de Adhesión se refirió a las medidas transitorias e indicó que la última reducción del 10% tendría lugar el 1 enero 1993. Independientemente de los posibles anuncios de la medida como propósito político del Gobierno, ésta adquirió una formalidad irrefutable mediante el Acuerdo del Consejo de Ministros de 14 de febrero de 1986, por el que se autorizó la firma del Acta Única Europea. Por ello, esta medida, que se produjo con casi siete años de antelación al momento en que se levantaron definitivamente las barreras aduaneras, no pudo pasar inadvertida a los Agentes de Aduanas, que no podían desconocer los efectos que se iban a producir en el desarrollo de su actividad.

– Y, por otra, tampoco desde la perspectiva de la regulación estatal de la profesión de Agente de Aduanas podía advertirse, a juicio del Tribunal Supremo, que los daños y perjuicios sufridos hubiesen adquirido caracteres de sacrificio singular indemnizable. Se señaló a este propósito que si la jurisprudencia no reconoce como derechos adquiridos los derivados de la situación estatutaria de los funcionarios públicos, como consecuencia del poder de organización que corresponde a las Administraciones públicas, tampoco debe existir tal reconocimiento cuando no se trata del estatuto funcionarial, sino de la regulación de profesiones sujetas a la intervención administrativa, en que no ya el interés ligado a la buena organización administrativa, sino los intereses generales de la sociedad son los que de manera directa llevan al ordenamiento jurídico a autorizar la fiscalización del poder público sobre determinados aspectos de su actividad. En estos casos permanece con todo su sentido la exigencia de que se mantenga la potestad de innovación normativa, con el fin de que no queden petrificadas regulaciones al margen de la evolución real de los intereses generales y del ejercicio de las facultades de apreciación de los órganos llamados a velar por ellos según las competencias reconocidas por la Constitución y la ley.

Todo ello conlleva que en este caso, aun cuando puedan existir daños y perjuicios para los Agentes de Aduanas como consecuencia de la supresión de barreras arancelarias derivada de la entrada en vigor del Acta Única Europea, los mismos no pueden generar responsabilidad patrimonial para el Estado por existir, dadas sus características, la carga de soportarlos por los afectados, y no ser imputables, atendidas las circunstancias en que se producen, a medidas de sacrificio singular adoptadas por la Administración respecto de determinados particulares, sino a genéricas disposiciones de rango legal, las cuales imponen limitaciones que se proyectan sobre el conjunto de los ciudadanos, aun cuando puedan afectar de forma desigual a los grupos en que se integran.

9.1.2.1.2. La cuestión de los beneficios fiscales en la Contribución Territorial Urbana (CTU) a favor de las autopistas de peaje

En la STS de 18 de mayo de 2000 (RJ 2000, 6272), Recurso contencioso-administrativo núm. 559/1996, se declaró, con relación al tema de la compensación a las Corporaciones locales por los beneficios fiscales establecidos por el Estado o las Comunidades Autónomas, que los concedidos a las entidades concesionarias de autopistas de peaje en la CTU –lo que ocurrió por medio de la Ley 8/1972, de 10 de mayo, de construcción, conservación y explotación de autopistas de peaje en régimen de concesión, que dispuso que los concesionarios podían disfrutar de una serie de beneficios tributarios, entre los que se encontraba una reducción de hasta el 95% de la base imponible de la CTU, que recayese sobre los aprovechamientos destinados a autopista de peaje, en los términos que estableciesen los pliegos de cláusulas y los Decretos de adjudicación (artículos 11.1 y 12 de la Ley 8/1972)–, por tanto, antes de la sustitución de esta figura por el Impuesto sobre Bienes Inmuebles (IBI) –que dejó estos beneficios subsistentes conforme a lo establecido por la disposición transitoria segunda, apartado 2, de la LRHL de 1988– no provocaban ningún detrimento patrimonial para los Ayuntamientos, por lo que no cabía indemnización alguna, ya que:

«(...) la bonificación en la base imponible del tributo existía ya al momento de convertirse aquél en local, de modo que el Ayuntamiento, al subrogarse en la posición del anterior titular del impuesto, el Estado, no sufrió ningún detrimento patrimonial, pues la cuota tributaria que, desde un primer momento, percibió por la CTU, reflejaba la reducción propia del referido beneficio fiscal».

Añadió el Tribunal Supremo que:

«No procedía acordar las medidas de compensación previstas en el artículo 721 de la Ley de Régimen Local de 1955 entonces vigente, pues las mismas se referían al otorgamiento de futuro de exenciones y desgravaciones sobre tributos locales ya existentes, con el fin de sustituir los rendimientos dejados de percibir, mientras que en el presente caso, al convertirse la CTU en impuesto local ya existía el beneficio fiscal en favor del concesionario de la autopista, sin que, por tanto, dejase el Ayuntamiento de percibir rendimiento tributario alguno, puesto que con anterioridad no existían, dado que la Entidad local no percibía los rendimientos de la CTU, al no ser un impuesto propio de ésta».

Y que tampoco resultaba aplicable lo señalado por el artículo 9.2 de la LRHL de 1998 «por cuanto el mismo se refiere a las Leyes que, en el futuro, establezcan beneficios fiscales en materia de tributos locales, vinculando la compensación a la sustitución de los recursos dejados de percibir, y en el presente caso no se trata del establecimiento de beneficios fiscales posteriores a la entrada en vigor de la LRHL, sino del mantenimiento de otros ya existentes, sin que, además, haya pérdida de rendimientos que precisen ser compensados o sustituidos», y, de otra parte, este artículo 9.2 de la LRHL «prevé el establecimiento legal de fórmulas de compensación para los casos de creación de beneficios fiscales en materia de tributos locales. No se refiere a los beneficios fiscales regulados por dicha Ley ni a los ya creados en ella ni al reconocimiento de la vigencia transitoria de los existentes con anterioridad: se constriñe a lo que puedan establecerse más allá de sus previsiones».

9.1.2.1.3. Daños aducidos por el cese de los recaudadores municipales en el ejercicio de sus funciones

También en materia de Haciendas locales nos encontramos con la STS de 5 de diciembre de 2000 (RJ 2000, 10683), Recurso de Casación núm. 4335/1996, en la que se declaró que el cese de los recaudadores municipales en el desempeño de sus funciones no suponía privación de derechos, sino de meras expectativas, por lo que era improcedente la indemnización solicitada.

Las disposiciones normativas generadoras del cambio del estatuto profesional de estas personas fueron, básicamente, el Real Decreto 1327/1986, de 13 de junio, que estableció que las Delegaciones y Administraciones de Hacienda asumiesen directamente, en los términos del artículo 9.d) de la Ley General Presupuestaria 11/1977, de 4 de enero, reiterado con igual número y letra en el Real Decreto Legislativo 1091/1988, de 23 de septiembre, la gestión recaudatoria conducente a la realización en vía ejecutiva de los créditos y derechos que constituyen el haber del Estado y de los Organismos Autónomos, susceptibles de recaudación por vía de apremio, acordándose en referida disposición el cese de la encomienda del servicio de recaudación que el Ministerio de Economía y Hacienda tenía concedido a las Diputaciones Provinciales o a las Comunidades Autónomas uniprovinciales, por lo que tanto los Recaudadores de Hacienda como los Recaudadores de Zona, dejaron de ser órganos de recaudación de los derechos y créditos que constituyen el haber del Estado y los Organismos Autónomos; el Real Decreto 1451/1987, de 27 de noviembre, que señaló que el Ministerio de Economía y Hacienda había de fijar la fecha en que cada Delegación y Administración de Hacienda asumiría la recaudación ejecutiva estatal, cesando en sus funciones las Diputaciones Provinciales concesionarias, los Recaudadores de Hacienda y los Recaudadores de Zona; y la Orden del Ministerio de Economía y Hacienda de 23 de noviembre de 1987, que concretó en el 31 de diciembre de 1987 la fecha de cese de todas las encomiendas del servicio de recaudación concedidas por el Ministerio de Economía y Hacienda a las Diputaciones Provinciales y Comunidades Autónomas, a partir de cuyo momento todos los Recaudadores de Hacienda y de Zona cesaron en sus funciones y dejaron de ser órganos de recaudación de la Hacienda Pública, asumiendo directamente dicho cometido las Delegaciones y Administraciones de Hacienda.

Del análisis de tales normas se desprende, en opinión del Tribunal Supremo, que estamos en presencia de un conjunto normativo, con expresa habilitación legal, que determina un cese en la prestación de servicios por parte de los recaudadores y cualquiera que sea el criterio que se sustente en torno a la naturaleza jurídica de su *status* no podría equipararse a un contrato definidor de derechos y obligaciones, insusceptible de cualquier modificación en el futuro, por lo que la situación jurídica de los recaudadores siempre ha estado supeditada a lo que las Leyes y los Reglamentos dispusiesen (artículo 2 del Decreto 3286/1969), y estos últimos establecían, explícitamente, no sólo que los recaudadores, tanto de Hacienda como de Zona, podían cesar en el cargo «por cambio del sistema recaudatorio» (artículos 30.5 y 41 del Decreto 3286/1969, antes de su modificación por el Real Decreto 3126/1983), sino también que a las Diputaciones Provinciales, de las que dependían los Recaudadores de Zona, se les podía «rescindir la encomienda sin derecho alguno a indemnización» (artículo 35 del Decreto 3286/1969).

En consecuencia, como se declaró por esta STS de 5 de diciembre de 2000 (RJ 2000, 10683), los recaudadores no eran detentadores de derechos, sino de meras expectativas, por lo que es evidente:

«(...) que la reestructuración reglamentaria autoorganizativa (con habilitación legal) del anterior sistema recaudatorio, en beneficio y para mayor eficacia del interés público, y la consecuente desaparición de las "encomiendas" y de los cargos de recaudador, no podía generar una indemnización reparable, máxime cuando la Disposición Adicional Segunda del Real Decreto 1327/1986 establece un mecanismo compensatorio, consistente en que los Recaudadores cesados y su personal auxiliar pueden optar, en primer lugar, por adscribirse, cuando cumplan los requisitos y condiciones que al efecto se establezcan, a las Unidades Administrativas de las Delegaciones y Administraciones de Hacienda, o bien, si tenían la condición previa de funcionario público, por reingresar a su primitivo destino, siempre que exista puesto vacante con dotación presupuestaria, de acuerdo con lo previsto en el Real Decreto 2169/1984, de 28 noviembre, sobre atribución de competencias en materia de personal, sin perjuicio de poder obtener otro destino a tenor de la normativa general sobre reingreso, o bien, por último, en el caso de no tener la condición de funcionario, por aceptar la adscripción en régimen de contratación laboral».

Por todo ello, no cabe entender, a juicio de esta Sentencia, que esta situación hubiere producido a los recaudadores «pérdidas o disminuciones de derechos económicos, sino, a lo sumo, de expectativas, pues tales derechos se producían o generaban en base a la gestión realizada, ya que eran la contraprestación del servicio prestado, y es lógico que, si dicha gestión ya no se realiza, esos derechos carecen de causa originaria y, en consecuencia, las antiguas expectativas de continuar percibiendo la contraprestación no pueden confundirse e identificarse con derechos plenamente asumidos o adquiridos».

Esta doctrina ya había sido mantenida en las precedentes Sentencias del Tribunal Supremo de 31 de octubre de 1992 (RJ 1992, 10288), Recurso núm. 872-K/1990, 2 de noviembre de 1993 (RJ 1993, 8182), Recurso núm. 871/1990, y 10 de octubre de 1998 (RJ 1998, 9058), Recurso de Apelación núm. 9425/1990, en la que se declaró:

«No hay lesión si no hay antijuridicidad o ilicitud del daño o perjuicio causado, y esa antijuridicidad o ilicitud sólo se produce cuando el afectado no hubiera tenido la obligación de soportar el daño o el perjuicio. Y la antijuridicidad o ilicitud debe existir siempre (sin que con ello se haga referencia a si la responsabilidad ha de ser subjetiva y objetiva, pues esto es otro tema, el de la concurrencia o no de la culpa), por lo que si la Ley, como ocurre en este caso, faculta a la Administración para actuar de la manera en que lo ha hecho no existe la obligación de indemnizar y no hay antijuridicidad o ilicitud, pues concurre una causa que la excluye y un derecho que ampara el actuar administrativo, generando la obligación jurídica de soportar el daño o perjuicio.

Por lo tanto, si, en el caso presente, la Administración del Estado, por vía reglamentaria (Reales Decretos 1327/1986 y 1451/1987 y Orden Ministerial 23 noviembre 1987) y con sujeción al principio de legalidad [artículos 6.2, 9.1, c) y 138 de la Ley General Tributaria y 9, d) de la Ley General Presupuestaria], ha procedido a establecer una estructura administrativa diferente que implica el «cambio del sistema recaudatorio», con las consecuencias, ya previstas, de «rescindir», «sin derecho alguno a indemnización», la «encomienda» de las Diputaciones Provinciales y producir el «cese» de todos los Recaudadores, con opción de adscribirse a los nuevos servicios recaudatorios o de reingresar a su anterior puesto de funcionario público, debe concluirse que tal actuación está plenamente ajustada al ordenamiento jurídico y que los potenciales daños y perjuicios causados no son antijurídicos o ilícitos y han de ser jurídicamente soportados por los interesados, que, dentro del sustrato estatutario de la relación que mantenían con la Administración, sólo eran titulares de meras y simples expectativas».

En alguna de estas Sentencias se recuerda, por otra parte, que el Tribunal Constitucional, en sus Sentencias núms. 37/1987, de 26 de marzo (RTC 1987, 37), 65/1987, de 21 de mayo (RTC 1987, 65), 127/1987, de 16 de julio (RTC 1987, 127), 170/1989, de 19 octubre (RTC 1989, 170), y 41 y 42/1990, de 5 de marzo (RTC 1990, 41 y RTC 1990, 42), ha declarado, en síntesis, que «no hay antijuridicidad ni, por tanto, derecho a indemnización cuando, en el ejercicio de las facultades innovatorias del ordenamiento jurídico o de las potestades autoorganizatorias de los servicios públicos, se realiza una modificación en la regulación o configuración de un régimen jurídico anterior o se reestructuran sus sistemas de gestión».

9.1.2.1.4. *Perjuicios reclamados por las empresas oleícolas debido al adelanto en la supresión de los derechos aduaneros entre España y los Países de la Unión Europea*

Otro supuesto en el que también se denegó la existencia de responsabilidad patrimonial de la Administración derivada de acto legislativo fue el resuelto por STS de 10 de junio de 2003 (RJ 2003, 4432), en la que se declaró que no procedía atender la reclamación de daños y perjuicios efectuada por determinadas empresas actuantes en el sector oleícola, que adujeron que tales daños fueron sufridos por ellas durante el primer semestre de 1995, por la supresión de los derechos aduaneros entre España y los Países de la Unión Europea, fruto de la decisión del Gobierno español de adelantar el desarme arancelario para las semillas oleaginosas y los aceites que de ellas se extraen.

El Tribunal Supremo afirmó a este respecto que no puede hablarse ni de derecho adquirido ni de expectativa indemnizable cuando el propio Acta de Adhesión preveía la posibilidad de adelantar el período transitorio en su artículo 75, toda vez que este precepto, en su apartado 4.a) disponía que: «Para los productos sometidos a la organización común de los mercados, podrá decidirse, con arreglo al procedimiento previsto en el artículo 38 del Reglamento núm. 136/66 CEE o, según los casos, en los correspondientes artículos de los demás Reglamentos por los que se establecen las organizaciones comunes de mercados agrícolas que: a) España, a instancia propia procederá: A la supresión de los derechos de aduana contemplados en el apartado 1 o a la aproximación de los derechos de aduana aplicables a los productos que no sean los contemplados en el punto 2.a, a un ritmo más rápido que el previsto en estos apartados (...)».

Al ser esto lo que había sucedido, era evidente que esa posibilidad estaba presente ya en el Acta de Adhesión, y era conocida por las empresas del sector, de manera que cuando se hizo efectiva, las recurrentes no fueron sorprendidas por la medida, por lo que, en suma, no podían acogerse al principio de confianza legítima en el actuar de la Administración que en otro caso les ampararía, ya que dispusieron de tiempo suficiente para haber adoptado las disposiciones que les habrían permitido asumir las nuevas condiciones del mercado, por lo que las eventuales pérdidas que dijeron haber experimentado no eran imputables a la actitud de la Administración, ni podía sostenerse que la postura de ésta fuera la responsable del daño que alegaron haber padecido.

9.1.2.1.5. Reclamaciones contra la insuficiente compensación económica, derivada de las reformas introducidas en el Impuesto sobre Actividades Económicas (IAE), establecida para las Corporaciones Locales por la Disposición Adicional 10ª de la Ley 51/2002, de 27 de diciembre

No soy nada sospechoso respecto a lo que opino de la existencia de un impuesto como el IAE, ya que en diversos trabajos he manifestado mi frontal oposición, y mi profundo desacuerdo, desde un punto de vista técnico-jurídico, con la introducción, y pervivencia, en nuestro ordenamiento jurídico de un tributo como éste, tan alejado de las exigencias derivadas de los principios constitucionales aplicables y exigibles en la materia tributaria, lo que es observable, sobre todo, en las numerosas conculcaciones que, a mi juicio, la regulación normativa del IAE implica respecto al principio de capacidad económica, el cual, pese a la pérdida de importancia que haya podido experimentar, y del relativismo con el que actualmente viene configurado, al haber quedado difuminado en la genérica exigencia de un sistema tributario justo que proclama el artículo 31 de la Constitución, continúa siendo de capital importancia como criterio rector a la hora de establecer cualquier impuesto, apreciándose esta conculcación por parte del IAE del contenido de tal principio en, por ejemplo:

a)   Al señalarse por el legislador que su hecho imponible está constituido por el mero ejercicio de la actividad, sin tener en cuenta si existe o no beneficio en la misma, por lo que, en suma, inclusive aunque de la actividad de que se trate resultasen pérdidas sería exigible este impuesto, dado que el hecho imponible es sólo una acción económica que no tiene por qué arrojar un resultado positivo.

b)   Cuando se afirma legalmente que las cuotas mínimas del IAE, resultantes de la aplicación de las Tarifas, no podrán exceder del 15% del beneficio medio presunto de la actividad gravada, propiciándose así una especie de estimación objetiva global, en sentido impropio, que aleja al IAE de los principios inspiradores del texto constitucional; siendo así, además, que la normativa no indica que se tengan en cuenta beneficios ciertos, sino sólo beneficios medios presuntos, concepto éste indeterminado que no es en absoluto representativo del beneficio real que un determinado empresario o profesional obtiene por el ejercicio de su actividad, cuando parece evidente que este último beneficio tendría que ser el único dato a tomar en consideración desde la óptica del principio constitucional de capacidad económica, de suerte que no se pudiese gravar, en contra de lo que se desprende de la regulación del IAE, en igual forma, a los que tienen efectivamente beneficios reales superiores a los marcados por la Ley que a los que demuestren que no han alcanzado en su actividad ese límite del 15% del beneficio medio del sector en que aquélla esté ubicada.

c)   Y cuando, en fin, se toma en consideración, para la determinación del beneficio medio presunto de la actividad gravada, la superficie de los locales en los que se realicen las actividades económicas, lo que, en mi opinión, tampoco se adecua convenientemente al principio de capacidad económica, toda vez que la superficie puede ser poco reveladora de la mayor o menor obtención de beneficios en las actividades ejercidas con el concurso de una base física, siendo incluso, en ocasiones, inversa la relación existente entre superficie extensa y obtención de beneficios, siendo, por otra parte, desacertada la utilización de este elemento por la clara discriminación que ello supone en contra de las actividades ejercidas en local frente a las ejercidas de manera ambulante, discriminación que, además, se acentúa por el hecho de la aplicación sólo a las primeras del coeficiente de situación a que se refiere actualmente el artículo 87 del TRLRHL, aprobado por Real Decreto Legislativo 2/2004, de 5 de marzo.

Ahora bien, dicho esto, y teniendo en cuenta la desafortunada reforma realizada en el IAE en virtud de la Ley 51/2002, de 27 de diciembre –que se limitó, en lugar de a suprimir este impuesto, como parecía lo más aconsejable, y así había sido «prometido» en su momento por el Gobierno, a introducir determinadas modificaciones en su regulación normativa, siendo la más crucial y decisiva aquella que consistió en el establecimiento de una exención en favor de todas las personas físicas; los sujetos pasivos del IS, las sociedades civiles, las entidades del artículo 35.4 de la vigente LGT, que tengan un importe neto de la cifra de negocios inferior a un millón de euros; y los contribuyentes por el Impuesto sobre la Renta de No Residentes (IRNR) que operen en España mediante establecimiento permanente, siempre que tengan un importe neto de la cifra de negocios que no sobrepase mencionada cifra de un millón de euros–, hay que afirmar que referida modificación conllevó, a la postre, un evidente perjuicio económico para las Corporaciones Locales, del cual éstas no se resarcieron a través del desacertado sistema de compensación establecido por el legislador en la Disposición Adicional 10ª de la ya mencionada Ley 51/2002, de 27 de diciembre.

En dicha Disposición, añadida, además, en el trámite de aprobación de la Ley 51/2002 en el Senado, por lo que originariamente el legislador ni siquiera había estimado oportuno introducir sistema alguno de compensación a favor de las Corporaciones Locales, se señaló, en su número 1, que: «Con la finalidad de preservar el principio de suficiencia financiera de las Entidades Locales y para dar cobertura a la posible merma de ingresos que aquéllas pudieran experimentar como consecuencia de la reforma del IAE, el Estado compensará a las Entidades Locales por la pérdida de recaudación de este impuesto en el año de su entrada en vigor».

Si mediante tal compensación se hubiese realmente conseguido que las Corporaciones Locales no hubiesen sufrido menoscabo alguno en sus ingresos tributarios procedentes del IAE, ningún problema existiría.

Nada podría objetarse, en definitiva, a que el Estado, en uso de su potestad y de sus facultades legislativas, hubiese introducido en el IAE determinados beneficios fiscales, que suponen, sin ningún género de dudas, una pérdida de recaudación para las Entidades Locales, si aquel posteriormente hubiese reconocido a estas últimas, sin subterfugios, que tenían derecho a percibir las cantidades reales y efectivas que por ello iban a dejar de ingresar en el futuro.

Ahora bien, es evidente, en mi opinión, que esto último en ningún modo se produjo, toda vez que esta compensación a la que se refiere la Disposición Adicional 10ª de la Ley 51/2002, no cubrió la pérdida realmente ocasionada a las Entidades Locales como consecuencia de los beneficios fiscales establecidos en tal Ley.

Y no los cubrió porque en el número 2 de dicha Disposición se manifestó que: «La pérdida compensable será la expresión de la diferencia entre la recaudación líquida del año 2003 y la recaudación líquida del año 2000, entendiendo por recaudación líquida la recaudación tanto del ejercicio corriente como de ejercicios cerrados».

Con ello, al aludirse y tomarse como elementos de referencia, y puntos de comparación, los años 2003 y 2000 se utilizaron factores no homogéneos, sino heterogéneos entre sí, y ello por la sencilla razón, sin necesidad de entrar en mayores disquisiciones, de que la recaudación del año 2003, al haber entrado en vigor la Ley 51/2002, de 27 de diciembre, el 1 de enero de 2003, ya estaba afectada por los beneficios fiscales introducidos a través de dicha Ley –singularmente por el de mayor calado que es aquél, según ya indiqué previamente, que aparece en la actualidad recogido en el artículo 82.1.c) del TR LRHL– por lo que, parece obvio, la misma tenía que ser mucho menor a la que se hubiese producido si tal Ley no se hubiese promulgado.

Lo correcto habría sido, a mi juicio, si de verdad se quería compensar de forma efectiva a las Corporaciones Locales por la real pérdida que en ellas se generó por la reforma legal efectuada en el IAE, el calcular por medio de simulaciones, fáciles de realizar con los medios disponibles en la actualidad, la cantidad que cada Entidad Local podría haber obtenido en el año 2003 aplicando los mismos coeficientes, índices, etc., vigentes en ella durante el año 2002, y la diferencia entre esa hipotética cifra y la cantidad recaudada en el año 2002 sería la cuantía en la que habría que compensar a dicha Corporación Local.

En último extremo si se considerase necesario tomar un período de tiempo más amplio, como se hizo en la Disposición Adicional 10ª de la Ley 51/2002, en la que, como ya se indicado, no se tomaron como datos a comparar los de los años 2002 y 2003, sino los de los años 2000 y 2003 –la elección del año 2000 no fue, como parece evidente, casual, sino que fue demostrativa de la profunda desconfianza que el legislador tenía en las Entidades Locales, casi con total seguridad temiendo que éstas elevasen, ante el anuncio del Gobierno, reiteradamente manifestado por aquellas fechas, de proceder a introducir cambios en el IAE e, inclusive, a suprimirlo por completo, los elementos determinantes de la deuda tributaria de este impuesto sobre los que las Corporaciones Locales tenían capacidad de decisión, para así obtener mayores cantidades en una futura compensación–, no se encuentra, sin embargo, apoyatura alguna para, aun manteniendo como primer término de comparación el de la recaudación líquida del año 2000, el segundo término de comparación tuviese que ser el acogido por el legislador, ya que el mismo tendría que haber sido, en justicia, y como ya se expuso, no el de la recaudación líquida alcanzada en el año 2003, sino, por el contrario, el de la recaudación que se podría haber obtenido en dicho año 2003 aplicando los mismos elementos tributarios vigentes en el año 2002.

Proceder de la forma en que se hizo, conforme a lo establecido en la Disposición Adicional 10ª de la Ley 41/2002, de 27 de diciembre, supuso consagrar legalmente una evidente pérdida recaudatoria para las Corporaciones Locales, que vieron como las compensaciones que se les tenían que conceder no cubrieron los ingresos que podrían haber alcanzado de seguir aún en vigor la anterior regulación del IAE, sino una cantidad considerablemente menor.

Ello, disfrácese como se quiera, implica un doble atentado.

Por una parte, al principio de suficiencia financiera establecido por el artículo 142 de la Constitución, que aunque no garantiza, es cierto, a las Corporaciones Locales una autonomía económica financiera en el sentido de que dispongan de medios propios patrimoniales y tributarios suficientes para el cumplimiento de sus funciones; sí que dispone la suficiencia de tales medios, tal como se declaró por la STC 96/1990, de 24 de mayo (RTC 1990, 96), suficiencia ésta que es la única que posibilita la consecución efectiva de la autonomía constitucionalmente garantizada, ya que sin medios económicos difícilmente ningún ente público podría realmente diseñar y desarrollar políticas propias ni ejercer, de forma efectiva, las competencias que se le asignen, que son muchas y variadas en el ámbito de las Entidades Locales, tendiendo cada vez más a expandirse y a ser más numerosas –lo que dicho sea de forma incidental tendrá que ser corregido de forma inmediata, ya que la situación es insostenible, y por completo imposible de perdurar en estos tiempos de cuasi recensión económica–, por ser las Administraciones más próximas y cercanas a los ciudadanos.

Y, por otra, supone, además, una palmaria conculcación del mandato establecido por el artículo 9.2 del TRLRHL, precepto éste que se ve vulnerado no sólo por lo hasta aquí manifestado, sino también porque en dicho artículo se señala que las fórmulas de compensación a favor de las Corporaciones Locales «tendrán en cuenta las posibilidades de crecimiento futuro de los recursos de las Entidades Locales procedentes de los tributos respecto de los cuales se establezcan los mencionados beneficios fiscales».

Es decir, este precepto no sólo tiene una visión estática, sino dinámica, de las cantidades con las que es preciso compensar a las Corporaciones Locales por lo dejado de ingresar por ellas, como consecuencia de los beneficios fiscales establecidos por Leyes estatales, para que aquéllas no pierdan capacidad recaudatoria, de suerte que lo que hay que compensar, en puridad, no es sólo la pérdida manifestada en un momento puntual, sino la pérdida que se pondría sucesivamente de manifiesto a medida que la aplicación posterior del tributo se fuese realizando. Dicho de otra manera, se pretende en el artículo 9.2 del TRLRHL mantener actualizadas, incrementándolas, las partidas a recibir en concepto de compensación por las Entidades Locales, para que así éstas no vean perjudicada su posibilidad de crecimiento futuro.

Ello sin embargo, no es esto lo que se desprendía de una lectura literal del número 3 de referida Disposición Adicional 10ª de la Ley 51/2002, ya que ahí se indicó que el importe de la compensación, calculado de la manera antes mencionada, «se consolidará», con lo que parecía dar a entender que la cifra de compensación asignada en el primer ejercicio de aplicación de lo dispuesto por citada norma sería la que rigiese para años posteriores, adoptándose de esta suerte una perspectiva fotográfica del problema, en lugar de la cinematográfica que parece exigir el tantas veces mencionado artículo 9.2 del TRLRHL.

La reforma realizada, pues, por la Ley 51/2002 en el IAE, logrando de manera harto desafortunada la cuadratura del círculo, consiguió lo que, en principio, no parecía posible: Por una parte, dejó insatisfechos a la inmensa mayoría de los teóricos del Derecho, que de forma reiterada han abogado por la abolición del IAE, por vulneración de gran parte de su regulación del principio de capacidad económica, tal como antes indiqué; y, por otra, originó que las Entidades Locales, defensoras de la perduración y pervivencia de este impuesto por la gran recaudación que por medio de él alcanzaban, también quedasen descontentas con el resultado final de la actuación legislativa, porque comprobaron la importante minoración económica que en concepto de IAE ello implicó, en comparación a lo que antes de la reforma obtenían, por la aplicación de tal impuesto.

Ante ello buena parte de las Entidades locales consideraron oportuno y pertinente interponer demandas de responsabilidad patrimonial para así intentar conseguir el resarcimiento de los perjuicios que les habían sido causados por el proceder legislativo apuntado en las líneas anteriores, en el entendimiento de que en este caso sí se observaba la existencia de todos los elementos que se requieren para poder declarar susodicha responsabilidad, sobre lo que ya me pronuncié, en este mismo sentido, en un trabajo anterior (2004).

Existía, por un parte, nexo causal entre la actuación legislativa y el daño económico originado a las Corporaciones Locales, por producirse una conexión directa, inmediata y exclusiva de causa o efecto, entre la Disposición Adicional 10ª de la Ley 51/2002, de 27 de diciembre, y los perjuicios económicos padecidos por aquellas, que dimanaban y derivaban, en exclusiva, de tal norma, por lo que cabía perfectamente afirmar aquí la plena aplicación del principio de «causalidad adecuada», al que antes me referí.

Y, por otra, los perjuicios sufridos por las Entidades locales han sido efectivos, evaluables y están plenamente individualizados, y se trata de daños que éstas no tenían, en modo alguno, el deber jurídico de soportar, siendo, por lo demás, difícil de sostener la alegación, basada en el artículo 141.1 de la LRJ-PAC, de que en este caso no existiría derecho a indemnizar los daños patrimoniales originados a las Haciendas Locales escudándose en el subterfugio de que referidos perjuicios provenían de hechos o circunstancias que no se pudieron prever que se ocasionarían, puesto que era fácil comprobar y verificar de la simple lectura de la Disposición Adicional 10ª de la Ley 51/2002, de 27 de diciembre, que tales perjuicios se iban a generar indefectiblemente, y estoy seguro que los técnicos del entonces Ministerio de Hacienda se percataron con claridad de ello, siendo, pues, plenamente conscientes los mismos del resultado final que tal norma iba a desencadenar como resultado directo y final de causa a efecto.

Pareciendo, pues, evidente, a mi juicio, que éste era un prototípico caso en el que el Tribunal Supremo debería haber reconocido la existencia de responsabilidad patrimonial, su respuesta ha sido por completo decepcionante, tanto en el fondo como en la forma, y ello por haberse limitado a despachar este importante asunto con unas breves líneas, apresuradas y carentes por completo de enjundia jurídica, denegatorias de la petición de la invocada responsabilidad patrimonial de la Administración, afirmándose a este respecto por la STS de 28 de octubre de 2009 (RJ 2010, 354), Recurso de Casación núm. 755/2008:

«Segundo.– Dado que la responsabilidad patrimonial del Estado legislador debe quedar sujeta a un distinto régimen jurídico según que la norma con rango de ley supuestamente causante del perjuicio sea, o no, contraria a la Constitución, lo lógico será analizar en primer término la petición de aquel Ayuntamiento de que planteemos cuestión de inconstitucionalidad de la repetida Disposición adicional 10ª, que a juicio de la parte vulnera el principio de suficiencia financiera establecido en el artículo 142 de la Constitución y, por ende, el de autonomía municipal proclamado en sus artículos 137 y 140. Petición que rechazamos, pues las razones y argumentos en que se sustenta no consiguen generar una duda fundada de que dicha Disposición no se acomode al Texto Constitucional.

Es así, porque la misma se dictó, precisamente, con la finalidad de preservar el principio de suficiencia financiera de las entidades locales; y porque tal principio, y su hipotética conculcación, no depende sólo del régimen jurídico establecido para un concreto tributo y sí, más bien, del que regula en su conjunto la Hacienda Local. La parte se fija, exclusivamente, en la disminución de ingresos derivada de la reforma del IAE, sin traer a colación un análisis global de la Ley 51/2002, pese a que ésta afectó a la totalidad de los impuestos locales e incluso a otras fuentes de ingresos. Ni tampoco trae uno que demuestre lo que realmente importa desde la perspectiva que ahora nos ocupa, que no lo es si la compensación establecida en aquella Disposición adicional cubre en su totalidad la diferencia de ingresos derivados de esa específica fuente del IAE, sino si los cubre hasta el punto de mantener, ella junto con las demás normas modificadas, aquella suficiencia financiera.

Tercero.– Descartado el planteamiento de esa cuestión y abordando a partir de ahí aquella reclamación de responsabilidad patrimonial, compartimos sin reserva alguna la razón jurídica que con todo acierto apreció la Sala de instancia en su sentencia. El perjuicio consistente –sin más aditivos, notas o circunstancias añadidas que lo caractericen de un modo singular– en la menor recaudación obtenida por la vía de un concreto tributo, incluso aunque no llegue a ser compensado a través de otras previsiones, no constituye en sí mismo o por sí sólo un perjuicio antijurídico, sino uno que la Corporación Local tiene el deber jurídico de soportar, pues ésta nunca ha ostentado más derecho que el de percibir los ingresos de naturaleza tributaria que deriven de las normas vigentes en esa materia en cada periodo impositivo.

En el caso que enjuiciamos, en el que nada se añade a la mera alegación de una disminución de ingresos procedentes del IAE insuficientemente compensada con la previsión de aquella Disposición adicional décima, no es ni tan siquiera necesario que nos detengamos haciendo referencias a los títulos de imputación (en especial, el sacrificio singular, o el quebranto de la confianza legítima) que de modo excepcional han abierto en la jurisprudencia el reconocimiento de la controvertida responsabilidad patrimonial por actos del legislador. En él debe primar, por encima de cualquiera otra consideración, la relativa a la licitud de la potestad de innovación normativa que se ejerce con el fin de que no sigan en pie regulaciones que se estiman, en la apreciación de quien la tiene atribuida, inadecuadas para atender las exigencias del interés general.

En esta línea, la naturaleza jurídica de la previsión de aquella Disposición adicional 10ª de la Ley 51/2002 no es, ni tan siquiera, la propia de una indemnización que el legislador establece para reparar un daño cuya antijuridicidad reconoce, sino, más bien, la de un remedio que introduce para una finalidad y por una causa distintas: la de preservar el principio de suficiencia financiera de las entidades locales».

9.2. Responsabilidad patrimonial derivada de la declaración de inconstitucionalidad de una Ley tributaria

Analizada la cuestión de la responsabilidad patrimonial del legislador derivada de actos legislativos adecuados y conformes a Derecho, paso a centrarme de la cuestión de si es posible, o no, llegar a declarar también la responsabilidad patrimonial como consecuencia, o con ocasión, de Leyes que hayan sido declaradas previamente inconstitucionales, tema éste sobre el que antes de llegar a una conclusión es preciso detenerse en el alcance y contenido de la eficacia de las declaraciones del Tribunal Constitucional.

9.2.1. Alcance de las Sentencias del Tribunal Constitucional: Inconstitucionalidad y subsiguiente nulidad; e inconstitucionalidad sin nulidad, con las consecuencias que esto conlleva

En origen el Tribunal Constitucional mantuvo la tesis de que la inconstitucionalidad de las normas con rango de Ley llevaba de manera inevitable aparejada su nulidad.

Así se comprueba de la lectura, entre otras, de sus Sentencias 27/1981, de 20 de julio (RTC 1981, 27), por la que se declaró la inconstitucionalidad «y, consiguientemente, su nulidad», del artículo 38 de la Ley 74/1980, de 29 de diciembre, de PGE para 1981, relativo a ciertas valoraciones a efectos del Impuesto sobre el Patrimonio; 37/1981, de 16 de noviembre (RTC 1981, 37), por la que se declaró la «inconstitucionalidad y consiguiente nulidad» de los artículos 6 y 35 de la Ley 3/1981, de 12 de febrero, del Parlamento Vasco, en cuanto reguladores (más bien deslegalizadores) de cierto canon o tasa en materia de transportes; 20/ 1985, de 14 de febrero (RTC 1985, 20); 26/1985, de 22 de febrero (RTC 1985, 26) y 72/1985, de 13 de junio (RTC 1985, 72), por las que se declaró la inconstitucionalidad y nulidad de determinada partida presupuestaria aprobada por las Leyes de PGE para 1983, 1984 y 1985, respectivamente; 14/1986, de 31 de enero (RTC 1986, 14), por la que se declaró la inconstitucionalidad de diversos preceptos de la Ley 12/1983, de 22 de junio, de Principios Ordenadores de la Hacienda General del País Vasco, «preceptos cuya nulidad se decreta»; 19/1987, de 17 de febrero (RTC 1987, 19), declarando «inconstitucional y por tanto nulo» el art. 13.1 de la Ley 24/1983, de 21 de diciembre, de Medidas Urgentes de Saneamiento y Regulación de las Haciendas Locales, sobre fijación de tipos de gravamen de las Contribuciones Territoriales Rústica y Pecuaria y Urbana; 141/ 1988, de 12 de julio (RTC 1988, 141), por la que se declaró inconstitucional «y, en consecuencia, nula», la inclusión del término «Tribunal» en el artículo 57.1 del TR de la Ley del ITP y AJD aprobado por Real Decreto Legislativo 3050/1980, de 30 de diciembre; y 181/1988, de 13 de octubre (RTC 1988, 181), declarando «inconstitucional y nulo» determinado inciso, que afectaba a Cataluña, de la Disposición final primera de la Ley 30/1983, de 28 de diciembre, sobre cesión de tributos del Estado a las Comunidades Autónomas.

Lo normal era, pues, que se ordenase que se restableciesen las situaciones jurídicas anteriores y que, en consecuencia, se reparasen o indemnizasen los daños ocasionados a los ciudadanos por la Ley expulsada del ordenamiento jurídico.

La práctica que se seguía en estos supuestos era, como ha señalado FALCÓN Y TELLA (1997), la de proceder a la devolución de las cantidades ingresadas en virtud de normas declaradas inconstitucionales, realizándose, en consecuencia, como afirmó GUTIÉRREZ DE GANDARILLA GRAJALES (2001), una lectura tradicionalmente a favor de la devolución de los tributos inconstitucionales como consecuencia de una nulidad, entendida *ope legis* y *ex tunc*, derivada de las declaraciones de inconstitucionalidad bajo la apreciación de la doctrina retrospectiva, y así ocurrió, por ejemplo, con la aplicación por el Ejecutivo de las Sentencias del Tribunal Constitucional 179/1987 (en materia de recargo por los Ayuntamientos sobre el IRPF) y 19/1987 (sobre la libre fijación por los Ayuntamientos del tipo de gravamen de las Contribuciones Territoriales Rústica y Pecuaria y Urbana), que entendió que el efecto de dichas Sentencias era, en todo caso, *pro praeterito*, por lo que procedió a la articulación de las medidas legislativas pertinentes para proceder a la devolución de las cantidades indebidamente ingresadas.

Esta situación cambió de raíz a partir de la STC 45/1989, de 20 de febrero (RTC 1989, 45), en la que se produjo, como ha escrito CONCHEIRO DEL RÍO (2001), un punto de inflexión con la doctrina precedente, al declararse en ella, por una parte, la *inconstitucionalidad y nulidad* de los artículos 7, apartado tercero; 31, apartado segundo, y 34, apartados tercero y sexto, de la Ley 44/1978, de 8 de septiembre, del IRPF; por otra, la *inconstitucionalidad* del artículo 4.2 de referida Ley, en cuanto que no preveía para los miembros de la unidad familiar, ni de manera directa ni tampoco por remisión, posibilidad alguna de sujeción separada; y por otra, en fin, también la *inconstitucionalidad* del artículo 24, apartado b), de la misma Ley, en su redacción anterior a la Ley 37/1988, en cuanto que no incluía entre los períodos impositivos inferiores a un año, el correspondiente a los matrimonios contraídos en el curso del mismo.

Obsérvese, pues, que en relación a determinados preceptos se declaró su inconstitucionalidad y nulidad, mientras que respecto a otros tan sólo su inconstitucionalidad; pero sin aparejarla a la nulidad, distinción esta que ya había sido acogida, como puso de relieve HERRERA MOLINA, P. (1996), en la Ley de 21 de diciembre de 1970, de modificación del Tribunal Constitucional Alemán, que junto a la «declaración de nulidad» (*Erklärung der Nichtigkeit*) introdujo la «declaración de incompatibilidad» (*Erklärung der Unvereinbarkeit*), equivalente a la empleada por nuestro Tribunal Constitucional de simple inconstitucionalidad.

En dicha STC 45/1989 se acogió, en palabras de GARCÍA DE ENTERRÍA (1989), la doctrina de la llamada por el Tribunal Supremo americano, formulada en el año 1965 en su Sentencia Linkletter, prospectividad del fallo frente a la tradición de la *retroactividad* de los efectos de la declaración de inconstitucionalidad de una ley, al afirmarse en ella que la declaración de nulidad de una ley tiene tan sólo eficacia *pro futuro*, de donde cabría deducir que entre las situaciones jurídicas consolidadas que han de considerarse no susceptibles de poder ser revisadas figuran no sólo aquéllas decididas mediante sentencia con fuerza de cosa juzgada, sino también las establecidas mediante actuaciones administrativas firmes, añadiéndose en citada STC 45/1989 «que tampoco en lo que se refiere a los pagos hechos en virtud de autoliquidaciones o liquidaciones provisionales o definitivas acordadas por la Administración puede fundamentar la nulidad que ahora acordamos pretensión alguna de restitución».

Esta doctrina ha sido defendida, entre otros argumentos, en base a la circunstancia de que de no admitirse tal tipo de pronunciamientos probablemente no llegarían a declararse inconstitucionales un buen número de normas, por miedo a que la declaración de nulidad provocase hacia el pasado una serie de repercusiones difícilmente controlables, tanto desde la vertiente jurídica como, sobre todo, desde la económica, al tenerse que hacer frente a una serie de desembolsos económicos fruto de las declaraciones de inconstitucionalidad de las Leyes.

Y así, por ejemplo, Rubio Llorente (1988) escribió que de no admitirse tal tipo de pronunciamientos probablemente no llegarían a declararse inconstitucionales un buen número de normas, por miedo a que la declaración de nulidad provocase hacia el pasado una serie de repercusiones difícilmente controlables tanto desde la vertiente jurídica como, sobre todo, desde la económica, argumento también ya recogido por el propio García de Enterría (1989), cuando escribió: «(...) se ve claro que el Tribunal Constitucional se ha sentido verdaderamente alarmado por la real catástrofe financiera que habría ocasionado una nulidad retroactiva de los preceptos impugnados. Es, justamente, la relación estrecha entre ambos conceptos (nulidad=catástrofe) la que le ha llevado a buscar en el ordenamiento constitucional otra solución y ha creído haberla encontrado en la adopción del criterio de la inconstitucionalidad prospectiva».

Semejante tesis, que, sin duda, tiene su parte de razón desde un punto de vista pragmático, es, sin embargo, en mi opinión, difícilmente defendible desde una óptica estrictamente jurídica, puesto que con ese miedo a ocasionar una catástrofe presupuestaria se origina un déficit del control constitucional tributario, tal como han indicado, entre otros autores, Durán-Sindreu Buxade (1991), García Novoa (1993), Sánchez Serrano (1994), López Martínez y Gómez Cabrera (1995), Herrera Molina (1996), Caamaño Anido (1996) y Malvárez Pascual (1998).

Lo cierto, sin embargo, es que a partir de susodicha Sentencia 45/1989 la *prospectividad* se ha instalado en la jurisprudencia del Tribunal Constitucional, de forma tal que sus pronunciamientos en materia tributaria vienen, en bastantes casos, acompañados de unos efectos *pro futuro* de la exclusión del ordenamiento jurídico de normas tributarias sustantivas.

Véanse, entre otras, sus Sentencias 179/1994, de 16 de junio (RTC 1994, 179), que versó sobre la adscripción forzosa a las Cámaras Oficiales de Comercio, Industria y Navegación; 185/1995, de 24 de diciembre (RTC 1995, 185), referida a los precios públicos; 194/2000, de 19 de julio (RTC 2000, 194), que examinó las consecuencias tributarias de la comprobación de valores; 289/2000, de 30 de noviembre (RTC 2000, 289), sobre Impuesto balear sobre instalaciones que incidan en el medio ambiente; 234/2001, de 13 de diciembre (RTC 2001, 234), que analizó la retroactividad en el Impuestos sobre Hidrocarburos; 137/2003, de 3 de julio (RTC 2003, 137), que examinó el Impuesto especial sobre determinados medios de transporte de las islas Canarias; 193/2004, de 4 de noviembre (RTC 2004, 193), que trató la cuestión de la diferencia de trato fiscal entre quienes se dan de alta o de baja en el ejercicio de actividades económicas; 189/2005, de 7 de julio (RTC 2005, 189), recaída sobre la regulación de las ganancias patrimoniales en el IRPF; 179/2006, de 13 de junio (RTC 2006, 179), que se ocupó del Impuesto extremeño sobre las instalaciones que inciden en el medio ambiente; y 295/2006, de 11 de octubre (RTC 2006, 295), que analizó la imputación de las rentas inmobiliarias en el IRPF, en todas las cuales se ha declarado, con parecidas expresiones literales, que por exigencia del principio de seguridad jurídica, tan sólo han de considerarse situaciones susceptibles de ser revisadas con fundamento en dichas sentencias aquellas que, a las fechas de su publicación, no hubiesen adquirido firmeza al haber sido impugnadas en tiempo y forma y no haber recaído todavía una resolución administrativa o judicial firme sobre ellas, lo que, por referirme a un caso concreto, impidió revisar y reconocer la responsabilidad patrimonial en relación con las liquidaciones tributarias dictadas en virtud de la Ley del Parlamento Balear 12/1991, de 20 de diciembre, a las Sentencias del Tribunal Supremo de 25 de febrero de 2011 (RJ 2011, 1671), Recurso de Casación núm. 4367/2006, y 27 de mayo de 2011 (JUR 2011, 205430), Recurso de Casación núm. 1472/2007.

No siempre, sin embargo, ocurre así, afortunadamente, y una muestra de ello es lo que aconteció, por ejemplo, con la STC 276/2000, de 16 de noviembre (RTC 2000, 276), que declaró que el recargo del 50% de la deuda tributaria establecido en el artículo 61.2 de la LGT en su redacción dada por la Ley 18/1991 (RCL 1991, 1452, 2388), del IRPF, en tanto que suponía una medida restrictiva de derechos que se aplicaba a supuestos en los que había existido una infracción de Ley y desempeñaba una función de castigo, no podía justificarse constitucionalmente más que como sanción, añadiendo dicha Sentencia que la previsión de un recargo del 50% con exclusión de los intereses de demora establecidos en dicho artículo 61.2 de la LGT en aquellos casos en que los contribuyentes hubieren ingresado la deuda tributaria fuera de plazo tenía consecuencias punitivas que, al aplicarse sin posibilidad de que el afectado alegase lo que a su defensa considerase conveniente y al obviar la declaración de culpabilidad en un procedimiento sancionador que la imposición de toda sanción exige, conducía derechamente a la declaración de inconstitucionalidad del mandato normativo impugnado por vulneración del artículo 24.2 de la Constitución.

Sobre esta cuestión, y enfrentado a la petición de un obligado tributario, que solicitó la devolución del importe de dicho recargo como consecuencia del pronunciamiento del Tribunal Constitucional, en las Sentencias del Tribunal Supremo de 13 de marzo de 2004 (RJ 2004, 2121), Recurso 8.094/98, 2 de julio de 2004 (RJ 2004, 4330), Recurso contencioso-administrativo núm. 49/2002, 22 de febrero de 2005 (RJ 2005, 2363), Recurso contencioso-administrativo núm. 75/2004, y 24 de mayo de 2005 (RJ 2005, 5904), Recurso núm. 146/2004, se declaró que no era necesario acudir para fundar la revisión de los actos a otras normas legales, ni obligar por ello al recurrente a iniciar el camino de la declaración de revisión del acto administrativo y consiguiente nulidad de pleno derecho a través de la vía prevista en el artículo 102 de la LRJ-PAC y ello por razones de economía procesal y ante la evidencia de la nulidad de pleno derecho, por lo que, en consecuencia, se estimó que procedía reconocer al recurrente una indemnización de daños y perjuicios que había de concretarse a la devolución del ingreso indebidamente efectuado, más los correspondientes intereses legales desde el día en que se efectuó el ingreso hasta la fecha de notificación de la Sentencia, en aras del principio de plena indemnidad.

Debido a esta circunstancia de que las Sentencias del Tribunal Constitucional tengan ya, en gran parte de los supuestos, el contenido que se acaba de señalar, se ha generado un grave problema, que se aprecia básicamente en el seno del Derecho Financiero y Tributario, y que se produce cuando el ciudadano solicita, con base en la declaración de inconstitucionalidad de una Ley, la devolución de ingresos indebidos satisfechos con cobertura en dicha norma.

Tal como ha quedado el sistema luego de la doctrina nacida de la tantas veces citada STC 45/1989 única y exclusivamente quien había instado en tiempo la revisión del acto administrativo o de una declaración-liquidación podía aprovecharse, de forma retroactiva, del fallo del Tribunal declarativo de la inconstitucionalidad de la Ley correspondiente, siempre que, de acuerdo con lo ya manifestado, la sentencia resolutoria de tal recurso no se hubiese aún pronunciado, por lo que, en suma, ello equivalía, como se ha señalado muy gráficamente, a algo parecido a un «un premio al recurrente».

En cambio, quien no había recurrido, se venía a encontrar con la desagradable sorpresa de que una vez recaída la Sentencia del Tribunal Constitucional en el sentido indicado, esto es, con efectos para el futuro, se le cerraban las puertas para conseguir su objetivo de que se le restituyese lo que en su momento ingresó en la Hacienda pública, lo que es, por decir poco, un verdadero dislate, la generación de una indeseable desigualdad de la que, claramente, salía favorecido quien había recurrido frente a quien no lo había hecho.

Esto, bajo cualquier perspectiva, no deja de ser, como ya expuse en un trabajo anterior (2003), un verdadero dislate, la generación de una indeseable desigualdad de la que de manera muy clara salía favorecido quien había recurrido, frente a quien no lo había hecho.

Esta tesis de limitar los efectos de las sentencias del Tribunal Constitucional cuando el fallo puede «repercutir gravemente en el equilibrio financiero del Estado», por emplear las palabras de GÓMEZ CORONA (2007), fue, por cierto, muy criticada por el Tribunal de Justicia de la Unión Europea en su Sentencia de 11 de agosto de 1995, Asuntos acumulados C-367 a 377/93, Roders BV, en la que, de forma muy acertada a mi juicio, se declaró que si el Tribunal tuviese que atender a esta circunstancia:

«(...) las violaciones más graves recibirían el trato más favorable, en la medida en que son éstas las que pueden entrañar las consecuencias económicas más cuantiosas para los Estados miembros. Además, limitar los efectos de una sentencia basándose únicamente en este tipo de consideraciones redundaría en un menoscabo sustancial de la protección jurisdiccional que los derechos de los contribuyentes obtienen de la normativa fiscal».

Parecidas consideraciones se contienen también en, por ejemplo, las Sentencias de este mismo órgano de 2 de febrero de 1988 (TJCE 1988, 81), As. C-309/85, Bruno Barra contra Estado belga y Ayuntamiento de Lieja; 31 de marzo de 1992 (TJCE 1992, 75), As. C-200/90, Dansk Denkavit Aps y P. Poulsen Trading Aps, apoyadas por Monsanto-Searle a/s contra Skatteministeriet; 16 de julio de 1992 (TJCE 1992, 148), As. C-163/90, Administration des Douanes et Droits Indirects contra Leopold Legros y otros; 6 de diciembre de 1994 (TJCE 1994, 197), As. C-410/92, Elsie Rita Johnson contra Chief Adjudication Officer, y 6 de julio de 1995 (TJCE 1995, 117), As. C-62/93, BP Soupergaz Anonimos Etairia Geniki Emporiki-Viomichaniki kai Antiprossopeion contra Estado helénico.

Dicho sea de forma incidental, este criticable proceder del Tribunal Constitucional se añade a otro por él mantenido de forma reiterada, y que viene representado por el excesivo respeto y deferencia por él mantenido [así fue incluso reconocido en su momento por un Secretario de Estado de Hacienda al calificar de «regalo de boda», según recuerda SOLER ROCH (1998), la muy criticable STC 76/1990, de 26 de abril (RTC 1990, 76)], en las materias económico-financieras, con la discrecionalidad política de los poderes públicos.

Con ello, a mi juicio, este Órgano ha ido mucho más allá de lo que una lógica y prudente actitud de *judicial self restraint* –esto es de autocontención, de autocontrol, del Tribunal, de dejar margen al legislador para que con libertad desarrolle la Constitución– demanda.

Estoy de acuerdo, con la generalidad de la doctrina, que el Tribunal Constitucional tan sólo debe declarar la inconstitucionalidad de una norma si contrastando ésta con la Constitución se aprecia un caso indudable de inconstitucionalidad, teniéndose que optar por la constitucionalidad de aquélla cuando el supuesto de posible vulneración del texto constitucional no se presente con meridiana y palpable claridad.

En esta última situación debe jugar el principio *in dubio pro legislatore* –cuyo alcance y contenido ha sido bien analizado por FERRERES COMELLA (1997)–, y que, en palabras de TRONCOSO REIGADA (2000), significa que el Tribunal Constitucional sólo puede declarar inconstitucionales los supuestos de contradicción clara, los supuestos de incompatibilidad manifiesta entre un precepto constitucional y una Ley, teniéndose que decantar en los casos oscuros y difíciles (los *hard cases*) por la legitimidad de la opción normativa elegida por el legislador.

Ahora bien, con ser evidente y no discutible esta necesidad de optar por la legitimidad de las normas en los casos oscuros, este proceder puede conllevar, sin embargo, que el Tribunal Constitucional abdique de su cometido y de la eficaz realización de sus funciones, olvidándose así sus miembros de que deben *essere giudici, non propaggini*, esto es, jueces, y no esquejes o ramificaciones del poder, como todo acierto propugnó ZAGREBELSKY (2005).

A esto también se han referido, desde la perspectiva del Derecho tributario, y entre otros autores, SÁNCHEZ SERRANO (1997), quien de manera muy crítica ha escrito que nuestro Tribunal Constitucional ha venido actuando más a modo, casi, de un órgano consultivo, de un órgano reforzador o legitimador del poder gubernamental, e incluso, a veces, de algunos de sus excesos inconstitucionales, que como un verdadero Tribunal de garantías constitucionales, FABRA VALLS (2003), PALAO TABOADA (2004), SÁNCHEZ PEDROCHE (2007), FERNÁNDEZ RODRÍGUEZ (2008) y FALCÓN Y TELLA (1996, 2004, 2009), quien ha indicado que la jurisprudencia constitucional ha venido demostrando en materia tributaria un incomprensible temor a declarar la inconstitucionalidad de las normas enjuiciadas, no habiendo alcanzado, por ello, el grado de coherencia y rigor que sería deseable en el control del legislador tributario y en la protección de los derechos fundamentales.

Y así fue denunciado también incluso en el Voto Particular, formulado por Rodríguez Bereijo y al que se adhirieron los Magistrados González Campos, Viver Pi-Sunyer y Vives Antón, a la antes citada STC 107/1996, de 12 de junio (RTC 1996, 107), al afirmarse en él que el principio de la deferencia hacia el Legislador «determina una abdicación misma de nuestra propia jurisdicción constitucional sobre la Ley»

Sea cual sea la razón última de este proceder del Tribunal Constitucional español: ya por deferencia al legislador, ya por temor a las consecuencias económicas que su decisión puede suponer, lo cierto es que el resultado final es un déficit del control constitucional tributario, que, con cierta frecuencia, queda restringido al lamento de los votos particulares o a meras «amonestaciones» al legislador, como han denunciado, entre otros autores, Herrera Molina, P. (1996) y Malvárez Pascual (1998).

Esto es lo que, con toda probabilidad, ha conducido a Yebra Martul-Ortega (2004, 2007) a señalar que buscar la protección constitucional en la jurisprudencia puede resultar decepcionante, palabras a las que se suma López Espadafor (2009) cuando se refiere «a las vagas y poco útiles referencias con las que a veces nos ha desilusionado o defraudado nuestro Tribunal Constitucional».

En similar línea, aunque con alcance más general, Fernández Farreres (2007) ha afirmado: «No se encuentra nuestra justicia constitucional en su mejor momento. Su decadencia, que amenaza con desembocar, si no ha desembocado ya, en una profunda crisis, resulta incuestionable. El relevante papel que la justicia constitucional española tuvo en sus primeros años de andadura, ha ido decayendo de manera progresiva hasta llegar a un punto crítico cuya superación demanda con urgencia la adopción de drásticas medidas reformadoras».

Y García Roca (2007) ha escrito, en este mismo sentido, que los años 2000 han iniciado una fase de «decadencia» de la jurisprudencia constitucional española, que este autor concreta en lo siguiente:

«Muchas sentencias constitucionales son reiterativas, prolijas en la cita de precedentes sin razón bastante para esta carga y esfuerzo, demasiado largas en sus antecedentes y fundamentos para la cosecha que extraen, y farragosas en su motivación. Y las nuevas no siempre son bien aceptadas por la opinión pública ni por la comunidad científica. Las dilaciones indebidas y estructurales en el Pleno y las Salas son preocupantes. Son escasas las referencias doctrinales novedosas, fruto de líneas de estudio prolongadas o de la indagación comparada. Mi impresión como lector de la jurisprudencia es que ha perdido buena parte de su interés doctrinal y, desde luego, de la capacidad de innovar el ordenamiento jurídico que antes tuvo. El Tribunal actúa demasiadas veces como un órgano judicial más y no como el intérprete supremo de la Constitución y ese es el principio de esa decadencia. La jurisdicción constitucional ya no lidera el ordenamiento jurídico ni, en particular, el Derecho Constitucional y, en muchas materias, las elaboraciones científicas de la doctrina constitucional comienzan a ir por delante de la jurisprudencia».

Tras este inciso, y retomando el eje argumental al que se contrae este epígrafe, estimo, en definitiva, de acuerdo con Moreno Fernández (2009), que la desaparición sobrevenida del soporte legal que legitimaba la obligación de pago de un tributo, por declaración de inconstitucionalidad de la Ley que así lo disponía, debe provocar, *eo ipso*, el deber de restituir a los ciudadanos lo que a con posterioridad se revela como percibido de forma indebida.

Y ello porque el pago de un tributo al amparo de una norma luego declarada contraria a la Constitución convierte a los actos de aplicación en «actos nulos de pleno derecho», incluso aunque los mismos sean firmes, bien por no haber sido impugnados en tiempo y forma, bien por haberlo sido, pero haber recaído ya una resolución firme.

En estos supuestos cabrá acudir a los procedimientos especiales de revisión, tales como la revisión de actos nulos de pleno derecho o la revocación por infracción manifiesta de la Ley o por aparición de circunstancias sobrevenidas, y, en todo caso, a la acción de responsabilidad patrimonial del Estado.

En relación con esta última, así lo ha entendido, y de ello hay que congratularse, el Tribunal Supremo, al declarar –como ya he manifestado en trabajos anteriores (2003, 2005)– que en supuestos como los descritos, y con el fin de habilitar un cauce para obtener la restitución de lo ingresado con infracción de lo establecido por la propia Constitución, es posible el ejercicio de citada acción, como paso a exponer con más detalle.

9.2.2. La reacción del Tribunal Supremo: Ejercicio de la acción de responsabilidad patrimonial derivada de un acto legislativo que haya sido declarado inconstitucional

El Tribunal Supremo reaccionó contra citada doctrina del Tribunal Constitucional, propiciando y posibilitando un camino para obtener la restitución de lo ingresado con infracción de lo establecido por la propia Constitución, al establecer al respecto que es posible el ejercicio de la acción de responsabilidad patrimonial derivada de un acto legislativo que haya sido declarado inconstitucional, basándose para ello en lo que ya había afirmado en, por ejemplo, su Sentencia de 11 de octubre de 1991 (RJ 1991, 7784), Recurso núm. 85/1987 –cuya doctrina se reiteró en su Sentencia de 21 de junio de 2004 (RJ 2004, 6497), Recurso contencioso-administrativo núm. 282/2002– de que el Poder Legislativo no está exento de sometimiento a la Constitución y sus actos –Leyes– quedan bajo el imperio de tal Norma Suprema. En los casos donde la Ley vulnere la Constitución, evidentemente el Poder Legislativo habrá conculcado su obligación de sometimiento, y la antijuridicidad que ello supone traerá consigo la obligación de indemnizar. Por tanto, la responsabilidad del Estado-legislador puede tener, origen en la inconstitucionalidad de la Ley.

Con carácter general, en las Sentencias del Tribunal Supremo de 26 de noviembre de 2009 (RJ 2009, 5692), Recurso de Casación núm. 585/2008, 27 de noviembre de 2009 (RJ 2010, 1262), Recurso de Casación núm. 603/2007, y 2 de junio de 2010 (RJ 2010, 5494), Recurso contencioso-administrativo núm. 588/2008, se declaró que el principio de responsabilidad de los poderes públicos positivizado al máximo nivel en el artículo 9.3º de la Constitución Española y que tiene un valor normativo directo, sirviendo para estructurar, junto con otros, todo el sistema jurídico-político de nuestro Estado, «como todo principio general del derecho, cumple la triple función de expresar uno de los fundamentos del orden jurídico, servir de fuente inspiradora del ordenamiento y criterio orientador en su interpretación, así como operar en cuanto fuente supletoria del derecho para los casos de inexistencia o de insuficiencia de la regulación legal, *triple funcionalidad que autoriza a afirmar que no hay en nuestro sistema constitucional ámbitos exentos de responsabilidad, estando el Estado obligado a reparar los daños antijurídicos que tengan su origen en la actividad de los poderes públicos, sin excepción alguna*».

Esta tesis ha servido de base y fundamento para proclamar el sometimiento al principio de responsabilidad patrimonial del Tribunal Constitucional y del Defensor del Pueblo.

A este respecto, en la STS de 26 de noviembre de 2009 (RJ 2009, 5692), Recurso de Casación núm. 585/2008, se declaró que «deriva directamente del artículo 9.3 de la Constitución que el Estado debe responder por los daños que los particulares hayan sufrido como consecuencia de las dilaciones en que el Tribunal Constitucional haya incurrido al resolver algún recurso de amparo interpuesto por ellos, si esas dilaciones pueden calificarse como indebidas. Dicha calificación incluye el supuesto con toda evidencia dentro del concepto más amplio del funcionamiento anormal de Tribunal Constitucional, como ha declarado el TEDH, entre otras, en su sentencia de 25 de noviembre de 2003, (...) (caso Soto Sánchez contra España), en interpretación del artículo 6.1 del Convenio, cuya doctrina debe tenerse en cuenta, de conformidad con lo dispuesto en el artículo 10.2 de la Constitución, en la interpretación del artículo 24 de la Constitución, cuyo contenido comprende el derecho a que la tutela judicial impetrada se conceda en un plazo razonable».

Y en la STS de 27 de noviembre de 2009 (RJ 2010, 1262), Recurso de Casación núm. 603/2007, se afirmó que el artículo 9.3 de la Constitución «ofrece a los ciudadanos una garantía para resarcirse de toda lesión que les cause la actuación del Defensor del Pueblo en el ejercicio de las funciones que tiene atribuidas».

Y resulta procedente en estos casos el ejercicio de la acción de responsabilidad patrimonial, incluso en el supuesto de que el proceso estuviese ya fenecido, toda vez que el Tribunal Supremo ha señalado que la eficacia de la cosa juzgada no es obstáculo para el ejercicio de tal acción, lo que supone, en suma, como han escrito LEGUINA VILLA y DESDENTADO DAROCA (Portalderecho. http://www.iustel.com), el pleno reconocimiento de que existiendo un perjuicio individualizado, concreto y claramente identificable, debe procederse a su íntegra reparación.

De manera incidental, hay que indicar que, salvando las distancias, ello es algo similar a lo establecido por el Tribunal de Justicia de la Unión Europea, quien ha mantenido la doctrina de que el principio de la responsabilidad del Estado por daños causados a los particulares por violaciones del Derecho comunitario que le son imputables es inherente al sistema del Tratado, que genera obligaciones a cargo de los Estados miembros, si bien para poder reconocer el derecho a indemnización es preciso, sin embargo, que se cumplan los tres requisitos siguientes: a) que la norma jurídica violada tenga por objeto conferir derechos a los particulares, b) que la violación esté suficientemente caracterizada y c) que exista una relación de causalidad directa entre la infracción de la obligación que incumbe al Estado y el daño sufrido por las víctimas.

Ilustrativas de esta tesis son, entre otras, sus Sentencias de 19 de noviembre de 1991 (TJCE 1991, 296), Asuntos acumulados C-6/90 y C-9/90, Francovich y otros; 5 de marzo de 1996 (TJCE 1996, 37), Asuntos acumulados C-46/93 y C-48/93, Brasserie du pêcheur y Factortame; 26 de marzo de 1996 (TJCE 1996, 56), As. C-392/93, British Telecommunications; 8 de octubre de 1996 (TJCE 1996, 178), Asuntos acumulados C-178/94, C-179/94 y C-188/94 a C-190/94, Dillenkofer y otros; 2 de abril de 1998 (TJCE 1998, 59), As. C-127/95, Norbrook Laboratories; 24 de septiembre de 1998 (TJCE 1998, 209), As. C-319/96, Brinkmann Tabakfabriken GmbH/ Skatteministeriet; 4 de julio de 2000 (TJCE 2000, 150),

As. C-424/97, Haim II; y 18 de enero de 2001 (TJCE 2001, 15), As. C-150/99, Stockholm Lindöpark AB.

Los principales hitos en esta línea fueron la STS de 29 de febrero de 2000 (RJ 2000, 2730), Recurso núm. 49/1998, mediante la que se estimó el recurso en el supuesto de una persona que había agotado, contra la aplicación del gravamen complementario establecido en la antes citada en esta obra Ley 5/1990, y que luego sería declarado inconstitucional en virtud de la STC 173/1996, de 31 de octubre (RTC 1996, 173), todas las instancias posibles; la STS de 13 de junio de 2000 (RJ 2000, 5939), Recurso contencioso-administrativo núm. 567/1998, en la que se estimó otro recurso, en este caso de un empresario que había ingresado lo que en aplicación de la Ley 5/1990 le correspondía pagar, pero que, a diferencia del caso anterior, no había recurrido con carácter previo, ejercitando las oportunas acciones judiciales a su alcance; y la STS de 15 de julio de 2000 (RJ 2000, 7423), Recurso contencioso-administrativo núm. 736/1997, en la que también se estimó otro recurso de similar naturaleza, y se aprovechó la ocasión para sistematizar la doctrina de esas otras dos precedentes sentencias, doctrina luego reiterada en multitud de pronunciamientos jurisdiccionales.

Las circunstancias concurrentes en el litigio resuelto por la STS de 29 de febrero de 2000 (RJ 2000, 2730) fueron que, previo agotamiento de la vía económico-administrativa, una entidad mercantil interpuso recurso contencioso-administrativo que fue desestimado por Sentencia de la Sala de lo Contencioso-Administrativo del TSJ de Andalucía, Sevilla, el 30 de julio de 1994, Sentencia que devino firme al inadmitirse la casación y desestimarse la queja contra dicha inadmisión. El Tribunal Constitucional, como ya se ha dicho, dictó sentencia el 31 de octubre de 1996 (RTC 1996, 173) por la que se declaró inconstitucional y nulo el artículo 38.2.2 de la Ley 5/1990, de 29 de junio. Y, por acuerdo del Consejo de Ministros del día 12 de diciembre de 1997, se desestimó la reclamación de la parte interesada de que, a la vista del hecho anterior se reconociese su derecho a obtener el ingreso de las cantidades que había entregado a la Hacienda pública, sobre la base de la no revisión de procesos fenecidos mediante sentencia con fuerza de cosa juzgada, de acuerdo con lo establecido por los artículos 40.1 de la LOTC y 158 de la LGT de 1963.

Enfrentado a esta cuestión, el Tribunal Supremo, luego de recordar lo ya afirmado por él en la antes mencionada Sentencia de 11 de octubre de 1991 (RJ 1991, 7784), señaló que «por definición, la ley declarada inconstitucional encierra en sí misma, como consecuencia de la vinculación más fuerte de la Constitución, el mandato de reparar los daños y perjuicios concretos y singulares que su aplicación pueda haber originado, el cual no podía ser establecido *a priori* en su texto. Existe, en efecto, una notable tendencia en la doctrina y en el derecho comparado a admitir que, declarada inconstitucional una ley, puede generar un pronunciamiento de reconocimiento de responsabilidad patrimonial cuando aquélla ocasione privación o lesión de bienes, derechos o intereses jurídicos protegibles».

A continuación, saliendo al paso de la principal objeción de que una declaración de inconstitucionalidad no permite revisar un proceso fenecido mediante sentencia judicial con fuerza de cosa juzgada, ni siquiera en el caso, como aquí acaecía, de que antes de dictarse la decisión se hubiese aplicado una ley luego declarada inconstitucional, afirmó, sin embargo, con toda rotundidad, que «la acción de responsabilidad ejercitada es ajena al ámbito de la cosa juzgada derivada de la sentencia», y en justificación de ello indicó:

«El resarcimiento del perjuicio causado por el poder legislativo no implica dejar sin efecto la confirmación de la autoliquidación practicada, que sigue manteniendo todos sus efectos, sino el reconocimiento de que ha existido un perjuicio individualizado, concreto y claramente identificable, producido por el abono de unas cantidades que resultaron ser indebidas por estar fundado aquél en la directa aplicación por los órganos administrativos encargados de la gestión tributaria de una disposición legal de carácter inconstitucional no consentida por la interesada. Sobre este elemento de antijuridicidad en que consiste el título de imputación de la responsabilidad patrimonial no puede existir la menor duda, dado que el Tribunal Constitucional declaró la nulidad del precepto en que dicha liquidación tributaria se apoyó.

La sentencia firme dictada, al no corregir el perjuicio causado por el precepto inconstitucional mediante el planteamiento de la cuestión de inconstitucionalidad a la que acudieron otros Tribunales, consolidó la actuación administrativa impugnada, que en ningún momento fue consentida por la entidad interesada, la cual agotó todos los recursos de que dispuso. Con ello se impidió la devolución de lo indebidamente ingresado consiguiente a la anulación de la actuación viciada. Esta devolución se produjo, en cambio, en otros supuestos idénticos resueltos por otros órganos jurisdiccionales que creyeron oportuno plantear la cuestión. La firmeza de la sentencia, así ganada, no legitimó el perjuicio padecido por la recurrente, directamente ocasionado por la disposición legal e indirectamente por la aplicación administrativa de la norma inconstitucional. Es precisamente dicha Sentencia, de sentido contrario a la pronunciada por los Tribunales que plantearon la cuestión de inconstitucionalidad y la vieron estimada, la que pone de manifiesto que el perjuicio causado quedó consolidado, al no ser posible la neutralización de los efectos del acto administrativo fundado en la ley inconstitucional mediante la anulación del mismo en la vía contencioso-administrativa, no obstante la constancia de la sociedad interesada en mantener la impugnación contra el acto que consideraba inconstitucional».

La conclusión final del Tribunal Supremo, en esta Sentencia de 29 de febrero de 2000 (RJ 2000, 2730), fue la de que concurrían en este supuesto todos los requisitos para que se declarase, como así se hizo, «la obligación de la Administración del Estado de indemnizar los perjuicios ocasionados por la aplicación de la norma declarada inconstitucional».

En idéntica línea nos encontramos también con, por ejemplo, las Sentencias del Tribunal Supremo de 19 de diciembre de 2000 (RJ 2001, 547), Recurso contencioso-administrativo núm. 445/1998, 13 de febrero de 2001 (RJ 2001, 661), Recurso núm. 552/1998, y 23 de octubre de 2001 (RJ 2001, 9072), Recurso contencioso-administrativo núm. 478/1998.

El supuesto resuelto por la STS de 13 de junio de 2000 (RJ 2000, 5939), Recurso contencioso-administrativo núm. 567/1998, fue similar al anterior, si bien con una significativa diferencia, ya que en este caso –a diferencia del precedente, en el que el recurrente había agotado, hasta donde le habían dejado, todos los recursos en pos del resarcimiento de sus pretensiones– estábamos en presencia de un empresario que había ingresado lo que le correspondía en aplicación de la tantas veces reiterada ya Ley 5/1990, pero que no había recurrido, consintiendo, pues, con las autoliquidaciones que habían presentado en su momento. En definitiva, aquí se planteó, como escribió PALOMAR OLMEDA (2001), el tema de la responsabilidad cuando se han consentido lo actos iniciales.

El Tribunal Supremo, en esta Sentencia, tras recordar lo que ya había afirmado en la anterior, de que la acción de responsabilidad ejercitada era ajena al ámbito de la cosa juzgada derivada de la sentencia, pues la sentencia firme dictada, al no corregir el perjuicio causado por el precepto inconstitucional mediante el planteamiento de la cuestión de inconstitucionalidad a la que acudieron otros Tribunales, consolidó la actuación administrativa impugnada, señaló que en este supuesto, y tal como ya se anotó en líneas anteriores, no había habido siquiera sentencia firme, pues los recurrentes consintieron las autoliquidaciones que presentaron siguiendo el mandato de la Ley vigente, luego declarada inconstitucional, y cuando se puso de manifiesto el perjuicio causado, mediante la declaración de inconstitucionalidad de la Ley, hicieron uso de la oportuna acción de responsabilidad ante el Consejo de Ministros.

Esta circunstancia diferenciadora de ambos supuestos no conllevó, sin embargo, una distinta respuesta del Tribunal Supremo, ya que éste señaló a este respecto, en el F.J. 8° de esta STS de 13 de junio de 2000 (RJ 2000, 5939) que:

«Podría sostenerse que las partes recurrentes están obligadas a soportar el perjuicio padecido por no haber en su momento recurrido las autoliquidaciones en vía administrativa. De prosperar esta tesis, el daño causado no sería antijurídico, pues, como expresa hoy el artículo 141.1 de la LRJ-PAC sólo serán indemnizables las lesiones producidas al particular provenientes de daños que éste no tenga el deber jurídico de soportar de acuerdo con la Ley.

Esta Sala, sin embargo, estima que no puede considerarse una carga exigible al particular con el fin de eximirse de soportar los efectos de la inconstitucionalidad de una ley la de recurrir un acto adecuado a la misma fundado en que ésta es inconstitucional. La Ley, en efecto, goza de una presunción de constitucionalidad y, por consiguiente, dota de presunción de legitimidad a la actuación administrativa realizada a su amparo. Por otra parte, los particulares no son titulares de la acción de inconstitucionalidad de la Ley, sino que únicamente pueden solicitar del Tribunal que plantee la cuestión de inconstitucionalidad con ocasión, entre otros supuestos, de la impugnación de una actuación administrativa. Es sólo el Tribunal el que tiene facultades para plantear "de oficio o a instancia de parte" al Tribunal Constitucional las dudas sobre la constitucionalidad de la ley relevante para el fallo (artículo 35 de la LOTC)».

Y tras ello añadió que:

«La interpretación contraria supondría imponer a los particulares que pueden verse afectados por una ley que reputen inconstitucional la carga de impugnar, primero en vía administrativa (en la que no es posible plantear la cuestión de inconstitucionalidad) y luego ante la jurisdicción contencioso-administrativa, agotando todas las instancias y grados si fuera menester, todos los actos dictados en aplicación de dicha Ley, para agotar las posibilidades de que el Tribunal plantease la cuestión de inconstitucionalidad. Basta este enunciado para advertir lo absurdo de las consecuencias que resultarían de dicha interpretación, cuyo mantenimiento equivale a sostener la necesidad jurídica de una situación de litigiosidad desproporcionada y por ello inaceptable».

Fruto de todo ello, fue que también en este caso se acogió la tesis de la obligación de la Administración del Estado de indemnizar los perjuicios ocasionados por la aplicación de la norma que había sido declarada inconstitucional.

Como ha escrito PULIDO QUECEDO (2000) la doctrina de esta Sentencia «parte de la construcción señalada sobre la autonomía del ejercicio de la acción de responsabilidad patrimonial, pero da un paso decisivo en la sustanciación de una nueva acción desprovista de cualquier asidero con los efectos *ex* artículo 40.1 de la LOTC. Por cuanto que lo determinante –apreciada la existencia de título de imputación y de relación de causalidad– será constatar la existencia de un daño cierto y evaluable económicamente, al margen de si el particular afectado consintió o no. Con ello, se resarcirá el daño. La sentencia de 13 de junio justifica su nuevo pliegue doctrinal partiendo de la consideración de que "la acción de responsabilidad es ajena a la firmeza del acto" y excluyendo que el particular recurrente afectado esté obligado a soportar el perjuicio padecido por no haber en su momento recurrido las autoliquidaciones en vía administrativa (interpretación "a contrario" del artículo 141.1 de la LRJ-PAC: sólo serán indemnizables las lesiones producidas al particular provenientes... de daños que éste no tenga el deber jurídico de soportar). La Sentencia afirma que no puede considerarse una carga exigible al particular la de recurrir un acto adecuado a la misma, fundado en que éste es inconstitucional. Ello se justifica en la inexistencia de acción de inconstitucionalidad directa para los particulares en nuestro sistema de justicia constitucional, que en todo caso sólo pueden pedir del órgano judicial el planteamiento de la cuestión de inconstitucionalidad. La interpretación contraria supondría consagrar una "situación de litigiosidad desproporcionada y por ello inaceptable"».

Importante también es precisar la forma en que en esta Sentencia de 13 de junio de 2000 (RJ 2000, 5939) se soslayó la objeción de la eventual prescripción del derecho a reclamar los ingresos indebidos. A este respecto, en su F.J. 9º se señaló:

«El deber de soportar los daños y perjuicios padecidos por la Ley declarada inconstitucional no puede tampoco deducirse del hecho de que puedan o no haber transcurrido los plazos de prescripción establecidos para el derecho a reclamar los ingresos indebidos o para el ejercicio de las acciones encaminadas a lograr la nulidad del acto tributario de liquidación. En efecto, la reclamación presentada es ajena a dichos actos, en la medida en que no pretende la nulidad de la liquidación ni la devolución de ingresos indebidos por parte de la Administración que ha percibido la cantidad ingresada, sino la exigencia de responsabilidad patrimonial del Estado por funcionamiento anormal en el ejercicio de la potestad legislativa. En materia de responsabilidad patrimonial de las Administraciones públicas, cuyo régimen es aplicable a la responsabilidad del Estado legislador, rige exclusivamente el plazo de prescripción de un año establecido por el artículo 40 de la Ley de Régimen Jurídico de la Administración del Estado y hoy por el artículo 139 de la LRJ-PAC. Este plazo, según ha declarado reiteradamente la jurisprudencia, comienza a computarse a partir del momento en que se completan los elementos fácticos y jurídicos que permiten el ejercicio de la acción, con arreglo a la doctrina de la *actio nata* o nacimiento de la acción. Resulta evidente que el momento inicial del cómputo, en el caso contemplado, no puede ser sino el de la publicación de la STC que, al declarar la nulidad de la Ley por estimarla contraria a la Constitución, permite por primera vez tener conocimiento pleno de los elementos que integran la pretensión indemnizatoria y, por consiguiente, hacen posible el ejercicio de la acción. En consecuencia, es dicha publicación la que determina el inicio del citado plazo específicamente establecido por la Ley para la reclamación por responsabilidad patrimonial dirigida a las Administraciones públicas».

En igual sentido se pronunciaron asimismo, entre otras, las Sentencias del Tribunal Supremo de 16 de enero de 2001 (RJ 2001, 633), Recurso contencioso-administrativo núm. 548/1998 –si bien en ella existe un Voto Particular debido al mismo Ponente de la Sentencia, en la que se afirma, en síntesis que no cabe aplicar aquí la doctrina mantenida por la STS de 29 de febrero de 2000 (RJ 2000, 2730), porque mientras que en el supuesto por ella resuelto el contribuyente había agotado todos los recursos a su alcance antes de plantear la demanda de responsabilidad patrimonial, en este concreto caso, por el contrario, el ciudadano no había recurrido, sino que se había aquietado, y no había formulado reclamación alguna contra el ingreso realizado, hasta que conoció la STC 173/1996 (RTC 1996, 173) en la que se declaró inconstitucional y nulo el artículo 38.2.2 de la Ley 5/1990, de 29 de junio–, 16 de enero de 2001 (RJ 2001, 636), Recurso contencioso-administrativo núm. 549/1998, también con Voto Particular en el mismo sentido que la anterior Sentencia, 8 de marzo de 2001 (RJ 2001, 1380), Recurso contencioso-administrativo núm. 532/1998, 5 de julio de 2001 (RJ 2001, 7220), Recurso contencioso-administrativo núm. 523/1998, 18 de octubre de 2001 (RJ 2001, 9199), Recurso contencioso-administrativo núm. 447/1998, y 13 de diciembre de 2001 (RJ 2002, 5949), Recurso contencioso-administrativo núm. 632/1998.

Por su parte, en la STS de 15 de julio de 2000 (RJ 2000, 7423), Recurso contencioso administrativo núm. 736/1997, se sistematizó la doctrina de las precedentes Sentencias del Tribunal Supremo citadas sobre esta cuestión.

En ella, luego de afirmarse que no parece necesario abundar en razones explicativas de la antijuridicidad del daño causado por el desembolso de determinadas cantidades en concepto de gravamen complementario sobre la tasa de juego, pues tal abono se produjo exclusivamente en virtud de lo dispuesto por el artículo 38.2.2 de la Ley 5/1990, de 29 de junio, declarado inconstitucional por referida STC 173/1996 (RTC 1996, 173), de manera que quienes lo efectuaron no tenían el deber de soportarlo, y de recordarse, con cita del criterio sustentado por la STS de 13 de junio de 2000 (RJ 2000, 5939), de que el hecho de no haberse agotado los recursos administrativos y jurisdiccionales para obtener la devolución de las cantidades satisfechas en concepto de gravamen complementario no es obstáculo para considerar como antijurídico el daño causado y, por consiguiente, para ejercitar con éxito la acción por responsabilidad patrimonial derivada del acto inconstitucional del legislador, se señaló, como doctrina general, que:

«En nuestro sistema legal, quienes han tenido que satisfacer el gravamen complementario, impuesto por el precepto declarado inconstitucional, *después de haber impugnado en vía administrativa y sede jurisdiccional dicho gravamen obteniendo sentencia firme que lo declara conforme a derecho, no tienen otra alternativa*, en virtud de lo dispuesto por el artículo 40.1 de la Ley Orgánica 2/1979, del Tribunal Constitucional, *que ejercitar*, como en este caso ha procedido la entidad demandante, *una acción por responsabilidad patrimonial, derivada del acto del legislador, dentro del plazo fijado por la ley.*

Si no hubieran impugnado jurisdiccionalmente las liquidaciones de dicho gravamen complementario, los interesados tienen a su alcance la vía de pedir, en cualquier momento, la revisión de tal acto nulo de pleno derecho, como prevé el artículo 102 de la Ley de Administraciones Públicas y Procedimiento Administrativo Común, *y, simultánea o sucesivamente, de no tener éxito dicha revisión, están legitimados para exigir responsabilidad patrimonial derivada de actos del legislador, pero también pueden utilizar directamente esta acción, ya que no cabe imponer a quien ha sufrido un daño antijurídico la vía previa de la revisión de disposiciones y actos nulos de pleno derecho, a fin de dejarlos sin efecto, y sólo subsidiariamente permitirle demandar la reparación o indemnización compensatoria por responsabilidad patrimonial, cuando son las propias Administraciones quienes deben proceder a declarar de oficio la nulidad de pleno derecho de tales disposiciones o actos* y el ciudadano descansa en la confianza legítima de que la actuación de los poderes públicos se ajusta a la Constitución y a las leyes».

En igual sentido se pronunciaron igualmente, entre otras muchas, las Sentencias del Tribunal Supremo de 30 de septiembre de 2000 (RJ 2000, 9093), Recurso contencioso-administrativo núm. 481/1998, 27 de diciembre de 2000 (RJ 2000, 9575), Recurso contencioso-administrativo núm.

521/1998, 22 de enero de 2001 (RJ 2002, 4183), Recurso contencioso-administrativo núm. 534/1998, 23 de enero de 2001 (RJ 2002, 4184), Recurso contencioso-administrativo núm. 536/1998, 25 de enero de 2001 (RJ 2001, 643), Recurso contencioso-administrativo núm. 486/1998, 3 de febrero de 2001 (RJ 2001, 3822), Recurso contencioso-administrativo núm. 446/1998, 19 de febrero de 2001 (RJ 2001, 4705), Recurso contencioso-administrativo núm. 561/1998, 22 de febrero de 2001 (RJ 2001, 4708), Recurso contencioso-administrativo núm. 303/1998, 2 de marzo de 2001 (RJ 2001, 4715), Recurso contencioso-administrativo núm. 482/1998, 3 de marzo de 2001 (RJ 2001, 4717), Recurso contencioso-administrativo núm. 529/1998, 19 de marzo de 2001 (RJ 2001, 2645), Recurso contencioso-administrativo núm. 535/1998, 29 de marzo de 2001 (RJ 2001, 2668), Recurso contencioso-administrativo núm. 553/1998, 24 de abril de 2001 (RJ 2001, 4219), Recurso contencioso-administrativo núm. 557/1998, 5 de junio de 2001 (RJ 2001, 7420), Recurso de Casación núm. 470/1998, 3 de julio de 2001 (RJ 2001, 7999), Recurso contencioso-administrativo núm. 440/1998, 17 de julio de 2001 (RJ 2001, 8015), Recurso contencioso-administrativo núm. 175/2000, 23 de octubre de 2001 (RJ 2001, 9072), Recurso contencioso-administrativo núm. 478/1998, 25 de octubre de 2001 (RJ 2001, 10095), Recurso núm. 456/1998, 27 de octubre de 2001 (RJ 2002, 462), Recurso contencioso-administrativo núm. 281/1998, 30 de octubre de 2001 (RJ 2002, 502), Recurso contencioso-administrativo núm. 473/1998, 24 de enero de 2002 (RJ 2002, 1710), Recurso contencioso-administrativo núm. 221/1998, 20 de febrero de 2002 (RJ 2002, 3331), Recurso contencioso-administrativo núm. 542/1998, 25 de febrero de 2002 (RJ 2002, 1717), Recurso de Casación núm. 429/1998, y 18 de abril de 2002 (RJ 2002, 4078), Recurso contencioso-administrativo núm. 438/1998.

La controversia doctrinal generada por estas Sentencias originó que el Tribunal Supremo se pronunciase de nuevo sobre el obstáculo que puede suponer para el ejercicio de la acción de responsabilidad lo previsto en los artículos 161.1.a), inciso final, de la Constitución, y 40.1, inciso inicial, de la LOTC, normas que establecen determinados límites a la eficacia *ex tunc* de las declaraciones de inconstitucionalidad, y ello se produjo en la STS de 2 de junio de 2010 (RJ 2010, 5494), Recurso contencioso-administrativo núm. 588/2008, que resolvió la impugnación del actor contra la resolución desestimatoria presunta de la reclamación de responsabilidad patrimonial que había formulado ante el Consejo de Ministros por el menoscabo económico que le produjo la aplicación del Real Decreto-ley 5/2002, de 24 de mayo, de Medidas Urgentes para la Reforma del Sistema de Protección por Desempleo y Mejora de la Ocupabilidad, declarado inconstitucional y nulo por la STC 68/2007, de 28 de marzo (RTC 2007, 68).

En dicha Sentencia se ratificó –aun con numerosos Votos Particulares, lo que prueba una vez más la gran complejidad que esta cuestión encierra, como ya antes se puso de relieve– la doctrina recogida en las páginas precedentes, al declararse en ella que lo ordenado en citados artículos 161.1.a) de la Constitución y 40.1 LOTC no impide el ejercicio de una acción de responsabilidad patrimonial sustentada en el perjuicio irrogado por la aplicación en la Sentencia dotada de ese valor de cosa juzgada de la Ley o norma con fuerza de Ley luego declarada contraria a la Constitución, afirmando en este sentido lo siguiente:

«El bien jurídico cuya protección se solicita al deducir esta pretensión está, nadie lo duda, claramente conectado con aquél que se solicitó en el proceso no revisable que feneció con esa sentencia, hasta el punto de que uno y otro pueden llegar a guardar una plena relación de equivalencia o utilidad económica, que les haría así, aunque sólo desde esta perspectiva, intercambiables. Pero no es el mismo bien jurídico; no hay identidad entre uno y otro. En el proceso fenecido lo era el derecho o derechos que a juicio del pretendiente derivaban de una concreta situación o relación jurídica. En el nuevo lo es el derecho a ser indemnizado cuando un tercero causa en su patrimonio un perjuicio que no tiene el deber jurídico de soportar. Como tampoco la hay necesariamente entre las partes de uno y otro proceso, entendidas con la extensión con que lo hace el párrafo primero del artículo 222.3 LEC, pues en el fenecido sólo lo eran y sólo podían serlo quienes definían la situación o integraban la relación jurídica cuyo contenido o cuyos derechos se ponían en litigio, mientras que en el nuevo lo es el tercero tal vez ajeno a ellas a quien se imputa el daño antijurídico.

En suma, si lo que excluye la cosa juzgada es, tal y como dice el artículo 222.1 LEC, un ulterior proceso cuyo objeto sea idéntico al del proceso en que aquélla se produjo, no es ese efecto de exclusión el que producen aquellos artículos 161.1.a) de la Constitución y 40.1 LOTC para el posterior proceso de reclamación de responsabilidad, pues no es esa situación de identidad de objeto la existente entre éste y el anterior.

Mantenemos pues el criterio reiterado en la controvertida jurisprudencia que iniciaron aquellas sentencias de 29 de febrero, 13 de junio y 15 de julio de 2000, que afirma que la acción de responsabilidad patrimonial ejercitada es ajena al ámbito de la cosa juzgada derivada de la sentencia que hizo aplicación de la ley luego declarada inconstitucional, y que dota por tanto de sustantividad propia a dicha acción».

Bienvenida sea, pues, esta doctrina del Tribunal Supremo, que parte de la premisa, que estimo acertada, de que: «En los casos en que el título de imputación de la responsabilidad patrimonial del Estado legislador lo es la posterior declaración de inconstitucionalidad de la ley o norma con fuerza de ley cuya aplicación irrogó el perjuicio, debe imponerse como regla general o de principio la afirmación o reconocimiento de la antijuridicidad de éste, pues si tiene su origen en esa actuación antijurídica de aquél, constatada por dicha declaración, sólo circunstancias singulares, de clara y relevante entidad, podrían, como hipótesis no descartable, llegar a explicar y justificar una afirmación contraria, que aseverara que el perjudicado tuviera el deber jurídico de soportar el daño».

Por desgracia, sin embargo, la dicha no puede ser completa, ya que este órgano ha declarado que la misma no es, sin embargo, aplicable a los supuestos en que una norma sea contraria a la legislación europea, tesis que paso a desarrollar y con la que estoy en absoluto desacuerdo.

9.3. Responsabilidad patrimonial del Estado español, en cuestiones tributarias, por infracción del derecho de la Unión Europea. Postura inicial, y posterior rectificación, del Tribunal Supremo

Como es bien conocido la Sentencia del TJUE de 6 de octubre de 2005 (TJCE 2005, 290), As. 204/03, Comisión de las Comunidades Europeas contra Reino de España, condenó en costas a España por haber incumplido las obligaciones que le incumbían en virtud del Derecho comunitario y, en particular, de los artículos 17, apartados 2 y 5, y 19 de la de la Sexta Directiva (LCEur 1977, 138) –véanse, en la actualidad, los artículos 167 y sigs. de la Directiva 2006/112/CE del Consejo, de 28 de noviembre de 2006, relativa al sistema común del IVA (LCEur 2006, 3252)–, al prever una prorrata de deducción del IVA soportado por los sujetos pasivos que realizaban únicamente operaciones gravadas y al instaurar una norma especial que limitaba el derecho a la deducción del IVA correspondiente a la compra de bienes o servicios financiados mediante subvenciones.

Este proceder tenía su fundamento en la modificación operada en los artículos 102 y 104 de la LIVA por medio de la Ley 66/1997, de 30 de diciembre (RCL 1997, 3106), en virtud de la cual el artículo 102, dedicado a la regla de prorrata, pasó a disponer que la misma sería de aplicación cuando el sujeto pasivo, en el ejercicio de su actividad empresarial o profesional, efectuarse conjuntamente entregas de bienes o prestaciones de servicios que originasen el derecho a la deducción y otras operaciones de análoga naturaleza que no habilitasen para el ejercicio del citado derecho, añadiéndose que asimismo se aplicaría tal regla cuando el sujeto pasivo percibiese subvenciones que, con arreglo al artículo 78.2, número 3º de la LIVA, no integren la base imponible, siempre que las mismas se destinasen a financiar actividades empresariales o profesionales del sujeto pasivo; en tanto que el artículo 104 señaló que las subvenciones de capital se incluirían en el denominador de la prorrata, si bien podían imputarse por quintas partes en el ejercicio en el que se percibiesen y en los cuatro siguientes, con la puntualización de que las subvenciones de capital concedidas para financiar la compra de determinados bienes o servicios, adquiridos en virtud de operaciones sujetas y no exentas del impuesto, minoraban exclusivamente el importe de la deducción de las cuotas soportadas o satisfechas por dichas operaciones, en la misma medida en que hubiesen contribuido a su financiación.

Con esta forma de actuar, que originaba el establecimiento de una norma general y de otra especial, se producía, a juicio de citada Sentencia del Tribunal de Luxemburgo, una vulneración de la normativa interna española de las disposiciones de la entonces vigente Sexta Directiva en materia de IVA.

En virtud de la norma general, establecida en el artículo 102 de la LIVA en relación con la primera frase de las disposiciones de su artículo 104, las subvenciones destinadas a financiar las actividades empresariales o profesionales del sujeto pasivo, que no integrasen la base imponible del IVA, se tenían en cuenta para el cálculo de la prorrata de deducción mediante su inclusión en el denominador de la fracción de la que resulta dicha prorrata. Estas subvenciones reducían, pues, de forma general, el derecho a deducción que se reconoce a los sujetos pasivos, y ello no afectaba sólo a los sujetos pasivos que utilizan los bienes y servicios previamente adquiridos para realizar de manera indistinta operaciones gravadas con derecho a deducción y operaciones que no conlleven tal derecho (a los que en dicha Sentencia se denominan «sujetos pasivos mixtos»), sino también a los sujetos pasivos que empleasen dichos bienes y servicios para efectuar únicamente operaciones gravadas con derecho a deducción (que, por contraposición a los anteriores reciben el nombre de «sujetos pasivos totales»); razón por la que en esta Sentencia se declaró que esta norma general, al ampliar la limitación del derecho a deducción mediante su aplicación a estos últimos, introducía una restricción mayor que la prevista expresamente en los artículos 17, apartado 5, y 19 de la Sexta Directiva e incumplía las disposiciones de dicha Directiva.

Por su parte, la norma especial –que se recogía en la segunda frase de las disposiciones del artículo 104 de la LIVA, y que indicaba, como ya se apuntó, que las subvenciones destinadas de forma específica a financiar la compra de determinados bienes o servicios, adquiridos en virtud de operaciones sujetas y no exentas del IVA, minoraban exclusivamente el importe de la deducción del IVA soportado o satisfecho por dichas operaciones, en la misma medida en que hubiesen contribuido a su financiación, por lo que, por consiguiente, en el caso de una subvención que ascendiese, por ejemplo, al 20% del precio de compra de un bien o de un servicio, el derecho a deducir el IVA específicamente soportado por la adquisición de dicho bien o servicio quedaba reducido en un 20%– también fue declarada contraria a referida Sexta Directiva por instaurarse a su través un criterio de limitación del derecho a deducción que no estaba previsto en los ya citados artículos 17, apartado 5 y 19 de la Sexta Directiva, ni tampoco en ninguna otra disposición de ésta, por lo que, en suma, dicho criterio no estaba autorizado por dicha Directiva.

Todo ello suponía, como es evidente, una indebida restricción al derecho a deducir, que constituye el eje cardinal sobre el que se estructura el IVA, tal como se ha declaró en, por ejemplo, las Sentencias del Tribunal Supremo de 31 de octubre de 2007 (RJ 2007, 8477), Recurso de Casación núm. 4156/2002, y de 29 de septiembre de 2008 (RJ 2008, 4567), Recurso de casación para la unificación de doctrina núm. 226/2004, insistiendo sobre ello el Real Decreto 2126/2008, de 26 de diciembre (RCL 2008, 2166), por el que se modifican el Reglamento del IVA, aprobado por el Real Decreto 1624/1992, de 29 de diciembre (RCL 1992, 2834), así como el Reglamento General de las actuaciones y los procedimientos de gestión e inspección tributaria y de desarrollo de las normas comunes de los procedimientos de aplicación de los tributos, aprobado por el Real Decreto 1065/2007, de 27 de julio (RCL 2007, 1658), al señalarse en él que el derecho a la deducción constituye uno de los elementos esenciales del IVA, circunstancia también subrayada por reiterada jurisprudencia del Tribunal de Justicia de la Unión Europea.

Véanse, por ejemplo, entre otras, sus Sentencias de 21 de septiembre de 1988, As. 50/87, Comisión de las Comunidades Europeas contra República Francesa; 6 de julio de 1995 (TJCE 1995, 117), As. C-62/93, BP Soupergaz; 15 de enero de 1998 (TJCE 1998, 1), As. C-37/95, Ghent Coal Terminal; 8 de junio de 2000 (TJCE 2000, 126), As. C-98/98, Midland Bank plc; 8 de junio de 2000 (TJCE 2000, 125), As. C-396/98, Grundstückgemeinschaft Schloßstraße GbR; 8 de junio de 2000 (TJCE 2000, 127), As. C-400/98, Brigitte Breitsohl; 19 de septiembre de 2000 (TJCE 2000, 198), Asuntos acumulados C-177/99 y C-181/99, Ampafrance SA y Sanofi Synthelabo; 22 de febrero de 2001 (TJCE 2001, 58), As. C-408/98, Abbey National plc; 8 de enero de 2002 (TJCE 2002, 2), As. C-409/99, Metropol y Stadler; 1 de abril de 2004 (TJCE 2004, 90), As. C-90/02, Bockemühl; 6 de octubre de 2005 (TJCE 2005, 290), As.

C-243/03, Comisión de las Comunidades Europeas contra República Francesa; 6 de octubre de 2005 (TJCE 2005, 292), As. C-204/03, Comisión de las Comunidades Europeas contra Reino de España; 15 de diciembre de 2005 (TJCE 2005, 411), As. C-63/04, Centralan Property Ltd contra Commissioners of Customs & Excise, 12 de enero de 2006 (TJCE 2006, 16), Asuntos acumulados C 354/03, C 355/03 y C 484/03, Optigen Ltd, Fulcrum Electronics Ltd y Bond House Systems Ltd contra Commissioners of Customs & Excise, 21 de febrero de 2006 (TJCE 2006, 383), As. C-255/02, Halifax plc, Leeds Permanent Development Services Ltd, County Wide Property Investments Ltd y Commissioners of Customs & Excise, 21 de febrero de 2006 (TJCE 2006, 49), As. C 223/03, University of Huddersfield, 30 de marzo de 2006 (TJCE 2006, 99), As. C-184/04, Uudenkaupungin kaup; 6 de julio de 2006 (TJCE 2006, 187), Asuntos acumulados C 439/04 y C 440/04, Kittel y Recolta Recycling; 14 de septiembre de 2006 (TJCE 2006, 249), As. C 72/05, Hausgemeinschaft Jörg und Stefanie Wollny; 8 de febrero de 2007 (TJCE 2007, 29), As. C-435/ 05, Investrand BV; 18 de diciembre de 2007 (TJCE 2007, 392), As. C 368/06, Cedilac SA; 6 de marzo de 2008 (TJCE 2008, 45), As. C 98/07, Nordania Finans A/S, BG Factoring A/S; 13 de marzo de 2008 (TJCE 2008, 57), As. C 437/06, Securenta Göttinger Immobilienanlagen und Vermögensmanagement AG; 8 de mayo de 2008 (TJCE 2008, 105), Asuntos acumulados C-95/07 y C-96/07, Ecotrade SpA; 10 de julio de 2008 (TJCE 2008, 155), As. C 25/07, Alicja Sosnowska; 23 de abril de 2009 (TJCE 2009, 86), As. C-74/08, PARAT Automotive Cabrio; 4 de junio de 2009 (TJCE 2009, 149), As. C-102/08, SALIX Grundstücks-Vermietungsgesellschaft mbH & Co. Objekt Offenbach KG; 2 de julio de 2009 (TJCE 2009, 207), As. C-377/08, EGN BV –Filiale Italiana; 29 de octubre de 2009 (TJCE 2009, 337), As. C-174/08, NCC Construction Danmark A/ S; 15 de julio de 2010 (TJCE 2010, 231), As. C-368/2009, Pannon Gép Centrum kft; 29 de julio de 2010 (TJCE 2010, 242), As. C-188/2009, Dyrektor Izby Skarbowej w Bialymstoku y Profaktor Kulesza, Frankowski, Józwiak, Orlowski sp. j; 30 de septiembre de 2010 (TJCE 2010, 282), As. C-392/2009, Uszodaépítő kft.; 22 diciembre 2010 (TJCE 2010, 424), As. C-277/2009, RBS Deutschland Holdings GmbH, y 22 de diciembre de 2010 (TJCE 2010, 419), As. C-438/2009, Boguslaw Juliusz Dankowski.

Ante ello procedía la adaptación de nuestro Derecho interno a la doctrina de esta Sentencia de 6 de octubre de 2005 (TJCE 2005, 290), lo que, sin embargo, no se llevó a cabo hasta la promulgación de la Ley 3/ 2006, de 29 de marzo (RCL 2006, 670), por la que se modificó la Ley 37/1992, para adecuar la aplicación de la regla de prorrata a la Sexta Directiva europea, procediéndose en virtud de ella a dar nueva redacción parcial a los artículos 102, 104 y 106, e, igualmente, a los artículos 20.Dos, 112.Dos y 123.Uno A) y C), de la LIVA.

La DGT, adelantándose a dicha reforma legal, ya había procedido a emitir su Resolución 2/2005, de 14 de noviembre (RCL 2005, 2272), sobre la incidencia en el derecho a la deducción en el IVA de la percepción de subvenciones no vinculadas al precio de las operaciones a partir de la sentencia del Tribunal de Justicia de las Comunidades Europeas de 6 de octubre de 2005 (TJCE 2005, 290), y en tal Resolución, en lo que atañe a la cuestión del efecto temporal de dicha Sentencia, y luego de recordar que en la misma se manifiesta que no se aplica la posibilidad excepcional de limitar sus efectos en el tiempo, se señaló, de forma sorprendente, que en los supuestos en los que se hubiere dictado una liquidación administrativa provisional o definitiva y ésta hubiese devenido firme, no podía procederse a la devolución de ingresos indebidos por aplicación del artículo 221.3 de la LGT.

Y digo que es sorprendente porque citado precepto de la LGT no es, desde luego, tan rotundo como en esta Resolución se nos presentó, ya que el mismo dice que en estos supuestos en que los actos de aplicación de los tributos en virtud de los que un ingreso indebido hayan adquirido firmeza si se puede solicitar la devolución del mismo a través de una serie de cauces citados en tal artículo, lo que fue desconocido, sin duda de manera interesada, en mencionada Resolución 2/2005, que partió así de la premisa, en mi opinión errónea por la defensa a ultranza de los aspectos recaudatorios que la misma implica, de que la devolución no sería factible en ningún caso en este supuesto.

Ante ello, esto es, ante esta muy deficiente regulación de esta cuestión en dicha Resolución, a los contribuyentes –dejando al margen la posibilidad de instar la revocación, a mi juicio posible, aunque los Tribunales se muestran reacios a admitirla como consecuencia de la regulación legal de esta figura [véase, por ejemplo, por citar alguna, la reciente Sentencia del TSJ de Extremadura de 11 de marzo de 2010 (JT 2010, 441), Recurso contencioso-administrativo núm. 949/2008]– no les quedó más remedio para obtener la satisfacción de sus legítimas pretensiones que interponer reclamación de responsabilidad patrimonial contra la actuación del Estado Legislador que, en nuestro caso concreto, pudo haberse ejercido en el plazo de un año a contar de la publicación de mencionada Sentencia del TJUE de 6 de octubre de 2005 (TJCE 2005, 290), tal como, por ejemplo, se declaró por la STS de 18 de enero de 2011 (RJ 2011, 96), Recurso contencioso-administrativo núm. 541/2007, al afirmarse en ella que «el término para reclamar, de acuerdo con la teoría de la *actio nata*, arrancó en la fecha de publicación de la sentencia del Tribunal de Justicia de las

Comunidades Europeas (26 de noviembre de 2005), momento en el que se completaron los elementos fácticos y jurídicos que permitían en el ejercicio de la acción [sentencias de 31 de mayo de 2005 (recurso contencioso-administrativo 294/03, FJ 4º); 21 de diciembre de 2006 (recurso contencioso-administrativo 73/06, FJ 3 º); y 12 de septiembre de 2007 (recurso contencioso-administrativo 206/06, FJ 2º)]».

Ello parecía plenamente posible por aplicación de la doctrina, antes referida, sustentada por el Tribunal Supremo a propósito de la declaración de inconstitucionalidad del artículo 38.2.2 de la Ley 5/1990 (RCL 1990, 1337).

Este Tribunal, sin embargo, inaplicando de forma indebida, en mi opinión, su anterior doctrina, no lo entendió así en su Sentencia de 29 de enero de 2004 (RJ 2004, 1077), Recurso contencioso-administrativo núm. 52/2002, al declararse en ella –ante las pretensiones de un recurrente que había solicitado, invocando la aplicación de referida doctrina sentada por el Tribunal Supremo sobre responsabilidad patrimonial como consecuencia de la exacción indebida del gravamen complementaria de la tasa de juego, indemnización de daños y perjuicios como consecuencia de acta de inspección por la deducción indebida de IVA, que luego resultó ser no conforme a derecho como consecuencia de la Sentencia del TJUE de 21 de marzo de 2000 (TJCE 2000, 47), Asuntos acumulados C-110/98 a C-147/98, Gabalfrisa, S.L., y otros contra la AEAT, que declaró que el artículo 111 de la LIVA vigente en ese momento contravenía la normativa comunitaria en cuanto difería el ejercicio del derecho a la deducción al momento de inicio efectivo de la actividad empresarial– que la doctrina mantenida por el propio Tribunal en los supuestos atinentes a referido gravamen:

«(...) no es trasladable a los supuestos en que una norma, en nuestro caso el artículo 111 de la Ley 37/92, es contrario a la legislación europea ya que tal contradicción es directamente invocable ante los tribunales españoles y por tanto la recurrente pudo recurrir en vía administrativa primero y en vía contenciosa después al acta de liquidación y tanto la administración como la jurisdicción posteriormente debían haber aplicado directamente el ordenamiento comunitario. La recurrente en este caso, al contrario de lo que acontece en los supuestos de gravamen complementario de la tasa de juego, sí era titular de la acción por (sic) invocar la contradicción entre el ordenamiento estatal y el ordenamiento comunitario que debía ser aplicado directamente por los tribunales nacionales incluso aun cuando no hubiese sido invocado expresamente, por tanto la doctrina del acto firme y consentido unida al principio de seguridad jurídica justifica en este caso, el contrario de lo que hemos establecido en las sentencias citadas sobre ingreso indebido del gravamen complementario, la no aplicación al caso de autos de la doctrina sentada en aquellas sentencias y la desestimación de la pretensión indemnizatoria ya que la recurrente, al no impugnar el acta de conformidad levantada por la Agencia Tributaria, está obligada a soportar el perjuicio causado al no concurrir en el caso que nos ocupa la misma circunstancia que en las sentencias de esta sala anteriormente citadas».

Esta Sentencia parece, en principio, razonable, ya que el obligado tributario no había impugnado, en este caso concreto, el acta que le había sido levantada por la Inspección tributaria, y, sin embargo, quería ampararse, *a posteriori* en la declaración del Tribunal de Justicia de Luxemburgo para exigir algo a lo que en su momento se aquietó, sin formular reparo de ninguna índole.

Sin embargo esa pretendida razonabilidad cae de inmediato por su base, a poco que se tenga en cuenta, como ya se ha dicho, que el propio Tribunal Supremo había admitido, para el supuesto de reclamaciones de responsabilidad patrimonial como consecuencia de la exacción indebida del gravamen complementaria de la tasa de juego, que tal responsabilidad era igualmente apreciable en el caso de que los obligados tributarios hubiesen consentido los actos iniciales, sin interponer recurso alguno, hasta tanto ya conocieron la Sentencia del Tribunal Constitucional declarando la inconstitucionalidad de la Ley en la que los actos se basaban ¿Qué diferencia existe, pues, desde esta perspectiva entre uno y otro supuesto? No parece apreciarse ninguna.

Si se ha admitido que tras la declaración de inconstitucionalidad de una Ley se puede solicitar una reclamación de responsabilidad patrimonial para así poder obtener el resarcimiento patrimonial de los perjuicios económicos derivados de los actos aplicativos de tal Ley, exactamente lo mismo debiera hacerse cuando lo que se ha producido es una Sentencia del Tribunal de Luxemburgo declarando que unos determinados preceptos de una Ley interna vulneran el Derecho comunitario, supuesto en el que, aplicando la misma lógica, debiera ser plenamente posible interponer una reclamación de responsabilidad patrimonial para así intentar el resarcimiento de los daños originados por actos dictados en aplicación de esos preceptos luego declarados contrarios a la normativa comunitaria.

Por otra parte, en dicha STS de 29 de enero de 2004 (RJ 2004, 1077) se parte, a mi juicio, de un apriorismo que está bien lejos de ser cierto. En efecto, en dicha Sentencia se afirma que la posible contradicción de una norma interna con el Derecho comunitario «es directamente invocable ante los Tribunales españoles y por tanto la recurrente pudo recurrir en vía administrativa primero y en vía contenciosa después al acta de liquidación y tanto la Administración como la jurisdicción posteriormente *debían haber aplicado directamente el ordenamiento comunitario*»; partiendo, así pues, de la premisa de que si el obligado tributario hubiese efectuado tal invocación, ante la Administración o ante los Tribunales, éstos, sin duda, le hubiesen dado la razón, por lo que si aquel no hizo esto la «culpa» fue, exclusivamente de aquel, por no haber hecho lo que podía hacer, ya que si hubiese obrado de otro modo sus argumentos habrían sido diligentemente atendidos.

Estas afirmaciones deducibles de la lectura de esta Sentencia –cuya doctrina se reiteró en la posterior de 24 de mayo de 2005 (RJ 2005, 5408), Recurso contencioso-administrativo núm. 73/2003– son, sin embargo, y dicho sea con todos mis respetos, erróneas; y lo son porque un somero examen de las vicisitudes que se produjeron en nuestro ordenamiento jurídico hasta que se produjo la Sentencia Gabalfrisa demuestran a las claras que muchos ciudadanos efectuaron, frente a la Administración tributaria y los Tribunales españoles, la invocación de que el artículo 111 de la Ley del IVA era contrario al ordenamiento comunitario y, pese a ello, ni una ni otros admitieron tal extremo, por lo que ese pretendido automatismo que parece traslucirse de las afirmaciones de la STS de 29 de enero de 2004 (RJ 2004, 1077) de que si esa invocación hubiese sido hecha, habría sido atendida sin más, caen de inmediato por su base.

Así se desprende, por ejemplo, de la STS de 6 de noviembre de 1998 (RJ 1998, 9898), Recurso de Apelación núm. 344/1993; de la Sentencia de la Audiencia Nacional de 24 de octubre de 1996 (JT 1996, 1576), Recurso contencioso-administrativo núm. 56/1995; y de las Sentencias del TSJ de la Comunidad Autónoma del País Vasco de 4 de febrero de 1993 (JT 1993, 121), Recurso núm. 739/1990, del TSJ de la Región de Murcia de 22 de marzo de 1993 (JT 1993, 335), Recurso núm. 1413/1991, del TSJ de la Comunidad Foral de Navarra de 9 de junio de 1993 (JT 1993, 796), Recurso núm. 391/1990, del TSJ de Cataluña de 14 de septiembre de 1995 (JT 1995, 1086), Recurso núm. 2253/1992, y del TSJ de la Comunidad de Madrid de 22 de febrero de 1996 (JT 1996, 325), Recurso contencioso-administrativo núm. 533/1993, de cuya lectura se aprecia que los recurrentes, con mayor o menor fortuna argumentativa, habían solicitado que se plantease cuestión prejudicial ante el Tribunal de Justicia de Luxemburgo sobre la adecuación o no de la legislación interna española a lo establecido por el entonces vigente artículo 17 de la Sexta Directiva. Y, pese a ello, ninguna de estas peticiones fructificaron, por entender nuestros Tribunales que el artículo 111 de la LIVA no vulneraba lo establecido por dicha Sexta Directiva, lo que contradice, palmariamente, ese pretendido automatismo en la resolución de esta cuestión que parece estar en la base de la STS de 29 de enero de 2004 (RJ 2004, 1077) para denegar la aplicación a este supuesto de la doctrina previamente sustentada por él mismo en materia de responsabilidad patrimonial.

La conclusión de todo ello es el evidente desamparo en que se vieron inmersos los obligados tributarios, inclusive de aquellos que habían obrado con suma diligencia invocando el desajuste de la normativa interna española con lo establecido en la Sexta Directiva, que observaron cómo se les aplicó una norma posteriormente estimada contraria al ordenamiento comunitario y a los que, posteriormente, se les indicó que ningún medio jurídico existía para resarcirse de los perjuicios que ello les supuso.

La disparidad de tratamiento de este caso con lo que se estableció respecto a la cuestión del gravamen complementario no puede ser más palmaria, siendo así que, en buena lógica, parece que lo más pertinente sería aplicar idéntica solución a ambos temas.

En dicha STS de 29 de enero de 2004 (RJ 2004, 1077) se afirmó también, como nuevo argumento tendente a declarar la inaplicación de su precedente doctrina en materia de responsabilidad patrimonial, que «en el caso que enjuiciamos la responsabilidad patrimonial que se demanda, de existir, lo sería por infracción de la normativa comunitaria, infracción que es apreciada en sentencia que resuelve una cuestión prejudicial y que por tanto no acarrea per se la desaparición *ex tunc* de la norma del ordenamiento jurídico, al contrario de lo que ocurre con una sentencia de inconstitucionalidad, ello con independencia de que los efectos de la nulidad de la Ley inconstitucional normalmente sean *ex nunc* correspondiendo al Tribunal apreciar su alcance en cada caso».

Con ello parece apuntarse en este pronunciamiento del Tribunal Supremo que las Sentencias del Tribunal de Justicia de Luxemburgo no tienen alcance retroactivo alguno, por lo que sus efectos sólo rigen para el futuro; no siendo, pues, aplicable su doctrina hacia el pasado, de forma tal que lo actos dictados en aplicación de la norma luego declarada contraria al Derecho comunitario no podían ya ser revisados.

Esta afirmación es por completo infundada e incorrecta, ya que el propio Tribunal de Justicia de Luxemburgo –véanse, entre otras, sus Sentencias de 2 de febrero de 1988 (TJCE 1988, 82), As. C-309/85, Blaizot; 14 de diciembre de 1995 (TJCE 1995, 226), As. C-312/93, Peterbroek; 14 de enero de 1997 (TJCE 1997, 6), Asuntos acumulados C-192/95 a C-218/95, Comateb y otros; y 30 de marzo de 2006 (TJCE 2006, 99), As. C-184/04, Uudenkaupungin kaupunki– luego de recordar que dicho Tribunal tiene como misión aclarar y precisar, cuando es necesario, el significado y el alcance de una norma de Derecho comunitario, tal como debe o habría debido ser entendida y aplicada desde el momento de su entrada en vigor, ha declarado que de ello «resulta que la norma que ha sido interpretada por este Tribunal puede y debe ser aplicada por el Juez incluso a relaciones jurídicas nacidas y constituidas antes de la Sentencia».

Con ello se refuta este último argumento empleado por mencionadas Sentencias del Tribunal Supremo para no aplicar al caso concreto su propia doctrina, puesto que la interpretación de una norma establecida por el Tribunal de Justicia de Luxemburgo puede, y debe, aplicarse por el Juez nacional incluso a relaciones jurídicas nacidas y constituidas antes de dicha Sentencia, habiendo escrito a este propósito el Abogado General Léger, en las conclusiones presentadas en el asunto en el que recayó la Sentencia del TJUE de 23 de mayo de 1996 (TJCE 1996, 90), As. C-5/94, Hedley Lomas, que «el respeto de la primacía no exige solamente que deje de aplicarse una Ley contraria al Derecho comunitario. Exige también que se reparen los daños que su aplicación en el pasado ha provocado».

Y es que, en definitiva, como bien se declaró por la Sentencia del TJUE de 5 de marzo de 1996 (TJCE 1996, 37), Asuntos acumulados C-46/93 y C-48/93, Brasserie du Pêcheur, «admitir que la obligación de indemnización a cargo del Estado miembro interesado pueda limitarse únicamente a los daños sufridos con posterioridad a que se haya dictado una Sentencia del Tribunal de Justicia en que se declare el incumplimiento de que se trate equivaldría a volver a poner en entredicho el derecho a indemnización reconocido por el ordenamiento jurídico comunitario».

Por ello, como ha señalado la doctrina, el derecho subjetivo de los particulares que ha sido vulnerado deriva del propio ordenamiento comunitario, y no de la declaración de incumplimiento, y de ahí que no sea posible subordinar el resarcimiento a la previa existencia de una Sentencia declarativa de incumplimiento, habiéndose indicado, igualmente, que si el principio de responsabilidad no está expresamente recogido en los Tratados comunitarios, aquel se configura como un principio enraizado en los Tratados constitutivos, y que se desprende del mismo ordenamiento comunitario, lo que implica otorgar a dicho principio la categoría de principio general de Derecho comunitario, a lo que, sin duda, ha contribuido el hecho evidente de que susodicho principio «forma parte de la tradición de todos los sistemas jurídicos», por lo que el mismo «debe poder aplicarse también cuando el comportamiento ilícito consiste en la violación de una norma comunitaria», como afirmó el Abogado General Tesauro en las conclusiones presentadas en el asunto en el que recayó la ya referida Sentencia del TJUE de 5 de marzo de 1996 (TJCE 1996, 37), Brasserie du Pêcheur.

Por todo ello, en suma, considero muy desacertada la doctrina recogida en susodichas Sentencias del Tribunal Supremo de 29 de enero de 2004 (RJ 2004, 1077) y de 24 de mayo de 2005 (RJ 2005, 5408), y, en consecuencia, entiendo que al supuesto concreto al que se ciñe este epígrafe le es de plena aplicación la doctrina del Tribunal Supremo, reiterada en múltiples Sentencias, con base en la que si es perfectamente posible la solicitud de indemnización, en concepto de responsabilidad patrimonial, por las actuaciones del Estado Legislador, y ello mucho más cuando en la propia Sentencia del TJUE de 6 de octubre de 2005 (TJCE 2005, 290) se afirmó de forma concluyente que «no procede (...) limitar los efectos en el tiempo de la presente Sentencia», con lo cual la misma tiene un alcance retroactivo total.

La crítica vertida a referidas SSTS de 29 de enero de 2004 y de 24 de mayo de 2005 ha encontrado eco en el Tribunal de Justicia de Luxemburgo, que en su Sentencia de 26 de enero de 2010 (TJCE 2010, 21), As. C-118/08, Transportes Urbanos y Servicios Generales, S.A.L., contra Administración del Estado, se ha pronunciado en el mismo sentido considerado acertado en los párrafos anteriores, estimando, pues, la incorrección de la tesis sustentada por el Tribunal Supremo, tal como ya indiqué en otros trabajos anteriores (2010 y 2011).

Transportes Urbanos, que había presentado autoliquidaciones por los ejercicios 1999 y 2000 con arreglo a la LIVA, no ejerció su derecho a solicitar la rectificación de dichas liquidaciones, en virtud de la LGT, por haber prescrito ya este derecho en la fecha en la que el Tribunal de Justicia dictó referida Sentencia de 6 de octubre de 2005 (TJCE 2005, 290).

En su lugar, interpuso una reclamación de responsabilidad patrimonial del Estado ante el Consejo de Ministros, sosteniendo que había sufrido un perjuicio económico –consistente en los pagos del IVA indebidamente percibidos por la Administración tributaria española durante los mencionados ejercicios y a las devoluciones a las que podría haber tenido derecho en relación con los mismos ejercicios–, debido a la infracción de la Sexta Directiva cometida por el legislador español, constatada por el Tribunal de Justicia en dicha sentencia Comisión contra España, antes citada.

El Consejo de Ministros desestimó esta reclamación, al considerar –basándose para ello en la doctrina de mencionadas Sentencias del Tribunal Supremo de 29 de enero de 2004 y de 24 de mayo de 2005– que la omisión por parte de Transportes Urbanos de solicitar la rectificación de las mencionadas autoliquidaciones en el plazo previsto a tal efecto había roto la relación de causalidad directa entre la infracción del Derecho de la Unión reprochada al Estado español y el daño supuestamente sufrido por dicha entidad.

Ante ello, la recurrente interpuso un recurso contra dicha resolución desestimatoria del Consejo de Ministros ante el Tribunal Supremo, que decidió suspender el procedimiento y plantear al Tribunal de Justicia mediante Auto de 1 de febrero de 2008 la siguiente cuestión prejudicial:

«¿Resulta contrario a los principios de equivalencia y efectividad la aplicación de distinta doctrina hecha por el Tribunal Supremo del Reino de España en las Sentencias de 29 de enero de 2004 y 24 de mayo de 2005 a los supuestos de reclamación de responsabilidad patrimonial del Estado Legislador cuando se funden en actos administrativos dictados en aplicación de una ley declarada inconstitucional, de aquellos que se funden en aplicaciones de una norma declarada contraria al Derecho comunitario?».

El Tribunal de Justicia de la Unión Europea comenzó señalando –con cita de sus precedentes Sentencias de 30 de septiembre de 2003 (TJCE 2003, 292), As. C-224/01, Köbler, y 13 de marzo de 2007 (TJCE 2007, 59), As. C-524/04, Test Claimants in the Thin Cap Group Litigation– que incumbe al Estado, en el marco del Derecho nacional en materia de responsabilidad, reparar las consecuencias del perjuicio causado, entendiéndose que los requisitos establecidos por las legislaciones nacionales en materia de indemnización de daños no pueden ser menos favorables que los que se aplican a reclamaciones semejantes de naturaleza interna (*principio de equivalencia*) y no pueden articularse de manera que hagan en la práctica imposible o excesivamente difícil obtener la indemnización (*principio de efectividad*), principios éstos a la luz de los cuales procedía examinar esta cuestión.

Por lo que se refiere al *principio de equivalencia* recordó también este Tribunal –remitiéndose a sus Sentencias de 15 de septiembre de 1998 (TJCE 1998, 190), As. C-231/96, Edis; 1 de diciembre de 1998 (TJCE 1998, 298), As. C-326/96, Levez; 16 de mayo de 2000 (TJCE 2000, 95), As. C-78/98, Preston y otros; y 19 de septiembre de 2006 (TJCE 2006, 260), Asuntos acumulados C-392/04 y C-422/04, i-21 Germany y Arcor– que el mismo exige que el conjunto de normas aplicables a los recursos, incluidos los plazos establecidos, se aplique indistintamente a los recursos basados en la violación del Derecho de la Unión y a aquellos basados en la infracción del Derecho interno.

Por ello, en suma, para comprobar si se había respetado este principio de equivalencia en esta concreta controversia era preciso examinar si, habida cuenta de su objeto y de sus elementos esenciales, la reclamación de responsabilidad patrimonial interpuesta por Transportes Urbanos, basada en la infracción del Derecho de la Unión, y la que dicha sociedad habría podido interponer basándose en una posible infracción de la Constitución podían considerarse similares.

Y afirmó a este respecto el Tribunal de Justicia de Luxemburgo, en esta Sentencia de 26 de enero de 2010 (TJCE 2010, 21), que procedía señalar que tenían exactamente el mismo objeto, a saber, la indemnización del daño sufrido por la persona lesionada por un acto o una omisión del Estado.

La única diferencia existente entre las dos reclamaciones mencionadas: la de responsabilidad patrimonial interpuesta por Transportes Urbanos, basada en la infracción del Derecho de la Unión Europea, y la que dicha sociedad habría podido interponer basándose en una posible infracción de la Constitución, consistía en que las infracciones jurídicas en las que se basaban habían sido declaradas, en un caso, por el Tribunal de Justicia mediante una sentencia dictada con arreglo al artículo 226 CE y, en otro, por una sentencia del Tribunal Constitucional español, circunstancia ésta que no era bastante para establecer una distinción entre ambas reclamaciones a la luz del principio de equivalencia, razón por la que, en definitiva, estas dos reclamaciones podían considerarse similares, en el sentido de la jurisprudencia comunitaria.

Y de todo ello concluyó declarando el Tribunal de Justicia de la Unión Europea, en referida Sentencia de 26 de enero de 2010 (TJCE 2010, 21), que «el Derecho de la Unión se opone a la aplicación de una regla de un Estado miembro en virtud de la cual una reclamación de responsabilidad patrimonial del Estado basada en una infracción de dicho Derecho por una ley nacional declarada mediante sentencia del Tribunal de Justicia dictada con arreglo al art. 226 CE sólo puede estimarse si el demandante ha agotado previamente todas las vías de recurso internas dirigidas a impugnar la validez del acto administrativo lesivo dictado sobre la base de dicha ley, mientras que tal regla no es de aplicación a una reclamación de responsabilidad patrimonial del Estado fundamentada en la infracción de la Constitución por la misma ley declarada por el órgano jurisdiccional competente».

De ello se desprende que nuestros órganos jurisdiccionales están obligados a aplicar tal doctrina, incluyendo entre los daños resarcibles los derivados de la aplicación de las disposiciones generales nacionales vulneradoras del Derecho comunitario.

Lo contrario supondría la imposición a este supuesto de un régimen jurídico más restrictivo que el mantenido por el Derecho interno frente a las leyes inconstitucionales, lo cual constituye un grave atentado contra la esencia del sistema europeo aplicable a la materia, como bien ha escrito ALONSO GARCÍA, C. (2010).

Y así efectivamente ha sucedido, toda vez que el Tribunal Supremo ha terminado por declarar aplicable, por el ya referido principio de equivalencia, su doctrina sobre responsabilidad del Estado legislador en los casos de violación de la Constitución, a los supuestos de responsabilidad del Estado legislador por vulneración del Derecho Comunitario, precisando que existe una relación de causalidad directa entre la infracción de la obligación que incumbe al Estado y el daño sufrido por el particular, sin que dicha relación causal quede rota porque el reclamante no hubiese agotado los recursos administrativos o judiciales frente a la liquidación tributaria practicada, de todo lo cual concluyó declarando la responsabilidad patrimonial del Estado como consecuencia de la limitación del derecho a la deducción del IVA soportado correspondiente a las subvenciones percibidas, que era contrario a lo que se establece en las Directivas comunitarias en materia de IVA.

Véanse, entre otras, sus Sentencias –cuya doctrina ha sido comentada por, entre otros autores, SÁNCHEZ PEDROCHE (2011), y CAYON GALIARDO (2011)– de 17 de septiembre de 2010 (RJ 2011, 679), Recurso contencioso-administrativo núm. 153/2007, 17 de septiembre de 2010 (RJ 2010, 7998), Recurso contencioso-administrativo núm. 149/2007, 17 de septiembre de 2010 (RJ 2010, 8095), Recurso de Casación núm. 373/2006, 15 de octubre de 2010 (RJ 2010, 8127), Recurso de Casación núm. 345/2006, 25 de noviembre de 2010 (RJ 2010, 7080), Recurso de Casación núm. 361/2007, 25 de noviembre de 2010 (RJ 2010, 8684), Recurso de Casación núm. 363/2007, 7 de diciembre de 2010 (RJ 2010, 8369), Recurso contencioso-administrativo núm. 358/2007, 13 de diciembre de 2010 (RJ 2010, 8992), Recurso de Casación núm. 273/2007, 13 de diciembre de 2010 (RJ 2010, 8991), Recurso de Casación núm. 439/2007, 16 de diciembre de 2010 (RJ 2010, 8378), Recurso de Casación núm. 204/2007, 16 de diciembre de 2010 (RJ 2010, 9127), Recurso de Casación núm. 166/2007, 17 de diciembre de 2010 (RJ 2011, 710), Recurso de Casación núm. 312/2007, 17 de diciembre de 2010 (RJ 2011, 711), Recurso de Casación núm. 488/2007, 17 de diciembre de 2010 (RJ 2011, 4173), Recurso de Casación núm. 370/2007, 17 de diciembre de 2010 (RJ 2011, 4172), Recurso de Casación núm. 371/2007, 17 de diciembre de 2010 (RJ 2011, 4171), Recurso de Casación núm. 380/2007, 17 de diciembre de 2010 (RJ 2011, 4174), Recurso de Casación núm. 486/2007, 17 de diciembre de 2010 (RJ 2011, 711), Recurso de Casación núm. 488/2007, 23 de diciembre de 2010 (RJ 2011, 4175), Recurso de Casación núm. 221/2007, 23 de diciembre de 2010 (RJ 2011, 4175), Recurso de Casación núm. 221/2007, 23 de diciembre de 2010 (RJ 2010, 8398), Recurso contencioso-administrativo núm. 535/2007, 14 de enero de 2011 (RJ 2011, 77), Recurso de Casación núm. 437/2007, 14 de enero de 2011 (RJ 2011, 795), Recurso contencioso-administrativo núm. 508/2007, y 24 de enero de 2011 (RJ 2011, 490), Recurso de Casación núm. 598/2007.

10
BIBLIOGRAFÍA

ALONSO GARCÍA, C.: «La necesaria reformulación de la teoría de la responsabilidad patrimonial del Estado-legislador», *El cronista del Estado social y democrático de Derecho*, nº 12, 2010.

ALONSO GONZÁLEZ: «La constitucionalidad de las leyes de renta. (Un comentario a las Sentencias del Tribunal Constitucional 146/1994 y 214/1994) (I)», *Civitas, R.E.D.F.*, nº 87, 1995.

ASOREY: «El principio de seguridad jurídica en el Derecho Tributario», *Civitas, R.E.D.F.*, nº 66, 1990.

BANACLOCHE PALAO: «Indemnización por gastos de aval», *Impuestos*, Tomo II, 1995.

BANACLOCHE PALAO y GALÁN RUIZ: «Declaración de inconstitucionalidad de la disposición adicional cuarta de la Ley de Tasas: sus efectos sobre liquidaciones firmes y no firmes», *Repertorio Aranzadi del Tribunal Constitucional*, nº 15, 2000.

BLASCO ESTEVE: «La relación de causalidad en materia de responsabilidad patrimonial de la Administración en la jurisprudencia reciente», *Civitas, R.E.D.A.*, nº 53, 1987.

CAAMAÑO ANIDO: «La suspensión de la ejecutoriedad del acto administrativo y el coste de la garantía prestada», *Jurisprudencia Tributaria*, 1993-II.

— «Nuevos matices de la jurisprudencia comparada en materia de declaración de nulidad de una norma y devolución de ingresos indebidos», *Civitas, R.E.D.F.*, nº 92, 1996.

CAYON GALIARDO: «La responsabilidad patrimonial derivada de Leyes que vulneran el Derecho comunitario. Un planteamiento nuevo en la STS de 17 de septiembre de 2010», *Revista Técnica Tributaria*, nº 93, 2011.

CHECA GONZÁLEZ: «Acerca de la obligación de la Administración de indemnizar los gastos de dirección técnica en una reclamación económico-administrativa», *Jurisprudencia Tributaria* 2002-II.

— «La responsabilidad patrimonial de las Administraciones Públicas por la aplicación de actos legislativos», *Repertorio de Jurisprudencia Aranzadi*, nº 15, 2003.

— «La responsabilidad patrimonial de las Administraciones Públicas: Alcance, delimitación y contenido de la misma», *Jurisprudencia TSJ, AP y otros Tribunales*, Aranzadi, n° 17, 2004.

— «Contenido y alcance de la responsabilidad patrimonial de las Administraciones Públicas en el derecho español», *Revista de Derecho*, n° 14, Tribunal Supremo de Justicia, República Bolivariana de Venezuela, Caracas, Venezuela, 2004.

— «La responsabilidad patrimonial de la Administración pública basada en Leyes inconstitucionales: especial referencia a la devolución de ingresos tributarios» (año 2004), artículo publicado en la revista electrónica de Uruguay, http://www.elderechodigital.com.uy

— «La responsabilidad patrimonial de la Administración Pública con fundamento en la declaración de inconstitucionalidad de una ley», *Ius et Praxis*, Universidad de Talca, Facultad de Ciencias Jurídicas y Sociales, año 10, n° 1, Talca, Chile, 2004.

— «La insuficiente compensación económica por el IAE establecida para las Corporaciones Locales», *Tributos Locales*, n° 46, Diciembre 2004.

— «Responsabilidad patrimonial de la Administración derivada de la declaración de inconstitucionalidad de una ley», *Cuestiones Constitucionales. Revista Mexicana de Derecho Constitucional*, n° 12, Enero-Junio 2005.

— «La responsabilidad patrimonial de la Administración tributaria (I y II)», Impuestos, Tomo II, 2005.

— *La intervención del Consejo de Estado y de los Consejos Consultivos en materia tributaria*, Thomson&Aranzadi, 2006.

— «Limitaciones al derecho a deducir en el IVA como consecuencia del régimen establecido para las subvenciones, y responsabilidad patrimonial del Estado español por infracción del derecho de la Unión Europea», *Crónica Tributaria: Boletín de Actualidad*, n° 2, 2010.

— «Subvenciones y limitaciones del derecho a deducir el IVA. Responsabilidad patrimonial del Estado por infracción del Derecho de la Unión Europea», *Quincena Fiscal*, n° 9, 2011.

CHECA GONZÁLEZ, GONZÁLEZ GARCÍA, LOZANO SERRANO y SIMÓN ACOSTA: «Las difíciles relaciones entre la declaración de inconstitucionalidad del Gravamen complementario sobre la Tasa fiscal del Juego y los recursos de amparo fundados en su presunta inconstitucionalidad», *Jurisprudencia Tributaria* 1997-III.

CONCHEIRO DEL RÍO: *Responsabilidad patrimonial del Estado por la declaración de inconstitucionalidad de las leyes*, Madrid, 2001.

CUETO PÉREZ: *Responsabilidad de la Administración en la asistencia sanitaria*, Tirant lo Blanch, 1997.

DESDENTADO DAROCA: «Reflexiones sobre el artículo 141.1 de la Ley 30/1992 a la luz del Análisis Económico del Derecho», *Civitas, R.E.D.A.*, n° 108, 2000.

DURÁN-SINDREU BUXADÉ: «Constitucionalidad del régimen transitorio de la Ley 20/

1989 en relación a las autoliquidaciones y liquidaciones correspondientes al período impositivo 1987 y anteriores no prescritos», *Gaceta Fiscal*, nº 88 (bis), 1991.

FABRA VALLS: «Solidaridad y Derecho Financiero en una sociedad neocompetitiva», *Civitas, R.E.D.F.*, nº 120, 2003.

FALCÓN Y TELLA: «Los vaivenes de la jurisprudencia constitucional: de nuevo sobre las Cámaras de Comercio», *Quincena Fiscal*, nº 13, 1996.

— «La llamada jurisprudencia "prospectiva": precisiones sobre el alcance de la declaración de inconstitucionalidad de normas tributarias», *Quincena Fiscal*, nº 7, 1997.

— «Efectos de la declaración de inconstitucionalidad sobre los recursos de amparo pendientes: la peligrosa doctrina sentada por la STC 159/1997, de 2 de octubre, en relación con el gravamen complementario de la tasa sobre el juego», *Quincena Fiscal*, nº 20, 1997.

— «La responsabilidad patrimonial del Estado-legislador en los supuestos de leyes inconstitucionales o incompatibles con el ordenamiento comunitario: la sentencia Dangeville del Tribunal Europeo de Derechos Humanos», *Quincena Fiscal*, nº 13, 2002.

— «Balance de la jurisprudencia constitucional», *Quincena Fiscal*, núms. 21-22, 2004.

— «El Guantánamo tributario. Una reflexión crítica sobre algunas medidas recientes y sobre la situación actual del sistema fiscal», *El Cronista del Estado Social y Democrático de Derecho*, nº 2, 2009.

FERNÁNDEZ DE AGUIRRE Y FERNÁNDEZ: «La responsabilidad patrimonial del Estado: evolución y examen de la doctrina general», *Responsabilidad patrimonial del Estado legislador, administrador y juez*, Cuadernos de Derecho Judicial, Consejo General del Poder Judicial, Escuela Judicial, AA VV., Madrid, 2004.

FERNÁNDEZ FARRERES: «Reflexiones sobre el futuro de la justicia constitucional española», en *El futuro de la justicia constitucional. Actas de las XII Jornadas de la Asociación de Letrados del Tribunal Constitucional*, AA VV., Tribunal Constitucional, Centro de Estudios Políticos y Constitucionales, Madrid, 2007.

FERNÁNDEZ RODRÍGUEZ: «El problema del nexo causal y la responsabilidad patrimonial de la Administración», *Homenaje a* SEGISMUNDO ROYO-VILLANOVA, AA VV., Moneda y Crédito, 1977.

— «De la banalidad a la incoherencia y la arbitrariedad. Una crónica sobre el proceso, al parecer imparable, de degradación de la Ley», *El Cronista del Estado Social y Democrático de Derecho*, nº 0, 2008.

FERRERES COMELLA: *Justicia constitucional y democracia*, Centro de Estudios Políticos y Constitucionales, Madrid, 1997.

GAMERO CASADO: «El nuevo escenario de la responsabilidad administrativa extracontractual», *Actualidad Jurídica Aranzadi*, nº 426, 2000.

GARCÍA DE ENTERRÍA: «La responsabilidad del Estado por comportamiento ilegal de sus órganos en el Derecho español», *Revista de Derecho Administrativo y Fiscal*, n° 7, 1964.

— «Un paso importante para el desarrollo de nuestra justicia constitucional: la doctrina prospectiva en la declaración de ineficacia de las leyes inconstitucionales», *Civitas, R.E.D.A.*, n° 61, 1989.

— «El principio de protección de la confianza legítima como posible fundamento de una responsabilidad patrimonial del legislador», *Discurso de investidura de Doctor Honoris Causa por la Universidad de Extremadura*, Badajoz, 10 de mayo de 2002.

GARCÍA-HERRERA BLANCO: «El principio de seguridad jurídica como límite a la retroactividad de las normas tributarias (A propósito de la STC de 31 de octubre de 1996)», *Jurisprudencia Tributaria 1997-II*.

GARCÍA NOVOA: *La devolución de ingresos tributarios indebidos*, I.E.F., Marcial Pons, Madrid, 1993.

GARCÍA ROCA: «La experiencia de veinticinco años de jurisdicción constitucional en España», en *La reforma del Tribunal Constitucional. Actas del V Congreso de la Asociación de constitucionalistas de España*, AA VV., Tirant lo Blanch, Valencia, 2007.

GARRIDO FALLA: «La responsabilidad patrimonial del Estado legislador en la nueva Ley 30/1992 y en la Sentencia del Tribunal Supremo de 30 de noviembre de 1992», *Civitas, R.E.D.A.*, n° 77, 1993.

— «A vueltas con la responsabilidad del Estado legislador: Las Sentencias del Tribunal supremo de 11 de octubre de 1991 y de 5 de marzo de 1993», *Civitas, R.E.D.A.*, n° 81, 1994.

— «Los límites de la responsabilidad patrimonial: una propuesta de reforma legislativa», *Civitas, R.E.D.A.*, n° 94, 1997.

GÓMEZ CORONA: «La declaración de inconstitucionalidad de la ley en la reforma del artículo 39 LOTC. Algunos interrogantes», en *La reforma del Tribunal Constitucional. Actas del V Congreso de la Asociación de constitucionalistas de España*, VV.AA., Tirant lo Blanch, Valencia, 2007.

GONZÁLEZ BEILFUSS: *Tribunal Constitucional y reparación de la discriminación normativa*, Centro de Estudios Políticos y Constitucionales, Madrid, 2000.

GONZÁLEZ PÉREZ, GONZÁLEZ NAVARRO y GONZÁLEZ RIVAS: *Comentarios a la Ley 4/1999, de 13 de enero, de modificación de la Ley 30/1992*, Civitas, 1999.

GONZÁLEZ-VARAS IBÁÑEZ: «Responsabilidad del Estado legislador: pautas de la jurisprudencia para determinar la aplicación del artículo 139.3 de la Ley 30/1992», *Civitas, R.E.D.A.*, n° 104, 1999.

GUTIÉRREZ DE GANDARILLA GRAJALES: «Los efectos de la inconstitucionalidad de la Ley fiscal y la responsabilidad del Estado legislador», *Revista de Contabilidad y Tributación*, C.E.F., n° 224, 2001.

Herranz Díaz: «La indemnización de los gastos de mantenimiento del aval», *La suspensión de los actos de liquidación tributaria y el problema de las garantías*, AA VV., Marcial Pons, 1994.

Herrera Molina: «Los efectos de la inconstitucionalidad de las leyes tributarias en la jurisprudencia del Tribunal Constitucional alemán (en especial la ultraactividad transitoria de los preceptos inconstitucionales)», *Quincena Fiscal*, n° 13, 1996.

Ibañez García: «La reparación integral de los daños y perjuicios sufridos por el contribuyente. Anulaciones en vía administrativa o jurisdiccional de las resoluciones administrativas», *Actualidad Tributaria*, n° 18, 1992.

Jiménez Cano: *La Sentencia sobre la constitucionalidad de la Ley*, Centro de Estudios Constitucionales, Madrid, 1997.

Leguina Villa: *La responsabilidad civil de la Administración pública. Su formulación en el Derecho italiano y análisis comparativo con los ordenamientos francés y español*, Madrid, Tecnos, 1970.

— «El fundamento de la responsabilidad de la Administración», *Civitas, R.E.D.A.*, n° 23, 1979.

— «La responsabilidad del Estado y de las entidades públicas regionales o locales por los daños causados por sus agentes por sus servicios administrativos», *Revista de Administración Pública*, n° 92, 1980.

— *La nueva Ley de Régimen Jurídico de las Administraciones Públicas y del Procedimiento Administrativo Común*, AA VV., Tecnos, 1993.

Leguina Villa y Desdentado Daroca: *«La responsabilidad patrimonial de la Administración: evolución y principios actuales»*, Portalderecho. http://www.iustel.com

Linde Paniagua: «Amnistía, control de constitucionalidad y responsabilidad patrimonial del Estado legislador», *Civitas, R.E.D.A.*, n° 16, 1978.

López Álvarez: *Comentarios a la reforma del procedimiento administrativo (Análisis de la Ley 4/1999)*, AA VV., Tirant lo Blanch, 1999.

López Espadafor: «El valor racionalidad en la cuantía máxima del tributo», *Civitas, R.E.D.F.*, n° 141, 2009.

López Martínez y Gómez Cabrera: «La judicialización del procedimiento de inspección y las posibilidades de actuación de los inspectores jefes ante las propuestas de liquidación de las actas», *Jurisprudencia Tributaria*, 1995-III.

Malvárez Pascual: *Los efectos de la declaración de inconstitucionalidad o nulidad de disposiciones tributarias*, Monografías AEDAF, n° 12, Madrid, 1998.

Marcos Oyarzun: «Daño moral, objeto y reparación integral en supuestos de responsabilidad administrativa», *Sentencias de TSJ y AP y otros Tribunales*, n° 5, 2001.

Martín Jiménez: «Asistencia sanitaria de la Seguridad Social.– responsabilidad objetiva y responsabilidad por culpa (Comentario a la STS de 19 de abril de 1999)», *Relaciones Laborales*, núm. 19, 1999.

MARTÍN QUERALT: «Incidencia de la nueva Constitución española en las responsabilidades de la Administración de la Hacienda Pública», *Hacienda y Constitución*, AA VV., I.E.F., 1978.

— «Responsabilidad patrimonial del Estado derivada de actos administrativos ajustados a Derecho», *Presupuesto y Gasto Público*, n° 12, 1982.

— «La responsabilidad por actos tributarios», *Responsabilidad patrimonial del Estado legislador, administrador y juez*, Cuadernos de Derecho Judicial, Consejo General del Poder Judicial, Escuela Judicial, AA VV., Madrid, 2004.

MARTÍN REBOLLO: *La responsabilidad patrimonial de la Administración en la jurisprudencia*, Civitas, 1977.

— «La responsabilidad de las Administraciones Públicas», *Gobierno y Administración en la Constitución*, AA VV., Volumen I, I.E.F., 1988.

— «La responsabilidad patrimonial de las Administraciones públicas en España: estado de la cuestión, balance general y reflexión crítica», *Documentación Administrativa*, n° 237-238, 1994.

— «Ayer y hoy de la responsabilidad patrimonial de la Administración: un balance y tres reflexiones», *Revista de Administración Pública* n° 150, 1999.

— «Responsabilidad patrimonial por actos legislativos: una discutible elaboración jurisprudencial en expansión», *Actualidad Jurídica Aranzadi*, n° 556, 2002.

MARTÍN-RETORTILLO BAQUER, L.: «De la eficiencia y economía en el sistema de responsabilidad patrimonial de la Administración. De las indemnizaciones derivadas de hechos terroristas», *Estudios de Derecho y Hacienda. Homenaje a* CÉSAR ALBIÑANA GARCÍA-QUINTANA, AA VV., Volumen I, I.E.F., 1987.

MATA SIERRA: *La responsabilidad patrimonial de la Administración tributaria*, Lex Nova, 1997.

MERINO JARA: «Honorarios de letrado y responsabilidad patrimonial de la Administración tributaria», *Quincena Fiscal*, n° 6, 2009.

— «Responsabilidad patrimonial de la Administración tributaria en concepto de daños morales», *Fundamentos de Derecho. Revista del Colegio de Abogados de Cáceres*, n° 52, 2009.

–MESEGUER YEBRA: *La responsabilidad patrimonial de las Administraciones Públicas: el nexo causal*, Bosch, 2000.

— *La responsabilidad patrimonial de las Administraciones Públicas: indemnización y plazo de prescripción*, Bosch, 2000.

MESTRE DELGADO: «La responsabilidad del Estado legislador», *Responsabilidad patrimonial del Estado legislador, administrador y juez*, Cuadernos de Derecho

Judicial, Consejo General del Poder Judicial, Escuela Judicial, AA VV., Madrid, 2004.

MORENO FERNÁNDEZ: «Del deber constitucional de pagar un tributo a la responsabilidad patrimonial del Estado-Legislador», *El cronista del Estado social y democrático de Derecho*, n° 3, 2009.

MUÑOZ MACHADO: «La actualización de las indemnizaciones en materia de responsabilidad de la Administración», *Civitas, R.E.D.A.*, n° 19, 1978.

— *La responsabilidad civil concurrente de las Administraciones públicas (y otros estudios sobre responsabilidad)*, Civitas, 1998.

NAVARRO MUNUERA: «La ampliación de la responsabilidad patrimonial de la Administración a los daños causados por sus funcionarios o agentes actuando al margen del servicio público», *Civitas, R.E.D.A.*, n° 60, 1988.

NIETO GARCÍA: «La relación de causalidad en la responsabilidad del Estado», *Civitas, R.E.D.A.*, n° 4, 1975.

— «La relación de causalidad en la responsabilidad administrativa: Doctrina jurisprudencial», *Civitas, R.E.D.A.*, n° 51, 1986.

PALAO TABOADA: «Nueva visita al principio de capacidad contributiva», *Civitas, R.E.D.F.*, n° 124, 2004.

PALOMAR OLMEDA: «La exigencia de responsabilidad patrimonial de las Administraciones en las declaraciones de inconstitucionalidad o nulidad de disposiciones de carácter general», *Repertorio de Jurisprudencia Aranzadi*, n° 33, 2001.

PARADA VÁZQUEZ: *Régimen jurídico de las Administraciones Públicas y Procedimiento Administrativo Común*, Marcial Pons, 1993.

PEREÑA PINEDO: «La responsabilidad en el ámbito del Derecho Tributario y Financiero», *Manual de responsabilidad pública*, AA VV., Ministerio de Economía y Hacienda, Ministerio de Justicia, Madrid, 2004.

PÉREZ POMBO: «La responsabilidad patrimonial de las Administraciones Tributarias. Especial mención a la Sentencia del Tribunal Supremo de fecha 14 de julio de 2008 (RJ 2008, 3432)», *Quincena Fiscal*, n° 19, 2008.

PULIDO QUECEDO: «La responsabilidad del Estado Legislador por declaración de inconstitucionalidad de una ley. [Apunte de la STS (Sala 3ª Secc. 6ª), de 29 febrero 2000]», *Repertorio Aranzadi del Tribunal Constitucional*, n° 7, 2000.

— «La eficacia *pro preterito* de los fallos del TC en procesos de inconstitucionalidad y la acción de responsabilidad contra el Estado Legislador: un caso de lotería judicial», *Repertorio Aranzadi del Tribunal Constitucional*, n° 11, 2000.

— «Sobre el arbitrio del Juez en materia de responsabilidad patrimonial del Estado por actos inconstitucionales del legislador», *Repertorio Aranzadi del Tribunal Constitucional*, n° 1, 2001.

— «Concurrencia de culpas y nexo de causalidad en materia de responsabilidad patrimonial del Estado», *Actualidad Jurídica Aranzadi*, n° 563, 2002.

Rubio Llorente: «La jurisdicción constitucional como forma de creación de Derecho», *Revista Española de Derecho Constitucional*, nº 22, 1988.

Sáinz Moreno: «Fijación y revalorización de indemnizaciones en la responsabilidad patrimonial del Estado», *Civitas, R.E.D.A.*, nº 16, 1978.

Sánchez García: «La responsabilidad patrimonial de la Administración financiera», *Gobierno y Administración en la Constitución*, AA VV., Volumen II, I.E.F., 1988.

Sánchez Morón: «Sobre los límites de la responsabilidad civil de la Administración», *Civitas, R.E.D.A.*, nº 7, 1975.

Sánchez Pedroche: «El principio de capacidad económica», en *Memorias de los seminarios de Derecho constitucional tributario 2005-2006*, AA VV., Suprema Corte de Justicia de la Nación, México, 2007.

— «IVA, violación del Derecho de la UE y responsabilidad patrimonial del Estado», *Revista Aranzadi Doctrinal*, nº 1, 2011.

Sánchez Serrano: *Dictamen sobre medios de defensa de los contribuyentes desde el momento de la iniciación de un proceso constitucional en materia tributaria hasta la resolución del mismo y en otras situaciones de fundadas dudas de inconstitucionalidad de normas tributarias*, Asociación Española de Asesores Fiscales, Monografía, nº 2, 1994.

— *Tratado de Derecho financiero y tributario constitucional*, Tomo I, Marcial Pons, Madrid, 1997.

Santamaría Pastor: «La teoría de la responsabilidad del Estado legislador», *Revista de Administración Pública* nº 68, 1972.

Serrera Contreras: *Estudios y comentarios sobre el régimen jurídico de las Administraciones Públicas y del procedimiento Administrativo Común*, Tomo II, B.O.E., Ministerio de la Presidencia, 1993.

Soler Roch: «Reflexiones sobre la descodificación tributaria en España», *Civitas, R.E.D.F.*, nº 97, 1998.

Tejerizo López: «La responsabilidad patrimonial del legislador en materia tributaria y las medidas cautelares en el contencioso-administrativo tributario», *Revista Técnica Tributaria*, nº 67, octubre-diciembre 2004.

Troncoso Reigada: «Método jurídico, interpretación constitucional y principio democrático», en *La justicia constitucional en el Estado democrático*, AA VV., Tirant lo Blanch, Valencia, 2000.

Villar Ezcurra: «La protección a los principios de seguridad jurídica y confianza legítima frente a las reformas tributarias retroactivas: consideraciones en torno a la sentencia del Tribunal Constitucional sobre el 'gravamen complementario' de las tasas de máquinas de azar», *Quincena Fiscal*, nº 6, 1997.

Villar Rojas: *La responsabilidad de las Administraciones sanitarias: fundamento y límites*, Praxis, 1996.

YEBRA MARTUL-ORTEGA: *Constitución financiera española. Veinticinco años*, Instituto de Estudios Fiscales, Madrid, 2004.

— «Origen, evolución, relevancia y futuro del principio de justicia tributaria», en *Memorias de los seminarios de Derecho constitucional tributario 2005-2006*, AA VV., Suprema Corte de Justicia de la Nación, México, 2007.

ZAGREBELSKY: *Principî e voti. La Corte Costituzionale e la politica*, Einaudi, Torino, 2005.

ANEXO I
TRIBUNAL DE JUSTICIA DE LA UNIÓN EUROPEA

1

SENTENCIA 6 OCTUBRE 2005

Recurso de Incumplimiento

(TJCE 2005, 290)
Asunto C-243/2003
Comisión/Francia
Sala Tercera
Ponente: Sr. D. S. von Bahr

POLITICA FISCAL COMUNITARIA: Impuestos indirectos: Sistema común del Impuesto sobre el Valor Añadido: Sexta Directiva 77/388/CEE: Deducciones: exclusiones: vulneración: existencia: normativa nacional que limita el carácter deducible del Impuesto soportado por la compra de bienes de equipo cuando éstos hayan sido financiados mediante subvenciones, a través de la exigencia del requisito de que las amortizaciones de dicho bien se repercutan en los precios de las operaciones efectuadas por el sujeto pasivo. PROCEDIMIENTO ANTE EL TRIBUNAL DE JUSTICIA: Recurso por incumplimiento: procedencia.

En el asunto C-243/03,

que tiene por objeto un recurso por incumplimiento interpuesto, con arreglo al artículo 226 CE (RCL 1999, 1205 ter y LCEur 1997, 3695), el 6 de junio de 2003,

Comisión de las Comunidades Europeas, representada por el Sr. E. Traversa, en calidad de agente, asistido por Me N. Coutrelis, avocat, que designa domicilio en Luxemburgo,

parte demandante,

contra

República Francesa, representada por el Sr. G. de Bergues y la Sra. C. Jurgensen-Mercier, en calidad de agentes,

parte demandada,

apoyada por:

Reino de España, representado por la Sra. N. Díaz Abad, en calidad de agente,

parte coadyuvante,

EL TRIBUNAL DE JUSTICIA (Sala Tercera)

integrado por el Sr. A. Rosas, Presidente de Sala, y los Sres. J.–P. Puissochet, S. von Bahr (Ponente), J. Malenovski y U. Lõhmus, Jueces;

Abogado General: Sr. M. Poiares Maduro;

Secretario: Sr. R. Grass;

habiendo considerado los escritos obrantes en autos;

oídas las conclusiones del Abogado General, presentadas en audiencia pública el 10 de marzo de 2005;

dicta la siguiente

SENTENCIA

1. Mediante su recurso, la Comi-

sión de las Comunidades Europeas solicita al Tribunal de Justicia que declare que la República Francesa ha incumplido las obligaciones que le incumben en virtud del Derecho comunitario y, en particular, de los artículos 17 y 19 de la Directiva 77/388/CEE del Consejo, de 17 de mayo de 1977 (LCEur 1977, 138), Sexta Directiva en materia de armonización de las legislaciones de los Estados miembros relativas a los impuestos sobre el volumen de negocios-Sistema común del impuesto sobre el valor añadido: base imponible uniforme (DO L 145, pg. 1; EE 09/01, pg. 54), en su versión modificada por la Directiva 95/7/CE del Consejo, de 10 de abril de 1995 (LCEur 1995, 827) (DO L 102, pg. 18) (en lo sucesivo, «Sexta Directiva»), al establecer una norma específica que limita el carácter deducible del impuesto sobre el valor añadido (en lo sucesivo, «IVA») soportado por la compra de bienes de equipo cuando éstos hayan sido financiados mediante subvenciones.

Marco jurídico

Normativa comunitaria

2. El artículo 2, párrafo segundo, de la Directiva 67/227/CEE del Consejo, de 11 de abril de 1967 (LCEur 1967, 6), Primera Directiva en materia de armonización de las legislaciones de los Estados miembros relativas a los impuestos sobre el volumen de negocios (DO 1967, 71, pg. 1301; EE 09/01, pg. 3), en su versión modificada por la Sexta Directiva (LCEur 1977, 138) (en lo sucesivo, «Primera Directiva»), dispone que «en cada transacción será exigible el impuesto sobre el valor añadido, liquidado sobre la base del precio del bien o del servicio gravados al tipo impositivo aplicable a dichos bienes y servicios, previa deducción del importe de las cuotas impositivas devengadas

por el mismo impuesto que hayan gravado directamente el coste de los diversos elementos constitutivos del precio».

3. El artículo 11, parte A, apartado 1, letra a), de la Sexta Directiva (LCEur 1977, 138) dispone que la base imponible estará constituida:

«en las entregas de bienes y prestaciones de servicios [...], por la totalidad de la contraprestación que quien realice la entrega o preste el servicio obtenga o vaya a obtener, con cargo a estas operaciones, del comprador de los bienes, del destinatario de la prestación o de un tercero, incluidas las subvenciones directamente vinculadas al precio de estas operaciones».

4. El artículo 17, apartado 2, letra a), de la citada Directiva (LCEur 1977, 138), en la versión resultante de su artículo 28 séptimo, prevé que, «en la medida en que los bienes y los servicios se utilicen para las necesidades de sus operaciones gravadas, el sujeto pasivo podrá deducir del impuesto del que es deudor [...] el Impuesto sobre el Valor Añadido debido o pagado dentro del país por los bienes que le hayan sido o le vayan a ser entregados y por los servicios que le hayan sido o le vayan a ser prestados por otro sujeto pasivo».

5. El apartado 5 del mismo artículo señala lo siguiente:

«En lo concerniente a bienes y servicios utilizados por un sujeto pasivo para efectuar indistintamente operaciones con derecho a deducción, enunciadas en los apartados 2 y 3, y operaciones que no conlleven tal derecho, sólo se admitirá la deducción por la parte de las cuotas del Impuesto sobre el Valor Añadido que sea proporcional a la cuantía de las operaciones primeramente enunciadas.

Esta prorrata se aplicará en función del conjunto de las operaciones efectuadas por el sujeto pasivo, conforme a las disposiciones del artículo 19.

[...]».

6. El artículo 19, apartado 1, de la Sexta Directiva (LCEur 1977, 138), titulado «Cálculo de la prorrata de deducción», dispone lo siguiente:

«La prorrata de deducción, establecida en el párrafo primero del apartado 5 del artículo 17, será la resultante de una fracción en la que figuren:

–en el numerador, la cuantía total determinada para el año natural del volumen de negocios, excluido el Impuesto sobre el Valor Añadido, relativa a las operaciones que conlleven el derecho a la deducción, de acuerdo con lo dispuesto en los apartados 2 y 3 del artículo 17;

–en el denominador, la cuantía total determinada para el año natural del volumen de negocios, excluido el Impuesto sobre el Valor Añadido, relativa a las operaciones reflejadas en el numerador y a las restantes operaciones que no conlleven el derecho a la deducción. Los Estados miembros estarán facultados para incluir igualmente en el denominador la cuantía de las subvenciones que no scan las cnunciadas en la letra a) del apartado 1 [de la parte A] del artículo 11.

[...]».
Normativa nacional

7. El artículo 271 del code général des impôts (en lo sucesivo, «CGI») dispone:

«I. 1. El impuesto sobre el valor añadido que haya gravado los elementos del precio de una operación imponible podrá deducirse del impuesto sobre el valor añadido aplicable a dicha operación.

[...]

II. 1. En la medida en que los bienes y servicios se utilicen para las necesidades de sus operaciones imponibles y siempre que estas operaciones generen derecho a deducción, el impuesto que los sujetos pasivos pueden deducirse será [en particular]:

a) El que figure en las facturas de compra que les extiendan sus vendedores, en la medida en que estos últimos estén autorizados legalmente a hacerlo constar en dichas facturas;

[...]».

8. El artículo 212 del anexo II del CGI, en su versión resultante del artículo 2 del Decreto núm. 94-452, de 3 de junio de 1994 (JORF de 5 de junio de 1994, pg. 8143), establece:

«1. Los contribuyentes que, en el marco de sus actividades comprendidas en el ámbito de aplicación del impuesto sobre el valor añadido, no realicen exclusivamente operaciones que den derecho a deducción estarán facultados para deducir una parte del impuesto sobre el valor añadido que haya gravado los bienes pertenecientes al inmovilizado utilizados para cfcctuar dichas actividades.

Dicha parte será igual al importe del impuesto deducible, obtenido tras la aplicación, en su caso, de las disposiciones del artículo 207 *bis*, multiplicado por el cociente de la siguiente fracción:

a) en el numerador, el importe total anual del volumen de negocios, excluido el impuesto sobre el valor añadido, relativo a las operaciones que conlleven el derecho a deducción, incluidas las subvenciones directamente vinculadas al precio de dichas operaciones;

b) en el denominador, el importe total anual del volumen de negocios, excluido el impuesto sobre el valor añadido, relativo a las operaciones que figuran en el numerador, así como a las operaciones que no dan derecho a deducción, y de todas las subvenciones, incluidas las que no están directamente vinculadas al precio de dichas operaciones.

[...]».

9. La Instrucción de 8 de septiembre de 1994 del service de la législation fiscale (*Bulletin officiel des impôts*, número especial 3 CA-94, de 22 de septiembre de 1994; en lo sucesivo, «Instrucción de 8 de septiembre de 1994») precisa, en su libro 2, relativo a las normas aplicables al derecho a deducción:

«150. Concepto de subvención de bienes de equipo.

Se trata de subvenciones no sujetas que, en el momento de su concesión, están destinadas a financiar la adquisición de un bien de inversión determinado.

[...]

151. Normas aplicables a las subvenciones de bienes de equipo.

El impuesto que grave las inversiones financiadas mediante la subvención podrá efectivamente deducirse en las condiciones habituales siempre que el contribuyente integre en el precio de sus operaciones las dotaciones a las amortizaciones de los bienes total o parcialmente financiados mediante dicha subvención.

Cuando no se cumpla el requisito de repercusión en los precios de las amortizaciones de estos bienes, no se permitirá la deducción de la parte del IVA que grave dichos bienes proporcional a la cuantía financiada mediante la subvención de bienes de equipo.

Ejemplo:

Un bien de inversión cuyo precio de compra es de 1.186.000 [FRF] (impuestos incluidos), con un IVA de 186.000 [FRF], se financia parcialmente (20%) mediante una subvención de bienes de equipo por un importe de 237.200 [FRF].

El contribuyente no ha repercutido en el precio de las operaciones sujetas a tributación la parte de la amortización del bien correspondiente a la parte financiada por la subvención de bienes de equipo. En consecuencia, el impuesto que grava el bien [(186.000 FRF)] sólo podrá deducirse por un importe máximo de: 186.000 [FRF] x 80% = 148.800 [FRF].

El contribuyente aplicará, en su caso y en las condiciones habituales, la prorrata de deducción de la empresa al impuesto así calculado».

Procedimiento administrativo previo

10. A raíz de una denuncia, la Comisión remitió al Gobierno francés, el 23 de abril de 2001, un escrito de requerimiento en el que reprochaba a la República Francesa haber infringido los artículos 17, apartados 2 y 5, y 19 de la Sexta Directiva (LCEur 1977, 138), al aplicar, por un lado, una prorrata de deducción del IVA a todos los sujetos pasivos, incluidos los que sólo efectúan operaciones gravadas con derecho a deducción (en lo sucesivo, «sujetos pasivos totales»), y, por otro lado, al limitar, mediante el régimen de las subvenciones de bienes de equipo, el derecho

a deducción en condiciones no previstas por la referida Directiva.

11. Al no haber recibido ninguna respuesta a este requerimiento en el plazo señalado, la Comisión emitió un dictamen motivado, el 20 de diciembre de 2001, en el cual instaba a dicho Estado miembro a adoptar las medidas necesarias para atenerse a él en un plazo de dos meses a partir de su recepción.

12. Mediante escrito de 7 de enero de 2002, el Gobierno francés precisó, en respuesta al escrito de requerimiento de la Comisión, que la prorrata de deducción se aplicaba únicamente a los sujetos pasivos que efectuaban indistintamente operaciones gravadas y operaciones exentas de IVA (en lo sucesivo, «sujetos pasivos mixtos») y no a los sujetos pasivos totales.

13. El 26 de junio de 2002, la Comisión emitió un dictamen motivado complementario, en el que abandonó la primera imputación, basada en la aplicación de una prorrata de deducción a los sujetos pasivos totales, si bien reiteraba la segunda, basada en la limitación del derecho a deducir el IVA que grava los bienes financiados mediante subvenciones.

14. Al no considerar satisfactoria la respuesta del Gobierno francés a dicho dictamen motivado complementario, la Comisión decidió interponer el presente recurso.

Sobre el recurso
Alegaciones de las partes

15. La Comisión reprocha al Gobierno francés haber introducido, en los puntos 150 y 151 de la Instrucción de 8 de septiembre de 1994, una limitación del derecho a deducir el IVA no prevista por la Sexta Directiva y que no cabe justificar sobre la base del artículo 2 de la Primera Directiva (LCEur 1967, 6).

16. A este respecto, la Comisión señala que, en lo que atañe a los sujetos pasivos mixtos, en virtud de la Sexta Directiva (LCEur 1977, 138), la deducción del IVA se limita en función de las operaciones con derecho a deducción, ya sea aplicando una prorrata global a la empresa como se indica en el artículo 19, apartado 1, de esta Directiva, o, en su caso, si el Estado miembro lo desea, en particular para evitar abusos, según uno de los métodos indicados en el artículo 17, apartado 5, párrafo tercero, de dicha Directiva (prorratas separadas para diversos sectores de actividad de la empresa o afectación directa de un bien a una actividad concreta). Según la Comisión, ninguna disposición de la Sexta Directiva permite que, cuando un Estado miembro aplica una prorrata de deducción, antes de dicha aplicación se reduzca la base imponible a la que se aplica tal prorrata basándose en el origen de los fondos utilizados para adquirir un bien o en el modo de cálculo del precio de las operaciones gravadas efectuadas por el sujeto pasivo de que se trate.

17. En cuanto a los sujetos pasivos totales, la Comisión aduce que ninguna disposición de la Sexta Directiva (LCEur 1977, 138) permite someter la deducción del IVA correspondiente a los bienes de equipo a una limitación vinculada al origen de los fondos que hayan permitido adquirir tales bienes o a las modalidades de cálculo del precio de las operaciones efectuadas.

18. La Comisión sostiene que, en lo que atañe a las subvenciones recibidas por un sujeto pasivo, salvo en sus artículos 11, parte A, apartado 1, letra

a), y 19, la Sexta Directiva (LCEur 1977, 138) no prevé en modo alguno que se tomen en cuenta las subvenciones en la liquidación del IVA del que sean deudores los sujetos pasivos. Pues bien, según reiterada jurisprudencia, las limitaciones del derecho de deducción sólo se permiten en los casos previstos expresamente por la Sexta Directiva (véanse las sentencias de 21 de septiembre de 1988 [TJCE 1989, 31], Comisión/Francia, 50/87, Rec. pg. 4797, apartados 16 y 17, y de 6 de julio de 1995 [TJCE 1995, 117], BP Soupergaz, C-62/93, Rec. pg. I-1883).

19. En cuanto al artículo 2, párrafo segundo, de la Primera Directiva (LCEur 1967, 6), la Comisión alega que dicha disposición no tiene un contenido distinto al del artículo 17, apartado 2, de la Sexta Directiva (LCEur 1977, 138).

20. El Gobierno francés considera que las disposiciones relativas a las subvenciones de bienes de equipo, y en particular el requisito relativo a la amortización del bien, constituyen únicamente la puesta en práctica de los requisitos generales del derecho a deducción establecidos en el artículo 2, párrafo segundo, de la Primera Directiva (LCEur 1967, 6) y adaptados mediante las disposiciones del artículo 17, apartado 2, de la Sexta Directiva (LCEur 1977, 138).

21. A su juicio, de las disposiciones combinadas de ambos artículos se desprende, en efecto, que el derecho de deducción se ejerce cuando se utiliza un bien para la realización de actividades que generan derecho a deducción y cuando en el precio de las operaciones sujetas a IVA realizadas en una fase posterior se incluye el coste de dicho bien, ya sea financiado mediante una subvención de capital o mediante cualquier otro recurso del sujeto pasivo.

22. En efecto, según el Gobierno francés, de la jurisprudencia del Tribunal de Justicia se deriva que sólo será deducible el importe de la cuota del IVA que haya gravado directamente el coste de los diversos elementos constitutivos del precio de una operación sujeta a gravamen y que, para originar el derecho a la deducción, los gastos efectuados por un sujeto pasivo deben tener una relación directa e inmediata con una operación sujeta a IVA o una operación similar (véanse, en particular, las sentencias de 5 de mayo de 1982, Schul, 15/81, Rec. pg. 1409, apartado 10, y de 27 de septiembre de 2001 [TJCE 2001, 250], Cibo Participations, C-16/00, Rec. pg. I-6663, apartados 31 a 33).

23. El Gobierno francés señala asimismo que la utilización de la facultad que ofrece el artículo 19, apartado 1, de la Sexta Directiva (LCEur 1977, 138) de incluir las subvenciones de bienes de equipo en el denominador de la prorrata de deducción llevaría a restringir el ejercicio del derecho de deducción para todos los gastos soportados por el sujeto pasivo, pese a que la atribución de estas subvenciones tiene necesariamente un carácter específico.

24. Sostiene, además, que la utilización de dicha facultad, que sólo concierne a los sujetos pasivos mixtos, podría generar importantes distorsiones de la competencia entre éstos y los sujetos pasivos totales.

25. El Gobierno francés añade que el requisito relativo a la repercusión del coste de los gastos soportados por el sujeto pasivo en el precio de las operaciones sujetas a IVA permite evitar que

beneficiarios de subvenciones no sujetas a gravamen desvíen abusivamente en su provecho el mecanismo de deducción de este impuesto. A este respecto, dicho Gobierno señala en particular que el referido mecanismo, en la medida en que atañe a bienes de inversión financiados mediante subvenciones de capital, puede aplicarse de manera que el IVA soportado sea superior al IVA repercutido.

26. El Gobierno español alega que la limitación directa en el derecho a la deducción del IVA soportado por la adquisición de bienes de inversión que se han financiado con subvenciones es una aplicación concreta de los principios subyacentes a la inclusión, en virtud del artículo 19, apartado 1, de la Sexta Directiva (LCEur 1977, 138), en el denominador de la prorrata de deducción de las subvenciones que no forman parte de la base imponible conforme al artículo 11, parte A, apartado 1, letra a), de la Sexta Directiva. En consecuencia, considera que dicha limitación es compatible con el Derecho comunitario y se encuentra justificada por las normas de la Sexta Directiva.

27. El mencionado Gobierno sostiene igualmente que los Estados miembros pueden aplicar el artículo 19 de la Sexta Directiva (LCEur 1977, 138) independientemente del artículo 17, apartado 5, de ésta y que, por tanto, pueden aplicar dicha disposición no sólo a los sujetos pasivos mixtos, sino a todos los sujetos pasivos.

Apreciación del Tribunal de Justicia

28. Es preciso recordar que, según reiterada jurisprudencia, el derecho a deducción establecido en los artículos 17 y siguientes de la Sexta Directiva (LCEur 1977, 138) forma parte del mecanismo del IVA y, en principio, no

puede limitarse. Este derecho se ejercita inmediatamente en lo que respecta a la totalidad de las cuotas soportadas en las operaciones anteriores. Toda limitación del derecho a la deducción del IVA incide en el nivel de la carga fiscal y debe aplicarse de manera similar en todos los Estados miembros. Por ello, sólo se permiten excepciones en los casos previstos expresamente por la Sexta Directiva (véanse, en particular, las sentencias Comisión/Francia [TJCE 1989, 31], antes citada, apartados 15 a 17; BP Soupergaz [TJCE 1995, 117], antes citada, apartado 18, y de 8 de enero de 2002 [TJCE 2002, 2], Metropol y Stadler, C-409/99, Rec. pg. I-81, apartado 42).

29. A este respecto, el artículo 17, apartado 1, de dicha Directiva (LCEur 1977, 138) dispone que el derecho a deducir nace en el momento en que es exigible el impuesto deducible y el apartado 2 de este artículo autoriza al sujeto pasivo, en la medida en que los bienes y los servicios se utilicen para las necesidades de sus operaciones gravadas, a deducir del impuesto del que es deudor el IVA debido o pagado por los bienes que le hayan sido o le vayan a ser entregados y por los servicios que le hayan sido o le vayan a ser prestados por otro sujeto pasivo.

30. Por lo que respecta a los sujetos pasivos mixtos, del artículo 17, apartado 5, párrafos primero y segundo, de la Sexta Directiva (LCEur 1977, 138) se desprende que el derecho de deducción se calcula según una prorrata determinada conforme al artículo 19 de esta misma Directiva. El referido artículo 17, apartado 5, párrafo tercero, faculta no obstante a los Estados miembros a prever alguno de los otros métodos de determinación del derecho de

deducción enumerados en dicho párrafo, en particular, el establecimiento de una prorrata separada para cada sector de actividad o la deducción por el procedimiento de afectación real de la totalidad o de parte de los bienes y servicios a una actividad concreta.

31. El artículo 11, parte A, apartado 1, letra a), de la Sexta Directiva (LCEur 1977, 138) dispone que las subvenciones directamente vinculadas al precio de un bien o de un servicio están sujetas a tributación al igual que éste. Por lo que respecta a las demás subvenciones distintas de las directamente vinculadas a los precios, entre las que se encuentran las examinadas en el presente asunto, el artículo 19, apartado 1, de la referida Directiva establece que los Estados miembros tienen la facultad de incluirlas en el denominador del cálculo de la prorrata aplicable cuando un sujeto pasivo efectúa indistintamente operaciones que conlleven derecho a deducción y operaciones exentas.

32. Como acertadamente ha recordado la Comisión, salvo en estas dos disposiciones, la Sexta Directiva (LCEur 1977, 138) no prevé en modo alguno que se tomen en cuenta las subvenciones en el cálculo del IVA.

33. Pues bien, cabe señalar que las disposiciones nacionales controvertidas someten el derecho a deducir el IVA, cuando la adquisición del bien de que se trate se financia mediante una subvención, al requisito de que las amortizaciones de dicho bien se repercutan en los precios de las operaciones efectuadas por el sujeto pasivo, requisito que no prevé la Sexta Directiva (LCEur 1977, 138) y que, por consiguiente, constituye una limitación del derecho de deducción que ésta no permite.

34. A este respecto, por un lado, procede rechazar la alegación del Gobierno francés basada en el artículo 2, párrafo segundo, de la Primera Directiva (LCEur 1967, 6). En efecto, esta última disposición, que se limita a enunciar el principio del derecho de deducción, cuyo régimen es objeto de las disposiciones que le dedica la Sexta Directiva (LCEur 1977, 138), no puede servir de fundamento a una limitación del derecho de deducción no previsto en dichas disposiciones (véase la sentencia Comisión/Francia [TJCE 1989, 31], antes citada, apartado 23).

35. Por otro lado, procede indicar, como ha señalado el Abogado General en el punto 23 de sus conclusiones, que los Estados miembros tienen la obligación de aplicar la Sexta Directiva (LCEur 1977, 138), aunque la consideren mejorable. En efecto, de la sentencia de 8 de noviembre de 2001 (TJCE 2001, 306), Comisión/Países Bajos (C-338/98, Rec. pg. I-8265), apartados 55 y 56, se desprende que, aunque la interpretación propuesta por algunos Estados miembros permitiese alcanzar mejor determinados objetivos perseguidos por la Sexta Directiva, como la neutralidad del impuesto, sigue siendo cierto que dichos Estados no pueden eludir la aplicación de las disposiciones expresamente establecidas en ella.

36. En lo que atañe a las alegaciones del Reino de España, basadas en el artículo 19 de la Sexta Directiva (LCEur 1977, 138), cabe señalar, por un lado, que dicha disposición se aplica únicamente a los sujetos pasivos mixtos y, por otro lado, que sólo es aplicable a las situaciones que en ella se prevén (véase la sentencia del día de hoy, Comisión/España, C-204/03, Rec. pg. I-0000, apartados 24 y 25).

37. Por tanto, procede declarar que la República Francesa ha incumplido las obligaciones que le incumben en virtud del Derecho comunitario y, en particular, de los artículos 17 y 19 de la Sexta Directiva (LCEur 1977, 138), al establecer una norma específica que limita el carácter deducible del IVA soportado por la compra de bienes de equipo cuando éstos hayan sido financiados mediante subvenciones.

Costas

38. A tenor del artículo 69, apartado 2, del Reglamento de Procedimiento (LCEur 1991, 770), la parte que pierda el proceso será condenada en costas, si así lo hubiera solicitado la otra parte. Por haber solicitado la Comisión que se condene en costas a la República Francesa y haber sido desestimados los motivos formulados por ésta, procede condenarla en costas. Con arreglo al artículo 4, párrafo primero, del mismo artículo, el Reino de España, parte coadyuvante en el presente litigio, soportará sus propias costas.

En virtud de todo lo expuesto, el Tribunal de Justicia (Sala Tercera) decide:

1º Declarar que la República Francesa ha incumplido las obligaciones que le incumben en virtud del Derecho comunitario y, en particular, de los artículos 17 y 19 de la Directiva 77/388/CEE del Consejo, de 17 de mayo de 1977 (LCEur 1977, 138), Sexta Directiva en materia de armonización de las legislaciones de los Estados miembros relativas a los impuestos sobre el volumen de negocios-Sistema común del impuesto sobre el valor añadido: base imponible uniforme, en su versión modificada por la Directiva 95/7/CE del Consejo, de 10 de abril de 1995 (LCEur 1995, 827), al establecer una norma específica que limita el carácter deducible del impuesto sobre el valor añadido soportado por la compra de bienes de equipo cuando éstos hayan sido financiados mediante subvenciones.

2º Condenar en costas a la República Francesa.

3º El Reino de España soportará sus propias costas.

2	SENTENCIA 26 ENERO 2010

Cuestión prejudicial

(TJCE 2010, 21)
Asunto C-118/2008
Principios de Derecho comunitario
Tribunal de Justicia de la Unión Europea
Gran Sala
Ponente: Sr. D. A. Tizzano

ORDENAMIENTO JURÍDICO COMUNITARIO: Principios generales del Derecho comunitario: Otros: Principio de equivalencia: vulneración: existencia: regla de un Estado miembro en virtud de la cual una reclamación de responsabilidad patrimonial del Estado basada en una infracción del Derecho de la Unión por una ley nacional declarada mediante sentencia del Tribunal de Justicia (Recurso de incumplimiento) sólo puede esti-

marse si el demandante ha agotado previamente todas las vías de recurso internas dirigidas a impugnar la validez del acto administrativo lesivo dictado sobre la base de dicha ley, mientras que tal regla no es de aplicación a una reclamación de responsabilidad patrimonial del Estado fundamentada en la infracción de la Constitución por la misma ley declarada por el órgano jurisdiccional competente (Tribunal Constitucional español).

ESTADOS MIEMBROS DE LA UNIÓN EUROPEA: Obligaciones de los Estados miembros: Incumplimiento del derecho comunitario: Responsabilidad indemnizatoria del Estado miembro: Obligación de reparar el perjuicio causado a los particulares: Aplicación del derecho nacional: autonomía procesal de los Estados miembros: límites: sujeción a los principios de equivalencia y efectividad: principio de equivalencia: vulneración: existencia: regla de un Estado miembro en virtud de la cual una reclamación de responsabilidad patrimonial del Estado basada en una infracción del Derecho de la Unión por una ley nacional declarada mediante sentencia del Tribunal de Justicia (Recurso de incumplimiento) sólo puede estimarse si el demandante ha agotado previamente todas las vías de recurso internas dirigidas a impugnar la validez del acto administrativo lesivo dictado sobre la base de dicha ley, mientras que tal regla no es de aplicación a una reclamación de responsabilidad patrimonial del Estado fundamentada en la infracción de la Constitución por la misma ley declarada por el órgano jurisdiccional competente (Tribunal Constitucional español).

Transportes Urbanos y Servicios Generales, SAL.,

y

Administración del Estado,

EL TRIBUNAL DE JUSTICIA (Gran Sala),

integrado por el Sr. V. Skouris, Presidente, los Sres. A. Tizzano (Ponente), J. N. Cunha Rodrigues, K. Lenaerts y J.–C. Bonichot y las Sras. R. Silva de Lapuerta y C. Toader, Presidentes de Sala, y los Sres. C. W. A. Timmermans, A. Rosas, K. Schiemann, T. von Danwitz, A. Arabadjiev y J.–J. Kasel, Jueces;

Abogado General: Sr. M. Poiares Maduro;

Secretaria: Sra. M. Ferreira, administradora principal;

habiendo considerado los escritos obrantes en autos y celebrada la vista el 22 de abril de 2009;

consideradas las observaciones presentadas:

– en nombre de Transportes Urbanos y Servicios Generales, SAL, por el Sr. C. Esquerrá Andreu, abogado;

– en nombre del Gobierno español, por el Sr. J. López-Medel Báscones, en calidad de agente;

– en nombre de la Comisión Europea, por el Sr. R. Vidal Puig y la Sra. M. Afonso, en calidad de agentes;

oídas las conclusiones del Abogado General, presentadas en audiencia pública el 9 de julio de 2009;

dicta la siguiente

SENTENCIA

1. La petición de decisión prejudicial tiene por objeto la interpretación de los principios de efectividad y equivalencia a la luz de las reglas aplicables en el ordenamiento jurídico español a los recursos de responsabilidad patrimonial del Estado por infracción del Derecho de la Unión.

2. Esta petición se presentó en el marco de un litigio entre Transportes Urbanos y Servicios Generales, SAL (en lo sucesivo, «Transportes Urbanos»), y la Administración del Estado, en relación con la desestimación del recurso de responsabilidad patrimonial que dicha sociedad interpuso contra el Estado español por infracción del Derecho de la Unión.

Marco jurídico
Sexta directiva

3. La Directiva 77/388/CEE del Consejo, de 17 de mayo de 1977 (LCEur 1977, 138), Sexta Directiva en materia de armonización de las legislaciones de los Estados miembros relativas a los impuestos sobre el volumen de negocios – Sistema común del impuesto sobre el valor añadido: base imponible uniforme (DO L 145, pg. 1; EE 09/01, pg. 54), en su versión modificada por la Directiva 95/7/CE del Consejo, de 10 de abril de 1995 [LCEur 1995, 827] (DO L 102, pg. 18) (en lo sucesivo, «Sexta Directiva»), establece en su artículo 17, apartados 2 y 5, según su redacción resultante del artículo 28 séptimo de la misma Directiva:

«2. En la medida en que los bienes y los servicios se utilicen para las necesidades de sus operaciones gravadas, el sujeto pasivo podrá deducir del impuesto del que es deudor:

a) el Impuesto sobre el Valor Añadido debido o pagado dentro del país por los bienes que le hayan sido o le vayan a ser entregados y por los servicios que le hayan sido o le vayan a ser prestados por otro sujeto pasivo;

b) el Impuesto sobre el Valor Añadido debido o pagado por los bienes importados en el interior del país;

c) el Impuesto sobre el Valor Añadido debido conforme al artículo 5, apartado 7, letra a), al artículo 6, apartado 3, y al artículo 28 bis, apartado 6;

[...]

5. En lo concerniente a bienes y servicios utilizados por un sujeto pasivo para efectuar indistintamente operaciones con derecho a deducción, enunciadas en los apartados 2 y 3, y operaciones que no conlleven tal derecho, sólo se admitirá la deducción por la parte de las cuotas del Impuesto sobre el Valor Añadido que sea proporcional a la cuantía de las operaciones primeramente enunciadas.

Esta prorrata se aplicará en función del conjunto de las operaciones efectuadas por el sujeto pasivo, conforme a las disposiciones del artículo 19.

[...]».

4. El artículo 19 de la Sexta Directiva (LCEur 1977, 138) enuncia los criterios para calcular la prorrata de la deducción prevista en el artículo 17, apartado 5, párrafo primero, de ésta.

Derecho nacional

5. El artículo 163 de la Constitución (RCL 1978, 2836) prevé:

«Cuando un órgano judicial considere, en algún proceso, que una norma con rango de Ley, aplicable al caso, de cuya validez dependa el fallo, pueda ser contraria a la Constitución, planteará la cuestión ante el Tribunal Constitucional en los supuestos, en la forma y con los efectos que establezca la Ley, que en ningún caso serán suspensivos».

6. La Ley 37/1992, de 28 de diciembre (RCL 1992, 2786 y RCL 1993, 401), del Impuesto sobre el Valor Añadido (BOE núm. 312, de 29 de diciembre de 1992, pg. 44247), en su versión modificada por la Ley 66/1997, de 30 de diciembre [RCL 1997, 3106 y RCL 1998, 1636] (BOE núm. 313, de 31 de diciembre de 1997, pg. 38517) (en lo sucesivo, «Ley 37/1992»), establece límites al derecho de los obligados tributarios a deducir el impuesto sobre el valor añadido (en lo sucesivo, «IVA») relativo a la adquisición de bienes o servicios financiados mediante subvenciones. Estas limitaciones entraron en vigor a partir del ejercicio fiscal de 1998.

7. La Ley 37/1992 (RCL 1992, 2786 y RCL 1993, 401) dispone también que los obligados tributarios deben presentar declaraciones periódicas en las que han de calcular los importes del IVA que adeudan (en lo sucesivo, «autoliquidaciones»).

8. Con arreglo a la Ley General Tributaria núm. 58/2003, de 17 de diciembre (RCL 2003, 2945) (BOE núm. 303, de 18 de diciembre de 2003, pg. 44987), los obligados tributarios tienen derecho a solicitar la rectificación de sus autoliquidaciones y, en su caso, a reclamar la devolución de los ingresos indebidos. En virtud de los artículos 66 y 67 de dicha Ley, el plazo de prescripción de este derecho es de cuatro años a partir, en esencia, del día siguiente a aquel en el que se produjo el ingreso indebido o al de la expiración del plazo para presentar la autoliquidación, si el ingreso indebido se llevó a cabo en dicho plazo.

Litigio principal

9. Mediante sentencia de 6 de octubre de 2005 (TJCE 2005, 292), Comisión/España (C-204/03, Rec. pg. I-8389), el Tribunal de Justicia declaró, en esencia, que la limitación del carácter deducible del IVA establecida por la Ley 37/1992 (RCL 1992, 2786 y RCL 1993, 401) era incompatible con los artículos 17, apartados 2 y 5, y 19 de la Sexta Directiva (LCEur 1977, 138).

10. Transportes Urbanos, que había presentado autoliquidaciones por los ejercicios 1999 y 2000 con arreglo a la Ley 37/1992 (RCL 1992, 2786 y RCL 1993, 401), no ejerció su derecho a solicitar la rectificación de dichas liquidaciones, en virtud de la Ley General Tributaria 58/2003 (RCL 2003, 2945). En efecto, tal derecho había prescrito en la fecha en la que el Tribunal de Justicia dictó la sentencia Comisión/España (TJCE 2005, 292), antes citada.

11. En consecuencia, Transportes Urbanos interpuso una reclamación de responsabilidad patrimonial del Estado ante el Consejo de Ministros. En dicha reclamación, sostenía que había sufrido un perjuicio valorado en 1.228.366,39 euros, debido a la infracción de la Sexta Directiva (LCEur 1977, 138) cometida por el legislador español, constatada por el Tribunal de Justicia en la sentencia Comisión/España (TJCE 2005, 292), antes citada. Dicho importe corresponde a los pagos del IVA indebidamente percibidos por la Administración tributaria española durante los mencionados ejercicios y a las devoluciones a las que podría haber tenido derecho en relación con los mismos ejercicios.

12. Mediante resolución de 12 de enero de 2007, el Consejo de Ministros desestimó la reclamación de Transportes Urbanos, al considerar que la omisión por parte de ésta de solicitar la rectificación de las mencionadas autoliquidaciones en el plazo previsto a tal efecto había roto la relación de causalidad directa entre la infracción del Derecho de la Unión reprochada al Estado español y el daño supuestamente sufrido por dicha sociedad.

13. Esta resolución desestimatoria del Consejo de Ministros se basó, en particular, en dos sentencias del Tribunal Supremo de 29 de enero de 2004 (RJ 2004, 1077) y de 24 de mayo de 2005 (RJ 2005, 5408) (en lo sucesivo, «jurisprudencia controvertida»), según las cuales las reclamaciones de responsabilidad patrimonial del Estado por infracción del Derecho de la Unión están sometidas a una regla de agotamiento previo de las vías de recurso, administrativas y judiciales, contra el acto administrativo lesivo adoptado en ejecución de una Ley nacional contraria a dicho Derecho.

14. El 6 de junio de 2007, Transportes Urbanos interpuso un recurso contra dicha resolución desestimatoria del Consejo de Ministros ante el Tribunal Supremo.

Auto de remisión y cuestión prejudicial

15. En su auto de remisión, el Tribunal Supremo recuerda que, según la jurisprudencia controvertida, la interposición de una reclamación de responsabilidad patrimonial del Estado basada en la inconstitucionalidad de una Ley no está sometida, contrariamente a la misma reclamación basada en la incompatibilidad de dicha Ley con el Derecho de la Unión, a ningún requisito de ago-

tamiento previo de las vías de recurso contra el acto administrativo lesivo basado en dicha Ley.

16. El motivo de la diferencia de trato entre ambas reclamaciones está relacionado con las diferencias existentes entre los recursos que pueden interponerse contra un acto administrativo, según dichos recursos se basen en la incompatibilidad de éste con el Derecho de la Unión o en la infracción de la Constitución por la Ley nacional en aplicación de la cual se ha adoptado el acto.

17. En efecto, según la jurisprudencia controvertida, dado que la Ley nacional disfruta de una presunción de constitucionalidad, los actos administrativos basados sobre esta Ley también gozan de una presunción de «legitimidad». De ello se deduce que ni las autoridades administrativas ni las judiciales pueden anular dichos actos sin que se haya declarado la nulidad de la Ley mediante sentencia del Tribunal Constitucional dictada tras una cuestión de inconstitucionalidad formulada en virtud del artículo 163 de la Constitución (RCL 1978, 2836), cuestión que sólo puede plantear el órgano judicial que conoce del litigio.

18. En estas circunstancias, si el agotamiento previo de las vías de recurso administrativas y judiciales contra el acto administrativo lesivo se exigiera como requisito para poder interponer una reclamación de responsabilidad patrimonial basada en la infracción de la Constitución, se impondría a los justiciables la carga de impugnar el acto administrativo dictado en aplicación de la Ley supuestamente inconstitucional utilizando, en primer lugar, la vía administrativa y, en segundo lugar, la vía contenciosa, agotando todas las

instancias hasta que uno de los órganos jurisdiccionales que conocen del asunto decida finalmente formular la cuestión de inconstitucionalidad de dicha Ley ante el Tribunal Constitucional. Tal situación sería desproporcionada y tendría consecuencias inaceptables.

19. En cambio, cuando las autoridades administrativas o judiciales competentes consideran que un acto administrativo ha sido dictado para aplicar una Ley incompatible con el Derecho de la Unión, están obligadas, con arreglo a la jurisprudencia reiterada del Tribunal de Justicia, a inaplicar dicha Ley y los actos administrativos dictados basándose en ella. Por tanto, es posible solicitar directamente a dichas autoridades la anulación del acto administrativo lesivo y obtener de este modo una reparación total.

20. Además, según la jurisprudencia controvertida, la existencia de una infracción del Derecho de la Unión que pueda generar la responsabilidad del Estado debe declararse por una sentencia prejudicial del Tribunal de Justicia. Ahora bien, los efectos de una sentencia de este Tribunal dictada con arreglo al artículo 267 TFUE (RCL 2009, 2300) no son comparables a los de una sentencia del Tribunal Constitucional que declara la inconstitucionalidad de una Ley, puesto que sólo la sentencia de este último entraña la nulidad de dicha Ley con efectos retroactivos.

21. En estas circunstancias, el Tribunal Supremo decidió suspender el procedimiento y plantear al Tribunal de Justicia la cuestión prejudicial siguiente:

«¿Resulta contrario a los principios de equivalencia y efectividad la aplicación de distinta doctrina hecha por el Tribunal Supremo del Reino de España en [la jurisprudencia controvertida] a los supuestos de reclamación de responsabilidad patrimonial del Estado legislador cuando se funden en actos administrativos dictados en aplicación de una Ley declarada inconstitucional, de aquellos que se funden en aplicaciones de una norma declarada contraria al Derecho [de la Unión]?».

Sobre la competencia del Tribunal de Justicia

22. Según el Gobierno español, el Tribunal de Justicia es incompetente para pronunciarse sobre la conformidad con el Derecho de la Unión de resoluciones judiciales como las que conforman la jurisprudencia controvertida, dado que el propio Tribunal Supremo puede modificarla si considera que no es compatible con dicho Derecho.

23. A este respecto, procede recordar que, si bien no corresponde al Tribunal de Justicia, en el marco de un procedimiento prejudicial, apreciar la conformidad del Derecho nacional con el Derecho de la Unión, éste ha declarado también reiteradamente que es competente para proporcionar al órgano jurisdiccional remitente todos los elementos de interpretación pertenecientes a dicho Derecho que pueden permitirle apreciar tal conformidad para la resolución del asunto que le haya sido sometido (véanse en este sentido, en particular, las sentencias de 15 de diciembre de 1993 [TJCE 1993, 199], Hünermund y otros, C-292/92, Rec. pg. I-6787, apartado 8, y de 31 de enero de 2008 [TJCE 2008, 13], Centro Europa 7, C-380/05, Rec. pg. I-349, apartado 50).

24. A tal fin, como ha señalado el Abogado General en el punto 13 de sus conclusiones, el origen legislativo, administrativo o judicial de las normas

nacionales cuya conformidad con el Derecho de la Unión ha de apreciar el tribunal remitente a la luz de los elementos de interpretación que le proporciona el Tribunal de Justicia no afecta en ningún modo a la competencia de éste para pronunciarse sobre la petición de decisión prejudicial.

25. Además, según una jurisprudencia reiterada, en el marco de la cooperación entre el Tribunal de Justicia y los órganos jurisdiccionales nacionales prevista en el artículo 267 TFUE (RCL 2009, 2299), corresponde exclusivamente a los órganos jurisdiccionales nacionales, que conocen del litigio y que han de asumir la responsabilidad de la decisión jurisdiccional que debe adoptarse, apreciar, a la luz de las particularidades de cada asunto, tanto la necesidad de una decisión prejudicial para poder dictar sentencia como la pertinencia de las cuestiones que plantean al Tribunal de Justicia. Por tanto, cuando las cuestiones planteadas por los órganos jurisdiccionales nacionales versan sobre la interpretación de una disposición de Derecho de la Unión, en principio el Tribunal de Justicia está obligado a pronunciarse (véanse, en particular, las sentencias del Tribunal de Justicia de 13 de marzo de 2001 [TJCE 2001, 102], PreussenElektra, C-379/98, Rec. pg. I-2099, apartado 38; de 22 de mayo de 2003 [TJCE 2003, 152], Korhonen y otros, C-18/01, Rec. pg. I-5321, apartado 19, y de 23 de abril de 2009 [TJCE 2009, 95], VTB-VAB y Galatea, C-261/07 y C-299/07, Rec. pg. I-0000, apartado 32).

26. Pues bien, en el caso de autos, no se solicita al Tribunal de Justicia que interprete el Derecho nacional o una sentencia de un órgano jurisdiccional nacional, sino que proporcione al tribunal remitente elementos de interpretación de los principios de efectividad y equivalencia, para permitirle apreciar si, en virtud del Derecho de la Unión, está obligado a inaplicar normas nacionales relativas a los recursos de responsabilidad patrimonial del Estado por infracción de dicho Derecho por una Ley nacional (véase, en este sentido, la sentencia de 18 de julio de 2007 [TJCE 2007, 195], Lucchini, C-119/05, Rec. pg. I-6199, apartado 46).

27. Por consiguiente, el Tribunal de Justicia es competente para resolver la presente petición de decisión prejudicial.

Sobre la cuestión prejudicial

28. Mediante su cuestión, el tribunal remitente desea saber, en esencia, si el Derecho de la Unión se opone a una regla de un Estado miembro en virtud de la cual las reclamaciones de responsabilidad patrimonial del Estado basadas en una infracción de dicho Derecho por una Ley nacional están sometidos al requisito del agotamiento previo de las vías de recurso contra el acto administrativo lesivo, mientras que dichas reclamaciones no están sujetas a tal requisito cuando se basan en una infracción de la Constitución por esta misma Ley.

Observaciones previas

29. Para responder a esta cuestión, procede recordar, con carácter preliminar, que, según reiterada jurisprudencia, el principio de la responsabilidad del Estado por daños causados a los particulares por violaciones del Derecho de la Unión que le son imputables es inherente al sistema de los Tratados en los que ésta se funda (véanse, en este sentido, las sentencias de 19 de noviembre de 1991 [TJCE 1991, 296], Francovich y otros, C-6/90 y C-9/90, Rec. pg. I-

5357, apartado 35; de 5 de marzo de 1996 [TJCE 1996, 37], Brasserie du pgcheur y Factortame, C-46/93 y C-48/93, Rec. pg. I-1029, apartado 31, y de 24 de marzo de 2009 [TJCE 2009, 63], Danske Slagterier, C-445/06, Rec. pg. I-0000, apartado 19).

30. A este respecto, el Tribunal de Justicia ha declarado que los particulares perjudicados tienen derecho a indemnización cuando se cumplen tres requisitos: que la norma de Derecho de la Unión violada tenga por objeto conferirles derechos, que la violación de esta norma esté suficientemente caracterizada y que exista una relación de causalidad directa entre tal violación y el perjuicio sufrido por los particulares (véase, en este sentido, la sentencia Danske Slagterie [TJCE 2009, 63], antes citada, apartado 20 y jurisprudencia citada).

31. El Tribunal de Justicia ha tenido también ocasión de precisar que, sin perjuicio del derecho a indemnización que está basado directamente en el Derecho de la Unión desde el momento en que se reúnen estos tres requisitos, incumbe al Estado, en el marco del Derecho nacional en materia de responsabilidad, reparar las consecuencias del perjuicio causado, entendiéndose que los requisitos establecidos por las legislaciones nacionales en materia de indemnización de daños no pueden ser menos favorables que los que se aplican a reclamaciones semejantes de naturaleza interna (principio de equivalencia) y no pueden articularse de manera que hagan en la práctica imposible o excesivamente difícil obtener la indemnización (principio de efectividad) (véanse, en este sentido, las sentencias de 30 de septiembre de 2003 [TJCE 2003, 292], Knbler, C-224/01, Rec. pg.

I-10239, apartado 58, y de 13 de marzo de 2007 [TJCE 2007, 59], Test Claimants in the Thin Cap Group Litigation, C-524/04, Rec. pg. I-2107, apartado 123).

32. En consecuencia, como ha señalado el órgano jurisdiccional remitente, procede examinar la cuestión planteada a la luz de estos principios.

Sobre el principio de equivalencia

33. Por lo que se refiere al principio de equivalencia, procede recordar que, según jurisprudencia reiterada, dicho principio exige que el conjunto de normas aplicables a los recursos, incluidos los plazos establecidos, se aplique indistintamente a los recursos basados en la violación del Derecho de la Unión y a aquellos basados en la infracción del Derecho interno (véanse, en este sentido, las sentencias de 15 de septiembre de 1998 [TJCE 1998, 190], Edis, C-231/96, Rec. pg. I-4951, apartado 36; de 1 de diciembre de 1998 [TJCE 1998, 298], Levez, C-326/96, Rec. pg. I-7835, apartado 41; de 16 de mayo de 2000 [TJCE 2000, 95], Preston y otros, C-78/98, Rec. pg. I-3201, apartado 55, y de 19 de septiembre de 2006 [TJCE 2006, 260], i-21 Germany y Arcor, C-392/04 y C-422/04, Rec. pg. I-8559, apartado 62).

34. No obstante, este principio no puede interpretarse en el sentido de que obliga a un Estado miembro a extender su régimen interno más favorable a todas los recursos interpuestos en un ámbito determinado del Derecho (sentencias Levez, antes citada, apartado 42; de 9 de febrero de 1999 [TJCE 1999, 20], Dilexport, C-343/96, Rec. pg. I-579, apartado 27, y de 29 de octubre de 2009 [TJCE 2009, 334], Pontin, C-63/08, Rec. pg. I-0000, apartado 45).

35. En consecuencia, para comprobar si se respeta el principio de equivalencia en el litigio principal, es preciso examinar si, habida cuenta de su objeto y de sus elementos esenciales, la reclamación de responsabilidad patrimonial interpuesta por Transportes Urbanos, basada en la infracción del Derecho de la Unión, y la que dicha sociedad habría podido interponer basándose en una posible infracción de la Constitución pueden considerarse similares (véase, en este sentido, la sentencia Preston y otros, antes citada, apartado 49).

36. Pues bien, por lo que se refiere al objeto de las dos reclamaciones de responsabilidad patrimonial mencionadas en el apartado anterior, procede señalar que tienen exactamente el mismo objeto, a saber, la indemnización del daño sufrido por la persona lesionada por un acto o una omisión del Estado.

37. Respecto de los elementos esenciales, cabe recordar que la regla del agotamiento previo que se discute en el litigio principal lleva a cabo una distinción entre estas reclamaciones, en la medida en que exige que el demandante haya agotado previamente las vías de recurso contra el acto lesivo sólo cuando la reclamación de responsabilidad patrimonial se basa en la infracción del Derecho de la Unión por la Ley nacional en aplicación de la cual se ha adoptado el mencionado acto.

38. Ahora bien, procede señalar que, contrariamente a lo que parecen sugerir determinados planteamientos de la jurisprudencia controvertida, recordados en el apartado 20 de la presente sentencia, la reparación del daño causado por una infracción del Derecho de la Unión por un Estado miembro, no está subordinada al requisito de que una

sentencia dictada por el Tribunal de Justicia con carácter prejudicial declare la existencia de tal infracción (véanse, en este sentido, las sentencias Brasserie du pgcheur y Factortame [TJCE 1996, 37], antes citada, apartados 94 a 96; de 8 de octubre de 1996 [TJCE 1996, 178], Dillenkofer y otros, C-178/94, C-179/94 y C-188/94 a C-190/94, Rec. pg. I-4845, apartado 28, y Danske Slagterier [TJCE 2009, 63], antes citada, apartado 37).

39. No obstante, ha lugar a señalar que, en el litigio principal, Transportes Urbanos basó su recurso expresamente en la sentencia Comisión/España, antes citada, dictada con arreglo al artículo 226 CE (RCL 1999, 1205 ter), en la cual el Tribunal de Justicia declaró la infracción de la Sexta Directiva por la Ley 37/1992 (RCL 1992, 2786 y RCL 1993, 401).

40. Además, se deduce del auto de remisión que Transportes Urbanos interpuso la reclamación ante el Consejo de Ministros porque el plazo para presentar una solicitud de rectificación de las autoliquidaciones de los ejercicios 1999 y 2000 había expirado en el momento en que se dictó la mencionada sentencia Comisión/España (TJCE 2005, 292).

41. No obstante, como se ha dicho en los apartados 12 y 13 de la presente sentencia, dicha reclamación fue desestimada por el Consejo de Ministros teniendo en cuenta precisamente que Transportes Urbanos no había solicitado la rectificación de sus autoliquidaciones antes de la interposición de dicha reclamación.

42. En cambio, según el auto de remisión, si Transportes Urbanos hubiera podido fundamentar su reclama-

ción de responsabilidad patrimonial en una sentencia del Tribunal Constitucional que declarara la nulidad de la misma Ley por infringir la Constitución, esta reclamación habría sido estimada, con independencia de que dicha sociedad no hubiera solicitado la rectificación de dichas autoliquidaciones antes de que expiraran los plazos para hacerlo.

43. Se desprende de las consideraciones precedentes que, en el contexto particular que ha dado origen al litigio principal tal como se describe en el auto de remisión, la única diferencia existente entre las dos reclamaciones mencionadas en el apartado 35 de la presente sentencia consiste en que las infracciones jurídicas en las que se basan han sido declaradas, en un caso, por el Tribunal de Justicia mediante una sentencia dictada con arreglo al artículo 226 CE (RCL 1999, 1205 ter) y, en otro, por una sentencia del Tribunal Constitucional.

44. Ahora bien, esta única circunstancia, a falta de cualquier mención en el auto de remisión de otros elementos que permitan declarar la existencia de otras diferencias entre la reclamación de responsabilidad patrimonial del Estado efectivamente presentada por Transportes Urbanos y aquella que habría podido interponer sobre la base de una infracción de la Constitución declarada por el Tribunal Constitucional, no basta para establecer una distinción entre ambas reclamaciones a la luz del principio de equivalencia.

45. En tal situación, procede señalar que las dos reclamaciones antes mencionadas pueden considerarse similares, en el sentido de la jurisprudencia recordada en el apartado 35 de la presente sentencia.

46. De ello se deduce que, habida cuenta de las circunstancias descritas en el auto de remisión, el principio de equivalencia se opone a la aplicación de una regla como la controvertida en el litigio principal.

47. Habida cuenta de esta conclusión, no es necesario examinar la regla del agotamiento previo de las vías de recurso discutida en el litigio principal a la luz del principio de efectividad.

48. De lo anterior resulta que procede responder a la cuestión planteada que el Derecho de la Unión se opone a la aplicación de una regla de un Estado miembro en virtud de la cual una reclamación de responsabilidad patrimonial del Estado basada en una infracción de dicho Derecho por una Ley nacional declarada mediante sentencia del Tribunal de Justicia dictada con arreglo al artículo 226 CE (RCL 1999, 1205 ter) sólo puede estimarse si el demandante ha agotado previamente todas las vías de recurso internas dirigidas a impugnar la validez del acto administrativo lesivo dictado sobre la base de dicha Ley, mientras que tal regla no es de aplicación a una reclamación de responsabilidad patrimonial del Estado fundamentada en la infracción de la Constitución por la misma Ley declarada por el órgano jurisdiccional competente.

Costas

49. Dado que el procedimiento tiene, para las partes del litigio principal, el carácter de un incidente promovido ante el órgano jurisdiccional nacional, corresponde a éste resolver sobre las costas. Los gastos efectuados por quienes, no siendo partes del litigio principal, han presentado observaciones ante el Tribunal de Justicia no pueden ser objeto de reembolso.

En virtud de todo lo expuesto, el Tribunal de Justicia (Gran Sala) declara:

El Derecho de la Unión se opone a la aplicación de una regla de un Estado miembro en virtud de la cual una reclamación de responsabilidad patrimonial del Estado basada en una infracción de dicho Derecho por una Ley nacional declarada mediante sentencia del Tribunal de Justicia de las Comunidades Europeas dictada con arreglo al artículo 226 CE (RCL 1999, 1205 ter) sólo puede estimarse si el demandante ha agotado previamente todas las vías de recurso internas dirigidas a impugnar la validez del acto administrativo lesivo dictado sobre la base de dicha Ley, mientras que tal regla no es de aplicación a una reclamación de responsabilidad patrimonial del Estado fundamentada en la infracción de la Constitución por la misma Ley declarada por el órgano jurisdiccional competente.

ANEXO II
TRIBUNAL SUPREMO

SENTENCIA 20 MARZO 1998
(RJ 1998, 3315)

Recurso de Apelación núm. 4004/1992
Sala de lo Cont.-Adm., Sección 2
Ponente: Sr. D. Alfonso Gota Losada

RESPONSABILIDAD PATRIMONIAL DE LA ADMINISTRACION PUBLICA: Tributos: procedimiento de apremio nulo: pérdida de propiedad de un terreno: devolución imposible, por existencia de terceros hipotecarios; Indemnización: daño emergente, por el valor de mercado en la fecha en que se produjo el daño y según prueba pericial: lucro cesante, por la pérdida de un terreno urbano por una empresa inmobiliaria, y a cuantificar en ejecución de sentencia: deuda tributaria. TRIBUTOS-RECAUDACION (Procedimiento de apremio): Nulidad: responsabilidad patrimonial.

FUNDAMENTOS DE DERECHO

PRIMERO. El Ayuntamiento de Blanes practicó liquidación a «Inmobiliaria La Plantera, SA», por el concepto de Impuesto sobre el Incremento del Valor de los Terrenos, por importe de 261.780 pesetas.

No conforme «Inmobiliaria La Plantera, SA», con esta liquidación la impugnó mediante reclamación económico-administrativa, ante el Tribunal Económico-Administrativo de Gerona que la desestimó.

«Inmobiliaria La Plantera, SA», no ingresó la liquidación impugnada, y el Ayuntamiento de Blanes inició Procedimiento de Apremio núm. 614/1983, mediante la correspondiente providencia de apremio, que no notificó debidamente, pese a ello dictó providencia de embargo de un terreno propiedad de «Inmobiliaria La Plantera, SA», acordó su enajenación en subasta pública, celebrada el 17 de marzo de 1988, y adjudicó el terreno en 2.128.329 pesetas a don Celestino C. B. Todos estos actos

recaudatorios no fueron notificados conforme a Derecho.

Enterada la entidad mercantil «Inmobiliaria La Plantera, SA», de la subasta realizada por el Ayuntamiento de Blanes, como consecuencia del requerimiento de fecha 22 de marzo de 1988, por el que el Recaudador le conminaba a nombrar Notario e intervenir en el otorgamiento de la escritura pública de la finca embargada y subastada, interpuso recurso de reposición contra todos los actos recaudatorios, y a la vez presentó denuncia ante el Juzgado de Guardia que instruyó las diligencias oportunas.

El recurso de reposición fue desestimado por el Ayuntamiento de Blanes por Resolución de fecha 2 agosto 1988.

SEGUNDO. La entidad «Inmobiliaria La Plantera, SA», interpuso recurso contencioso-administrativo, contra la resolución desestimatoria del recurso de reposición y contra todos los

229

actos recaudatorios, alegando que ninguno de dichos actos le había sido notificado, por lo que suplicaba al Tribunal de instancia: 1.º) Que declarase nulas todas las actuaciones recaudatorias del Ayuntamiento de Blanes. 2.º) Que acordase la correspondiente indemnización de daños y perjuicios, porque el adjudicatario del terreno en la subasta pública, lo había vendido a otra persona, que tenía la consideración de tercero hipotecario.

El Ayuntamiento de Blanes, parte demandada, se opuso a la demanda. La Sala de lo Contencioso-Administrativo –Sección Quinta– del Tribunal Superior de Justicia de Cataluña, dictó la sentencia, ahora apelada, argumentando que procedía: 1.º) Declarar nulos todos los actos recaudatorios. 2.º) Reponer el expediente ejecutivo al momento siguiente a la providencia de apremio, para que fuera notificada correctamente. 3.º) «Rechazar la declaración de indemnización de perjuicios que también pretende (se refiere a "Inmobiliaria La Plantera, SA"), porque estos perjuicios en todo caso son futuros y aún no se han producido».

TERCERO. La entidad «Inmobiliaria La Plantera, SA», interpuso el presente recurso de apelación, impugnando el último pronunciamiento de la Sala de instancia o sea el consistente en negarle la indemnización de daños y perjuicios que había pedido en el recurso contencioso-administrativo y que ahora pide de nuevo, alegando lo que ha considerado conveniente a su derecho.

El Ayuntamiento de Blanes ha aceptado los dos primeros pronunciamiento, o sea el de declaración de nulidad de los actos recaudatorios y el de reposición del expediente al momento opor-

tuno para notificar debidamente la providencia de apremio, pero, en cambio, se opone a la indemnización de daños y perjuicios por entender que el precio de adjudicación del terreno en la subasta pública por importe de 2.128.329 pesetas había sido, en su momento, el precio de mercado, de modo que como se le había entregado dicha cantidad, después de restar el importe del débito tributario ejecutado, las actuaciones del Ayuntamiento de Blanes no habían originado perjuicio alguno a «Inmobiliaria La Plantera, SA».

CUARTO. El artículo 106, apartado 2, de la Constitución Española (RCL 1978, 2836 y NDL 2875) dispone: «2. Los particulares, en los términos establecidos por la Ley, tendrán derecho a ser indemnizados por toda lesión que sufran en cualquiera de sus bienes y derechos, salvo en los casos de fuerza mayor, siempre que la lesión sea consecuencia del funcionamiento de los servicios públicos».

Esta norma constitucional ha sido recogida en el artículo 54 de la Ley 7/1985, de 2 abril (RCL 1985, 799, 1372 y ApNDL 205), reguladora de las Bases del Régimen Local, al disponer que: «Las Entidades Locales responderán directamente de los daños y perjuicios causados a los particulares en sus bienes y derechos como consecuencia del funcionamiento de los servicios públicos o de la actuación de sus autoridades, funcionarios o agentes, en los términos establecidos en la legislación general sobre responsabilidad administrativa».

Hasta la promulgación de la Ley 30/1992, de 26 noviembre (RCL 1992, 2512, 2775 y RCL 1993, 246), de Régimen Jurídico de las Administraciones Públicas y del Procedimiento Administrativo Común, la normativa general era esencialmente el artículo 40 de la Ley de Régimen Jurídico de la Administración del Estado, Texto Refundido 26 julio 1957 (RCL 1957, 1058, 1178 y NDL 25852), que disponía: «1. Los particulares tendrán derecho a ser indemnizados por el Estado (en el caso de autos sería el Ayuntamiento de Blanes) de toda lesión que sufran en cualquiera de sus bienes y derechos, salvo en los casos de fuerza mayor, siempre que aquella lesión sea consecuencia del funcionamiento normal o anormal de los servicios públicos o de la adopción de medidas no fiscalizables en vía contenciosa. 2. En todo caso, el daño alegado por los particulares habrá de ser efectivo, evaluable económicamente e individualizado con relación a una persona o grupo de personas(...)».

Por último, el artículo 139 de la Ley 30/1992, de 26 noviembre, citada, ha reproducido las normas del artículo 40, citado, añadiendo en el artículo 141, apartado 1, que «sólo serán indemnizables las lesiones producidas al particular provenientes de daños que éste no tenga el deber jurídico de soportar de acuerdo con la Ley».

En el caso de autos es incuestionable: 1.–Que la entidad «Inmobiliaria La Plantera, SA», no estaba obligada, en absoluto, a soportar el procedimiento ejecutivo a que fue sometida, toda vez que la providencia de apremio, la providencia de embargo, y el acuerdo de subasta pública, no fueron debidamente notificados, de ahí que hayan sido anulados, con carácter firme, por la sentencia de instancia. 2.–El daño sufrido por «Inmobiliaria La Plantera, SA.», es efectivo y real por cuanto ha sido desposeída o mejor dicho despojada de un terreno de su legítima propiedad, sin título jurídico válido alguno. 3.–El daño

es evaluable económicamente, por tratarse de un bien patrimonial. 4.–Existe una relación de causalidad entre el daño sufrido y la actuación de la Administración (procedimiento ejecutivo nulo) que no ofrece la menor duda. 5.–El daño causado está perfectamente individualizado en la persona de «Inmobiliaria La Plantera, SA».

En consecuencia, los efectos jurídicos que se derivan de la anulación de los actos recaudatorios, en vía ejecutiva, acordada por la Sala de instancia, pronunciamiento que no se discute y que, por tanto, es firme, son los siguientes: Restablecimiento del orden jurídico perturbado e indemnización de los daños y perjuicios que el Ayuntamiento de Blanes haya causado con su proceder ilegal a «Inmobiliaria La Plantera, SA».

QUINTO. El restablecimiento del orden jurídico perturbado, o sea, la pérdida de propiedad del terreno como consecuencia de la ejecución forzosa en subasta pública, se produciría sencillamente con la devolución del mismo a «Inmobiliaria La Plantera, SA», pero ello no es posible, porque el adjudicatario del mismo don Celestino C. B., pese al requerimiento notarial que le hizo «Inmobiliaria La Plantera, SA», para que no lo enajenara, advirtiéndole que había impugnado todas las actuaciones ejecutivas, lo vendió el 29 de agosto de 1988, por escritura pública, a la empresa «Apartamentos Mérida 2000, SA» la cual inscribió la compra en el Registro de la Propiedad de Lloret del Mar, Blanes, con fecha 11 de octubre de 1988, según certificación registral que figura en autos, y construyó sobre él 28 apartamentos, que vendió a determinadas personas, de modo que en principio el segundo adquirente tiene la consideración de tercero hipotecario de conformidad con lo dispuesto en el artículo 34 de la Ley Hipotecaria (RCL 1946, 886 y NDL 18732), además, se produjo lo que la doctrina jurisprudencial civil ha denominado accesión invertida, es decir, que fue el propietario del vuelo (28 apartamentos) quien accedió al suelo, por todo ello ha de concluirse que el Ayuntamiento de Blanes no puede devolver a «Inmobiliaria La Plantera, SA», el terreno que le subastó ilegalmente.

En consecuencia, el Ayuntamiento de Blanes debe resarcir a «Inmobiliaria La Plantera, SA», del daño que supone la privación de la legítima propiedad del terreno subastado, pagándole el valor de mercado, en la fecha en que se produjo el daño, o sea, el 17 de marzo de 1988, que fue cuando se llevó a cabo la subasta pública.

En los autos de instancia, la actora «Inmobiliaria La Plantera, SA», pidió recibimiento a prueba para determinar el valor del terreno, practicándose prueba pericial, en debida forma, que culminó en el Informe pericial correspondiente en el que se señaló como valor de mercado, la cantidad de 12.524.700 pesetas, que es la cantidad que esta Sala considera que resarce a «Inmobiliaria La Plantera, SA», de la pérdida de la propiedad del terreno.

Debe rechazarse, la alegación del Ayuntamiento de Blanes consistente en que el valor de mercado fue el de adjudicación en subasta pública, o sea, 2.128.329 pesetas, porque este acto ejecutivo ha sido declarado nulo, y, por tanto, carece de toda eficacia.

En consecuencia, el Ayuntamiento de Blanes debe pagar a «Inmobiliaria La Plantera, SA», la cifra que resulte de restar de 12.524.700 pesetas, la cantidad sobrante que dicha empresa perci-

bió del precio de remate de la subasta después de que el Ayuntamiento de Blanes hiciera efectivo, o sea, cobrara el importe del débito tributario, 261.780 ptas., del recargo de apremio y de las costas propias del procedimiento ejecutivo. La cantidad que debe pagar el Ayuntamiento de Blanes a «Inmobiliaria La Plantera, SA», no devenga por el momento intereses, pero sí puede devengarlos si se cumplieran las previsiones del artículo 45 de la Ley General Presupuestaria, Texto refundido, aprobado por Real Decreto Legislativo 1091/1988, de 23 septiembre (RCL 1988, 1966 y 2287).

Además, el Ayuntamiento de Blanes debe indemnizar a «Inmobiliaria La Plantera, SA» de los daños sufridos, fundamentalmente del lucro cesante, que le haya podido producir la privación de la propiedad de un terreno urbano, desde la fecha de la adjudicación en subasta pública hasta la fecha de esta sentencia, máxime tratándose de una empresa inmobiliaria. La cuantía de esta indemnización de daños y perjuicios se determinará en ejecución de esta sentencia.

Por último, el Ayuntamiento de Blanes deberá devolver a «Inmobiliaria La Plantera, SA», en concepto de ingresos tributarios indebidos, la **deuda tributaria** por Impuesto sobre el Incremento del Valor de los Terrenos, que comprende el importe de la cuota de 261.780 pesetas, que hizo efectivo al percibir el precio de remate de la subasta, más el recargo de apremio y más las costas del procedimiento recaudatorio, concepto éste que no consta en autos. Estas tres cantidades deberán ser devueltas, con los intereses legales correspondientes devengados desde la fecha del ingreso en las Arcas municipales, hasta la fecha en que se dicte el acto administrativo en ejecución de esta sentencia, de acuerdo con lo dispuesto en el artículo 2.º.2.b), del Real Decreto 1163/1990, de 21 septiembre (RCL 1990, 1968 y 2140), de devolución de ingresos indebidos de naturaleza tributaria, aplicable a la Hacienda Local según ordena el artículo 14 de la Ley 39/1988, de 28 diciembre (RCL 1988, 2607 y RCL 1989, 1851), reguladora de las Haciendas Locales.

SEXTO. No apreciándose temeridad, ni mala fe, no procede acordar, de conformidad con lo dispuesto en el artículo 131 de la Ley Jurisdiccional (RCL 1956, 1890 y NDL 18435), la expresa imposición de las costas.

| **2** |

SENTENCIA 29 FEBRERO 2000

(RJ 2000, 2730)

Recurso núm. 49/1998

Sala de lo Cont.-Adm., Sección 6

Ponente: Sr. D. Juan Antonio Xiol Ríos

RECURSO CONTENCIOSO-ADMINISTRATIVO: Cosa juzgada material: liquidación tributaria: impugnación: sentencia firme: acción de responsabilidad: inadmisión improcedente.
RESPONSABILIDAD PATRIMONIAL DE LA ADMINISTRACION PUBLICA: Acción derivada de acto legislativo: régimen legal: evolución normativa y jurisprudencial; Norma: inconstitucionalidad: responsabilidad de la Administración por acto legislativo; Juego: tasa fiscal: gravamen complementario: Ley 5/1990: inconstitucionalidad: liquidación: responsabilidad patrimonial por acto legislativo: indemnización: cuantía: intereses: procedencia.
JUEGO: Régimen fiscal: tasa fiscal.

FUNDAMENTOS DE DERECHO

PRIMERO. La presente demanda se dirige por la representación procesal de Mercantil Juegomatic, SA contra el acuerdo adoptado por el Consejo de Ministros en su reunión del día 12 de diciembre de 1997, en el que se resuelve la reclamación formulada por la recurrente de indemnización por responsabilidad del Estado legislador, en el sentido de desestimar la solicitud de indemnización.

SEGUNDO. Podemos sentar los siguientes hechos, en los que se funda la petición deducida en la demanda:

1. El 30 de junio de 1990 se publicó en el Boletín Oficial del Estado la Ley 5/1990, de 29 de junio (RCL 1990, 1337 y 1628), sobre Medidas en materia presupuestaria, financiera y tributaria por la que, entre otras cosas, se creaba (artículo 38.2.2) un gravamen complementario sobre la tasa fiscal que gravaba los juegos de suerte, envite o azar, de aplicación a las máquinas re-

233

creativas de tipo B, por importe de 233.250 pesetas por máquina, que debía satisfacerse los veinte primeros días del mes de octubre de 1990.

2. En cumplimiento de dicha norma la recurrente, en su calidad de empresa operadora, venía obligada a ingresar al tesoro público la cantidad de 7.230.750 pesetas, resultante de multiplicar las 233.250 pesetas antes referidas por 31 máquinas recreativas de tipo medio que tenía en explotación en dicho ejercicio en la provincia de Huelva. La recurrente solicitó el aplazamiento del pago. Ingresó la total suma debida el día 19 de diciembre de 1991 e ingresó en esa misma fecha por intereses de demora la cantidad de 1.012.701 pesetas.

3. Previo agotamiento de la vía económico-administrativa Mercantil Juegomatic, SA interpuso recurso contencioso-administrativo que fue desestimado por sentencia de la Sala de lo Contencioso-Administrativo del Tribunal Superior de Justicia de Andalucía (Sevilla) el 30 de julio de 1994, sentencia que devino firme al inadmitirse la casación y desestimarse la queja contra dicha inadmisión.

4. El Tribunal Constitucional dictó sentencia el 31 de octubre de 1996 (RTC 1996, 173) por la que se declaró inconstitucional y nulo el artículo 38.2.2 de la Ley 5/1990, de 29 de junio.

5. Por acuerdo del Consejo de Ministros del día 12 de diciembre de 1997 (expediente I.197/1997), se resolvió desestimar la reclamación sobre la base de la no revisabilidad de procesos fenecidos mediante sentencia con fuerza de cosa juzgada (artículo 40.1 de la Ley Orgánica del Tribunal Constitucional [RCL 1979, 2383 y ApNDL 13575]) y

el artículo 158 de la Ley General Tributaria (RCL 1963, 2490 y NDL 15243).

6. En el dictamen emitido por el auditor de cuentas designado por insaculación se contienen las siguientes conclusiones: A) La comparación de los resultados obtenidos por la compañía entre los años 1989 y 1990 arroja una disminución de 184,5 millones de pesetas, debido en parte a la creación del Gravamen Complementario creado por la Ley 5/1990. B) El impacto económico que para la compañía supuso el pago del gravamen complementario creado por la Ley 5/1990, se cifra en la cantidad resultante de multiplicar las 31 máquinas explotación en la provincia de Huelva, a que la reclamación se contrae, por 233.250 pesetas, añadiendo a esta cantidad la derivante de los intereses devengados; o lo que es lo mismo la suma de 17.615.310 pesetas, cantidad ésta a la que habría que añadir, en su caso, y de querer aquilatar en toda su extensión el perjuicio causado, la equivalente a los conceptos reseñados en el punto 5.2.1 del informe.

TERCERO. Antes de la promulgación de la Ley de Régimen Jurídico de las Administraciones Públicas y del procedimiento administrativo común (RCL 1992, 2512, 2775 y RCL 1993, 246) hemos admitido la posibilidad de existencia de responsabilidad patrimonial de la Administración como consecuencia de la actuación del Estado legislador cuando han existido actuaciones concomitantes de la Administración causantes de un perjuicio singular, aunque éste, de manera mediata, tenga su origen en la Ley.

En la sentencia del Pleno de la Sala Tercera del Tribunal Supremo de 30 de noviembre de 1992 (RJ 1992, 8769), seguida poco después por la de 1 de diciembre del mismo año (RJ 1992, 1069), y más adelante por otras muchas, todas ellas dictadas en relación con la jubilación anticipada de funcionarios públicos establecida por las Leyes Reguladoras de su respectivo estatuto, se ha considerado que no puede construirse por los tribunales una responsabilidad de la Administración por acto legislativo partiendo del principio general de responsabilidad de los poderes públicos consagrado en el artículo 9.3 de la norma fundamental; pero tampoco puede descartarse que pueda existir responsabilidad, aun tratándose de actos legislativos, cuando la producción del daño revista caracteres lo suficientemente singularizados e imprevisibles como para que pueda considerarse intermediada o relacionada con la actividad de la Administración llamada a aplicar la ley.

La sentencia de 5 de marzo de 1993 (RJ 1993, 1623) de esta misma Sala, cuya doctrina ha sido seguida por la de 27 de junio de 1994 (RJ 1994, 4981), entre otras, aun reconociendo que la eliminación de los cupos de pesca exentos de derechos arancelarios derivada del Tratado de Adhesión a la Comunidad Europea (RCL 1986, 2105 y ApNDL 2643; LCEur 1986, 6) podía considerarse producida «incluso, y más propiamente, como consecuencia de las determinaciones del poder legislativo», reconoció en el caso allí enjuiciado la existencia de responsabilidad patrimonial del Estado, por apreciar que los particulares perjudicados habían efectuado fuertes inversiones –que se vieron frustradas– fundados en la confianza generada por medidas de fomento del Gobierno, que a ello estimulaban, plasmadas en disposiciones muy próximas en el tiempo al momento en que se produjo la supresión de los cupos, de tal suerte que existió un sacrificio particu-

lar de derechos o al menos de intereses patrimoniales legítimos, en contra del principio de buena fe que debe regir las relaciones de la Administración con los particulares, de la seguridad jurídica y del equilibrio de prestaciones que debe presidir las relaciones económicas.

Como enseñan estas sentencias, bajo el régimen anterior a la Ley de Régimen Jurídico de las Administraciones Públicas y del Procedimiento Administrativo Común sólo cabe apreciar responsabilidad cuando se producen daños o perjuicios en virtud de actos de aplicación de las leyes y existe un sacrificio patrimonial singular de derechos o intereses económicos legítimos que pueden considerarse afectados de manera especial por las actuaciones administrativas anteriores o concomitantes con la legislación aplicable.

CUARTO. La Ley de Régimen Jurídico de las Administraciones Públicas y del Procedimiento Administrativo Común ha venido a consagrar expresamente la responsabilidad de la Administración por actos legislativos estableciendo el artículo 139.3 que «Las Administraciones Públicas indemnizarán a los particulares por la aplicación de actos legislativos de naturaleza no expropiatoria de derechos y que éstos no tengan el deber jurídico de soportar, cuando así se establezca en los propios actos legislativos y en los términos que especifiquen dichos actos». Responde sin duda esta normación a la consideración de la responsabilidad del Estado legislador como un supuesto excepcional vinculado al respeto a la soberanía inherente al poder legislativo.

Se ha mantenido que si la ley no declara nada sobre dicha responsabilidad, los tribunales pueden indagar la voluntad tácita del legislador («ratio legis») para poder así definir si procede declarar la obligación de indemnizar. No debemos solucionar aquí esta cuestión, que reconduce a la teoría de la interpretación tácita la ausencia de previsión expresa legal del deber de indemnizar. No es necesario que lo hagamos, no sólo porque la Ley de Régimen Jurídico de las Administraciones Públicas y del Procedimiento Administrativo Común es posterior a los hechos que motivan la reclamación objeto de este proceso, sino también porque, por definición, la ley declarada inconstitucional encierra en sí misma, como consecuencia de la vinculación más fuerte de la Constitución (RCL 1978, 2836 y ApNDL 2875), el mandato de reparar los daños y perjuicios concretos y singulares que su aplicación pueda haber originado, el cual no podía ser establecido «a priori» en su texto. Existe, en efecto, una notable tendencia en la doctrina y en el derecho comparado a admitir que, declarada inconstitucional una ley, puede generar un pronunciamiento de reconocimiento de responsabilidad patrimonial cuando aquélla ocasione privación o lesión de bienes, derechos o intereses jurídicos protegibles.

Este mismo principio ha sido defendido desde tiempo relativamente temprano por nuestra jurisprudencia, separando el supuesto general de responsabilidad del Estado legislador por imposición de un sacrificio singular de aquel en que el título de imputación nace de la declaración de inconstitucionalidad de la ley. La sentencia de esta Sala de 11 de octubre de 1991 (RJ 1991, 7784), además de remitir la responsabilidad por acto legislativo a los requisitos establecidos con carácter general para la responsabilidad patrimonial de la Administración por funcionamiento normal o anormal de los servicios públicos (que la lesión no obedezca a casos de

fuerza mayor; que el daño alegado sea efectivo, evaluable económicamente e individualizado; que no exista el deber de soportarlo; y que la pretensión se deduzca dentro del año en que se produjo el hecho que motive la indemnización) y de afirmar que «en el campo del Derecho tributario, es obvio que la responsabilidad del Estado-legislador no puede fundarse en el principio de la indemnización expropiatoria», añade que «el primer hito señalado por el Tribunal Constitucional para la responsabilidad del Estado-legislador ha de buscarse en los efectos expropiatorios de la norma legal. Pero con ello queda no agotado el tema. Ciertamente, el Poder Legislativo no está exento de sometimiento a la Constitución y sus actos –leyes– quedan bajo el imperio de tal Norma Suprema. En los casos donde la Ley vulnere la Constitución, evidentemente el Poder Legislativo habrá conculcado su obligación de sometimiento, y la antijuridicidad que ello supone traerá consigo la obligación de indemnizar. Por tanto, la responsabilidad del Estado-legislador puede tener, asimismo, su segundo origen en la inconstitucionalidad de la Ley».

La determinación del título de imputación para justificar la responsabilidad del Estado legislador por inmisiones legislativas en la esfera patrimonial (que ha vacilado entre las explicaciones que lo fundan en la expropiación, en el ilícito legislativo y en la teoría del sacrificio, respectivamente) ofrece así una especial claridad en el supuesto de ley declarada inconstitucional.

QUINTO. Ciertamente, se ha mantenido que la invalidación de una norma legal por adolecer de algún vicio de inconstitucionalidad no comporta por sí misma la extinción de todas las situaciones jurídicas creadas a su am-

paro, ni tampoco demanda necesariamente la reparación de las desventajas
patrimoniales ocasionadas bajo su vigencia. Para ello se ha recordado que
los fallos de inconstitucionalidad tienen
normalmente eficacia prospectiva o «ex
nunc» –los efectos de la nulidad de la
Ley inconstitucional no vienen definidos por la Ley Orgánica del Tribunal
Constitucional «que deja a este Tribunal la tarea de precisar su alcance en
cada caso» [sentencia del Tribunal
Constitucional 45/1989 (RTC 1989,
45), fundamento jurídico 11]–.

Ello nos da pie para resolver la excepción opuesta por el abogado del Estado, en el sentido de que el recurso es
inadmisible por existencia de cosa juzgada material, pues la entidad recurrente había impugnado en su día las
liquidaciones tributarias y, previo agotamiento de la vía económico-administrativa, interpuso recurso contencioso-
administrativo que fue desestimado por
sentencia de la Sala de lo Contencioso-
Administrativo del Tribunal Superior
de Justicia de Andalucía (Sevilla) el 30
de julio de 1994, sentencia que devino
firme al inadmitirse la casación y desestimarse la queja contra dicha inadmisión.

El Tribunal Constitucional en Pleno,
en sentencia de 2 de octubre de 1997,
número 159/1997 (RTC 1997, 159),
considera, ciertamente, que la declaración de inconstitucionalidad que se
contiene en la sentencia del Tribunal
Constitucional 173/1996 (RTC 1996,
173), que declaró inconstitucional y
nulo el artículo 38.2.2 de la Ley 5/
1990, de 29 de junio, no permite, según
el Tribunal, revisar un proceso fenecido
mediante sentencia judicial con fuerza
de cosa juzgada en el que, como sucede
en el presente caso, antes de dictarse
aquella decisión se ha aplicado una ley

luego declarada inconstitucional. No
estando en juego la reducción de una
pena o de una sanción, o una exclusión,
exención o limitación de la responsabilidad, que son los supuestos exclusivamente exceptuados por el art. 40.1 de
la Ley Orgánica del Tribunal Constitucional, la posterior declaración de inconstitucionalidad del precepto no
puede tener consecuencia sobre los procesos terminados mediante sentencia
con fuerza de cosa juzgada (sentencias
del Tribunal Constitucional 45/1989,
55/1990 [RTC 1990, 55] y 128/1994
[RTC 1994, 128]).

SEXTO. Esta Sala considera, sin
embargo, que la acción de responsabilidad ejercitada es ajena al ámbito de la
cosa juzgada derivada de la sentencia.
El resarcimiento del perjuicio causado
por el poder legislativo no implica dejar
sin efecto la confirmación de la autoliquidación practicada, que sigue manteniendo todos sus efectos, sino el reconocimiento de que ha existido un perjuicio individualizado, concreto y claramente identificable, producido por el
abono de unas cantidades que resultaron ser indebidas por estar fundado
aquél en la directa aplicación por los
órganos administrativos encargados de
la gestión tributaria de una disposición
legal de carácter inconstitucional no
consentida por la interesada. Sobre este
elemento de antijuridicidad en que consiste el título de imputación de la responsabilidad patrimonial no puede
existir la menor duda, dado que el Tribunal Constitucional declaró la nulidad
del precepto en que dicha liquidación
tributaria se apoyó.

La sentencia firme dictada, al no corregir el perjuicio causado por el precepto inconstitucional mediante el planteamiento de la cuestión de inconstitucionalidad a la que acudieron otros tri-

bunales, consolidó la actuación administrativa impugnada, que en ningún momento fue consentida por la entidad interesada, la cual agotó todos los recursos de que dispuso. Con ello se impidió la devolución de lo indebidamente ingresado consiguiente a la anulación de la actuación viciada. Esta devolución se produjo, en cambio, en otros supuestos idénticos resueltos por otros órganos jurisdiccionales que creyeron oportuno plantear la cuestión. La firmeza de la sentencia, así ganada, no legitimó el perjuicio padecido por la recurrente, directamente ocasionado por la disposición legal e indirectamente por la aplicación administrativa de la norma inconstitucional. Es precisamente dicha sentencia, de sentido contrario a la pronunciada por los tribunales que plantearon la cuestión de inconstitucionalidad y la vieron estimada, la que pone de manifiesto que el perjuicio causado quedó consolidado, al no ser posible la neutralización de los efectos del acto administrativo fundado en la ley inconstitucional mediante la anulación del mismo en la vía contencioso-administrativa, no obstante la constancia de la sociedad interesada en mantener la impugnación contra el acto que consideraba inconstitucional.

SÉPTIMO. Concurren, pues, los requisitos para que declaremos la obligación de la Administración del Estado de indemnizar los perjuicios ocasionados por la aplicación de la norma declarada inconstitucional.

La indemnización debe comprender, en primer término, el importe de lo indebidamente ingresado a favor de las arcas públicas (la cantidad de 7.230.750 pesetas, resultante de multiplicar las 233.250 pesetas antes referidas por 31 máquinas recreativas de tipo medio que tenía en explotación en dicho ejercicio

en la provincia de Huelva), cuya procedencia y justificación resulta avalada por el dictamen pericial.

No podemos incluir los restantes conceptos a que hace referencia el dictamen, pues se funda, esencialmente, en una «comparación de los resultados obtenidos por la compañía entre los años 1989 y 1990», en el que el perito aprecia una disminución «debida, en parte, a la creación del gravamen complementario». No resulta de la prueba practicada, por consiguiente, que el gravamen complementario haya determinado de manera efectiva y en una cantidad total comprobable directamente un perjuicio económico por encima de la cantidad realmente satisfecha, cuya devolución constituye en principio la consecuencia lógica de la inconstitucionalidad luego declarada de su abono. Contribuye a nuestra conclusión sobre la falta de prueba de otros perjuicios por pérdidas económicas o pérdidas de beneficios, respecto de las cuales es bien sabido que nuestra jurisprudencia exige una prueba cierta y rechaza los perjuicios hipotéticos o no bien determinados, el hecho de que, como se puso de manifiesto en el acto de ratificación del dictamen pericial, el perito no se pronuncia concluyentemente sobre estos extremos, ya que liga la baja de las máquinas a factores de conveniencia y la merma de resultados, como queda dicho, a la concurrencia, con fuerza al menos coadyuvante, de otras posibles causas.

No se ha probado, en conclusión, que el perjuicio económico padecido por encima de los abonos realizados haya obedecido en proporción suficiente a la obligación inesperada de satisfacer el gravamen y, consiguientemente, que exceda del riesgo normalmente imputable al empresario, que éste tiene la obligación de soportar. Coadyuva a esta conclusión el observar que la empresa solicitó y obtuvo un aplazamiento del pago, lo cual mermó sin duda los efectos del aumento inesperado de la cuota satisfecha y, por otra parte, que la cuantía definitiva de la misma quedó legalmente consolidada con efectos de primero de enero del año siguiente, por lo que en todo caso el aumento de la tasa desde dicha fecha hubiera generado unos perjuicios análogos que indudablemente tiene el deber de soportar.

No probados, pues, más que los perjuicios que han quedado puestos de manifiesto, no es procedente, según constante jurisprudencia, diferir al período de ejecución de sentencia su determinación, pues este mandato sólo es admisible cuando se ha probado su existencia y queda sólo pendiente de determinación su cuantía.

OCTAVO. Esta Sala, sin embargo, en aras del principio de total indemnidad que preside el Derecho de la responsabilidad, viene considerando, junto con el abono de intereses (sentencia de 20 de octubre de 1997 [RJ 1997, 7254]), como uno de los instrumentos adecuados para hacer efectivo el principio de indemnidad que palpita tras la institución de la responsabilidad patrimonial de la Administración la consideración de la obligación pecuniaria de resarcimiento como una deuda de valor, que lleva a fijar la cuantía de la deuda actualizada al momento de su determinación o fijación, y no al momento de producción del daño (sentencias de 15 de enero de 1992 [RJ 1992, 557) y 24 de enero de 1997 [RJ 1997, 739]).

Otro de los procedimientos admitidos jurisprudencialmente para lograr la total indemnidad es el hoy consagrado por el artículo 141.3 de la Ley de Régimen Jurídico de las Administraciones Públicas y del Procedimiento Administrativo Común, con arreglo al cual la cuantía de la indemnización se calculará con referencia al día en que la lesión efectivamente se produjo, sin perjuicio de su actualización a la fecha en que se ponga fin al procedimiento de responsabilidad con arreglo al índice de precios al consumo, fijado por el Instituto Nacional de Estadística, y de los intereses que procedan por demora en el pago de la indemnización fijada, los cuales se exigirán con arreglo a lo establecido en la Ley General Presupuestaria (RCL 1988, 1966 y 2287).

Vista la solicitud de la demanda en el sentido de que se reconozcan los intereses de la cantidad objeto de la indemnización, la Sala considera procedente acogerse a este mecanismo de actualización del valor de la deuda y, consiguientemente, entiende que procede incluir en la indemnización que debe satisfacerse la suma de 1.012.701 pesetas, que la sociedad recurrente debió ingresar como intereses de demora a raíz el aplazamiento, más el interés legal procedente desde la fecha del ingreso hasta la de esta sentencia sobre la cantidad total resultante y efectivamente abonada. A partir de esta sentencia se aplicará lo dispuesto en el artículo 106 de Ley Reguladora de la Jurisdicción Contencioso-Administrativa (RCL 1956, 1890 y NDL 18435).

NOVENO. Debe estarse a lo dispuesto en materia de costas por el artículo 131 de la Ley de la Jurisdicción Contencioso-Administrativa aplicable a este proceso por razones temporales y, en consecuencia, declarar que esta Sala no aprecia circunstancias que justifiquen una condena en costas.

3

SENTENCIA 13 JUNIO 2000
(RJ 2000, 5939)
Recurso contencioso-administrativo núm. 567/1998
Sala de lo Cont.-Adm., Sección 6
Ponente: Sr. D. Juan Antonio Xiol Ríos

RECURSO CONTENCIOSO-ADMINISTRATIVO: Inadmisibilidad: cosa juzgada material: liquidación tributaria: impugnación: falta de: acto consentido y firme: inexistencia: acción de responsabilidad: inadmisión improcedente. RESPONSABILIDAD PATRIMONIAL DE LA ADMINISTRACION PUBLICA: Acción derivada de acto legislativo: régimen legal: evolución normativa y jurisprudencial; Norma: inconstitucionalidad: responsabilidad de la Administración por acto legislativo; Juego: tasa fiscal: gravamen complementario: Ley 5/1990: inconstitucionalidad: liquidación: responsabilidad patrimonial por acto legislativo: indemnización: cuantía: intereses: procedencia. JUEGO: VOTO PARTICULAR.

FUNDAMENTOS DE DERECHO

PRIMERO. La presente demanda se dirige por la representación procesal de don Ramón B. B., Compañía Operadora Recreativos, SA, New Park Barcelona, SA, Niord Gerona, SA y Videojoc, SL contra el acuerdo del Consejo de Ministros de 18 de septiembre de 1998 (expediente I.937/1997 y acumulados), en el que se resuelve la reclamación formulada por la parte recurrente de indemnización por responsabilidad del Estado legislador, en el sentido de desestimar la solicitud de indemnización.

SEGUNDO. Podemos sentar los siguientes hechos, en los que se funda la petición deducida en la demanda:

1. El 30 de junio de 1990 se publicó en el Boletín Oficial del Estado la Ley 5/1990, de 29 de junio (RCL 1990, 1337 y 1628), sobre Medidas en Materia Presupuestaria, Financiera y Tributaria por la que, entre otras cosas, se creaba (artículo 38.2.2) un gravamen complementario sobre la tasa fiscal que gravaba los juegos de suerte envite o azar, de aplicación a las máquinas recreativas de tipo B, por importe de 233.250 pesetas por máquina, que debía satisfacerse los veinte primeros días del mes de octubre de 1990.

2. En cumplimiento de dicha norma las personas y entidades recurrentes, en su calidad de empresas operadoras, efectuaron ingresos en el tesoro público por importes de 11.196.000 pesetas, ingresadas el 20 de octubre de 1990 (don Ramón B. B.), 17.969.250 pesetas, ingresadas el 20 de octubre de 1990 (Compañía Operadora Recreativos, SA), 16.560.750 pesetas, ingresadas el 19 de octubre de 1990 (New Park Barcelona, SA), 14.228.750

pesetas, ingresadas el 10 de octubre de 1990 (Niord Gerona, SA) y 34.754.250, ingresadas entre el 17 y el 30 de octubre de 1990 (Videojoc, SL).

3. El Tribunal Constitucional dictó sentencia el 31 de octubre de 1996 (RTC 1996, 173) por la que se declaró inconstitucional y nulo el artículo 38.2.2 de la Ley 5/1990, de 29 de junio.

4. Los recurrentes, sin haber utilizado previamente la vía administrativa ni la jurisdiccional, ni como solicitud de ingresos indebidos ni como revisión al amparo del artículo 154 de la Ley General Tributaria (RCL 1963, 2490 y NDL 15243), formularon directamente ante el Consejo de Ministros reclamación de indemnización de daños y perjuicios por responsabilidad patrimonial del Estado.

5. Por acuerdo del Consejo de Ministros de 18 de septiembre de 1998 (expediente I.937/1997 y acumulados), se resolvió desestimar la reclamación sobre la base, en el caso de haber acudido a la vía administrativa y no jurisdiccional, de la no revisabilidad de las situaciones consolidadas, por analogía con el principio que impone la imposibilidad de revisar los procesos fenecidos mediante sentencia con fuerza de cosa juzgada (artículo 40.1 de la Ley Orgánica del Tribunal Constitucional [RCL 1979, 2383 y ApNDL 13575]); de la obligación de la parte recurrente de soportar el perjuicio; de la falta de prueba de que el daño consistente en el pago de un gravamen haya determinado un detrimento efectivo; y del principio de que la responsabilidad debe corresponder a la Administración que aplicó el acto legislativo.

TERCERO. En la sentencia de 29 de febrero de 2000 (RJ 2000, 2730)

hemos resuelto un caso similar al presente y es forzoso, en aras del principio de unidad de doctrina, tener en cuenta lo allí razonado. Recogemos a continuación la doctrina sentada en aquella sentencia, adaptándola a las circunstancias del caso examinado.

Antes de la promulgación de la Ley de Régimen Jurídico de las Administraciones Públicas y del Procedimiento Administrativo (RCL 1992, 2512, 2775 y RCL 1993, 246) común hemos admitido la posibilidad de existencia de responsabilidad patrimonial de la Administración como consecuencia de la actuación del Estado legislador cuando han existido actuaciones concomitantes de la Administración causantes de un perjuicio singular, aunque éste, de manera mediata, tenga su origen en la Ley.

En la sentencia del Pleno de la Sala Tercera del Tribunal Supremo de 30 de noviembre de 1992 (RJ 1992, 8769), seguida poco después por la de 1 de diciembre del mismo año (RJ 1992, 1069), y más adelante por otras muchas, todas ellas dictadas en relación con la jubilación anticipada de funcionarios públicos establecida por las leyes reguladoras de su respectivo estatuto, se ha considerado que no puede construirse por los tribunales una responsabilidad de la Administración por acto legislativo partiendo del principio general de responsabilidad de los poderes públicos consagrado en el artículo 9.3 de la Norma Fundamental (RCL 1978, 2836 y ApNDL 2875); pero tampoco puede descartarse que pueda existir responsabilidad, aun tratándose de actos legislativos, cuando la producción del daño revista caracteres lo suficientemente singularizados e imprevisibles como para que pueda considerarse intermediada o relacionada con la actividad de la Administración llamada a aplicar la ley.

La sentencia de 5 de marzo de 1993 (RJ 1993, 1623) de esta misma Sala, cuya doctrina ha sido seguida por la de 27 de junio de 1994 (RJ 1994, 4981), entre otras, aun reconociendo que la eliminación de los cupos de pesca exentos de derechos arancelarios derivada del Tratado de Adhesión a la Comunidad Europea (LCEur 1986, 1) podía considerarse producida «incluso, y más propiamente, como consecuencia de las determinaciones del poder legislativo», reconoció en el caso allí enjuiciado la existencia de responsabilidad patrimonial del Estado, por apreciar que los particulares perjudicados habían efectuado fuertes inversiones –que se vieron frustradas– fundados en la confianza generada por medidas de fomento del Gobierno, que a ello estimulaban, plasmadas en disposiciones muy próximas en el tiempo al momento en que se produjo la supresión de los cupos, de tal suerte que existió un sacrificio particular de derechos o al menos de intereses patrimoniales legítimos, en contra del principio de buena fe que debe regir las relaciones de la Administración con los particulares, de la seguridad jurídica y del equilibrio de prestaciones que debe presidir las relaciones económicas.

Como enseñan estas sentencias, bajo el régimen anterior a la Ley de Régimen Jurídico de las Administraciones Públicas y del Procedimiento Administrativo Común sólo cabe apreciar responsabilidad cuando se producen daños o perjuicios en virtud de actos de aplicación de las leyes y existe un sacrificio patrimonial singular de derechos o intereses económicos legítimos que pueden considerarse afectados de manera especial por las actuaciones administrativas

anteriores o concomitantes con la legislación aplicable.

CUARTO. La Ley de Régimen Jurídico de las Administraciones Públicas y del Procedimiento Administrativo común ha venido a consagrar expresamente la responsabilidad de la Administración por actos legislativos estableciendo el artículo 139.3 que «Las Administraciones Públicas indemnizarán a los particulares por la aplicación de actos legislativos de naturaleza no expropiatoria de derechos y que éstos no tengan el deber jurídico de soportar, cuando así se establezca en los propios actos legislativos y en los términos que especifiquen dicho actos». Responde sin duda esta normación a la consideración de la responsabilidad del Estado legislador como un supuesto excepcional vinculado al respeto a la soberanía inherente al poder legislativo.

Se ha mantenido que si la ley no contiene declaración alguna sobre dicha responsabilidad, los tribunales pueden indagar la voluntad tácita del legislador («ratio legis») para poder así definir si procede declarar la obligación de indemnizar. No debemos solucionar aquí esta cuestión, que reconduce a la teoría de la interpretación tácita la ausencia de previsión expresa legal del deber de indemnizar. No es necesario que lo hagamos, no sólo porque la Ley de Régimen Jurídico de las Administraciones Públicas y del Procedimiento Administrativo Común es posterior a los hechos que motivan la reclamación objeto de este proceso, sino también porque, por definición, la ley declarada inconstitucional encierra en sí misma, como consecuencia de la vinculación más fuerte de la Constitución (RCL 1978, 2836 y ApNDL 2875), el mandato de reparar los daños y perjuicios concretos y singulares que su aplicación pueda haber originado, el cual no podía ser establecido «a priori» en su texto. Existe, en efecto, una notable tendencia en la doctrina y en el derecho comparado a admitir que, declarada inconstitucional una ley, puede generar un pronunciamiento de reconocimiento de responsabilidad patrimonial cuando aquélla ocasione privación o lesión de bienes, derechos o intereses jurídicos protegibles.

Este mismo principio ha sido defendido desde tiempo relativamente temprano por nuestra jurisprudencia, separando el supuesto general de responsabilidad del Estado legislador por imposición de un sacrificio singular de aquel en que el título de imputación nace de la declaración de inconstitucionalidad de la ley. La sentencia de esta Sala de 11 de octubre de 1991 (RJ 1991, 7784), además de remitir la responsabilidad por acto legislativo a los requisitos establecidos con carácter general para la responsabilidad patrimonial de la Administración por funcionamiento normal o anormal de los servicios públicos (que la lesión no obedezca a casos de fuerza mayor; que el daño alegado sea efectivo, evaluable económicamente e individualizado; que no exista el deber de soportarlo; y que la pretensión se deduzca dentro del año en que se produjo el hecho que motive la indemnización) y de afirmar que «en el campo del Derecho tributario, es obvio que la responsabilidad del Estado-legislador no puede fundarse en el principio de la indemnización expropiatoria», añade que «el primer hito señalado por el Tribunal Constitucional para la responsabilidad del Estado-legislador ha de buscarse en los efectos expropiatorios de la norma legal. Pero con ello no queda agotado el tema. Ciertamente, el Poder Legislativo no está exento de sometimiento a la Constitución y sus actos –leyes– quedan bajo el imperio de tal Norma Suprema. En los casos donde la Ley vulnere la Constitución, evidentemente el Poder Legislativo habrá conculcado su obligación de sometimiento, y la antijuridicidad que ello supone traerá consigo la obligación de indemnizar. Por tanto, la responsabilidad del Estado-legislador puede tener, asimismo, su segundo origen en la inconstitucionalidad de la Ley».

La determinación del título de imputación para justificar la responsabilidad del Estado legislador por inmisiones legislativas en la esfera patrimonial (que ha vacilado entre las explicaciones que lo fundan en la expropiación, en el ilícito legislativo y en la teoría del sacrificio, respectivamente) ofrece así una especial claridad en el supuesto de ley declarada inconstitucional.

QUINTO. Ciertamente, se ha mantenido que la invalidación de una norma legal por adolecer de algún vicio de inconstitucionalidad no comporta por sí misma la extinción de todas las situaciones jurídicas creadas a su amparo, ni tampoco demanda necesariamente la reparación de las desventajas patrimoniales ocasionadas bajo su vigencia. Para ello se ha recordado que los fallos de inconstitucionalidad tienen normalmente eficacia prospectiva o «ex nunc» (los efectos de la nulidad de la Ley inconstitucional no vienen definidos por la Ley Orgánica del Tribunal Constitucional «que deja a este Tribunal la tarea de precisar su alcance en cada caso» [sentencia del Tribunal Constitucional 45/1989 (RTC 1989, 45), fundamento jurídico 11]).

SEXTO. Ello nos da pie para resolver la objeción opuesta por el abogado del Estado, en el sentido de que las declaraciones del Tribunal Constitucional sobre inconstitucionalidad de una ley no afectan a la cosa juzgada, (salvo, por mandato legal, a la cosa juzgada penal o sancionadora) y este principio afecta también a los tributos, pues el artículo 40.2 de la Ley Orgánica del Tribunal Constitucional es coincidente con el artículo 158 de la Ley General Tributaria, el cual establece que no serán en ningún caso revisables los actos administrativos confirmados por sentencia judicial firme.

El Tribunal Constitucional en Pleno, en sentencia de 2 de octubre de 1997, número 159/1997 (RTC 1997, 159), considera, ciertamente, que la declaración de inconstitucionalidad que se contiene en la sentencia del Tribunal Constitucional 173/1996 (RTC 1996, 173), que declaró inconstitucional y nulo el artículo 38.2.2 de la Ley 5/1990, de 29 de junio, no permite, según el Tribunal, revisar un proceso fenecido mediante sentencia judicial con fuerza de cosa juzgada en el que antes de dictarse aquella decisión se ha aplicado una ley luego declarada inconstitucional. No estando en juego la reducción de una pena o de una sanción, o una exclusión, exención o limitación de la responsabilidad, que son los supuestos exclusivamente exceptuados por el art. 40.1 de la Ley Orgánica del Tribunal Constitucional, la posterior declaración de inconstitucionalidad del precepto no puede tener consecuencia sobre los procesos terminados mediante sentencia con fuerza de cosa juzgada (sentencias del Tribunal Constitucional 45/1989 [RTC 1989, 45], 55/1990 [RTC 1990, 55] y 128/1994 [RTC 1994, 128]).

SEPTIMO. Esta Sala estima, sin embargo, en la sentencia que sirve de precedente a ésta, que la acción de responsabilidad ejercitada es ajena al ámbito de la cosa juzgada derivada de la

sentencia, pues la sentencia firme dictada, al no corregir el perjuicio causado por el precepto inconstitucional mediante el planteamiento de la cuestión de inconstitucionalidad a la que acudieron otros tribunales, consolidó la actuación administrativa impugnada.

En el caso examinado no hubo siquiera sentencia firme, pues los recurrentes consintieron las autoliquidaciones que presentaron siguiendo el mandato de la ley vigente, luego declarada inconstitucional, y cuando se puso de manifiesto el perjuicio causado, mediante la declaración de inconstitucionalidad de la ley, hicieron uso de la oportuna acción de responsabilidad ante el Consejo de Ministros.

En el caso examinado, por las mismas razones que en aquella sentencia se tuvieron en consideración, la acción de responsabilidad ejercitada es ajena a la firmeza del acto administrativo.

OCTAVO. Podría sostenerse que las partes recurrentes están obligadas a soportar el perjuicio padecido por no haber en su momento recurrido las autoliquidaciones en vía administrativa. De prosperar esta tesis, el daño causado no sería antijurídico, pues, como expresa hoy el artículo 141.1 de la Ley de Régimen Jurídico de las Administraciones Públicas y del Procedimiento Administrativo Común sólo serán indemnizables las lesiones producidas al particular provenientes de daños que éste no tenga el deber jurídico de soportar de acuerdo con la Ley.

Esta Sala, sin embargo, estima que no puede considerarse una carga exigible al particular con el fin de eximirse de soportar los efectos de la inconstitucionalidad de una ley la de recurrir un acto adecuado a la misma fundado en que ésta es inconstitucional. La Ley, en efecto, goza de una presunción de constitucionalidad y, por consiguiente, dota de presunción de legitimidad a la actuación administrativa realizada a su amparo. Por otra parte, los particulares no son titulares de la acción de inconstitucionalidad de la ley, sino que únicamente pueden solicitar del Tribunal que plantee la cuestión de inconstitucionalidad con ocasión, entre otros supuestos, de la impugnación de una actuación administrativa. Es sólo el tribunal el que tiene facultades para plantear «de oficio o a instancia de parte» al Tribunal Constitucional las dudas sobre la constitucionalidad de la ley relevante para el fallo (artículo 35 de la Ley Orgánica del Tribunal Constitucional).

La interpretación contraria supondría imponer a los particulares que pueden verse afectados por una ley que reputen inconstitucional la carga de impugnar, primero en vía administrativa (en la que no es posible plantear la cuestión de inconstitucionalidad) y luego ante la jurisdicción contencioso-administrativa, agotando todas las instancias y grados si fuera menester, todos los actos dictados en aplicación de dicha ley, para agotar las posibilidades de que el tribunal plantease la cuestión de inconstitucionalidad. Basta este enunciado para advertir lo absurdo de las consecuencias que resultarían de dicha interpretación, cuyo mantenimiento equivale a sostener la necesidad jurídica de una situación de litigiosidad desproporcionada y por ello inaceptable.

NOVENO. El deber de soportar los daños y perjuicios padecidos por la ley declarada inconstitucional no puede tampoco deducirse del hecho de que puedan o no haber transcurrido los plazos de prescripción establecidos para el derecho a reclamar los ingresos indebidos o para el ejercicio de las acciones encaminadas a lograr la nulidad del acto tributario de liquidación. En efecto, la reclamación presentada es ajena a dichos actos, en la medida en que no pretende la nulidad de la liquidación ni la devolución de ingresos indebidos por parte de la Administración que ha percibido la cantidad ingresada, sino la exigencia de responsabilidad patrimonial del Estado por funcionamiento anormal en el ejercicio de la potestad legislativa. En materia de responsabilidad patrimonial de las Administraciones públicas, cuyo régimen es aplicable a la responsabilidad del Estado legislador, rige exclusivamente el plazo de prescripción de un año establecido por el artículo 40 de la Ley de Régimen Jurídico de la Administración del Estado (RCL 1957, 1058, 1178 y NDL 25852) y hoy por el artículo 139 Ley de Régimen Jurídico de las Administraciones Públicas y del Procedimiento Administrativo Común. Este plazo, según ha declarado reiteradamente la jurisprudencia, comienza a computarse a partir del momento en que se completan los elementos fácticos y jurídicos que permiten el ejercicio de la acción, con arreglo a la doctrina de la «actio nata» o nacimiento de la acción. Resulta evidente que el momento inicial del cómputo, en el caso contemplado, no puede ser sino el de la publicación de la sentencia del Tribunal Constitucional que, al declarar la nulidad de la ley por estimarla contraria a la Constitución, permite por primera vez tener conocimiento pleno de los elementos que integran la pretensión indemnizatoria y, por consiguiente, hacen posible el ejercicio de la acción. En consecuencia, es dicha publicación la que determina el inicio del citado plazo específicamente establecido por la ley para la reclamación por responsabilidad patrimonial dirigida a las Administraciones públicas.

Tampoco, puede, finalmente, anudarse la existencia de un supuesto deber de soportar los daños y perjuicios padecidos por la aplicación de la ley declarada inconstitucional al principio de seguridad jurídica. Este principio, en efecto, tal como se infiere de la doctrina del Tribunal Constitucional, que lo aplica al ámbito tributario en relación con la devolución de los ingresos de esta naturaleza realizados al amparo de una ley declarada inconstitucional (v. gr., sentencia 45/1989 [RTC 1989, 45]) afecta al ingreso tributario en sí mismo, al acto administrativo en cuya virtud éste ha tenido lugar y a la Administración que lo ha percibido dentro de un sistema tributario que se rige por un principio de equilibrio entre ingresos y gastos. Sin embargo, dicho principio no puede extraerse de este contexto, para acudir a exonerar al Estado por los daños y perjuicios originados por su actuación legislativa. En efecto, dicha actuación es ajena y de naturaleza distinta a la actividad administrativa tributaria sobre la que aquel principio se proyecta en su formulación por el Tribunal Constitucional. El resarcimiento de los daños causados por la aplicación de la ley inconstitucional no equivale a la devolución de los ingresos realizados, la cual puede corresponder a un ente diferente. El Estado, en su vertiente de legislador responsable de los perjuicios causados a los particulares, es un ente ajeno a la Administración concreta a quien corresponde la gestión tributaria amparada en la ley declarada inconstitucional y, mientras la Administración responsable será siempre en este caso la Administración del Estado, la Administración gestora en el ámbito tributario puede haber sido la autonómica, como en el caso examinado, u otra de distinto carácter.

DÉCIMO. Concurren, pues, los requisitos para que declaremos la obligación de la Administración del Estado de indemnizar los perjuicios ocasionados por la aplicación de la norma declarada inconstitucional.

La indemnización debe comprender, al igual que hemos decidido en la sentencia que sirve de precedente a la presente, el importe de lo indebidamente ingresado a favor de las arcas públicas, es decir, las cantidades de 11.196.000 pesetas a favor de don Ramón B. B., 17.969.250 pesetas a favor de Compañía Operadora Recreativos, SA, 16.560.750 pesetas a favor de New Park Barcelona, SA, 14.228.750 pesetas a favor de Niord Gerona, SA y 34.754.250 pesetas a favor de Videojoc, SL.

En la demanda se solicita también que se incluyan los gastos sufridos por los recurrentes, los cuales se pide que sean determinados en ejecución de sentencia. Sin embargo no se ha probado a lo largo del proceso la existencia de dichos concretos gastos. Por ello no es procedente, según constante jurisprudencia, diferir al período de ejecución de sentencia su determinación, pues este mandato sólo es admisible cuando se ha probado su existencia y queda sólo pendiente de determinación su cuantía. La demanda debe, pues, ser desestimada en este punto.

UNDÉCIMO. Esta Sala, sin embargo, en aras del principio de total indemnidad que preside el Derecho de la responsabilidad, viene considerando, junto con el abono de intereses (sentencia de 20 de octubre de 1997 [RJ 1997, 7254]), como uno de los instrumentos adecuados para hacer efectivo el principio de indemnidad que palpita tras la institución de la responsabilidad patrimonial de la Administración la consideración de la obligación pecuniaria de resarcimiento como una deuda de valor, que lleva a fijar la cuantía de la deuda actualizada al momento de su determinación o fijación, y no al momento de producción del daño (sentencias de 15 de enero de 1992 [RJ 1992, 557] y 24 de enero de 1997 [RJ 1997, 739]).

Otro de los procedimientos admitidos jurisprudencialmente para lograr la total indemnidad es el hoy consagrado por el artículo 141.3 de la Ley de Régimen Jurídico de las Administraciones Públicas y del Procedimiento Administrativo Común, con arreglo al cual la cuantía de la indemnización se calculará con referencia al día en que la lesión efectivamente se produjo, sin perjuicio de su actualización a la fecha en que se ponga fin al procedimiento de responsabilidad con arreglo al índice de precios al consumo, fijado por el Instituto Nacional de Estadística, y de los intereses que procedan por demora en el pago de la indemnización fijada, los cuales se exigirán con arreglo a lo esta-

blecido en la Ley General Presupuestaria (RCL 1988, 1966 y 2287).

Vista la solicitud de la demanda en el sentido de que se reconozcan los intereses de la cantidad objeto de la indemnización, la Sala considera procedente acogerse a este mecanismo de actualización del valor de la deuda y, consiguientemente, entiende que procede añadir al importe que en cada caso debe satisfacerse como indemnización el importe de los intereses legales de la cantidad desde el día de su ingreso.

DUODECIMO. Debe estarse a lo dispuesto en materia de costas por el artículo 131 de la Ley de la Jurisdicción Contencioso-Administrativa de 27 de diciembre de 1956 (RCL 1956, 1890 y NDL 18435), aplicable a este proceso por razones temporales y, en consecuencia, declarar que esta Sala no aprecia circunstancias que justifiquen una condena en costas.

VOTO PARTICULAR

Voto particular que formula el Magistrado Ponente don Juan Antonio Xiol Ríos a la sentencia dictada en el recurso número 567/1998.

Con todo respeto a mis colegas me considero obligado a formular voto particular a la sentencia en la que, como ponente, he expuesto el parecer de la Sección:

Las razones en que se funda mi opinión discrepante, favorable a la desestimación del recurso, son las siguientes:

1. La importancia de la doctrina sentada aconsejaba que se reuniese el Pleno de la Sala (art. 197 LOPJ (RCL 1985, 1578, 2635 y ApNDL 8375)).

2. El principio de seguridad jurí-

dica se opone, como criterio general, al reintegro de ingresos tributarios firmes en virtud de Ley declarada inconstitucional (STC 45/1989 [RTC 1989, 45], F. 11). El principio de seguridad jurídica (art. 9.3 CE [RCL 1978, 2836 y ApNDL 2875]) obliga a soportar los daños y perjuicios que el ordenamiento impone para su efectividad. Dichos daños y perjuicios no son, en consecuencia, indemnizables (art. 141.1 LRJ-PAC (RCL 1992, 2512, 2775 y RCL 1993, 246)), en contra del criterio mantenido por la mayoría de la Sección.

3. Una excepción se da en el supuesto contemplado en la sentencia de 29 de febrero de 2000 (RJ 2000, 2730) –en la que también he sido ponente–, en el que por sentencia firme se había con-

firmado la liquidación tributaria sin plantear cuestión de inconstitucionalidad. Aunque en nuestra sentencia no se dijera expresamente así, puede apreciarse un error judicial objetivo y sobrevenido, consistente en aplicar una ley luego declarada inconstitucional. El error judicial constituye uno de los supuestos de excepción a la eficacia de la cosa juzgada en el ámbito de la responsabilidad patrimonial [art. 203.1 f) LOPJ].

4. Pueden plantearse otros supuestos en que el reintegro no afecta a la seguridad jurídica. Siempre resultaría excluido el caso contemplado, en que la parte no hizo protesta alguna de disconformidad con el ingreso, no solicitó la devolución de ingresos indebidos y no formuló reclamación alguna, en vía administrativa ni jurisdiccional, hasta que tuvo conocimiento de la sentencia del Tribunal Constitucional, transcurrido largamente el plazo de cuatro años de prescripción de las deudas tributarias y del derecho al reintegro de los ingresos indebidos (art. 64 LGT [RCL 1963, 2490 y NDL 15243]).

5. Existe una discrepancia respecto a la sentencia precedente que no se justifica satisfactoriamente. En aquélla se pone énfasis en el hecho de que la parte recurrente agotó todos los recursos para hacer valer la inconstitucionalidad de la ley a la que se imputa el perjuicio hasta obtener una sentencia firme desfavorable. En ésta de la que disiento no se reconoce relevancia a la ausencia de este requisito.

4

SENTENCIA 15 JULIO 2000

(RJ 2000, 7423)

Recurso contencioso-administrativo núm. 736/1997
Sala de lo Cont.-Adm., Sección 6
Ponente: Sr. D. Jesús Ernesto Peces Morate

RESPONSABILIDAD PATRIMONIAL DE LA ADMINISTRACION: Derivada de acto legislativo: declarado inconstitucional: efectos: sobre los actos administrativos adoptados a su amparo: distinción: sobre si se interpuso acción en tiempo y forma o no: en el primer caso sólo procede la acción por responsabilidad patrimonial: en el segundo podría intentarse la declaración de nulidad: sin que pueda compelerse al interesado al efecto: quien está facultado para la formulación directa de la acción indemnizatoria: doctrina jurisprudencial.
JUEGO: Máquinas recreativas: gravamen complementario: para las máquinas de la clase B: precepto declarado inconstitucional: indemnización: procedencia: determinación de la cuantía.

FUNDAMENTOS DE DERECHO

PRIMERO. En este proceso se ha planteado idéntica cuestión a la resuelta por esta misma Sala y Sección del Tribunal Supremo en sus Sentencias de 29 de febrero de 2000 (RJ 2000, 2730) (recurso 49/1998) y 13 de junio de 2000 (RJ 2000, 5939) (recurso 567/ 1998), si bien en la última se profundiza en las consecuencias patrimoniales que para el Estado tiene la declaración de inconstitucionalidad de una ley, por más qué razones de seguridad jurídica impidan revisar los procesos fenecidos por sentencia con fuerza de cosa juzgada, según establece expresamente el artículo 40.1 de la Ley Orgánica del Tribunal Constitucional 2/1979, de 3 de octubre (RCL 1979, 2383 y ApNDL 13575).

Tal invariabilidad de las situaciones jurídicas, creada por la cosa juzgada, justifica que la única vía para conseguir la reparación de los daños y perjuicios antijurídicos, causados por disposiciones o actos dictados en aplicación del precepto legal declarado inconstitucional, sea el ejercicio de una acción por responsabilidad patrimonial derivada de actos del legislador, siempre que se haga valer, como expresamos en las aludidas Sentencias, dentro del plazo establecido, que se computará a partir de la fecha de publicación de la sentencia que declare la nulidad de la ley por ser contraria a la Constitución.

No parece necesario abundar en razones explicativas de la antijuridicidad del daño causado por el desembolso de determinadas cantidades en concepto de gravamen complementario sobre la tasa de juego, pues tal abono se produjo exclusivamente en virtud de lo dispuesto por el artículo 38.2.2 de la Ley 5/1990, de 29 de junio (RCL 1990, 1337 y 1628), declarado inconstitucional por Sentencia del Tribunal Constitucional 173/1996, de 31 de octubre (RTC 1996, 173), de manera que quienes lo efectuaron no tenían el deber de soportarlo.

En el caso ahora enjuiciado se dan idénticos presupuestos a los contemplados por la primera de las citadas Sentencias, al haber la demandante agotado los recursos en vía administrativa y sede jurisdiccional para obtener la devolución de lo pagado por el aludido gravamen complementario, de manera que sería suficiente con remitirnos a lo declarado en aquella primera sentencia a fin estimar la pretensión formulada en este juicio en cuanto se reclama, entre los conceptos indemnizables, la devolución de lo satisfecho por el gravamen complementario a la Administración de la Comunidad Autónoma de Asturias además de los intereses devengados y abonados por el fraccionamiento del pago en cuatro plazos, y que, según se ha acreditado y admite el propio Abogado del Estado al evacuar el traslado de la prueba documental practicada para mejor proveer, ascendió a la suma total de quinientos sesenta y siete millones setecientas ochenta y ocho mil cuatrocientas seis pesetas (567.788.406 ptas.), ya que, en contra de lo aducido por dicho Abogado del Estado, no procede restar la cantidad de 108.461.250 pesetas, que ordenó restituir la Sentencia de esta Sala (Sección Segunda) de fecha 16 de septiembre de 1998 (recurso de apelación 6285/1992), porque la devolución, que en esta resolución se acuerda, comprende exclusivamente lo pagado por tal concepto en la Comunidad Autónoma de Cantabria, según se desprende de la propia sentencia, mientras que en este pleito se solicita, como hemos dicho, lo abonado por la demandante en la Comunidad Autónoma de Asturias.

Más adelante expondremos también los argumentos por los que no han de incluirse en la indemnización debida otros conceptos pedidos en los escritos de demanda y conclusiones.

SEGUNDO. Es preciso, sin embargo, insistir en el criterio mantenido en nuestra última Sentencia de 13 de junio de 2000 (recurso 567/1998) en el sentido de que el hecho de no haberse agotado los recursos administrativos y jurisdiccionales para obtener la devolución de las cantidades satisfechas en concepto de gravamen complementario no es obstáculo para considerar como antijurídico el daño causado y, por consiguiente, para ejercitar con éxito la acción por responsabilidad patrimonial derivada del acto inconstitucional del legislador, si bien nos parece necesario abordar la cuestión relativa a los efectos invalidantes que sobre las disposiciones y los actos administrativos tiene la declaración de inconstitucionalidad de la ley a cuyo amparo se dictaron, ya que el defensor del Estado ha invocado repetidamente en este proceso la exclusiva eficacia «ex nunc» de las sentencias declarativas de la inconstitucionalidad de una ley salvo cuando la propia sentencia se pronunciase sobre sus efectos retroactivos.

TERCERO. No cabe duda que el planteamiento del Abogado del Estado cuenta con patrocinadores en la doctrina y tiene apoyo en alguna sentencia del Tribunal Constitucional (45/1989, de 20 de febrero [RTC 1989, 45], fundamento jurídico undécimo) y de la Sección Segunda de esta Sala del Tribunal Supremo (26 de diciembre de 1998 [RJ 1998, 10215] –recurso de casación en interés de la ley), aunque ésta reconoce la eficacia «ex tunc» de la declaración de nulidad de pleno derecho de las disposiciones generales.

La interpretación del artículo 40.1 de la Ley Orgánica 2/1979, del Tribunal Constitucional, conduce, a nuestro parecer, a una conclusión distinta, al excepcionarse en él expresa y exclusivamente la eficacia retroactiva de las sentencias declaratorias de inconstitucionalidad de actos o normas con rango de ley respecto de los procesos fenecidos mediante sentencia con fuerza de cosa juzgada salvo los casos de penas o sanciones, de manera que la consecuencia lógica es que en los demás supuestos cabe la revisión.

En nuestra opinión, cuando la propia sentencia del Tribunal Constitucional no contenga pronunciamiento alguno al respecto, corresponde a los jueces y tribunales, ante quienes se suscite tal cuestión, decidir definitivamente acerca de la eficacia retroactiva de la declaración de inconstitucionalidad en aplicación de las leyes y los principios generales del derecho interpretados a la luz de la jurisprudencia, de manera que, a falta de norma legal expresa que lo determine y sin un pronunciamiento concreto en la sentencia declaratoria de la inconstitucionalidad, han de ser los jueces y tribunales quienes, en el ejercicio pleno de su jurisdicción, resolverán sobre la eficacia «ex tunc» o «ex nunc» de tales sentencias declaratorias de inconstitucionalidad.

En apoyo de esta tesis debemos recordar que la propia Ley 30/1992, de 26 de diciembre (RCL 1992, 2512, 2775 y RCL 1993, 246), modificada por Ley 4/1999, de 13 de enero (RCL 1999, 114 y 329), de Régimen Jurídico de las Administraciones Públicas y del Procedimiento Administrativo Común, establece un procedimiento para la revisión de disposiciones y actos nulos de pleno derecho (artículo 102), y, entre las primeras, el artículo 62.2 de la propia Ley incluye las que vulneren la

Constitución (RCL 1978, 2836 y ApNDL 2875), y aunque este precepto no predica tal nulidad de los segundos, salvo que lesionen derechos y libertades susceptibles de amparo constitucional (apartado 1.a), es evidente que si la disposición a cuyo amparo se dicta o ejecuta el acto es nula de pleno derecho, éstos quedan afectados por idéntico vicio invalidante y, por consiguiente, son también radicalmente nulos de pleno derecho, con independencia de qué razones de seguridad jurídica (artículo 9.3 de la Constitución), correcta y debidamente apreciadas, aconsejen mantener los efectos del acto compensándolos con una adecuada reparación, según prevén los artículos 139.2 y 141.1 de la misma Ley de Régimen Jurídico de las Administraciones Públicas y del Procedimiento Administrativo Común, y así lo establece expresamente el artículo 102.4 de esta Ley, con lo que, en definitiva, se viene a sustituir la lógica e inherente consecuencia de la declaración de nulidad radical de un acto o de una disposición por una indemnización siempre que no exista el deber jurídico de soportar el daño o perjuicio causado por ese acto o disposición nulos de pleno derecho.

CUARTO. En nuestro sistema legal, quienes han tenido que satisfacer el gravamen complementario, impuesto por el precepto declarado inconstitucional, después de haber impugnado en vía administrativa y sede jurisdiccional dicho gravamen obteniendo sentencia firme que lo declara conforme a derecho, no tienen otra alternativa, en virtud de lo dispuesto por el artículo 40.1 de la Ley Orgánica 2/1979, del Tribunal Constitucional, que ejercitar, como en este caso ha procedido la entidad demandante, una acción por responsabilidad patrimonial, derivada del acto del

legislador, dentro del plazo fijado por la ley.

Si no hubieran impugnado jurisdiccionalmente las liquidaciones de dicho gravamen complementario, los interesados tienen a su alcance la vía de pedir, **en cualquier momento**, la revisión de tal acto nulo de pleno derecho, como prevé el mencionado artículo 102 de la Ley de Administraciones Públicas y Procedimiento Administrativo Común, y, simultánea o sucesivamente, de no tener éxito dicha revisión, están legitimados para exigir responsabilidad patrimonial derivada de actos del legislador, pero también pueden utilizar directamente esta acción, ya que no cabe imponer a quien ha sufrido un daño antijurídico la vía previa de la revisión de disposiciones y actos nulos de pleno derecho, a fin de dejarlos sin efecto, y sólo subsidiariamente permitirle demandar la reparación o indemnización compensatoria por responsabilidad patrimonial, cuando son las propias Administraciones quienes deben proceder a declarar de oficio la nulidad de pleno derecho de tales disposiciones o actos y el ciudadano descansa en la confianza legítima de que la actuación de los poderes públicos se ajusta a la Constitución y a las leyes.

En síntesis, a la entidad demandante, al estar basada en fuerza de cosa juzgada la declaración de no ser procedente la devolución de lo ingresado por el concepto de gravamen complementario en las arcas de la Comunidad Autónoma de Asturias, no le quedaba otra opción que la ejercitada acción de responsabilidad patrimonial por acto del legislador.

Sin embargo, en los supuestos en que no exista el valladar de la cosa juzgada, cabe instar **en cualquier momento** la revisión del acto nulo de pleno derecho, en virtud de la declaración de inconstitucionalidad de la norma en que se basaba, por el procedimiento establecido en la referida Ley de Régimen Jurídico de las Administraciones Públicas y Procedimiento Administrativo Común, sin perjuicio de que, como en el proceso terminado con nuestra Sentencia de 13 de junio de 2000 (recurso 567/1998), el interesado promueva directamente la acción de responsabilidad patrimonial, derivada de actos del legislador, dentro del plazo legalmente establecido.

QUINTO. Entre los perjuicios indemnizables, reclamados en la demanda, no son atendibles los costes de los procesos judiciales seguidos por la demandante para lograr la devolución de las cantidades ingresadas en las arcas públicas por el inconstitucional gravamen complementario, ya que, según hemos declarado en nuestras Sentencias de 2 de febrero de 1993 (RJ 1993, 579), 29 de octubre de 1998 (RJ 1998, 8422) y 18 de marzo de 2000 (RJ 2000, 3077) (recurso de casación 922/1996, fundamento jurídico quinto), el régimen propio para decidir sobre la imposición a los litigantes de las costas procesales impide su reclamación ulterior cuando se ejercita separadamente la acción de responsabilidad patrimonial, lo que no sucede con los gastos habidos en la vía administrativa previa, que no han sido objeto de reclamación en este juicio como se deduce de los documentos aportados al expediente administrativo (folios antepenúltimo a último).

SEXTO. Tampoco procede la indemnización que se reclama por los conceptos de lucro cesante derivado de las máquinas que fueron dadas de baja ni por la pérdida de competitividad, pues ni se ha acreditado ésta ni las máquinas consta que fuesen retiradas del

funcionamiento por razón del gravamen complementario cuando así se hizo con ciento treinta y cinco antes de su vigencia, y por consiguiente, como declaramos en nuestra Sentencia de 29 de febrero de 2000 (RJ 2000, 2730) (recurso 49/1998), no se ha probado que la disminución de los beneficios haya obedecido, en proporción apreciable, a la obligación inesperada de satisfacer el gravamen y sin que aquélla pueda considerarse al margen del riesgo normal de la empresa, que ésta tiene el deber de soportar, cuya conclusión se corrobora por el obtenido aplazamiento de pago, que mermó las consecuencias económicas adversas del aumento de la cuota satisfecha, y con el hecho de que su cuantía definitiva quedó legalmente consolidada con efectos de primero del año siguiente, de manera que, en cualquier caso, el aumento de la tasa desde esta fecha habría generado unos perjuicios análogos que, indudablemente, tiene el empresario dicho deber de soportar, y, por consiguiente, no procede diferir a la fase de ejecución de sentencia, según se ha pedido en conclusiones rectificando lo solicitado en la demanda, la determinación de la cuantía de la indemnización, ya que ésta debe quedar reducida a la cantidad total satisfecha en los cuatro plazos por el gravamen complementario y a los intereses del aplazamiento, que, como expusimos en el fundamento jurídico primero, asciende a la suma de quinientos sesenta y siete millones setecientas ochenta y ocho mil cuatrocientas seis pesetas (567.788.406 ptas.).

SEPTIMO. Es estimable también, y así lo hemos decidido en las mencionadas Sentencias resolutorias de idéntica cuestión, la pretensión de abono de los intereses legales de la cantidad a devolver desde el día que se

Anexo II **5**

efectuaron los respectivos ingresos hasta la fecha de notificación de esta sentencia, en aras del principio de plena indemnidad, reconocido por la jurisprudencia de esta Sala (Sentencias de 14 y 22 de mayo de 1993 [RJ 1993, 3748 y 3788], 22 y 29 de enero y 2 de julio de 1994 [RJ 1994, 59, 260 y 3788], 11 y 23 de febrero y 9 de mayo de 1995 [RJ 1995, 2061, 1280 y 4210], 6 de febrero y 12 de noviembre de 1996 [RJ 1996, 2038 y 9228], 24 de enero, 19 de abril y 31 de mayo de 1997 [RJ 1997, 3233 y 4418], 14 de febrero, 14 de marzo, 10 de noviembre y 28 de noviembre de 1998 [RJ 1998, 2204, 3248, 9526 y 10358], 13 y 20 de febrero, 13 de marzo, 29 de marzo, 29 de mayo, 12 y 26 de junio, 17 y 24 de julio, 30 de octubre y 27 de diciembre de 1999 [RJ 1999, 3015, 3016, 3038, 3241, 7259, 7283, 7638, 7481, 7482, 9567 y 10072] y 5 de febrero de 2000 [RJ 2000, 2171]) y recogido ahora en el artículo 141.3 de la Ley de Régimen Jurídico de las Administraciones Públicas y del Procedimiento Administrativo Común, y, a partir de la notificación de esta nuestra sentencia, se deberá proceder en la forma establecida por el artículo 106.2 y 3 de la Ley 29/1998, de 13 de julio, reguladora de la Jurisdicción Contencioso-Administrativa, aplicable con arreglo a la Disposición Transitoria Cuarta de la misma Ley.

OCTAVO. Al no apreciarse temeridad ni dolo en los litigantes, no procede hacer expresa condena respecto de las costas procesales causadas, según establece el artículo 131.1 de la Ley de esta Jurisdicción de 1956 (RCL 1956, 1890 y NDL 18435), aplicable con arreglo a la Disposición Transitoria Novena de la mencionada Ley 29/1998, de 13 de julio.

5

SENTENCIA 3 MAYO 2007

(RJ 2007, 3689)

Recurso núm. 3578/2003
Sala de lo Cont.-Adm., Sección 6
Ponente: Sra. Dª Margarita Robles Fernández

RESPONSABILIDAD PATRIMONIAL DE LA ADMINISTRACION PUBLICA: Nexo causal: daños derivados del pago de honorarios a tercer perito dilucidador de la valoración de costos efectuada en inspecciones tributarias: no necesidad de la misma derivado de la falta de información del sujeto pasivo: responsabilidad patrimonial inexistente: con independencia de actuación irregular de la administración fiscal en la tramitación del procedimiento.

FUNDAMENTOS DE DERECHO

PRIMERO. Por la representación de Iberia Líneas Aéreas de España, SA, se interpone recurso de casación contra Sentencia dictada el 7 de marzo de 2003 por la Sección Tercera de la Sala de lo Contencioso-Administrativo de la Audiencia Nacional, en la que se desestima el recurso Contencioso-Administrativo interpuesto por aquella contra Resolución del Ministerio de Economía y Hacienda, desestimando la petición de responsabilidad patrimonial, que aquella había formulado por importe de 162.273,27 euros (27.000.000 de pesetas).

La Sala de instancia parte de los siguientes hechos:

"La Inspección de Tributos de la Oficina Nacional de Inspección incoó a la recurrente actas por "ingresos a cuenta del Impuesto sobre la Renta de las Personas Físicas", correspondientes a los años 1993, 1994 y 1995, derivadas de retribuciones en especie satisfechas a los empleados de Iberia y a sus familiares. Como consecuencia de las mencionadas actas, se practicaron tres liquidaciones por importe de 1.634.609.117 ptas. (año 1993); 1.626.159.287 ptas. (año 1994) y 1945.381.886 ptas. (año 1995).

Solicitada por la recurrente la práctica de tasación pericial contradictoria en los términos contemplados en el art. 52 de la Ley General Tributaria (RCL 1963, 2490), el tercer perito valoró las retribuciones en especie en 646.372.294 ptas. (año 1993), 469.242.890 ptas. (año 1994) y 460.839.839 ptas. (año 1995), procediéndose por parte de la Administración a girar nuevas liquidaciones en sustitución de las anteriores, por importes comprensivos de cuotas, intereses y sanciones, de 143.821993 ptas. (año 1993), 137.587.972 ptas. (año 1994) y 127.521.371 ptas. (año 1995).

Dichas liquidaciones fueron recurridas por la actora ante el Tribunal Eco-nómico-Administrativo Central (TEAC) y anuladas por el referido Tribunal en resolución de 9 de marzo de 2001, resolución que ordenó a la Administración la reposición de las actuaciones para que, en su caso, practicara nuevas liquidaciones en los términos expresamente previstos.

Como quiera que la recurrente había tenido que abonar 27.000.000 de ptas. en concepto de honorarios al tercer perito, ya que la tasación practicada por dicho perito había sido superior en un 20% al valor declarado –la actora no había declarado ningún valor–, y las liquidaciones finalmente giradas por la Administración Tributaria habían sido declaradas nulas por el TEAC, con fecha 22 de mayo de 2000 la recurrente dirigió escrito al Ministerio de Hacienda solicitando una indemnización de 27.000.000 de ptas. en concepto de responsabilidad patrimonial del Estado".

Partiendo de tales hechos, la Sala de instancia desestima el recurso con la siguiente argumentación:

"CUARTO.–Para la resolución del presente recurso, se hace obligado recordar que el artículo 52 de la Ley General Tributaria (RCL 1963, 2490), en su redacción dada por la Ley 25/1995, de 20 de julio (RCL 1995, 2178, 2787), establece que el valor de las rentas, productos, bienes y demás elementos del hecho imponible podrán comprobarse por la Administración tributaria con arreglo a los siguientes medios:

a) Capitalización o imputación de rendimientos al porcentaje que la Ley de cada tributo señale o estimación por los valores que figuren en los registros oficiales de carácter fiscal.

b) Precios medios en el mercado.

c) Cotizaciones en mercados nacionales y extranjeros.

d) Dictamen de peritos de la Administración.

e) Tasación pericial contradictoria.

f) Cualesquiera otros medios que específicamente se determinen en la Ley de cada tributo.

El mismo precepto añade en su apartado segundo que el sujeto pasivo podrá en todo caso promover la tasación pericial contradictoria en corrección de los demás procedimientos de comprobación fiscal de valores señalados, dentro del plazo de la primera reclamación que proceda contra la liquidación efectuada sobre la base de los valores comprobados administrativamente o, cuando así estuviera previsto, contra el acto de comprobación de valores debidamente notificado. Acordada la práctica de la tasación pericial contradictoria, si existiera disconformidad de los peritos sobre el valor de los bienes o derechos y la tasación practicada por el de la Administración no excediera en más del 10 por 100 y no fuera superior en 20.000.000 de ptas. a la hecha por el sujeto pasivo, esta última servirá de base para la liquidación. Si la tasación hecha por el perito de la Administración excediera de los límites indicados, deberá designarse un perito tercero.

En cuanto a los honorarios de los peritos, el artículo 52 establece que el perito de la Administración percibirá las retribuciones a que tenga derecho conforme a la legislación vigente. Los honorarios del perito del sujeto pasivo serán satisfechos por éste. Y, cuando la tasación practicada por el tercer perito fuese superior en un 20 por 100 al valor declarado, todos los gastos de la pericia serán abonados por el sujeto pasivo y, por el contrario, caso de ser inferior, se-

rán de cuenta de la Administración y, en este caso, el sujeto pasivo tendrá derecho a ser reintegrado de los gastos ocasionados por el depósito.

El perito tercero podrá exigir que, previamente al desempeño de su cometido, se haga provisión del importe de sus honorarios.

Pues bien, en el supuesto de autos, del expediente administrativo se desprende que con fecha 14 de abril de 2000 el "Inspector Jefe Adjunto-Jefe de la Oficina Técnica" dictó resolución, declarando que la tasación practicada por el tercer perito era superior en un 20% al valor declarado, por lo que los gastos de la pericia debían ser abonados por la recurrente, a cuyo efecto concedió a la misma el plazo de 15 días para justificar el pago. La actora no se opuso a la citada resolución y procedió al pago de los referidos honorarios, pago que ni siquiera cuestionó en el recurso interpuesto contra las liquidaciones finalmente giradas ante el Tribunal Económico-Administrativo Central. Podíamos considerar por ello, que el citado acuerdo del Inspector-Jefe fue consentido por la recurrente.

SÉPTIMO.–Sobre la base de las consideraciones precedentes, en el supuesto de autos no concurren los requisitos necesarios para reconocer a la recurrente el derecho a obtener una indemnización por responsabilidad patrimonial.

En Efecto, no es sólo que de conformidad con el artículo 52.2 de la Ley General Tributaria (RCL 1963, 2490) la recurrente viniera obligada al pago del tercer perito, sino que según la resolución del TEAC que anuló las liquidaciones giradas a la actora, la tasación pericial contradictoria solicitada no fue procedente, por cuanto exigía como "prius" una comprobación administrativa de valores, comprobación que no se pudo llevar a cabo ya que la Inspección, "ante la falta de declaración por parte de la reclamante de las retribuciones en especie satisfechas", se limitó, a efectos de cuantificarlas, "a utilizar los datos suministrados por la propia interesada y los impresos que figuraban en las tarifas oficiales de la misma".

Y fue precisamente el deficiente cumplimiento por la recurrente de su obligación de aportar a la Administración Tributaria la información solicitada, de conformidad con el artículo 111 de la Ley General Tributaria, el que determinó que las liquidaciones giradas fueran anuladas por el TEAC para que se procediera a la reposición de actuaciones, de manera que, "una vez identificados por la obligada tributaria los perceptores de las retribuciones en especie, y cuantificadas las mismas individualmente y por ejercicios", se procediera "a la práctica por el órgano competente las respectivas liquidaciones...".

En definitiva, el incumplimiento por la recurrente de sus deberes de información para con la Administración Tributaria fue determinante para la tramitación del expediente de comprobación de valores, expediente que se llevó a cabo a su instancia y en su beneficio. Y la misma falta de información llevó consigo la anulación de las liquidaciones giradas por parte del TEAC, y el requerimiento a la Administración para que practicara otras nuevas individualizadas.

Debemos concluir, por tanto, que fue el irregular comportamiento de la recurrente, y no la actuación de la Administración, el causante de los perjuicios reclamados, referidos al pago de los honorarios del tercer perito, honorarios

que, conviene insistir, fueron aceptados por la propia actora en vía administrativa".

SEGUNDO. Por la representación de la actora se formulan dos motivos de recurso. El primero al amparo del art. 88.1.d) de la Ley Jurisdiccional (RCL 1998, 1741), por supuesta vulneración de la Disposición Adicional Quinta de la Ley 30/92 (RCL 1992, 2512, 2775 y RCL 1993, 246) y de los arts. 139 y ss. de la misma. Para la recurrente no cabe denegar las consecuencias que se derivan de un expediente de responsabilidad patrimonial, aludiendo al comportamiento del contribuyente, por cuanto se estaría realizando una interferencia improcedente entre el procedimiento tributario y el de responsabilidad patrimonial cuando son dos procedimientos distintos, por tanto entiende que cabe denunciar en este primer motivo de recurso la interferencia entre ambos procedimientos, que en opinión de la recurrente hace la Sala de instancia al excluir la responsabilidad patrimonial, basándose en un incumplimiento por parte de aquella de sus deberes de información con la Agencia Tributaria.

El segundo motivo, al amparo del apartado d) del art. 88.1 de la Ley Jurisdiccional, alega una vulneración del art. 106 de la Constitución (RCL 1978, 2836), y 139 y ss. de la Ley 30/92, puesto que carecerían de efectividad tales preceptos si tuviera que soportar el gasto que se le ha generado con motivo de haber instado la practica de tasación pericial contradictoria y que tuvo que solicitar, al objeto de enervar la valoración de las retribuciones en especie, habiéndosele obligado a tan cuantioso gasto para hacer prevalecer su derecho a la justa aplicación de las normas tributarias, por cuanto caso contrario hubiese prevalecido el criterio del inspector actuario respecto a la expresión "coste para el empleador a que se refieren los arts. 26 y 27 de la Ley 18/91 (RCL 1991, 1452, 23888) " y la anulación de las liquidaciones practicadas por retenciones a costa del IRPF no se hubiese producido de no practicarse la tasación pericial contradictoria.

TERCERO. Importa precisar que la acción que se ejercita en la instancia es en reclamación de responsabilidad patrimonial de la Administración, por lo que no cabe olvidar como dice el Tribunal "a quo" que la responsabilidad de las Administraciones públicas en nuestro ordenamiento jurídico, tiene su base no solo en el principio genérico de la tutela efectiva que en el ejercicio de los derechos e intereses legítimos reconoce el art. 24 de la Constitución (RCL 1978, 2836), sino también, de modo específico, en el art. 106.2 de la propia Constitución al disponer que los particulares en los términos establecidos por la Ley, tendrán derecho a ser indemnizados por toda lesión que sufran en cualquiera de sus bienes y derechos, salvo los casos de fuerza mayor, siempre que sea consecuencia del funcionamiento de los servicios públicos; en el artículo 139, apartados 1 y 2 de la Ley de Régimen Jurídico de las Administraciones Públicas y del Procedimiento Administrativo Común (RCL 1992, 2512, 2775 y RCL 1993, 246), y en los artículos 121 y 122 de la Ley de Expropiación Forzosa (RCL 1954, 1848), que determinan el derecho de los particulares a ser indemnizados por el Estado de toda lesión que sufran siempre que sea consecuencia del funcionamiento normal o anormal de los servicios públicos, y el daño sea efectivo, evaluable económicamente e individualizado, habiéndose precisado en reitera-dísima jurisprudencia que para apreciar la existencia de responsabilidad patrimonial de la Administración son precisos los siguientes requisitos:

a) La efectiva realidad del daño o perjuicio, evaluable económicamente e individualizado en relación a una persona o grupo de personas.

b) Que el daño o lesión patrimonial sufrida por el reclamante sea consecuencia del funcionamiento normal o anormal –es indiferente la calificación– de los servicios públicos en una relación directa e inmediata y exclusiva de causa a efecto, sin intervención de elementos extraños que pudieran influir, alterando, el nexo causal.

c) Ausencia de fuerza mayor.

d) Que el reclamante no tenga el deber jurídico de soportar el daño cabalmente causado por su propia conducta.

Tampoco cabe olvidar que en relación con dicha responsabilidad patrimonial es doctrina jurisprudencial consolidada la que, entiende que la misma es objetiva o de resultado, de manera que lo relevante no es el proceder antijurídico de la Administración, sino la antijuridicidad del resultado o lesión, aunque, como hemos declarado igualmente en reiteradísimas ocasiones es imprescindible que exista nexo causal entre el funcionamiento normal o anormal del servicio público y el resultado lesivo o dañoso producido, cuya concurrencia la Sala de instancia niega en el caso de autos.

Es además doctrina legal reiterada, que la apreciación del nexo causal entre la actuación de la Administración y el resultado dañoso producido, o la ruptura del mismo, es una cuestión jurídica revisable en casación, si bien tal apreciación ha de basarse siempre en los hechos declarados probados por la Sala de instancia, salvo que éstos hayan sido correctamente combatidos por haberse infringido normas, jurisprudencia o principios generales del derecho al valorarse las pruebas, o por haberse procedido, al hacer la indicada valoración, de manera ilógica, irracional o arbitraria. Por lo que se refiere a las características del daño causado, éste ha de ser efectivo, evaluable económicamente e individualizado, siendo solo indemnizables las lesiones producidas provinientes de daños que no haya el deber jurídico de soportar de acuerdo con la ley. La antijuridicidad del daño viene exigiéndose por la jurisprudencia, baste al efecto la referencia a la sentencia de 22 de abril de 1994 (RJ 1994, 2722), que cita las de 19 enero y 7 junio 1988 (RJ 1988, 4603), 29 mayo 1989 (RJ 1989, 3916), 8 febrero 1991 (RJ 1991, 1214) y 2 noviembre 1993 (RJ 1993, 8182), según la cual: "esa responsabilidad patrimonial de la Administración se funda en el criterio objetivo de la lesión, entendida como daño o perjuicio antijurídico que quien lo sufre no tiene el deber jurídico de soportar, pues si existe ese deber jurídico decae la obligación de la Administración de indemnizar" (en el mismo sentido sentencias de 31-10-2000 [RJ 2000, 9384] y 30-10-2003 [RJ 2003, 7973]).

La recurrente en su primer motivo de recurso alega una vulneración de la Disposición Adicional Quinta de la Ley 30/92 (RCL 1992, 2512, 2775 y RCL 1993, 246) y de los arts. 139 y siguientes de la misma, pero dice que lo hace con la finalidad de denunciar unas supuestas interferencias que habría realizado el Tribunal "a quo" entre el procedimiento tributario en su día seguido y el de responsabilidad patrimonial que se sometía a su enjuiciamiento. El mo-

tivo así formulado debe ser desestimado: ninguna duda hay como establece aquella referida Disposición Adicional quinta, que los procedimientos tributarios se regirán por la Ley General de Tributos (RCL 1963, 2490) y por la normativa sobre derechos y garantías de los contribuyentes, así como las leyes propias de los tributos. Fue la tramitación del oportuno procedimiento tributario, la que determinó que una vez concluido este, el TEAC en Resolución de 9 de marzo de 2001 anulase las liquidaciones practicadas.

Sin embargo, ha de señalarse que la Sala de instancia no interfiere tales procedimientos, sino que tiene en cuenta la tramitación de lo actuado en el procedimiento tributario, a los efectos de determinar si concurren o no los requisitos configuradores de la responsabilidad patrimonial de la Administración que se reclama y a ese exclusivo fin concluye que no cabe exigir a la Administración el importe de la cantidad que se solicita, que se corresponde con los honorarios del tercer perito que actuó al amparo de lo dispuesto en el art. 52 de la LGT. La recurrente, en el ámbito del procedimiento tributario, pagó el importe de tales honorarios, y ahora procede a su reclamación ejercitando la acción de responsabilidad patrimonial, alegando que se vio obligada a solicitar aquel dictamen y consiguientemente al pago de los honorarios para fundamentar su pretensión en el procedimiento tributario. Si concurren o no los requisitos definidores de la responsabilidad patrimonial, con la consiguiente vulneración de los arts. 139 y ss. de la Ley 30/92, lo analizaremos en el segundo motivo de recurso en que también se estiman vulnerados tales preceptos, pero el primer motivo ha de ser desestimado por cuanto la Sala de instancia tiene en cuenta las incidencias del procedimiento tributario, no para pronunciarse sobre el mismo, sino exclusivamente para determinar si concurren o no los requisitos definidores de la responsabilidad patrimonial de la Administración.

CUARTO. Como se ha recogido la Sala de instancia excluye la responsabilidad patrimonial de la Administración argumentando para ello en primer lugar que la actora satisfizo en su momento los honorarios del perito, pero que luego no cuestionó tal pago en su recurso ante el TEAC. Ese razonamiento del Tribunal "a quo" no puede ser compartido por cuanto aun cuando ante el TEAC se impugnó sólo el importe de las liquidaciones, ello no excluye que luego en el marco de la acción por responsabilidad patrimonial pueda proceder a la reclamación de los honorarios del perito por entender que fue un pago al que se vio obligada para que sus pretensiones pudiesen ser aceptadas al impugnar las liquidaciones en el ámbito del procedimiento tributario.

No aceptándose tal razonamiento del Tribunal "a quo" que realiza de modo colateral, ha de examinarse si resulta o no adecuada la argumentación de aquel, que considera que fue el incumplimiento por parte de la recurrente de sus deberes de información para con la Administración Tributaria el determinante del expediente de comprobación de valores y por tanto los supuestos perjuicios que se reclaman no podrían imputarse a la Administración.

El TEAC en su Resolución de 9 de marzo de 2001 recoge los siguientes Antecedentes de Hecho:

"PRIMERO.–Con fecha 10 de mayo de 1996, y 17 de octubre de 1997 los servicios de la Oficina Nacional de Inspección procedieron a incoar a la hoy reclamante tres actas previas modelo A.02, números 2056723, 2056732 y 2061896751, por el concepto y períodos citados, en las que, entre otros extremos, se hizo constar que la Compañía había concedido a sus empleados, unas veces de forma gratuita y otras mediante reducción del 90 por 100 o del 50 por 100 del precio normal de mercado, billetes de pasaje para diversos trayectos, conforme a Convenio; que la referida prestación es una retribución en especie según el artículo 26.d) de la Ley del Impuesto (RCL 1991, 1452, 2388) que se valora (art. 27 de la Ley del IRPF) por el coste para el empleador, aun cuando no supongan un gasto real para el mismo; que el único coste que cumple esa premisa es un coste en función de las tarifas de la compañía, bien las normales en el caso de billetes con bonificación en el precio, bien la llamada «mini» para el supuesto de los billetes gratuitos; para hallar el importe de la retribución en especie se ha deducido de dicho coste el importe de lo satisfecho por los empleados; al no haberse declarado dichas retribuciones y haberse manifestado por la interesada, previo requerimiento, la imposibilidad de facilitar la identificación informática de los beneficiarios, se opta por calcular la retribución en especie media por empleado, para ejercicio, dividiendo el importe total de las retribuciones por la plantilla media de empleados; se terminaba por formular propuestas de liquidación, comprensivas de cuotas, intereses y sanciones, de 1.859.474.521 ptas. en 1993, 1.864.693.809 ptas. en 1994 y 1.945.381.886 ptas. en 1995.

SEGUNDO.–Tras el correspondiente trámite, y a la vista de las alegaciones formuladas por la interesada, el 29 de enero de 1997 se dictaron, por la Jefa de la Oficina Técnica, las correspondientes liquidaciones, que fueron notificadas el 5 de febrero de 1997; el 20 de febrero siguiente se presentó ante la ONI escrito por el que la entidad solicitaba tasación pericial contradictoria en relación con el coste que le supone a la misma las citadas retribuciones en especie; admitida dicha petición y tras diversas vicisitudes que no es preciso reseñar aquí, el tercer perito fijó unos valores de las retribuciones en especie de 464.372.294 ptas. (1993), 469.242.890 ptas. (1994) y 460.839.839 ptas. (1995); en consecuencia, con fecha 14 de abril de 2000 se procedió a girar nuevas liquidaciones, en sustitución de las anteriores, por importes, comprensivos de cuotas, intereses y sanciones, de 143.821993 ptas. (1993), 137.587.972 ptas. (1994) y 127.521.371 ptas. (1995).

Partiendo de estos hechos, contiene los siguientes fundamentos jurídicos:

"SEGUNDO.–En primer lugar, y aun siendo cuestión no planteada por el reclamante, debe analizar esta Sala la relativa a la procedencia, o no, en el presente caso, de la práctica de tasación pericial contradictoria; el artículo 52.dos, de la Ley General Tributaria (RCL 1963, 2490)), en la redacción dada al mismo por la Ley 25/1995 (RCL 1995, 2178, 2787)), dispone que: «El sujeto pasivo podrá, en todo caso, promover la tasación pericial contradictoria, en corrección de los demás procedimientos de comprobación fiscal de valores señalados en el número anterior...»; es decir, que la posibilidad de solicitud y, en su caso, práctica de la tasación pericial contradictoria exige, como «prius», una comprobación administrativa de valores, comprobación que no ha existido en el supuesto aquí contemplado puesto que la Inspección, ante la falta de declaración por parte de la

reclamante de las retribuciones en especie satisfechas, se limitó, a efectos de cuantificarlas, a utilizar los datos suministrados por la propia interesada y los importes que figuraban en las tarifas oficiales de la misma. De lo anterior se desprende, a juicio de esta Sala, la improcedencia de la práctica de tasación pericial contradictoria en el presente caso, aun cuando, concedida, deba pasar por ella para no incurrir en «reformatio in peius».

TERCERO.–Se aduce, en primer lugar, infracción de lo establecido en el artículo 53.Tres, del Reglamento del Impuesto (RD 1841/1991 (RCL 1991, 3026)), en la redacción dada al mismo por el RD 753/1992, de 20 de junio (RCL 1992, 1466); dicho precepto dispone que: «Tampoco existirá obligación de efectuar ingresos a cuenta por las retribuciones en especie del trabajo cuyo valor, determinado de acuerdo a lo dispuesto en el apartado uno del artículo 27 de la Ley del Impuesto (RCL 1991, 1452, 23888), no exceda de 50.000 pesetas anuales por perceptor...»; de ello se sigue, a juicio de la reclamante, que, si se toma el importe de las retribuciones en especie fijadas en la valoración del tercer perito para cada ejercicio y se divide entre el número de trabajadores que conformaban la plantilla, resulta que la retribución media en especie por perceptor y año es inferior a las 50.000 ptas. establecidas en el Reglamento, de donde se infiere que no existió obligación de practicar los ingresos a cuenta ahora liquidados. Ahora bien, si la redacción del precepto es clara, no es menos cierto que, por una parte, constan en el expediente diversas diligencias solicitando a la reclamante la aportación de los datos establecidos en el artículo 59 del citado Reglamento, entre los que figura la identificación de los perceptores de las retribuciones en especie, a lo que se contestó aduciendo, simplemente, la complejidad de la obtención de dichos datos incumpliendo así el deber de aportar a la Administración Tributaria la información solicitada (art. 111 LGT [RCL 1963, 2490]), si bien sí se suministró el montante de los billetes cedidos; en segundo término, y como consecuencia de lo anterior, las liquidaciones impugnadas tampoco aclaran el citado extremo; en consecuencia, y a la vista de lo anterior, este Tribunal estima procedente anular las liquidaciones impugnadas y ordenar la reposición de actuaciones para que, una vez identificados por la obligada tributaria los perceptores de las retribuciones en especie, y cuantificadas las mismas individualmente y por ejercicio, se proceda a practicar por el órgano competente las respectivas liquidaciones, teniendo en cuenta que las mismas, en aplicación del principio de interdicción de la «reformatio in peius», no podrán ser superiores a las que ahora se anulan".

El TEAC en la parte dispositiva de esta Resolución, acuerda la anulación de las liquidaciones y la retroacción de las actuaciones para que en su caso se proceda a la practica de otras nuevas.

De la argumentación recogida en dicha resolución, y en cuanto conclusiones relevantes de la misma, no desde la perspectiva del ámbito tributario, sino de determinar si concurren los presupuestos definidores de la responsabilidad patrimonial que se reclama, ha de tenerse en cuenta: A) que la tasación pericial contradictoria, cuyo importe ahora se reclama era desde el punto de vista del procedimiento tributario innecesaria, puesto que la Inspección ante la falta de declaración por parte de la reclamante de las retribuciones en especie satisfechas se limitó a efectos de cuantificarlas a utilizar los datos suministrados por la propia interesada y los importes que figuraban en las tarifas oficiales de la misma. B) que la hoy actora incumplió el deber de aportar a la Administración tributaria la información solicitada (art.111 LGT).

Ciertamente la actuación de la Administración tributaria fue irregular por cuanto indebidamente y con independencia de las razones por las que lo hiciera, optó por calcular la retribución en especie media por empleado para cada ejercicio, tal y como se recoge en la Resolución del TEAC, irregularidad esta que hace que el TEAC acuerde anular las liquidaciones para que se practiquen otras nuevas. Respecto a este pronunciamiento en el ámbito del procedimiento tributario nada podemos decir, pero sí que ha de asumirse la conclusión de la Sala de instancia al entender que no concurren los requisitos definidores de la responsabilidad patrimonial de la Administración. En efecto, la ciertamente irregular actuación de la Administración Tributaria al calcular la retribución en especie por empleado no fue en modo alguno determinante de los concretos prejuicios a cuya reclamación se circunscribe la responsabilidad patrimonial que se formula relativa al pago de los honorarios de un tercer perito cuya tasación no era necesaria por las razones expuestas.

En definitiva pues, y siendo así que la no negada actuación irregular de la Administración Tributaria no fue la causa directa y eficaz de los concretos perjuicios que se reclaman, que además se derivaron de la practica de una diligencia innecesaria, debe concluirse que la sentencia de instancia no vulnera los preceptos que se refieren en el segundo motivo de recurso, que debe también ser desestimado al no ser procedente la responsabilidad patrimonial de la Administración que se instaba.

QUINTO. La desestimación del motivo de recurso interpuesto determina, en aplicación del art. 139 de la Ley Jurisdiccional (RCL 1998, 1741),

la imposición de una condena en costas al recurrente, fijándose en mil euros (1.000 €) la cantidad máxima a repercutir por dicho concepto, por lo que a honorarios de letrado de la contraparte se refiere.

6

SENTENCIA 27 JUNIO 2008

(RJ 2008, 3287)

Recurso de Casación núm. 4568/2004
Sala de lo Cont.-Adm., Sección 6
Ponente: Sr. D. Joaquín Huelin Martínez de Velasco

RESPONSABILIDAD PATRIMONIAL DE LA ADMINISTRACION PUBLICA: Funcionamiento normal o anormal de los servicios públicos: tributos: prescripción del derecho a liquidar la deuda tributaria correspondiente a la contribución territorial urbana: anulación de la liquidación efectuada por la Administración del Estado: falta de nueva liquidación por el Ayuntamiento: régimen transitorio: nexo causal inexistente: indemnización improcedente.

FUNDAMENTOS DE DERECHO

PRIMERO. El objeto de este recurso de casación, como ya hemos indicado en el encabezamiento y en el primer antecedente de hecho, es la sentencia dictada el 18 de marzo de 2004 (JUR 2004, 146102) por la Sección Sexta de Sala de lo Contencioso-Administrativo de la Audiencia Naciona l, desestimatoria del recurso Contencioso-Administrativo número 628/01, interpuesto por el Ayuntamiento de Carreño contra la resolución adoptada por el Ministro de Hacienda el 2 de abril de 2001. Esta decisión administrativa acordó que no había lugar a declarar la responsabilidad patrimonial de la Administración del Estado por los ingresos que la citada corporación municipal

dejó de percibir debido a la pasividad de los órganos tributarios del Estado en los procedimientos instados por la compañía ENSIDESA, que provocó la prescripción del derecho a determinar la deuda a la que debía hacer frente dicha empresa en concepto de contribución territorial urbana del ejercicio 1988, por la ejecución de diversas construcciones en el término municipal de Carreño.

La sentencia de instancia, si bien se separa de la decisión administrativa, en cuanto negó legitimación al Ayuntamiento para reclamar (aunque, a efectos meramente dialécticos, entró en el fondo para desestimar la pretensión), llega a igual solución, negando el derecho porque, a su juicio, los daños son imputables a la corporación local demandante, por no haber denunciado la mora a fin de evitar la prescripción.

El Ayuntamiento de Carreño se alza contra este planteamiento, que considera infractor de los preceptos y de la jurisprudencia que cita en los do s motivos que articula, cuyo contenido hemos resumido en el antecedente segundo de esta sentencia.

SEGUNDO. El debate en esta sede casacional presenta perfiles singulares, pues, para cimentar su recurso, el Ayuntamiento de Carreño utiliza las mismas sentencias que la Audiencia Nacional reproduce para motivar su fallo.

Tales pronunciamientos, dictados por esta Sala del Tribunal Supremo, admiten que, tratándose de tributos locales, también prescribe el derecho de la Administración para liquidar la deuda tributaria si transcurre el plazo señalado por el legislador [cinco años, en virtud del artículo 64 de la Ley 230/1963, de 28 de diciembre (RCL 1963, 2490), General Tributaria (BOE de 31 de diciembre), vigente al tiempo de los hechos del litigio] en sede de gestión o de revisión ante los órganos de la Administración del Estado. En otras palabras, la pasividad de una Administración (la del Estado), a la que se encomienda la gestión y la revisión de los tributos de los que son acreedoras otras (las locales), perjudica a estas últimas, que quedan impedidas para reclamar el pago de una deuda que no existe, si ya se ha extinguido, por prescripción, la potestad para fijarla. En este sentido se han pronunciado, entre otras, las sentencias de 14 de febrero de 1997 (apelación 11198/91 [RJ 1997, 2391], fj4º), 20 de marzo de 1999 (casación 3962/94 [RJ 1999, 2532], fj2º), 15 de marzo de 2000

(casación para la unificación de doctrina 1843/95 [RJ 2000, 2815], fj4º), 1 de abril de 2000 (casación para la unificación de doctrina 4490/95, fj3º), 1 de junio de 2001 (casación para la unificación de doctrina 2757/96 [RJ 2001, 6271], fj3º), 16 de noviembre de 2001 (casación 8363/94 [RJ 2001, 10270], fj2º), 28 de junio de 2002 (casación para la unificación de doctrina 4120/97 [RJ 2002, 6361], fj5º) y 8 de julio de 2002 (casación 3657/9 7, fj2º).

La anterior doctrina gira en torno a dos ideas:

1ª) La inactividad durante el tiempo señalado produce siempre la prescripción, aun cuando el órgano que la provoca pertenezca a una Administración distinta a la que es titular del crédito tributario, pues el reparto territorial de las potestades públicas «no puede alterar la relación esencialmente unívoca entre el ciudadano y el Poder y menos justificar la pérdida de derecho alguno por el administrado que no puede terminar sufriendo el perjuicio de inactividades de otros y de retrasos que le sean ajenos» (sentencia de 8 de julio de 2002, ya citada). Esta solución es la más acorde con el principio de seguridad jurídica, al que sirve, en lo fundamental, el instituto de la prescripción.

2ª) Tal resultado, que lesiona a una Administración (el Ayuntamiento titular del crédito tributario) por la parálisis de otra (la del Estado, a través de los órganos tributarios de gestión, de inspección o de revisión), podía haberse evitado si la Administración local hubiere denunciado la mora; dicho de otra forma, la única manera en la que participa el Ayuntamiento en el retraso que le perjudica es a través de la ausencia de escritos pidiendo la continuación del procedimiento (de nuevo, véase la sentencia citada de 8 de julio de 2002 [RJ 2002, 8236]).

De las dos, la primera idea es la nuclear, la que sustenta la decisión, mientras que la segunda, accesoria, viene a dar respuesta a la paradójica situación de que una persona jurídica resulte perjudicada por la pasividad de otra, indicando que pudo evitar el resultado excitando a esta última para que actuase.

Pues bien, a esta segunda idea, expuesta en abstracto y con carácter general, acude la Sala de lo Contencioso-Administrativo de la Audiencia Nacional para negar al Ayuntamiento de Carreño el derecho a ser indemnizado porque, con su quietud, no denunciando la mora, tuvo una participación relevante en el resultado lesivo, circunstancia que enerva el nacimiento de la responsabilidad que reclama.

TERCERO. Ahora bien, tal idea, decantada en un contexto distinto –el de la prescripción– al que ahora nos ocupa –la eventual responsabilidad por los daños derivados de esa prescripción–, debe concretarse, tanto para este nuevo contexto como, una vez en él, en función de las circunstancias del caso litigioso, a fin de comprobar si realmente el Ayuntamiento recurrente pudo hacer algo para evitar la extinción de la potestad enderezada a liquidar la deuda tributaria y, consecuentemente, el daño patrimonial irrogado.

En el plano más abstracto, cabe recordar que en la época en la que se produjo el devengo (años 1988 y 1989), el tributo litigioso se regía por el Texto Refundido de las disposiciones legales vigentes en materia de régimen local, aprobado por Real Decreto legislativo 781/1986, de 18 de abril (RCL 1986, 1238, 2271, 3551) (BOE de 2 2 y 23 de abril), que lo configuraba como un

ingreso de titularidad de las entidades municipales [artículos 230, apartado 1, letra b), 25 2 y siguientes], cuya gestión e inspección se llevaba a cabo por la Administración estatal, en colaboración con las locales (artículo 230, apartado 2), a través del Centro de Gestión y Cooperación Tributaria [artículo 230, apartado 3, letra b)]. La Ley 38/1988, de 28 de diciembre (RCL 1988, 2607 y RCL 1989, 1851), reguladora de las Haciendas Locales, suprimió este tributo, sin perjuicio del derecho a exigir las deudas devengadas conforme al mismo (disposición transitoria sext a), sustituyéndolo por otro de nueva factura denominado impuesto sobre bienes inmuebles, cuyas liquidación, recaudación y revisión correspondía en exclusiva a los ayuntamientos (artículo 78, apartado 2), atribuyéndose la inspección a los órganos competentes de la Administración del Estado, aunque cabían fórmulas de cooperación (artículo 78, apartado 3).

No obstante aquella competencia municipal, la disposición transitoria undécima de la Ley 38/1988 autorizaba a que, durante los dos primeros años de aplicación del nuevo tributo, las atribuciones municipales «ex» artículo 78, apartado 2, se ejercitasen por la Administración Tributaria del Estado, mediando una previa solicitud del Ayuntamiento interesado (apartado 1). Así las cosas, durante el bienio 1990 y 1991 (pues el nuevo tributo se exigió a partir del 1 de enero de 1990, en virtud de la disposición adicional segunda, apartado 1), cabía que el Estado continuase manejando las riendas de los procedimientos de liquidación, recaudación y revisión de la contribución territorial urbana.

CUARTO. De acuerdo con este marco normativo y descendiendo a la realidad de los hechos del litigio, ha de subrayarse que la Inspección de lo Tributos del Estado liquidó el 4 de junio de 1991 a ENSIDESA, como sujeto pasivo de la contribución territorial urbana, la deuda que había devengado en el segundo semestre de 1988 y en 1989, por cuantía de 25.798.612 pesetas, incluidos los intereses de demora (9.200.032 pesetas correspondiente al segundo semestre de 1988 y 16.598.580 pesetas en 1989). El 4 de julio siguiente, el Ayuntamiento tomó conocimiento de la liquidación e incorporó el crédito a su contabilidad como pendiente de cobro.

El día anterior, la empresa sujeto pasivo había interpuesto reclamación económico-administrativa ante el Tribunal Regional de Asturias, que, con efectos desde el 27 de junio, suspendió la ejecución del acto impugnado al haberse aportado garantía bastante. Esta decisión se notificó el 8 de julio al Ayuntamiento, que no se personó. El expediente fue puesto de manifiesto el 15 de octubre de 1991, presentándose alegaciones por la reclamante el 31 del mismo mes. La reclamación fue estimada en resolución de 19 de junio de 1992, en la que se anuló la liquidación girada por el ejercicio 1988, manteniéndose la de 1999, «sin perjuicio de que se inicien de nuevo las actuaciones referidas al repetido año 1988». El pronunciamiento anulatorio tuvo lugar porque la rectificación propuesta en el curso de la inspección para el ejercicio 1988 debió realizarse en un procedimiento distinto. La mencionada resolución se notificó a la empresa reclamante el 1 de julio de 1992 y al Centro de Gestión Catastral el 3 de julio, sin que se practicara nueva liquidación.

El 10 de junio de 1999 ENSIDESA se dirigió a dicho Centro solicitando

que se declarase la prescripción de la garantía prestada para asegurar la suspensión de la deuda en su día impugnada y el 19 de octubre siguiente formuló igual petición al Ayuntamiento de Carreño, que el 4 de enero de 2000 se inhibió a favor de la Gerencia Territorial del Catastro de Gijón; este organismo, a su vez, dejó la cuestión en manos de la corporación municipal, remitiéndole el expediente de gestión el 23 de febrero.

QUINTO. El anterior relato fáctico deja fuera de lugar la ratio decidendi de la sentencia impugnada, porque el transcurso de plazo de prescripción de la deuda tributaria, que, por cierto, nadie ha declarado formalmente, no acaeció en sede económico– administrativa; por consiguiente, el Ayuntamiento de Carreño, que no fue parte en el procedimiento de revisión, no podía denunciar la mora por la sencilla razón de que no se produjo.

La parálisis administrativa acaeció después, cuando nadie practicó de nuevo una liquidación para el segundo semestre de 1988. En este punto es en el que quiebra la tesis del Ayuntamiento recurrente, porque, si bien hasta 1991 la competencia para practicar esa liquidación pudiera corresponder a la Administración del Estado, lo cierto es que, ya en 1992, la tarea incumbía a la municipal, que nada hizo. El plazo de prescripción empezó a correr en julio de 1992, mes durante el que se notificó a las partes la resolución de la reclamación económico-administrativa, por lo que sólo podía interrumpirlo el Ayuntamiento de Carreño, practicando la correspondiente liquidación; en estas circunstancias, le resulta imputable el eventual perjuicio que padeció por la extinción de la potestad enderezada a la fijación de la deuda tributaria.

El Ayuntamiento argumenta que no fue parte en la reclamación económico-administrativa y que, por consiguiente, no llegó a conocer el contenido de la resolución estimatoria, quedando impedido, por su ignorancia, para proceder a la liquidación que esa resolución permitía. Ahora bien, aun así el resultado lesivo le resulta achacable, al menos en parte, por dos razones. En primer lugar, porque, como se explica a efectos meramente dialéctico en la resolución administrativa impugnada, tuvo conocimiento de la existencia de la reclamación y de la suspensión de la ejecución del acto combatido, sin que, de un lado, se personara para defender los intereses de la comunidad vecinal, como le autorizaba el artículo 33 del Reglament o de procedimiento en las reclamaciones económico-administrativas, aprobado por Real Decreto 1999/1981, de 20 de agosto (RCL 1981, 2126, 2471) (BOE de 9 de septiembr e), entonces vigente, y, de tal modo, tener conocimiento del curso de las actuaciones, y, de otro, ante la supuesta tardanza del Tribunal Económico-Administrativo en decidir, nada hizo para excitar su celo y evitar el transcurso del plazo de prescripción.

En segundo término, porque el ejercicio de potestades públicas, además de con pleno sometimiento a la Ley y al derecho, ha de desarrollarse con objetividad y eficacia [artículos 103, apartado 1, de la Constitución (RCL 1978, 2836) y 6, apartado 1, de la Ley 7/1985, de 2 de abril (RCL 1985, 799, 1372), reguladora de las bases de régimen local (BOE de 3 de abri l)], máxime si se tratan de competencias privativas, en cuyo caso se ejercen bajo la propia responsabilidad (artículo 7, apartado 2, de la citada Ley 7/1985). Los anteriores preceptos exigían del Ayuntamiento de Carreño que, una vez expirado el período transitorio sobre la gestión de la contribución territorial urbana y su sucesor, el impuesto sobre bienes inmuebles, no se desentendiera de la suerte de los expedientes vivos o en curso, impulsando su tramitación hasta hacer efectivos los créditos tributarios de los que fuere titular.

En suma, no se le notificó la decisión de la reclamación económico-administrativa, pero la mínima diligencia como gestor de los intereses públicos debió impulsarle a interesarse sobre la situación del expediente, sin dejar transcurrir el tiempo y prescribir la potestad para liquidar y recaudar la contribución territorial urbana que ENSIDESA estaba obligada a pagar por el segundo semestre de 1988.

No cabe, pues, hablar de la existencia de un daño padecido por el Ayuntamiento de Carreño que sea consecuencia exclusiva del funcionamiento de la Administración del Estado, sino que en el resultado lesivo tuvo que ver su comportamiento, de modo que ahora no puede pretender el resarcimiento de una situación a cuya creación contribuyó, debiendo desestimarse los dos motivos de casación y ratificarse el fallo de la sentencia impugnada.

SEXTO. No habiendo comparecido ninguna parte para oponerse al recurso de casación, no procede hacer pronunciamiento sobre las costas causadas en su tramitación.

7

SENTENCIA 14 JULIO 2008
(RJ 2008, 3432)
Recurso de casación para la unificación de doctrina núm. 289/2007
Sala de lo Cont.-Adm., Sección 6
Ponente: Sr. D. Joaquín Huelin Martínez de Velasco

RESPONSABILIDAD PATRIMONIAL DE LA ADMINISTRACION PUBLICA: Anulación de actos o disposiciones en vía jurisdiccional: indemnización: supuestos en que no procede: desembolso de los honorarios de los abogados que han asistido al administrado en la vía administrativa: requisitos que han de concurrir para considerarlo una lesión antijurídica: inexistencia: indemnización improcedente.

FUNDAMENTOS DE DERECHO

PRIMERO. TINSA interesa que se case y anule la sentencia pronunciada el 27 de febrero de 2007 (JUR 2007, 93884) por la Sección Sexta de la Sala de lo Contencioso-Administrativo de la Audiencia Nacional, en el recurso 67/06, porque contradice la doctrina contenida en las dictadas por la propia Sección los días 18 de septiembre (JUR 2006, 283032) y 9 de octubre de 2002 (JUR 2004, 112612), 22 de septiembre (JUR 2004, 84627) y 19 de noviembre de 2003 (JUR 2004, 144634) y 30 de noviembre de 2005 (JUR 2006, 243993), en los recursos Contencioso-Administrativos 241/00, 267/00, 453/00, 207/03 y 415/03, respectivamente. Hace valer otras dos más, de 10 de febrero (JUR 2006, 119742) y 19 de mayo de 2006 (JUR 2006, 183440), recaídas en los recursos 549/03 y 27/05, que también han de ser objeto de consideración, pues en su momento interesó certificación de las mismas.

Las siete sentencias que esgrime resuelven, como la recurrida, reclamaciones deducidas, al abrigo de los artículos

106, apartado 2, de la Constitución (RCL 1978, 2836) y 139 y concordantes de la Ley 30/1992 (RCL 1992, 2512, 2775 y RCL 1993, 246), por sujetos pasivos tributarios que pretendían ser resarcidos con el importe de las minutas que satisficieron para impugnar, con éxito, determinados actos tributarios en la vía administrativa, ya fuese en la de gestión ya en la económico-administrativa de revisión. No obstante debemos excluir las de 22 de septiembre de 2003 (recurso 453/00) y 10 de febrero de 2006 (recurso 549/03), porque desestimaron la pretensión actora debido a que no se había acreditado el efectivo abono de los honorarios, circunstancia introductora de una nota diferencial que impide considerar presente la identidad fáctica irrenunciable para que puedan franquearse las puertas de esta modalidad extraordinaria de casación, conforme a lo dispuesto en el artículo 96, apartado 1, de la Ley 29/1998 (RCL 1998, 1741) [véanse, por todas, las sentencias de esta Sala de 24 de mayo de 1999 (2725/94 [RJ 1999, 3619], F. 2°), 26 de mayo de 1999 (4379/94 [RJ 1999, 3621], F. 2°), 26 de julio de 1999 (6329/93 [RJ 1999, 6388] F. 2°) y 1 de abril de 2008 (200/07 [RJ 2008, 2381], F. 1°)].

Respecto de las otras cinco no cabe duda de que concurren las coincidencias requeridas, pues abordan la misma cuestión en relación con justiciables en idéntica situación y en mérito a hechos, fundamentos y pretensiones sustancialmente iguales, como exige el referido artículo 96, apartado 1, de la Ley de esta jurisdicción. También resulta indudable la contradicción existente, no sólo porque este quinteto de pronunciamientos accedan a la pretensión indemnizatoria en relación con el desembolso por gastos de asesoramiento jurídico, mientras que la impugnada la desestima, sino porque esta última lo proclama así, indicando al iniciar el fundamento cuarto que, junto con otras dos sentencias dictadas el 18 de julio de 2006 (JUR 2006, 245649) (recursos 626/03 y 368/094), se aparta de la doctrina mantenida tradicionalmente por la Sala sobre la cuestión controvertida.

En consecuencia, constatado el desacuerdo porque los pronunciamientos enfrentados resuelven de forma distinta cuestiones sustancialmente iguales, atinentes a administrados en situaciones idénticas, procede que esta Sala solvente la discrepancia, disipe las dudas e indique cuál de las doctrinas enfrentadas es la correcta, cumpliendo así su tarea uniformadora de los criterios jurisprudenciales dispersos y discordantes.

Bien es verdad que la sentencia impugnada, al término de su fundamento quinto, afirma que, en cualquier caso, varias de las partidas reclamadas se corresponden con la minuta de servicios ajenos al litigio o aluden a conceptos indeterminados, pero este razonamiento, introducido a mayor abundamiento y que afecta a la realidad del daño, no oculta que la ratio decidendi se encuentra en la inexistencia de una lesión antijurídica.

SEGUNDO. La tesis tradicional, de la que la sentencia impugnada se separa de forma consciente, sostenía que el contribuyente, si bien no está obligado a actuar bajo dirección letrada ante los órganos de la Administración tributaria, para una adecuada defensa de sus intereses tiene derecho a la asistencia de un profesional si el asunto reviste complejidad. No le son exigibles profundos conocimientos, más aún en materia tributaria, donde la técnica es especialmente compleja e involucra distintas ramas del saber jurídico. Consecuentemente, no puede pedírsele que soporte los gastos causados por tal asistencia cuando su pretensión ha sido completamente estimada.

La nueva línea, en la que se inscribe la sentencia recurrida, precedida por las dos que cita de 18 de julio de 2006 (JUR 2006, 245649) (recursos 626/03 y 368/04) y alguna otra más [sentencia de 22 de marzo de 2005 (recurso 336/02 [JUR 2007, 141364])], estima que no procede considerar antijurídico el detrimento patrimonial sufrido por un ciudadano que retribuye al profesional que le asiste para impugnar un acto de la Administración tributaria por el sólo hecho de su anulación en la vía económico-administrativa y niega tal calificación de antijurídica a los desembolsos por tal concepto realizados para reaccionar frente a un acto que, pese a ser revocado, se mantiene dentro de unos márgenes razonables y razonados. Es decir, según esta segunda posición no basta con la mera anulación para que nazca el deber de reparar, sino que la lesión puede calificarse de antijurídica y, por ende, de resarcible únicamente si concurre un plus consistente en la ausencia de motivación y en la falta de racionalidad del acto administrativo que, a la postre, se expulsa del ordenamiento jurídico.

A juicio de esta Sala, la doctrina correcta es esta segunda.

TERCERO. Podemos ahorrarnos la reproducción de nuestra jurisprudencia sobre la naturaleza objetiva de la responsabilidad patrimonial de las Administraciones públicas y sobre los requisitos que han de confluir para su exigibilidad, de la que las resoluciones judiciales en conflicto dan cumplida cuenta, singularmente el voto particular formulado a la sentencia que revisamos.

En nuestra indagación, dado que nos encontramos ante reclamaciones para recuperar los gastos de asistencia jurídica retribuidos a fin de obtener la revocación de liquidaciones tributarias, debemos considerar como punto de partida que, en virtud del artículo 142, apartado 4, de la Ley 30/1992 (RCL 1992, 2512, 2775 y RCL 1993, 246), heredero del artículo 40, apartado 2, de la Ley de Régimen Jurídico de la Administración del Estado, de 26 de julio de 1957 (RCL 1957, 1058, 1178) (BOE de 31 de julio de 1957), la anulación en la vía administrativa o jurisdiccional de un acto o de una disposición de la Administración no presupone el derecho a indemnización, lo que implica tanto como decir que habrá lugar a ella cuando se cumplan los requisitos precisos. Hay que rechazar, pues, las tesis maximalistas de cualquier signo, tanto las que defienden que no cabe nunca derivar la responsabilidad patrimonial de la Administración autora de un acto anulado como las que sostienen su existencia en todo caso (véase la sentencia de esta Sala y Sección de 5 de febrero

de 1996, casación 2034/93 [RJ 1996, 987], F. 2º).

Pues bien, nadie discute que en los supuestos analizados por las sentencias en conflicto la Administración tributaria causó un daño patrimonial real, efectivo, evaluable económicamente e individualizado en los administrados, quienes reclamaron en el plazo de un año, conforme preceptúa el artículo 142, apartado 5, de la Ley 30/1992. La discrepancia y el punto de inflexión, determinante del cambio de doctrina y que ha provocado este recurso para su unificación, se encuentra en la apreciación del requisito de la lesión, que ha de ser antijurídica, es decir, en los términos empleados por el legislador, debe tratarse de un daño que los particulares no tengan el deber jurídico de soportar de acuerdo con la Ley (artículo 141, apartado 1, de la Ley 30/1992).

Centraremos, pues, nuestra atención sobre este requisito, que no desdice el talante objetivo de la responsabilidad de las organizaciones públicas, pues el daño jurídicamente no tolerable se independiza de la índole de su actividad, normal o anormal, correcta o incorrecta.

Ya en dicho análisis, la primera conclusión que se ha sentar, sobre la que también existe acuerdo, consiste en que la antijuridicidad de la lesión no desaparece por la circunstancia de que para actuar ante los órganos tributarios de gestión o de revisión no resulte preceptiva la asistencia letrada, planteamiento defendido en repetidas ocasiones por el Consejo de Estado [pueden consultarse entre los más recientes los dictámenes de 19 de junio de 2003 (expediente 971/03, punto IV.C) y 15 de julio de 2004 (expediente 958/04, punto IV)]. Pese a que en la vía económico-administrativa no sea obligada la comparecencia mediante un profesional del derecho [así se deduce del artículo 33 del Reglamento de Procedimiento en las Reclamaciones Económico-Administrativas, aprobado por Real Decreto 391/1996, de 1 de marzo (RCL 1996, 1072, 2005) (BOE de 23 de marzo); igual deducción se obtiene actualmente del artículo 3 del Reglamento general de desarrollo de la Ley 58/2003, de 17 de diciembre (RCL 2003, 2945), General Tributaria, en materia de revisión en vía administrativa, aprobado por Real Decreto 520/2005, de 13 de mayo (RCL 2005, 1069, 1378) (BOE de 27 de mayo)], la complejidad de los procedimientos tributarios, la dificultad intrínseca de las disposiciones que regulan las distintas figuras impositivas y la especialización de los órganos y de los funcionarios que intervienen en las fases administrativas de gestión y de revisión no sólo aconsejan sino que, en la mayoría de los casos, hacen materialmente imprescindible que los contribuyentes comparezcan asesorados por expertos singularmente preparados para la tarea. En otras palabras, los ciudadanos que deciden voluntariamente asistirse de un técnico cuando se enfrentan a los vericuetos de una inspección fiscal y a la liquidación en la que desemboca no siempre quedan constreñidos a soportar los gastos que comporta ese asesoramiento, a veces insoslayable para obtener la anulación pretendida. El propio Consejo de Estado ha acudido en alguna ocasión a la noción de «gastos necesarios» (dictamen de 20 de mayo de 2004, expediente 957/04, punto III).

Ahora bien, desplazándonos al otro extremo del diagrama, tampoco es certera la afirmación de que, habida cuenta de aquella complejidad y siempre que la propia Administración estime sus pretensiones, debe resarcírseles por los emolumentos de abogados, puesto que

la Administración tributaria se encuentra habilitada para comprobar e investigar los hechos imponibles y, si procede, integrar las bases tributarias y practicar las liquidaciones correspondientes [véanse los artículo 109, 110 y 140 de la Ley 230/1963, de 28 de diciembre (RCL 1963, 2490), General Tributaria (BOE de 31 de diciembre); en la misma línea los artículos 115 y 141 de la Ley homónima 58/2003, de 17 de diciembre (BOE de 18 de diciembre)], con el fin de establecer, en defensa de los intereses generales que debe servir con objetividad y efectividad, un sistema tributario justo (artículos 103, apartado 1, y 31, apartado 1, de la Constitución (RCL 1978, 2836)). Y a esta potestad corresponde, como si fuera el envés de la misma moneda, la obligación del contribuyente de colaborar, atendiendo los requerimientos de la Administración, hoy explicitado en el artículo 142 de la Ley citada en segundo lugar. No cabe olvidar que la recepción constitucional del deber de contribuir al sostenimiento de los gastos públicos según la capacidad económica de cada uno configura un mandato que vincula tanto a los poderes públicos como a los ciudadanos, incidiendo en la naturaleza misma de la relación tributaria (sentencia del Tribunal Constitucional 76/1990 [RTC 1990, 76], F. 3º), de modo que para su efectivo cumplimiento resulta irrenunciable la actividad inspectora y de comprobación de la Administración (sentencias del Tribunal Constitucional 110/1984 [RTC 1984, 110], F. 3º, y 76/1990, F. 3º).

En resumen, y de este modo avanzamos hacia la resolución del dilema, cuando un obligado tributario, valiéndose de un asesoramiento específico y retribuido, obtiene de la Administración, bien en la vía de gestión bien en la económico-administrativa, la anulación de un acto que le afecta, ha de soportar el detrimento patrimonial que la retribución comporta si la actuación administrativa frente a la que ha reaccionado se produce dentro de los márgenes ordinarios o de los estándares esperables de una organización pública que debe servir los intereses generales, con objetividad, efectividad y pleno sometimiento a la Ley y al derecho, eludiendo todo atisbo de arbitrariedad (artículos 103, apartado 1, y 9, apartado 3, de la Constitución).

Con este planteamiento no se «subjetiviza» el instituto de la responsabilidad patrimonial de las organizaciones públicas, que sigue haciendo abstracción de todo elemento culpabilístico en la conducta administrativa, sino, muy al contrario, se traslada el debate a un dato de innegable talante objetivo cual es el resultado, indagando su antijuridicidad, nota que viene determinada, antes que por un atributo o una condición de los sujetos que intervienen en la relación jurídica, por la posición que uno de ellos, el lesionado, ocupa frente al ordenamiento jurídico, posición en la que no influyen las caractertístcas de la actuación administrativa a la que se imputa el desenlace, su «normalidad» o su «anormalidad».

CUARTO. Resulta innegable que la precisión de esa ubicación objetiva del sujeto pasivo en el sistema jurídico, que define si está obligado a soportar el daño y, por consiguiente, la condición de este último y el deber de reparación de la Administración «ex» artículo 106, apartado 2, de la Constitución (RCL 1978, 2836), se perfila gracias a elementos de muy diversa factura: unos tienen que ver con la naturaleza misma de la actividad administrativa y otras con las condiciones personales del afectado.

En efecto, el panorama no es igual si se trata del ejercicio de potestades discrecionales, en las que la Administración puede optar entre diversas alternativas, indiferentes jurídicamente, sin más límite que la arbitrariedad que proscribe el artículo 9, apartado 3, de la Constitución, que si actúa poderes reglados, en lo que no dispone de margen de apreciación, limitándose a ejecutar los dictados del legislador. Y ya en este segundo grupo, habrá que discernir entre aquellas actuaciones en las que la predefinición agotadora alcanza todos los elementos de la proposición normativa y las que, acudiendo a la técnica de los conceptos jurídicos indeterminados, impelen a la Administración a alcanzar en el caso concreto la única solución justa posible mediante la valoración de las circunstancias concurrentes, para comprobar si a la realidad sobre la que actúa le conviene la proposición normativa delimitada de forma imprecisa. Si la solución adoptada se produce dentro de los márgenes de lo razonable y de forma razonada, el administrado queda compelido a soportar las consecuencias perjudiciales que para su patrimonio jurídico derivan de la actuación administrativa, desapareciendo así la antijuridicidad de la lesión [véase nuestra sentencia de 5 de febrero de 1996 (RJ 1996, 987), ya citada, F. 3º, rememorada en la de 24 de enero de 2006 (casación 536/02 [RJ 2006, 734]), F. 3ª, que, a su vez, se reproduce en parte por la de la Audiencia Nacional que es objeto del presente recurso de casación para la unificación de doctrina; en igual sentido se manifestaron las sentencias de 13 de enero de 2000 (casación 7837/95 [RJ 2000, 659], F. 2º), 12 de septiembre de 2006 (casación 2053/02 [RJ 2006, 6346], F. 5º), 5 de junio de 2007 (casación 9139/03 [RJ 2007, 4991], F. 2º), 31 de enero de 2008 (casación

4065/03 [RJ 2008, 1347], F. 3º) y 5 de febrero de 2008 (recurso directo 315/06 [RJ 2008, 1351], F. 3º)].

Ahora bien, no acaba aquí el catálogo de situaciones en las que, atendiendo al cariz de la actividad administrativa de la que emana el daño, puede concluirse que el particular afectado debe sobrellevarlo. También resulta posible que, ante actos dictados en virtud de facultades absolutamente regladas, proceda el sacrificio individual, no obstante su anulación posterior, porque se ejerciten con los márgenes de razonabilidad que cabe esperar de una Administración pública llamada a satisfacer los intereses generales y que, por ende, no puede quedar paralizada ante el temor de que, si revisadas y anuladas sus decisiones, tenga que compensar al afectado con cargo a los presupuestos públicos, en todo caso y con abstracción de las circunstancias concurrentes. Esta idea cobra especial fuerza tratándose de la Administración tributaria, a la que el constituyente y el legislador demandan una actitud activa consistente en, como ya hemos apuntado, comprobar, investigar, inspeccionar y, si procede, corregir los hechos de los administrados con trascendencia fiscal. Con esta perspectiva parece evidente la diferencia, a los efectos que nos ocupan, entre, por ejemplo, la situación de un sujeto pasivo que acude al asesoramiento legal para enfrentarse a una liquidación impositiva practicada en el ejercicio de una potestad groseramente prescrita que la del que utiliza el mismo instrumento a fin de discutir otra en la que se eliminan como gastos deducibles los intereses pagados por un establecimiento en España a una sociedad matriz foránea como retribución de la financiación que recibe de ella.

En definitiva, para apreciar si el detrimento patrimonial que supone para un administrado el pago del asesoramiento que ha contratado constituye una lesión antijurídica, ha de analizarse la índole de la actividad administrativa y si responde a los parámetros de racionalidad exigibles. Esto es, si, pese a su anulación, la decisión administrativa refleja una interpretación razonable de las normas que aplica, enderezada a satisfacer los fines para lo que se la ha atribuido la potestad que ejercita.

QUINTO. En la descripción de la posición del administrado frente a una lesión, al objeto de calificarla como antijurídica y, por consiguiente, de resarcible, intervienen también matices personales, que coadyuvan a perfilarla, sin que por ello se introduzca ningún «tinte subjetivista» en la construcción de la responsabilidad patrimonial de las Administraciones públicas. No existe «igualitarismo» en este ámbito, pues ante una misma realidad no todos los sujetos se sitúan en igual posición.

Parece tan evidente que resulta superfluo subrayarlo: no puede equipararse, a los efectos de analizar si queda jurídicamente obligado a hacer frente a la minuta de los profesionales que ha contratado para obtener la razón en la vía administrativa, un sujeto pasivo de un impuesto, persona física, que se relaciona esporádicamente con los órganos tributarios y que, ante un requerimiento, un procedimiento de inspección o una liquidación, se ve obligado a buscar una asistencia letrada ad hoc, con una sociedad, organización compleja, habituada, por su actividad, a entrar en conflicto con la hacienda pública y que, incluso, cuenta en plantilla con profesionales que, llegada la ocasión, intervienen en su defensa o que tiene contratado, en régimen de «iguala», un asesoramiento externo.

Estas condiciones personales, junto con las circunstancias objetivas trazadas en el fundamento anterior, deben ponderarse para inferir, en un caso concreto, si el perjuicio consistente en los tan repetidos honorarios de abogado constituye una lesión patrimonial antijurídica y, por lo tanto, resarcible en virtud del principio que proclama, al más alto nivel (artículo 106, apartado 2, de la Constitución [RCL 1978, 2836]), la responsabilidad patrimonial de las Administraciones públicas.

Desde luego, a juicio de esta Sala resulta rechazable la tesis, sostenida en las sentencias de contraste y que, junto con otras anteriores, la recurrida corrige, conforme a la que obtenida la razón en la vía administrativa, en todo caso y con abstracción de las circunstancias singulares presentes, debe resarcirse al administrado por los derechos que le giran sus abogados, socializando el riesgo y convirtiendo a la Administración pública, vía presupuestaria, en una mutua de riesgos jurídicos. No le falta razón al Abogado del Estado cuando destaca la paradoja que supone aplicar en el ámbito administrativo un principio que el legislador no ha querido para el jurisdiccional, donde la regla general consiste en que cada parte peche con sus gastos, salvo que medie temeridad o mala fe de una de ellas.

En definitiva, la sentencia impugnada responde a las anteriores reflexiones, por lo que contiene la doctrina correcta, cuya aplicación al caso concreto, por tratarse de la valoración de las circunstancias fácticas del litigio, rebasa los límites de un recurso de esta naturaleza, sin que la Sala tenga, por consiguiente, nada que decir sobre el particular. Procede, en suma, declarar que no ha lugar al presente recurso de casación para la unificación de doctrina.

SEXTO. En virtud del artículo 139, apartado 2, de la Ley de esta jurisdicción (RCL 1998, 1741) han de imponerse las costas causadas a la parte recurrente, si bien la Sala, haciendo uso de la facultad que le otorga el apartado 3 de dicho precepto, tiene en cuenta la entidad del recurso y su dificultad para fijar en 3.000 euros el límite de los honorarios del Abogado del Estado.

8

SENTENCIA 10 NOVIEMBRE 2008

(RJ 2008, 6666)

Recurso de Casación núm. 5925/2004
Sala de lo Cont.-Adm., Sección 6
Ponente: Sr. D. Joaquín Huelin Martínez de Velasco

RESPONSABILIDAD PATRIMONIAL DE LA ADMINISTRACIÓN PÚBLICA: Funcionamiento normal o anormal de los servicios públicos: tributos: procedimiento de apremio: ejecución anticipada: indemnización procedente: cuantía: intereses, costas, daños morales: actualización: procedencia: interés legal: procedencia.

FUNDAMENTOS DE DERECHO

PRIMERO. El 25 de febrero de 1991, el Sr. Marcos presentó dos declaraciones complementarias, con solicitud de aplazamiento, correspondientes a los ejercicios 1988 y 1989 del impuesto sobre la renta de las personas físicas, solicitud rechazada mediante acuerdos que se notificaron al interesado el 10 de abril siguiente, a los que se adjuntaron las oportunas providencias de apremio, para que, en el plazo de diez días, ingresara los principales, así como los correspondientes recargos. El día 22 del mismo mes interpuso sendos recursos de reposición, consignando el principal de las deudas en la Caja General de Depósitos y presentando avales bancarios de la «Caixa D'Estalvis Laietana» por los recargos, de modo que quedaran suspendidos los procedimientos de ejecución.

Considerando rechazados ambos recursos por silencio, el Sr. Marcos impulsó dos reclamaciones ante el Tribunal Económico-Administrativo Regional de Cataluña, que, registradas con los números 5484/91 y 5485/91, fueron desestimadas el 14 de octubre de 1992 porque los actos declarativos del apremio resultaban ajustados a derecho en la medida en que las autoliquidaciones complementarias deberían haberse ingresado el mismo día de su presentación. Ambas decisiones fueron ratificadas en alzada por el Tribunal Económico-Administrativo Central en resoluciones de 22 de noviembre de 1996 (recurso 1760/93, correspondiente a la reclamación 5484/91) y de 4 de diciembre del mismo año (recurso 1759/93, derivado de la reclamación 5485/91).

Durante la tramitación de la vía económico-administrativa las actuaciones ejecutivas quedaron en suspenso.

Cerrada dicha vía, el Tribunal Económico-Administrativo Regional de Cataluña remitió los expedientes a la Dependencia Regional de Recaudación: el 31 de mayo de 1997 el correspondiente al recurso de alzada 1760/93 (reclamación 5484/91) y el otro el 17 de septiembre siguiente. El 8 de julio anterior se había notificado al representante del Sr. Marcos un requerimiento de ingreso de las dos liquidaciones y, como quiera que no lo atendió, el 13 de noviembre del mismo año se notificó a la «Caixa D'Estalvis Laietana» otro requerimiento de pago en su condición de avalista del deudor y, por tanto, de responsable solidario. El 20 de noviembre de 1997 dicho avalista ingresó 47.440.756 pesetas (285.124,69 euros), suma de los recargos de apremio de las liquidaciones litigiosas.

El 15 de enero de 1998, el Sr. Marcos presentó dos escritos indicando que, habiéndole sido notificadas el 31 de mayo y el 11 de diciembre de 1997 las resoluciones desestimatorias de los recursos de alzada 1759/93 y 1760/93, respectivamente, había interpuesto sendos recursos Contencioso-Administrativos ante la Sala de la Audiencia Nacional, interesando la suspensión de la ejecución de los actos que combatía, suspensión que en ambos casos había sido decretada.

La Dependencia Regional de Recaudación, tras haberse presentado escrito por la «Caixa D'Estalvis Laietana» renunciando a la devolución de las cantidades pagadas en ejecución de los avales, reintegró al Sr. Marcos la cantidad de 47.440.756 pesetas (2.988.860 del expediente 1759/03 y 44.451.896 del número 1760/03).

Por su parte, la mencionada entidad avalista entabló un juicio ejecutivo contra el Sr. Marcos, reclamándole las cantidades que había pagado a la Dependencia de Recaudación en concepto de recargos. Como consecuencia de este juicio ejecutivo el demandado tuvo que abonar, además de los recargos, 2048.488 pesetas de intereses, 802.892 por costas procesales causadas en la primera instancia del juicio ejecutivo y otras 57.823 por las correspondientes al recurso de apelación que interpuso, cantidades que sumadas arrojan un total de 2.909.203 pesetas (12.564,09 euros).

El 15 de diciembre de 1999, la Administración tributaria aprobó una liquidación provisional de la declaración del impuesto sobre la renta de las personas físicas del Sr. Marcos para el ejercicio 1997, resultando una cuota a pagar de 2080.895 pesetas, más 191.527 de intereses y 1.040.447 de sanción. Esta liquidación fue, en parte, consecuencia de la incorporación a la base imponible del incremento de patrimonio (2.315.064 pesetas) generado por la diferencia entre el valor de adquisición y el de transmisión del fondo de inversión Laidinner-Dis FIAMM, del que el Sr. Marcos era titular y que se vendió el 3 de diciembre de 1997. Según afirma, parte del saldo de su cuenta, denominada «cuenta de aval», fue invertido, sin su conocimiento ni consentimiento, por la entidad avalista, que también, y de igual modo, procedió a su enajenación para generar liquidez.

SEGUNDO.   Con fundamento en los anteriores hechos, el Sr. Marcos reclamó a la Administración una indemnización por responsabilidad patrimonial. En concreto, pidió:

1) 2.909.203 pesetas (17.484,66 euros) por los intereses y las costas del juicio ejecutivo instado por la «Caixa D'Estalvis Laietana»;

2) 20.000.000 de pesetas (120.202,42 euros) por los daños morales y el desprestigio personal, profesional y empresarial derivado de la incoación del mencionado juicio ejecutivo y del subsiguiente embargo de sus bienes; y

3) la parte proporcional de la cuota, los intereses y la sanción derivados de la liquidación practicada por la inspección tributaria para el ejercicio 1997 del impuesto sobre la renta de las personas físicas.

La Administración denegó la pretensión en resolución de 1 de septiembre de 2000, confirmada en reposición el 16 de enero de 2001, resoluciones ambas que la sentencia impugnada ratifica, por considerar roto el nexo causal entre los daños alegados y la actuación de la Administración tributaria.

TERCERO.   Descrito el panorama fáctico en el que se produce la sentencia recurrida, procede dar respuesta a la inadmisión que, por razón de la cuantía, aduce el abogado del Estado. Sostiene el defensor de la Administración que, reclamando 22.909.203 (137.687,08 euros) mas una cantidad imprecisa, que se pudo concretar, se está ante una suma inferior a la del umbral de casación, sin que quepa reputar la demanda de cuantía indeterminada, por expresa prohibición del artículo 42, apartado 2, de la Ley de esta jurisdicción (RCL 1998, 1741).

Esta pretensión preliminar de la Administración debe ser rechazada porque se sustenta en una premisa que no responde a la realidad. Es verdad que en la demanda, el actor se limitó a reproducir las cuantías y los conceptos indemnizatorios articulados en la vía administrativa, adoleciendo el tercero de ellos de la más absoluta vaguedad. Sin embargo, en el escrito de conclusiones concretó de manera definitiva los distintos pedimentos, indicando que por los gastos que le originó la demanda ejecutiva reclama 3.131.804 pesetas (18.822,52 euros), 20.000.000 de pesetas (120.202.42 euros) por daños morales y 3.000.735 pesetas (18.034,78 euros) como consecuencia de la liquidación practicada por la Inspección del impuesto sobre la renta de las personas físicas de 1997. La adicción de tales conceptos alcanza la cantidad de 26.132.539 pesetas (157.059,72 euros), superior al umbral mínimo para acceder al recurso de casación, que también se rebasa si, por el primero (daños provocados por el juicio ejecutivo), se considera como montante reclamado el pedido en la vía administrativa y reproducido en la demanda, inferior al decantado en el escrito de conclusiones.

Así pues, no hay razón para rechazar a limine este recurso por razón de la cuantía.

CUARTO. Llegados a este punto, hemos de precisar que no se discute la realidad de la lesión ni su antijuridicidad, tan sólo se pone en tela de juicio la existencia de relación causal entre la actuación administrativa y los daños originados al actor. La Audiencia Nacional viene a decir (primer párrafo del fundamento cuarto de la sentencia) que el imprescindible nexo entre una y otros quedó roto por la actuación del propio sujeto pasivo tributario o de la entidad que lo avalaba, quienes pudieron anunciar a la Administración su intención de interponer recurso Contencioso-Administrativo cuando se requirió al primero para que ingresara voluntariamente la deuda tributaria o cuando

se notificó a la segunda el inicio de la ejecución de la garantía.

Esta Sala no comparte tal modo de ver las cosas, que puede revisar, pues, partiendo de los hechos declarados probados en la sentencia impugnada, le corresponde controlar su calificación jurídica y, por ello, la apreciación del nexo causal [véanse las sentencias de 5 de mayo de 2000 (Sección Cuarta, casación 5183/94 [RJ 2000, 6724]), F. 2°, y de 11 de abril de 2007 (Sección Segunda, casación 1092/02 [RJ 2007, 4107]), F. 2°].

Ni el sujeto pasivo ni su avalista estaban obligados a hacer aquel anuncio, por la sencilla razón de que la Dependencia de Recaudación sólo podía iniciar el procedimiento de apremio una vez concluido el plazo para interponer el recurso Contencioso-Administrativo, según dispone el artículo 74, apartado 11, del Reglamento de procedimiento en las reclamaciones Económico-Administrativas (RCL 1996, 1072, 2005). Los órganos de recaudación, precipitándose, infringieron la mencionada disposición y actuaron de forma anómala. Así vino a reconocerlo la propia Administración, que ordenó devolver los importes ejecutados. En esta tesitura, la aptitud pasiva del obligado y, en su caso, del avalista no puede considerarse suficiente para romper el nexo causal, pues no parece exigible a un administrado que se anticipe ante un eventual incumplimiento del ordenamiento por parte de la Hacienda y anuncie que va a interponer recurso Contencioso-Administrativo para, así, evitar una actuación apresurada que, en situación normal, no cabe esperar. Los ciudadanos deben confiar en que, habiendo sido suspendida la ejecución en la vía económico-administrativa, los órganos tributarios actuarán sujetándose a la legalidad y que, por consiguiente, no les van a exigir el pago ni abrirán la vía de apremio en tanto no se agote el plazo para interponer el recurso Contencioso-Administrativo.

En las sentencias de 14 de julio (casación para la unificación de doctrina 289/07 [RJ 2008, 3432]) y 22 de septiembre de 2008 (casación para la unificación de doctrina 324/07 [RJ 2008, 4543]) hemos señalado (en ambos casos, fundamentos 3º) que la Administración tributaria, con el fin de satisfacer los intereses generales, con objetividad y efectividad, y servir a un sistema tributario justo (artículos 103, apartado 1, y 31, apartado 1, de la Constitución [RCL 1978, 2836]), se encuentra habilita de singulares potestades para comprobar e investigar los hechos imponibles y, si procede, integrar las bases tributarias y practicar las liquidaciones correspondientes [véanse los artículo 109, 110 y 140 de la Ley 230/1963, de 28 de diciembre (RCL 1963, 2490), General Tributaria (BOE de 31 de diciembre); en la misma línea los artículos 115 y 141 de la Ley homónima 58/2003, de 17 de diciembre (RCL 2003, 2945) (BOE de 18 de diciembre)]. Y a esta potestad corresponde, como si fuera el envés de la misma moneda, la obligación del contribuyente de colaborar, atendiendo los requerimientos de la Administración, hoy explicitado en el artículo 142 de la Ley citada en segundo lugar. No cabe olvidar que la recepción constitucional del deber de contribuir al sostenimiento de los gastos públicos según la capacidad económica de cada uno configura un mandato que vincula tanto a los poderes públicos como a los ciudadanos, incidiendo en la naturaleza misma de la relación tributaria (sentencia del Tribunal Constitucional 76/1990 [RTC 1990, 76], FJ3º), de modo que para su efectivo cumplimiento

resulta irrenunciable la actividad inspectora y de comprobación de la Administración (sentencias del Tribunal Constitucional 110/1984 [RTC 1984, 110], FJ3º, y 76/1990, FJ3º).

Ahora bien, esa singular posición de la Administración tributaria, a la que el constituyente y el legislador demandan una actitud activa consistente en, como ya hemos apuntado, comprobar, investigar, inspeccionar y, si procede, corregir los hechos de los administrados con trascendencia fiscal, y a la que, a tal fin, revisten de potestades exorbitantes, requiere, en franca compensación, que, cuando actúe al margen del derecho o, incluso, fuera de los parámetros de razonabilidad que cabe esperar de una Administración pública llamada a cumplir los intereses generales, deba reparar los daños que cause a los administrados, en virtud del artículo 106, apartado 2, de la Constitución (RCL 1978, 2836) y 139 de la Ley 30/1992, de 26 de noviembre (RCL 1992, 2512, 2775 y RCL 1993, 246), de Régimen Jurídico de las Administraciones Públicas y del Procedimiento Administrativo Común (BOE de 27 de noviembre).

En definitiva, esta Sala considera que hubo un anormal funcionamiento de los órganos tributarios, que origina el deber de reparar los daños irrogados al Sr. Marcos por la ejecución anticipada decretada por la Dependencia de Recaudación en Barcelona.

QUINTO. Sentado lo anterior, procede analizar si los daños cuya reparación pide el recurrente son, realmente, consecuencia de la irregular actuación administrativa que hemos descrito. En este particular, hemos de recordar [véanse, por todas, las sentencias de 4 de octubre de 1999, (casación 5257/95 [RJ 1999, 8539]), F. 4º, y de 3 de mayo de 2007 (casación 4927/03 [RJ 2007, 3402]), F. 4º] que, entre las diversas concepciones con arreglo a las cuales la causalidad puede concebirse, se imponen las que explican el daño por la concurrencia objetiva de factores cuya inexistencia, en hipótesis, lo hubiera evitado.

Pues bien, este modo de acometer el análisis de la relación causal nos permite afirmar que los importes que reclama el Sr. Marcos derivados del juicio ejecutivo (intereses y costas de las dos instancias) son fruto de aquel anómalo acontecer administrativo, ya que, de haber esperado a la interposición del recurso Contencioso-Administrativo y a la notificación de los autos suspendiendo la ejecución de la deuda tributaria, no se hubiera abierto la vía de apremio ni ejecutado el aval, presupuesto del ulterior procedimiento de ejecución instado por «Caixa D'Estalvis Laietana». Esta conclusión no se ve enervada por la circunstancia que el recurrente no atendiera a los llamamientos extrajudiciales que su acreedor le envió a fin de hacer efectiva la deuda, en primer lugar, porque tal circunstancia no niega que la ejecución del aval tuviera origen en la indebida actuación administrativa y, en segundo término, porque no se puede entender quebrado el vínculo causal atribuyendo al sujeto pasivo el deber de evitar el daño pagando una cantidad que ni él ni el avalista nunca debieron abonar. Así pues, por este concepto el recurrente tiene derecho a que se le reintegre la cantidad de 18.822,52 euros, fijada en el escrito de conclusiones, que el abogado del Estado no ha impugnado.

El recurrente reclama también una indemnización por los daños morales derivados del juicio ejecutivo. Sostiene que, como consecuencia del mismo, se le embargaron todos sus bienes, sin excepción, perdiendo su crédito profesional. La sentencia de instancia da por probados tales daños y no podía ser de otra forma, ya que en su ramo de prueba constan documentos acreditativos de ese embargo y de que las entidades financieras con las que trabajaban habitualmente las tres compañías de las que era administrador («Motor Marisma, SA», «Selvauto, SA», y «Mares-Móvil, SA») le negaron una línea de crédito por importe de cincuenta millones de pesetas debido a que sus bienes se encontraban trabados, viéndose obligado a abandonar su cargo en aquellas empresas. La Audiencia Nacional niega la indemnización por este concepto por no justificarse la relación causal entre tales secuelas y la actuación administrativa. Para deshacer este planteamiento basta con remitirnos a lo razonado en el párrafo anterior. Ahora bien, hemos de precisar que la reclamación que efectúa el actor lo es por daño moral no por un quebranto patrimonial o por un lucro cesante, por lo que la cuantificación que realiza de este concepto está fuera de lugar, considerando la Sala que la cantidad prudencial que repara esa lesión moral asciende a 30.000 euros.

Distinta ha de ser, sin embargo, nuestra apreciación sobre el tercer concepto indemnizatorio, el correspondiente a la liquidación girada por la Inspección en concepto de impuesto sobre la renta de las personas físicas de 1997, como consecuencia del incremento patrimonial que obtuvo el Sr. Marcos por la venta de su participación en el del fondo de inversión Laidinner-Dis FIAMM, porque cualquiera que fuera el modo de en que se produjo esa enajenación (con o sin su conocimiento) lo cierto es que dio lugar a una ganancia sujeta a tributación [artículo 5 de la Ley 18/1991, de 6 de junio (RCL 1991,

1452, 2388), del Impuesto sobre la Renta de las Personas Físicas (BOE de 7 de junio), a la sazón vigente], por lo que no cabe considerarlo un daño derivado de la actuación administrativa que analizamos. Y si, olvidando la cuota, nos concentramos en los intereses de demora y en la sanción se hacen presentes únicamente dos hipótesis, en ninguna de las cuales cabe atribuir el daño a los órganos tributarios: la primera, que la venta se hiciera con conocimiento y consentimiento del Sr. Marcos, en cuyo caso la liquidación «paralela» le es imputable, pues no incluyó ese rendimiento en la declaración del ejercicio 1997; la otra, que, como dice, la transmisión se llevara cabo por la entidad avalista a sus espaldas, tesitura en la que la intervención de esa compañía rompe todo posible nexo causal. Por lo demás, no hay nada en los autos que justifique pensar que la disposición del fondo de inversión se realizó para hacer frente al apremio que se encuentra en el origen de la reclamación objeto del proceso Contencioso-Administrativo que ahora conocemos en casación.

En definitiva, debemos casar la sentencia impugnada y, cumpliendo con nuestro deber de resolver el litigio [ar-tículo 95, apartado 2, letra d), en relación con el 88, apartado 1, letra d)], estimamos el recurso Contencioso-Administrativo interpuesto por el Sr. Marcos, anulando el acto administrativo recurrido y reconociendo su derecho a ser indemnizado con 48.822,52 euros, cantidad referida a la fecha en que la lesión se produjo, esto es, cuando se trabaron los embargos en el juicio ejecutivo instado por la «Caixa D'Estalvis Laietana», que deberá ser actualizada conforme a lo dispuesto en el artículo 141, apartado 3, de la Ley 30/1992 (RCL 1992, 2512, 2775 y RCL 1993, 246) y a la que se le añadirá el interés legal, en los términos del artículo 106, apartado 2, de la Ley de esta jurisdicción (RCL 1998, 1741).

SEXTO. La estimación del recurso de casación determina, en aplicación del artículo 139, apartado 2, de la Ley reguladora de esta jurisdicción (RCL 1998, 1741), que no proceda hacer un especial pronunciamiento en cuanto a las costas causadas en su tramitación, sin que, en virtud del apartado 1 del mismo precepto, se aprecien circunstancias de mala fe o de temeridad que obliguen a imponer expresamente a una de las partes las costas de la instancia.

| **9** |

SENTENCIA 28 OCTUBRE 2009

(RJ 2010, 354)

Recurso de Casación núm. 755/2008
Sala de lo Cont.-Adm., Sección 4
Ponente: Sr. D. Segundo Menéndez Pérez

RESPONSABILIDAD PATRIMONIAL DE LA ADMINISTRACION PUBLICA: Reclamación formulada por entidad local al Estado legislador por la pérdida de ingresos derivada de la reforma del Impuesto sobre Actividades Económicas por Ley 51/2002, de 27 diciembre, disp. adic. 10ª:

no constituye un perjuicio antijurídico: deber de la entidad local de soportar la disminución: el derecho que ostenta se limita a percibir los ingresos de naturaleza tributaria que deriven de las normas vigentes en esa materia en cada periodo impositivo.
HACIENDAS LOCALES: CUESTIONES NORMATIVAS Y DOCTRINA GENERAL: problemas sobre la validez o aplicabilidad de determinadas normas: vulneración del principio constitucional de suficiencia financiera: inexistencia.

FUNDAMENTOS DE DERECHO

PRIMERO. La reclamación de responsabilidad patrimonial denegada en la resolución administrativa que la Sala de instancia confirma en su sentencia, se dedujo por el Ayuntamiento del Pla de Santa María, invocando el artículo 139.3 de la Ley 30/1992 (RCL 1992, 2512, 2775 y RCL 1993, 246), por causa de "los ingresos dejados de percibir en concepto de Impuesto sobre Actividades Económicas correspondientes al ejercicio 2003, como consecuencia de la aplicación de la Disposición adicional 10ª de la Ley 51/2002 (RCL 2002, 3053), de Reforma de la Ley 39/1988, de 28 de diciembre (RCL 1988, 2607 y RCL 1989, 1851), Reguladora de las Haciendas Locales ". El fundamento de la reclamación era, en síntesis, que las nuevas exenciones del IAE introducidas por la reforma afectaron en la práctica a un porcentaje muy elevado de contribuyentes, sin que la fórmula de compensación establecida en aquella Disposición adicional cubriera la pérdida real, esto es, la mayor recaudación tributaria que la Corporación Local habría obtenido por ese impuesto en el ejercicio 2003 si hubiera podido aplicar sus elementos definidores vigentes en 2002.

SEGUNDO. Dado que la responsabilidad patrimonial del Estado legislador debe quedar sujeta a un distinto régimen jurídico según que la norma con rango de ley supuestamente causante del perjuicio sea, o no, contraria a la Constitución (RCL 1978, 2836), lo lógico será analizar en primer término la petición de aquel Ayuntamiento de que planteemos cuestión de inconstitucionalidad de la repetida Disposición adicional 10ª, que a juicio de la parte vulnera el principio de suficiencia financiera establecido en el artículo 142 de la Constitución y, por ende, el de autonomía municipal proclamado en sus artículos 137 y 140. Petición que rechazamos, pues las razones y argumentos en que se sustenta no consiguen generar una duda fundada de que dicha Disposición no se acomode al Texto Constitucional.

Es así, porque la misma se dictó, precisamente, con la finalidad de preservar el principio de suficiencia financiera de las entidades locales; y porque tal principio, y su hipotética conculcación, no depende sólo del régimen jurídico establecido para un concreto tributo y sí, más bien, del que regula en su conjunto la Hacienda Local. La parte se fija, exclusivamente, en la disminución de ingresos derivada de la reforma del IAE, sin traer a colación un análisis global de la Ley 51/2002 (RCL 2002, 3053) , pese a que ésta afectó a la totalidad de los impuestos locales e incluso a otras fuentes de ingresos. Ni tampoco trae uno que demuestre lo que realmente importa desde la perspectiva que ahora nos ocupa, que no lo es si la compensación establecida en aquella Disposición adicional cubre en su totalidad la diferencia de ingresos derivados de esa específica fuente del IAE, sino si los cubre hasta el punto de mantener, ella junto con las demás normas modificadas, aquella suficiencia financiera.

TERCERO. Descartado el planteamiento de esa cuestión y abordando a partir de ahí aquella reclamación de responsabilidad patrimonial, compartimos sin reserva alguna la razón jurídica que con todo acierto apreció la Sala de instancia en su sentencia. El perjuicio consistente –sin más aditivos, notas o circunstancias añadidas que lo caractericen de un modo singular– en la menor recaudación obtenida por la vía de un concreto tributo, incluso aunque no llegue a ser compensado a través de otras previsiones, no constituye en sí mismo o por sí sólo un perjuicio antijurídico, sino uno que la Corporación Local tiene el deber jurídico de soportar, pues ésta nunca ha ostentado más derecho que el de percibir los ingresos de naturaleza tributaria que deriven de las normas vigentes en esa materia en cada periodo impositivo.

En el caso que enjuiciamos, en el que nada se añade a la mera alegación de una disminución de ingresos procedentes del IAE insuficientemente compensada con la previsión de aquella Disposición adicional décima, no es ni tan siquiera necesario que nos detengamos haciendo referencias a los títulos de imputación (en especial, el sacrificio singular, o el quebranto de la confianza legítima) que de modo excepcional han abierto en la jurisprudencia el reconocimiento de la controvertida responsabilidad patrimonial por actos del legislador. En él debe primar, por encima de cualquiera otra consideración, la relativa a la licitud de la potestad de innovación normativa que se ejerce con el fin de que no sigan en pie regulaciones que se estiman, en la apreciación de quien la tiene atribuida, inadecuadas para atender las exigencias del interés general.

En esta línea, la naturaleza jurídica de la previsión de aquella Disposición adicional 10ª de la Ley 51/2002 (RCL 2002, 3053) no es, ni tan siquiera, la propia de una indemnización que el legislador establece para reparar un daño cuya antijuridicidad reconoce, sino, más bien, la de un remedio que introduce para una finalidad y por una causa distintas: la de preservar el principio de suficiencia financiera de las entidades locales.

CUARTO. No apreciamos razones sólidas que permitan sostener, como hace la Administración del Estado, que la cuantía del litigio no alcance la mínima exigida para su acceso a la casación, procediendo por tanto rechazar su pretensión de inadmisibilidad del recurso.

QUINTO. La desestimación del motivo de casación alegado comporta la declaración de no haber lugar al recurso interpuesto y la imposición de las costas procesales a la parte recurrente, según establece el artículo 139.2 de la Ley Jurisdiccional (RCL 1998, 1741), si bien, como permite el apartado tercero del mismo precepto, procede limitar su cuantía, por el concepto de honorarios de Abogado de la parte recurrida, a la cifra de dos mil euros, dada la actividad desplegada por aquél al oponerse al indicado recurso.

<table>
<tr><td>

10

</td><td>

SENTENCIA 23 MARZO 2010
(RJ 2010, 4470)
Recurso de Casación núm. 2251/2008
Sala de lo Cont.-Adm., Sección 4
Ponente: Sr. D. Enrique Lecumberri Martí

</td></tr>
</table>

RESPONSABILIDAD PATRIMONIAL DE LA ADMINISTRACION PUBLICA: Inexistencia: anulación por el Tribunal Económico Administrativo regional de Acuerdo dictado por el Delegado de la Agencia Estatal de la Administración Tributaria, por el cual se adoptaron frente a entidad mercantil determinadas medidas cautelares para el aseguramiento de deudas tributarias derivadas del IVA e Impuesto sobre Sociedades: ausencia de prueba propuesta por la mercantil sobre la existencia o cuantificación del daño sufrido.
RECURSO DE CASACION: Naturaleza jurídica: carácter extraordinario: efectos: imposibilidad de efectuar una nueva valoración de las pruebas: excepciones: inexistencia: casación improcedente.

FUNDAMENTOS DE DERECHO

PRIMERO. Al amparo del artículo 88.1.d) de la Ley Jurisdiccional (RCL 1998, 1741) la representación procesal de la entidad mercantil "Centro de Cálculo Financiero 2000 S.L." impugna la sentencia dictada por la Sección Sexta de la Sala de lo Contencioso-Administrativo de la Audiencia Nacional, de fecha veintiséis de diciembre de dos mil siete (JUR 2008, 89440), que le desestimó el recurso contencioso-administrativo interpuesto contra la resolución del Ministerio de Economía y Hacienda de veintiocho de julio de dos mil seis, que desestimó la reclamación formulada, por responsabilidad patrimonial de la Administración, a consecuencia de la anulación por el Tribunal Económico-Administrativo Regional de Castilla y León, del acuerdo dictado por el Delegado Especial en Castilla y León de la Agencia Estatal de la Administración Tributaria por el que se adoptaron determinadas medidas

cautelares para el aseguramiento del cobro de deudas tributarias derivadas del Impuesto sobre el Valor Añadido y sobre Sociedades por cuantía de 92.159.80 – noventa y dos mil ciento cincuenta y nueve euros con ochenta céntimos–.

SEGUNDO. Tales medidas cautelares consistieron en el embargo provisional de:

Vehículo Renault Laguna Matrícula 5764BPS, propiedad de la entidad.

Saldo de la cuenta 2096-0096-05-3042920130, correspondiente a la Entidad Caja España, Sucursal Pendón de Baeza 10 de León.

Créditos comerciales con sus principales clientes, que de acuerdo con el resumen anual de operaciones con terceros más reciente presentado resultan ser:

i A24227159 REBISA RECICLAJE BIOLG.

ii F24014524 SDAD COOP DE VIVIENDAS

iii B24430639 COMERCIAL EL CATALÁN 20

iv B24405951 NATAL Y VIDALES S.L.

v B24415835 CIMAS INSTALACIONES Y T

vi B24400442 HOSTELERIA MORAN SALVAD

vii B82452459 REPARACIONES CUBERT S.L.

viii B81609844 TROFEOS MADRID, S.L.

ix B24325201 FUNDICIONES DEPORTIVAS.

La Sala de instancia, después de resumir los hechos más relevantes para la resolución del litigio, examina la pretensión aducida por la recurrente en base a los preceptos que por nuestro Ordenamiento Jurídico y por la jurisprudencia aplicable, regulan el instituto de la responsabilidad patrimonial de la Administración a consecuencia de la anulación en vía administrativa o jurisdiccional de un acto o resolución administrativa, y en base a la doctrina que sostiene que:

«No parece probada la existencia real y efectiva del daño cuyo resarcimiento se reclama y, sobre todo, la imputación causalmente relevante a la Administración de los daños que se dicen padecidos por el recurrente, daños, por cierto, que si bien inicialmente en su solicitud a la Administración fueron estimados por la propia parte recurrente en 533.195,88 euros, ya en la demanda se rebajan a la cantidad de

266.672,48 euros para, finalmente, en su escrito de conclusiones rebajarla a la de 238.545,68 euros; y ello, no obstante, continuar siendo las mismas las partidas que se reclaman: lucro cesante, por la ganancia dejada de obtener por la consecuencia de la pérdida de un número de clientes (que también de ser inicialmente nueve a decir de la recurrente también han quedado ahora reducidos al parecer a cinco); y por daños morales, estos inicialmente evaluados en 300.000 euros ante la Administración y que ahora totalizan en conclusiones la cantidad de 55.049,00 euros.

No es ciertamente tarea fácil la prueba del lucro cesante, al ser exigible no sólo la preexistencia del hecho del cual deriva la ganancia esperada, sino también la de que la ganancia sería obtenida con seguridad, ya que están excluidas, con arreglo a la precitada jurisprudencia del Tribunal Supremo, las meras expectativas o ganancias dudosas o contingentes, en definitiva desprovistas de la certidumbre necesaria que conlleve la certeza de la ganancia dejada de obtener, en este caso por la pérdida de ingresos de clientes que fueron notificados del embargo.

Pues bien, la Administración notificó, a nueve clientes la diligencia de embargo preventivo de créditos comerciales, tal como más arriba quedó reseñado; de lo actuado también resulta que, de los nueve clientes notificados, cinco siguieron su relación comercial con la actora, incluso incrementando su facturación algunos de ellos; otro de los clientes había finalizado su relación comercial con antelación al embargo; y, finalmente, en relación al resto de los clientes a quienes le fue notificado el embargo, en absoluto se ha probado *que la ruptura de relaciones comerciales con la actora fuese debido a las actuaciones recaudatorias en cuestión, llegando incluso alguno a negar el motivo alegado y referir en su comunicación remitida a la Sala el 24 de julio de 2007 , que el motivo por el cual la empresa prescindió de los servicios de la hoy actora fue "NO DISPONER PUNTUALMENTE DE LA INFORMACIÓN QUE EN ALGUNAS OCASIONES LE SOLICITABAMOS (PROBABLEMENTE POR LA DISTANCIA ENTRE NUESTROS CENTROS DE TRABAJO)".; es decir llega a descartar expresamente el motivo por el que, según la actora, dejó de ser cliente y que serviría de base precisamente a la actual reclamación.*

Por lo demás, dejando aparte la no justificación tampoco de los parámetros utilizados para cuantificar la reclamación, aparece igualmente huérfana de prueba la alegada pérdida masiva de clientela; antes al contrario, y acuerdo con lo referido el informe de la Delegación Especial de la Agencia Tributaria en Castilla y León, resulta que en los ejercicios anteriores ya venía observándose una disminución (del 19% de los ingresos en el año 2005 respecto del año 2004) y parecido decremento se produjo en el año 2004 respecto a 2003, lo que, en definitiva, prueba que la pérdida de ingresos no se debió a la actuación de la Administración Tributaria.

Tampoco la Sala puede tener por acreditados los daños a que se refiere la segunda de las partidas reclamadas. Daños morales son aquéllos que son infligidos a las creencias, los sentimientos, la dignidad, la estima social o salud física o psíquica de la persona: en suma, aquellos que se suelen denominar derechos de la personalidad o

extrapatrimoniales, habiendo tenido refrendo jurisprudencial la posibilidad de indemnizarlos, como quedó más arriba de manifiesto. No obstante la jurisprudencia del Tribunal Supremo recomienda cautela al respecto y, en todo caso, exige también que dichos daños estén indubitadamente acreditados para que nazca y sea exigible la obligación de indemnizar.

Rige, pues, el principio general inferido de los artículos 281 y siguientes de la Ley de Enjuiciamiento Civil (RCL 2000, 34, 962 y RCL 2001, 1892) y 1214 *del Código Civil (LEG 1889, 27) sobre la carga de la prueba, con la que tampoco ha cumplido la actora, no obstante las facilidades dadas por este Tribunal, limitándose a formular una estimación aleatoria que en modo alguno se justifica.»*

TERCERO. Disconforme la recurrente con este razonamiento invoca un único motivo de casación que fundamenta en la infracción de los artículos 106.2 de la Constitución (RCL 1978, 2836) y 139 de la Ley 30/1992, de 26 de noviembre (RCL 1992, 2512, 2775 y RCL 1993, 246), de Régimen Jurídico de las Administraciones Públicas y del Procedimiento Administrativo Común y, la jurisprudencia sustentada en las sentencias de once de septiembre de mil novecientos noventa y cinco (RJ 1995, 6423), veintiocho de noviembre de mil novecientos noventa y ocho (RJ 1998, 9967) y cinco de junio de dos mil uno (RJ 2001, 5779) ; pues, a su juicio, ha resultado probada la existencia real y efectiva del daño cuyo resarcimiento se reclama, y, por tanto, existe una relación causal entre la actuación administrativa y la lesión producida.

Así, en base a la resolución del Tribunal Económico-Administrativo Regional de Castilla y León, de fecha quince de marzo de dos mil cinco, que anuló el acto administrativo impugnado de adopción de medidas cautelares, que en su fundamento jurídico cuarto señala que:

«Las medidas de aseguramiento de los otros embargos aquí realizados pueden incidir de una manera altamente perjudicial en el supuesto deudor. A nadie se le puede ocultar que la notificación del embargo de una cuenta bancaria a la propiedad entidad de depósito, que automáticamente implica la retención del saldo, puede implicar una asfixia financiera de la actividad empresarial, de muy gravosas consecuencias. Indudablemente, todo dependerá de su cuantía y de la afectación de la cuenta, pues distinto será si en la misma se depositan saldos ociosos a que si su saldo forma parte del circulante de la empresa, esto es, se trata de una cuenta de las utilizadas para la satisfacción de los pagos corrientes de la actividad. En cualquier caso, la Oficina Gestora deberá obrar con actitud prudente en estos casos ante la imposibilidad de generar graves perjuicios, estrangulando la actividad diaria de la empresa. Pero lo que resulta totalmente desmesurado y enormemente gravoso en su plano potencial es el embargo preventivo de derechos de crédito de los clientes de la sociedad, pues en la medida en que les sea notificado qué duda cabe que la imagen comercial o técnica del deudor empresario, su crédito o su solvencia pueden ser arruinados o gravemente afectados. En el caso presente la situación no puede ser considerara más que como gravísima, pues siendo el objeto social de la entidad la prestación de servicios de asesoramiento tributario, la notificación a los clientes habituales de un embargo preventivo practicado por la Agencia

Tributaria deviene un fuerte golpe a su reputación que puede originar una fuga masiva de éstos.»

Entiende que, hay una prueba clara y diáfana que acredita esta relación de causalidad entre la actuación de la Administración y el daño producido, cuyo importe ha sido reducido por la sociedad reclamante durante el procedimiento administrativo y judicial, a fin de poderlo ajustar a las cantidades relativas a los clientes sobre las que pudo efectivamente comprobar al prescindir aquéllos de sus servicios.

CUARTO. Este motivo debe ser desestimado, pues, la recurrente lejos de desmenuzar las infracciones cometidas por la sentencia, en su escrito de interposición, insiste en el análisis de los daños producidos por la actuación administrativa, limitándose a exponer su propio criterio, cuando la valoración dela prueba es una facultad que compete a la Sala de instancia salvo que se acredite que su apreciación fuera arbitraria, ilógica o irracional; extremo que no ocurre en el supuesto que enjuiciamos.

Por otra parte, aunque de la transcripción literal de la resolución del Tribunal Económico-Administrativo Regional, se ponga de relieve que la actuación de la Agencia Tributaria al acordar el embargo preventivo, de los derechos de crédito de los clientes de la sociedad recurrente, en la medida que les fue notificado, supone un fuerte golpe a su reputación pues, *"no cabe duda que la imagen comercial o técnica del deudor empresario, su crédito o su solvencia puedan ser arruinados o gravemente afectados"*, lo cierto es, que para que sea viable una pretensión indemnizatoria por responsabilidad de la Administración, a consecuencia de la anulación de un acto administrativo, es necesario, según el artículo 139.1 de la Ley 30/1992 que concurran además otros presupuestos o requisitos, como el daño efectivo, individualizado y económicamente favorable; y, aquí, en el supuesto que analizamos, no se justificó por la recurrente la existencia y cuantificación del daño, según se declara como hecho probado en la sentencia impugnada.

QUINTO. De conformidad con lo establecido en el artículo 139 de la Ley Jurisdiccional procede condenar a la recurrente a las costas de este recurso, si bien, la Sala haciendo uso de la facultad que le confiere el apartado tercero del citado precepto, limita el importe máximo a reclamar por ese concepto en la cantidad de tres mil euros (3.000) que deberá ser abonada a la Abogacía del Estado.

11

SENTENCIA 5 MAYO 2010

(RJ 2010, 4798)

Recurso de Casación núm. 559/2006
Sala de lo Cont.-Adm., Sección 6
Ponente: Sr. D. Agustín Puente Prieto

RECURSO DE CASACION: Causas de inadmisión: cuestión nueva: improcedencia de su examen; carencia manifiesta de fundamento: existencia: casación improcedente.
RESPONSABILIDAD PATRIMONIAL DE LA ADMINISTRACION PUBLICA: Indemnización: daño antijurídico: existencia: actos de ejecución y subasta de bienes por la Agencia Tributaria anulados por estimación de ulteriores recursos: indemnización procedente: cuantificación: deducción de la cantidad reclamada lo que hubiera debido pagar por IRPF.

FUNDAMENTOS DE DERECHO

PRIMERO. Se interpone el presente recurso de casación contra sentencia de 26 de octubre de 2005 (JUR 2007, 141324), de la Sala de lo Contencioso Administrativo, Sección Sexta, de la Audiencia Nacional, que resuelve el recurso contencioso administrativo interpuesto por la representación de D. Casiano contra resolución desestimatoria de petición de indemnización en concepto de responsabilidad patrimonial.

La sentencia recurrida en su antecedente de hecho primero resume los hechos relevantes para la resolución del recurso en los siguientes términos:

«1) El 20 de diciembre de 1987, el recurrente, transportista de mercancías, vendió un tractor-camión Pegaso y repercutió el IVA sin ingresar su importe en el Tesoro, y el 24 siguiente arrendó en forma de leasing otro camión por el que satisfizo el correspondiente IVA.

2) El 27 de marzo de 1990 la Inspección Tributaria le giró liquidación por no haber ingresado el importe del IVA correspondiente a la venta del camión, decisión que fue revocada en parte por el TEAC mediante Acuerdo de 5 de mayo de 1994 por el que se redujo la cuantía a ingresar a 432.007 pesetas y la correspondiente sanción.

3) El 29 de noviembre de 1994 y 6 de febrero de 1995 la Inspección procedió a practicar una nueva liquidación, exigiendo cuotas, sanciones e intereses de demora con derecho a la devolución del exceso soportado (2.628.471 ptas). Esta decisión fue recurrida por el recurrente y el TEAR de Asturias mediante Acuerdo de 25 de abril de 1997 estimó parcialmente la reclamación ordenando la graduación de la sanción con devolución de las cantidades que procedan.

4) En ejecución de lo anterior la Oficina Técnica de Inspección propuso devolver al recurrente 1.042.082 ptas.

5) El 28 de diciembre de 1998 solicitó la declaración de responsabilidad patrimonial (228.274,72 según dictamen pericial que aporta), por haberse ejecutado las distintas liquidaciones, que fue desestimada por Acuerdo de 21 de junio de 2002 dictado por el Presidente de la Agencia Estatal de la Administración Tributaria.»

Después de recoger la doctrina general sobre responsabilidad de la Administración, enjuicia la sentencia en su fundamento de derecho tercero el tema de fondo suscitado en el recurso en los siguientes términos: *"En el presente caso, la antijuridicidad de la actuación administrativa es evidente pues los actos de ejecución y subasta de los bienes del recurrente fueron anulados por la estimación de ulteriores recursos sin que el recurrente tuviera la obligación de soportar los daños causados por la actuación administrativa. En efecto, la opción no hecha efectiva de constituir una garantía para evitar la ejecución del acto no puede ser opuesta como argumento en contra del recurrente para justificar la actuación administrativa que privó al recurrente de su medio habitual de vida. Frente a lo anterior tampoco resulta oponible el argumento ex art 141 de la Ley 30/1992 (RCL 1992, 2512, 2775 y RCL 1993, 246) en el sentido de que la simple anulación de un acto no genera derecho de indemnización, pues en el presente caso la ejecución en vía de apremio y venta pública de los bienes del recurrente, incluidas sus tarjetas de transporte, le supuso un perjuicio que no está obligado a soportar* (STS de 10 de mayo de 1992 (RJ 1992, 3961)) *que se concretó en la pérdida de su empresa, sin perjuicio de su parcial recuperación a partir de 1994. Por otra parte concurren todos los presupuestos necesarios para declarar la concurrencia de la responsabilidad demandada. No obstante lo anterior, debemos compartir la tesis del Abogado del Estado en cuanto a la necesidad de minorar la cuantía de la indemnización reclamada, pues el dictamen pericial aportado por la recurrente, ratificado judicialmente, no toma en consideración los rendimientos tributarios que el recurrente hubiera debido satisfacer en el período objeto de reclamación que se concreta en los años 1990-2000, por lo que la cantidad propuesta en el dictamen debe rebajarse en atención a la estimación del importe de la deuda tributaria.»*

En consecuencia, declara la existencia de responsabilidad patrimonial de la Administración, limitando la indemnización a percibir por el recurrente en el sentido de deducir, de la cantidad solicitada, la estimación de lo que hubiera debido pagar a la Hacienda Pública en concepto de IRPF.

SEGUNDO. Contra la citada sentencia se interpone por la representación del Estado el presente recurso de casación con fundamento en un primer motivo y en el que, al amparo del artículo 88.1.d) de la Ley de la Jurisdicción (RCL 1998, 1741), se denuncia por el recurrente infracción de los artículos 1 y 33 de la propia de la Ley de la Jurisdicción, argumentando, en el desarrollo del motivo, que el actor había pedido en su inicial reclamación a la Administración la cantidad de 25 millones de pesetas, apartándose posteriormente de lo solicitado en vía administrativa, interesando el abono en su demanda contencioso administrativa de la suma de 228.274,72.

El motivo no puede prosperar si se tiene en cuenta, en primer término, que esa cuestión no fue planteada por el Abogado del Estado en su contestación a la demanda, suponiendo, por tanto, la introducción de una cuestión nueva en el debate en vía casacional, lo que está en contra de la propia naturaleza y esencia al recurso de casación dirigido a revisar los pronunciamientos del Tribunal de instancia en función, precisamente, de las cuestiones y pretensiones sometidas a su conocimiento.

Pero es que, además, según recoge la propia Agencia Tributaria en su resolución desestimatoria de la pretensión, la inicial reclamación se formuló por el interesado con el carácter de provisional y así lo hace constar en su demanda, reservándose la posibilidad de realizar un cálculo por todos los conceptos indemnizables, ya que alegó que estaban pendientes de cálculo los daños y perjuicios causados por la ejecución llevada a cabo por la oficina de inspección.

Por otro lado, es evidente que, si el Sr. Abogado del Estado entendía que en la demanda se había variado la pretensión indemnizatoria en los términos que ahora plantea en casación, debió alegar tal circunstancia, lo que como decimos no hizo, y no limitarse a oponerse escuetamente a la solicitud de responsabilidad interesada por el recurrente, negando el nexo de causalidad entre la actuación ejecutiva de la Administración y el cese en el negocio del transporte, alegando simplemente una concurrencia de culpas que excluye, en su opinión, la responsabilidad patrimonial de la Administración.

No puede ahora, como antes decíamos, el representante de la Administración alegar y plantear una cuestión que no fue sometida a conocimiento del Tribunal de instancia, cuyo pronunciamiento se intenta revisar en casación.

En el segundo de los motivos casacionales aduce el recurrente, al amparo del artículo 88.1.d) de la Ley de la Jurisdicción, infracción del artículo 139 de la Ley de Régimen Jurídico de las Administraciones Públicas y del Procedimiento Administrativo Común (RCL 1992, 2512, 2775 y RCL 1993, 246), argumentando que, en línea con lo alegado en la instancia, debió el recurrente de intentar evitar, a través de la suspensión, que entre tanto se resuelvan los recursos, se realizara la ejecución, por lo que, al no haberse opuesto eficazmente con las medidas suspensivas a su alcance y adoptar una actitud pasiva, ello excluye, al entender del actor, la responsabilidad de la Administración.

El argumento carece de sentido a efectos de enervar la responsabilidad de la Administración, dado que, evidentemente, al actor no se le puede exigir, ante una conducta disconforme a derecho, la realización de una actividad dirigida a obtener la suspensión de las actuaciones administrativa que, inevitablemente hubiera originado gastos, resultando la argumentación del Sr. Abogado del Estado, como lo entendió la sentencia de instancia, ineficaz a efectos de cuestionar la responsabilidad de la Administración.

TERCERO. En aplicación de lo dispuesto en el articulo 139 de la Ley de la Jurisdicción (RCL 1998, 1741) , procede la condena en costas del recurrente, con el límite, en lo que se refiere a los honorarios del Letrado de la cantidad de 3.000.

12

SENTENCIA 2 JUNIO 2010
(RJ 2010, 5494)
Recurso contencioso-administrativo núm. 588/2008
Sala de lo Cont.-Adm., Sección 1
Ponente: Sr. D. Segundo Menéndez Pérez

**RESPONSABILIDAD PATRIMONIAL DE LA ADMINISTRACION PUBLICA: Acción derivada de acto legislativo: indemnización procedente: requisitos para que proceda la indemnización: declaración de inconstitucionalidad del Real Decreto-ley 5/2002, de 24 mayo, de medidas urgentes para la reforma del sistema de protección por desempleo y mejora de la ocupabilidad, por la sentencia del Pleno del Tribunal Constitucional núm. 68/2007, de 28 marzo: trabajador cuyo despido se declaró improcedente y que al optar el empresario por la extinción del contrato no percibió los llamados salarios de tramitación, suprimidos para tal caso por aquel RD: daño individualizado y antijurídico: indemnización de la que no deben de restarse las prestaciones por desempleo percibidas: indemnización procedente.
VOTOS PARTICULARES.**

FUNDAMENTOS DE DERECHO

PRIMERO. Impugna el actor la resolución desestimatoria presunta de la reclamación de responsabilidad patrimonial que formuló ante el Consejo de Ministros el día 19 de marzo de 2008 por el menoscabo económico que le produjo la aplicación del Real Decreto-ley 5/2002, de 24 de mayo (RCL 2002, 1360) , de Medidas Urgentes para la Reforma del Sistema de Protección por Desempleo y Mejora de la Ocupabili-

dad, declarado inconstitucional y nulo por la sentencia del Pleno del Tribunal Constitucional núm. 68/2007, de 28 de marzo (RTC 2007, 68) .

SEGUNDO. El supuesto que aquí enjuiciamos puede ser descrito en los siguientes términos:

A) El art. 2.Tres del citado Real Decreto-ley (RDL, en lo sucesivo) modificó los apartados 1 y 2 del art. 56 del

Texto Refundido de la Ley del Estatuto de los Trabajadores (RCL 1995, 997) (LET), disponiendo, en lo que importa para el supuesto que describimos, que declarado improcedente el despido y elegida por el empresario la opción de extinción del contrato de trabajo con abono de una indemnización, ésta consistiría en una cantidad de cuarenta y cinco días de salario, por año de servicio, prorrateándose por meses los períodos de tiempo inferiores a un año hasta un máximo de cuarenta y dos mensualidades.

Dicho de otra forma que resalte lo que está en el origen del litigio que nos ocupa: Esa modificación del RDL suprimió uno de los dos sumandos que en la redacción anterior de aquel art. 56 integraban la cantidad que el trabajador despedido improcedentemente había de percibir cuando el empresario optaba por la extinción del contrato y no por la readmisión. En concreto, suprimió el consistente en " *una cantidad igual a la suma de los salarios dejados de percibir desde la fecha del despido hasta la notificación de la sentencia que declarare la improcedencia o hasta que hubiera encontrado otro empleo si tal colocación fuera anterior a dicha sentencia y se probase por el empresario lo percibido, para su descuento de los salarios de tramitación* ".

B)   Como dijimos, la sentencia del Pleno del Tribunal Constitucional núm. 68/2007, de 28 de marzo (RTC 2007, 68) , declaró inconstitucional y nulo el RDL. Consideró de entrada que por haber sido derogado éste por la Ley 45/ 2002, de 12 de diciembre (RCL 2002, 2901) , y por haber modificado ésta sustancialmente la regulación material de las instituciones jurídicas contempladas en aquél, precisamente en aquellos aspectos de las mismas afectados

por las dudas de inconstitucionalidad planteadas, éstas, y entre ellas la referida a aquel art. 2.Tres, quedaban sin objeto. Entendió, por tanto, que únicamente había de analizar la cuestión relativa a si el RDL en su conjunto había vulnerado el art. 86.1 de la Constitución (RCL 1978, 2836) (CE), por haberse dictado sin que concurriera el presupuesto habilitante de que el Gobierno atendiera con él a un "caso de extraordinaria y urgente necesidad". Y respondió afirmativamente a esta cuestión, limitándose su fallo, sin más adición o añadido sobre sus efectos, a " *declarar inconstitucional y nulo el citado Real Decreto-ley, por vulneración del* art. 86.1 CE".

C)   Convalidado el RDL mediante el procedimiento a que se refiere el art. 86.2 CE, se tramitó además como proyecto de ley (art. 86.3), dando lugar a aquella Ley 45/2002, de 12 de diciembre, titulada también de Medidas Urgentes para la Reforma del Sistema de Protección por Desempleo y Mejora de la Ocupabilidad.

Ésta deroga de modo expreso el RDL. Reintroduce en el art. 56 LET aquel sumando suprimido, esto es, la obligación de pago de los salarios de tramitación en los supuestos de despido improcedente en que el empresario opta por la extinción de la relación laboral. E incluye en su Disposición transitoria primera la siguiente norma: " *las extinciones de contratos producidas con anterioridad a la fecha de entrada en vigor de la presente Ley se regirán, en lo que se refiere a sus aspectos sustantivo y procesal, por las disposiciones vigentes en la fecha en que hubieran tenido lugar dichas extinciones*".

D)   El actor fue despedido con efectos desde el día 15.08.2002, siendo su salario diario, incluida la parte proporcional de las pagas extraordinarias, de 67,69 euros. La sentencia del Juzgado de lo Social núm. 32 de Barcelona de 18.11.2002 , confirmada por la de la Sala de lo Social del Tribunal Superior de Justicia de Cataluña de 22.01.2004 (JUR 2004, 90708) al desestimar el recurso de suplicación interpuesto por la empresa, declaró la improcedencia de aquel despido, fijando como única cantidad a percibir por el trabajador si el empresario optaba, como optó, por la extinción, y precisamente por haberse producido el despido después de la entrada en vigor del RDL (fundamento jurídico quinto), la de 6.092,10 euros, resultante de computar 45 días de salario y dos años de antigüedad. Y

E) Aquél pretende en este recurso contencioso-administrativo la anulación de aquella resolución desestimatoria presunta y la condena de la Administración del Estado a que le abone la cantidad de 7.039,76 euros, resultante de multiplicar 67,69 euros de salario diario por los 104 días que mediaron, sin que prestara servicios para otro empresario, entre el 16.08.2002 (día siguiente al de los efectos del despido) y el 27.11.2002 (fecha de la notificación de aquella sentencia). Pretendiendo también la condena de aquélla al abono de la cantidad de 2.000 euros en concepto de honorarios profesionales, a los que dice deberá hacer frente por la tramitación de la reclamación.

TERCERO. La Administración demandada no llega a afirmar en su escrito de contestación que los hechos expresados en la demanda no se correspondan con los realmente acaecidos. Su oposición a esas pretensiones se sustenta, así, en motivos o razones de estricto carácter jurídico, dirigidos en suma a negar que en un supuesto como el descrito quepa declarar la responsa-

bilidad patrimonial del Estado legislador.

Por ello, es oportuno traer a colación ahora y como punto de partida unas consideraciones jurídicas de carácter general y de principio sobre la responsabilidad patrimonial de los poderes públicos que esta misma Sala Tercera en Pleno expresó en dos recientísimas sentencias: las de fechas 26 (RJ 2009, 5692) y 27 de noviembre de 2009 (RJ 2010, 1262), dictadas respectivamente en los recursos números 585/2008 y 603/2007, que enjuiciaron una pretensión de responsabilidad patrimonial del Estado por dilaciones indebidas del Tribunal Constitucional, la primera, y otra de igual género por el funcionamiento de la Oficina del Defensor del Pueblo, la segunda.

Así, en la de 27-11-2009, preguntándonos "*si el Defensor del Pueblo puede ser centro de imputación de la responsabilidad del Estado, de modo que este último deba resarcir a los ciudadanos que sufran alguna lesión antijurídica por el funcionamiento de los servicios de aquel comisionado parlamentario*", respondimos afirmativamente, razonando en estos términos en su fundamento de derecho cuarto:

"[...] El artículo 9.3 de nuestra Carta Magna (RCL 1978, 2836) positiviza al máximo nivel un conjunto de principios generales del derecho, entre los que se cuenta el de responsabilidad de los poderes públicos, de valor normativo directo y, por consiguiente, con virtualidad inmediata, en cuanto constituyen las bases sobre las que se estructura todo el sistema jurídico político que la Constitución diseña. Como todo principio general del derecho, el de responsabilidad de los poderes públicos cumple la triple función de **(a)** expresar uno de los fundamentos del orden jurídico, **(b)** servir de fuente inspiradora del ordenamiento y criterio orientador en su interpretación, así como **(c)** operar en cuanto fuente supletoria del derecho para los casos de inexistencia o de insuficiencia de la regulación legal.

El juego de esas tres funcionalidades autoriza a afirmar que no hay en nuestro sistema constitucional ámbitos exentos de responsabilidad. El Estado está obligado a reparar los daños antijurídicos que tengan su origen en la actividad de los poderes públicos, sin excepción alguna. No sólo por las actuaciones del poder ejecutivo (artículo 106.2 de la Constitución), sino también por las del judicial (artículo 121) y las del legislativo [sentencias del Pleno de esta Sala de 25 de septiembre (RJ 1998, 10107) (recurso 144/86, FJ 4º), 7 de octubre (RJ 1987, 6739) (recurso 142/86, FJ 4º) y 19 de noviembre de 1987 (RJ 1987, 10208), (recurso 141/86, FFJJ 7º y 8º) entre otras], alcanzando a todo órgano constitucional, incluido el máximo intérprete de la Norma Fundamental, según resolvemos en el día de hoy en la sentencia dictada en el recurso de casación (sic) 585/08. Las únicas excepciones son las que la propia Constitución contempla (v.gr.: la persona del Rey –artículo 64.2 –) y aquellas otras que puedan prever las leyes que la desarrollan.

Ciertamente, la garantía que el principio de responsabilidad de los poderes públicos comporta permite al legislador un margen de maniobra en cuanto a su concreción, en atención al poder público del que se predique. No puede recibir el mismo tratamiento la responsabilidad de unas organizaciones serviciales, sometidas plenamente a la ley y al derecho (artículo 103.1 de la Constitución), como son las Administración públicas, que la que pueda emanar de los

actos de los poderes legislativos, que representan directamente al pueblo y, por lo tanto, esencialmente soberanos (artículo 66 de la Constitución), con una gran libertad de configuración, sin más limites que la Constitución y, en su caso, los Estatutos de Autonomía; de igual modo, ha de responder a pautas propias el diseño de la responsabilidad de un poder disperso como el judicial, sustentado en la independencia de sus miembros para garantía de los justiciables y en su exclusivo y total sometimiento a la ley, empezando por la primera de ellas, la Constitución (artículo 117.1 de la misma), y que constituye un pilar central en la realización de la seguridad jurídica, consagrado también como principio constitucional en el artículo 9.3 de la Carta Magna.

En un ámbito distinto, pero muy cercano, el Tribunal de Justicia de las Comunidades Europeas ha proclamado la responsabilidad de los Estados miembros por los daños que causen a sus ciudadanos al incumplir sus compromisos comunitarios con independencia del poder interno causante de la lesión, si bien ha modulado su exigibilidad en función de la posición de la fuente del daño en el entramado institucional interno [sentencias de 19 de noviembre de 1991 (TJCE 1991, 296), Francovich (asuntos C-6/90 y C-9/90, apartados 31 y siguientes), 5 de marzo de 1996 (TJCE 1996, 37), Brasserie du Pgcheur y Factortame (asuntos 46/93 y 48/93, apartados 37 y siguientes) y 30 de septiembre de 2003 (TJCE 2003, 292), Knbler (asunto C-224/01, apartados 30 y siguientes)].

Ahora bien, aquel margen de maniobra que se reconoce al legislador no autoriza, por lo dicho, a concluir que si se abstiene de regular la responsabilidad de un determinado poder o de un servicio haya querido crear un espacio inmune a las reclamaciones de los que sufran daños por su actuación, pues tal entendimiento queda impedido por la cláusula general del artículo 9.3 de la Constitución. En esa tesitura, si los tribunales detectan la existencia de una lesión antijurídica que deba resarcirse, así lo deben declarar, sin riesgo alguno de suplantar la labor de los legisladores, pues la acción ejercitada se enmarca en el núcleo indisponible que resulta del artículo 9.3 de la Constitución".

Y en la de 26-11-2009, preguntándonos *"si el principio general de responsabilidad de todos los poderes públicos que proclama y garantiza el* artículo 9.3 CE *alcanza o no al Tribunal Constitucional, por no haber sido desarrollado por el legislador ordinario este* precepto en cuanto a dicho Tribunal y no resultar de aplicación lo dispuesto en el Título V del Libro III de la Ley Orgánica del Poder Judicial (RCL 1985, 1578, 2635) , *al no estar integrado el Tribunal Constitucional entre los órganos de la Administración de Justicia a que se refieren los preceptos contenidos en ese título"*, respondimos en el mismo sentido afirmativo con razonamientos similares a los que acabamos de transcribir, añadiendo en el penúltimo párrafo de su fundamento de derecho quinto lo siguiente:

"[...] Esta Sala ha declarado en alguna ocasión (sentencia de 30 de noviembre de 1992 (RJ 1992, 8769) , entre otras) que no puede construirse por los tribunales una responsabilidad de la Administración por acto legislativo partiendo del principio general de responsabilidad de los poderes públicos reconocido en el artículo 9.3 CE. Sin embargo, en otras (sentencias de 15, 25, 30 de septiembre (RJ 1987, 6552), 7 de octubre, y 17 y 19 de noviembre de 1987 (RJ 1987, 10208)) ha declarado que "consagrada en el artículo 9.3 de la Constitución la responsabilidad de los Poderes Públicos, sin excepción alguna, resulta evidente que cuando el acto de aplicación de una norma, aun procedente del Poder Legislativo, supone para sus destinatarios un sacrificio patrimonial que merezca el calificativo de especial, en comparación con el que puede derivarse para el resto de la colectividad, el principio constitucional de la igualdad ante las cargas públicas impone la obligación del Estado de asumir el resarcimiento de las ablaciones patrimoniales producidas por tal norma y el acto de su aplicación, salvo que la propia norma, por preferentes razones de interés público, excluya expresamente la indemnización". Por otra parte, aun sin citar expresamente el artículo 9.3 CE esta Sala ha declarado repetidamente y con diferentes matices según las circunstancias del caso, que la Administración del Estado es responsable por los daños sufridos por los particulares por actos de aplicación de leyes declaradas después inconstitucionales".

Este último supuesto, que es el de autos, en el que el título de imputación de la responsabilidad patrimonial del Estado legislador es esa posterior declaración de inconstitucionalidad de la ley o norma con fuerza de ley cuya aplicación irrogó el perjuicio cuya reparación se pretende, ha dado lugar a una reiterada, conocida y muy controvertida jurisprudencia, que se inicia con las sentencias de 29 de febrero (RJ 2000, 2730), 13 de junio y 15 de julio de 2000 (RJ 2000, 7423), dictadas respectivamente en los recursos números 49/ 1998, 567/1998 y 736/1997, y que continúa con otras numerosísimas, de ese y de todos y cada uno de los años siguientes. Así, la última en que se refleja es, salvo error u omisión, la de fecha 17 de noviembre de 2009 (RJ 2009, 8064), dictada en el recurso núm. 448/2008.

Pese a ello, la preocupación existente acerca de la procedencia de mantener o no algunos de los pilares básicos de esa jurisprudencia, de la que ya dio cuenta el voto particular emitido en la sentencia del Pleno de esta Sala Tercera de fecha 5 de marzo de 2008 (RJ 2008, 3716) (recurso núm. 22/2007), que nace no sólo por la seria controversia doctrinal sobre ella, sino también por el muy fundado voto particular que de modo regular suele acompañar a aquellas sentencias desde la de fecha 21 de junio de 2004 (RJ 2004, 7272) (recurso núm. 283/2002), aconsejó de nuevo atribuir el conocimiento de este asunto a dicho Pleno.

CUARTO. Analizando metódicamente aquellos motivos o razones que la Administración demandada esgrime en su escrito de contestación, el primero de ellos, que es también el que expresa en el primero de los fundamentos jurídicos de dicho escrito, invoca el art. 139.3 de la Ley 30/1992 (RCL 1992, 2512, 2775 y RCL 1993, 246), sosteniendo que según su inciso final la responsabilidad patrimonial del Estado legislador sólo puede apreciarse " *cuando así se establezca en los propios actos legislativos y en los términos que especifiquen dichos actos* ".

Sin embargo, alumbrada, según dijimos al transcribir algunos razonamientos jurídicos de aquellas sentencias del Pleno de fechas 26 y 27 de noviembre de 2009, la posibilidad jurídico-constitucional de la responsabilidad patrimonial de los poderes públicos sin excepción alguna, o sin más excepción que las que expresamente pueda prever el Ordenamiento; e incluida por tanto en

el ámbito de esa posibilidad la del propio poder legislativo, cuyo fundamento específico y singular, capaz de superar el obstáculo derivado de la tradicional concepción de la ley como producto de un poder soberano, es la inserción de ésta en un ordenamiento que queda regido por encima de ella por una norma "más fuerte" que vincula a todos los poderes públicos y, por ende, al legislador mismo, desaparece en buena lógica, al menos como presupuesto o exigencia ineludible a la que hubiera de quedar subordinada en todo caso aquella posibilidad jurídica, la de su previa previsión y aceptación en la propia ley.

Amén de ello, y centrándonos en un supuesto como el que ahora nos ocupa, aquella condición o presupuesto que exige el tenor literal de aquel inciso final del art. 139.3 no es aplicable ni entra en juego cuando la hipotética lesión tiene su origen en la aplicación de leyes o normas con fuerza de ley declaradas inconstitucionales, como es el caso.

Es así, porque la interpretación de las normas jurídicas no permite que al indagar sobre su sentido alcance el intérprete una conclusión absurda o ilógica. Y lo sería, en la que ahora nos ocupa, una que no restringiera la aplicación de aquel inciso a los actos legislativos constitucionales y la extendiera también a los inconstitucionales, pues esta interpretación supondría tanto como supeditar la reparación del hipotético perjuicio derivado de la inconstitucionalidad de la ley aplicada, a una previsión que en sí misma es absurda e incluso imposible: la del propio legislador de prever que la ley que aprueba puede ser contraria a la Constitución y de que por ello, por si lo fuera, ha de plantearse si incluye o no en ella una decisión como la reflejada en aquel inciso final.

Esta conclusión, de inaplicación de

ese inciso para los supuestos de acciones de responsabilidad patrimonial sustentadas en el perjuicio irrogado por la aplicación de una ley inconstitucional, es la que está presente, incluso de un modo explícito, en aquella jurisprudencia de este Tribunal Supremo, que refiriéndose al mandato de reparar un perjuicio como ese, repite con reiteración, en lo que ahora nos ocupa, que ese mandato –o lo que es igual, la inclusión en el acto legislativo de una previsión como aquélla que expresa aquel inciso– "no podía ser establecido a priori en su texto" (en el de la ley inconstitucional). En este sentido, pueden verse entre otras muchas las sentencias de 29 de febrero (RJ 2000, 2730), 13 de junio y 19 de diciembre de 2000 (RJ 2001, 547) (recursos números 49, 567 y 445 de 1998), o las de 16 (RJ 2001, 633) y 30 de enero (RJ 2001, 647), 13 de febrero y 13 y 27 de marzo de 2001 (RJ 2001, 2666) (recursos 548, 444, 552, 554 y 443 de 1998), etc., etc.

Procede, pues, rechazar aquel primer motivo o razón de oposición.

QUINTO. Siguiendo el análisis metódico que creemos oportuno, debemos centrar ahora la atención en el fundamento jurídico cuarto, que también es el último, de aquel escrito de contestación a la demanda. Y más en concreto, en una de sus varias afirmaciones: la que dice literalmente que "*mientras otra cosa no se establezca –y aquí no ha ocurrido– los fallos de inconstitucionalidad tienen eficacia prospectiva o ex nunc*".

Tal afirmación, en sí misma, por sí sola, sin ponerla en relación por tanto con algunas normas que sí ponen determinados límites a una plena eficacia retroactiva de esos fallos de inconstitucionalidad, equivale tanto como a decir

que la ley o norma con fuerza de ley declarada inconstitucional rige los efectos consumados o agotados antes de esa declaración nacidos o derivados de situaciones o relaciones jurídicas que surgieron mientras estuvo vigente, o antes incluso de que lo estuviera. Así entendida, es una afirmación que carece de todo sustento en nuestro ordenamiento jurídico. En éste, la contravención de una norma jurídica de superior rango determina para la de rango inferior que la contraviene la sanción de nulidad radical o de pleno derecho. Y los efectos de ésta, de este grado sumo de invalidez, son como regla y en principio efectos ex tunc, que se retrotraen al momento mismo en que entró en vigor la norma ilegal. Lo mismo cabe decir, y desde luego no con menos razón o fundamento, cuando la contravención se produce entre la Constitución y una ley o norma con fuerza de ley. Así, en este orden de consideraciones generales y de principio a las que nos referimos ahora, no es nada irrelevante recordar el mandato del art. 39.1 de la Ley Orgánica del Tribunal Constitucional (RCL 1979, 2383) (LOTC), que ordena sin ambages que la sentencia que declare la inconstitucionalidad, declarará igualmente la nulidad de los preceptos impugnados.

En conclusión: la inserción de la ley en un ordenamiento en el que queda subordinada a una norma de rango superior, más el grado de sanción y los efectos de éste que nuestra tradición jurídica predican para las normas ilegales, conducen como principio o como regla a una afirmación de signo contrario u opuesto a aquella que trascribimos en el párrafo primero de este fundamento de derecho. Y no nos permiten compartir, tampoco, la opinión doctrinal que eleva la sentencia declarativa de la inconstitucionalidad de la ley, por entender que de lo que se trataría es de su misma ejecución, a la categoría de único título jurídico en el que amparar y sustentar el eventual derecho al resarcimiento, de suerte que éste quedaría vedado, no sólo cuando tal título proclama para él efectos ex nunc, sino también e incluso cuando guarda silencio y nada dice del alcance temporal de su fallo ni de la reparabilidad de los perjuicios que la ley inconstitucional haya podido producir.

Cuestión distinta, ajena a la regla general que expresan los términos literales de aquella afirmación que hemos rechazado, es la de los efectos jurídicos que aquellos fallos de inconstitucionalidad hayan de producir sobre decisiones firmes adoptadas con anterioridad a ellos aplicando la norma inconstitucional. Como distinto es también el supuesto que surge cuando el Tribunal Constitucional ejerce la facultad que le corresponde de limitar por exigencias o por razones de índole constitucional la natural eficacia retroactiva de dichos fallos, e incluso la de atribuir a su declaración de inconstitucionalidad, por iguales exigencias, sólo una eficacia prospectiva o de futuro.

Lo dicho refleja también el criterio de aquella jurisprudencia, es decir, de la recaída al enjuiciar acciones de responsabilidad patrimonial en las que el título de imputación era, como aquí, el de la inconstitucionalidad de la ley. Así, en procesos en que la Abogacía del Estado invocó, como hace ahora, la exclusiva eficacia ex nunc de las sentencias declarativas de la inconstitucionalidad de una ley, dejando a salvo o exceptuando sólo el supuesto de que sea la propia sentencia la que se pronuncie sobre sus efectos retroactivos, repite esa jurisprudencia que cuando la sentencia del Tribunal Constitucional no con-

tenga pronunciamiento alguno al respecto, corresponde a los Jueces y Tribunales ante los que se suscite tal cuestión decidir definitivamente acerca de la eficacia retroactiva de la declaración de inconstitucionalidad, aplicando las leyes y los principios generales del derecho interpretados a la luz de la jurisprudencia, de manera que, a falta de norma legal expresa que lo determine y sin un pronunciamiento concreto en la sentencia declaratoria de la inconstitucionalidad, han de ser ellos quienes, en el ejercicio pleno de su jurisdicción, resolverán sobre la eficacia ex tunc o ex nunc de tales sentencias declaratorias de inconstitucionalidad. En este sentido pueden verse, entre otras muchas, las SSTS de 15 de julio de 2000 (recurso núm. 763/1997), 17 de febrero de 2001 (RJ 2001, 669) (349/1998), 24 de enero de 2002 (221/1998), 3 de julio de 2003 (RJ 2003, 5903) (678/2000), 29 de octubre de 2004 (166/2003), 11 de septiembre de 2007 (RJ 2007, 6932) (99/ 2006), etc., etc.

SEXTO. De aquel fundamento jurídico cuarto del escrito de contestación procede ahora, siguiendo el orden que nos propusimos, fijar la atención en un motivo o razón de oposición que se construye con la siguiente afirmación: *"la invalidación de una norma legal por adolecer de algún vicio de inconstitucionalidad –que como hemos dicho no es el caso– no conlleva por sí misma la extinción de todas las situaciones jurídicas creadas a su amparo, ni tampoco demanda necesariamente la reparación de las desventajas patrimoniales ocasionadas bajo su vigencia, máxime en un asunto como el presente en el que la norma que se declara inconstitucional había sido ya derogada por otras posteriores".*

De entrada, debemos prescindir de

algunos componentes de esa afirmación que en sí mismos no son relevantes, en el sentido de que de ellos no se deriva en absoluto o por sí solos la improcedencia de la acción indemnizatoria.

Así, no lo es la causa o razón determinante del vicio de inconstitucionalidad, limitada en el caso que aquí enjuiciamos a la sola o mera contravención por el RDL del inciso inicial del art. 86.1 CE, pues cuál sea esa causa o razón es y debe ser en principio indiferente si el perjuicio cuya reparación se pretende deriva precisamente de la aplicación de la norma declarada inconstitucional. Otra cosa distinta, posible en hipótesis, es que la concreta causa o razón apreciada pueda incidir en el juicio sobre la antijuridicidad del daño, y que por ello y a tal fin haya de ser valorada y tomada en consideración. Pero no es esto lo que apreciamos en el caso que ahora nos ocupa, tal y como resulta de lo que luego habremos de razonar al examinar ese elemento de la antijuridicidad o inexistencia de un deber jurídico de soportar el daño.

Asimismo, tampoco es relevante que aquel RDL estuviera derogado cuando se dictó la sentencia que lo declaró inconstitucional. No lo es, en tanto en cuanto la norma derogatoria no haya reparado el perjuicio irrogado por la aplicación de aquél mientras formalmente estuvo vigente. Cosa distinta es, en la línea antes dicha, que esa norma derogatoria pueda incluir preceptos que deban ser tomados en consideración para decidir sobre la antijuridicidad del perjuicio. De ello también nos ocuparemos en un momento posterior de esta sentencia.

Eliminados de aquella afirmación esos componentes, lo que de ella queda, y en concreto el argumento de que la inconstitucionalidad de la norma no conlleva por sí misma la extinción de todas las situaciones jurídicas creadas a su amparo, ni tampoco demanda necesariamente la reparación de las desventajas patrimoniales ocasionadas bajo su vigencia, trae o parece querer traer a colación una cuestión de hondo calado, referida a los efectos de la declaración de inconstitucionalidad en los procesos en los que se hizo aplicación de la norma inconstitucional y al obstáculo que para el éxito de la acción indemnizatoria puedan suponer los pronunciamientos firmes alcanzados en ellos. Trae o parece querer traer a colación el obstáculo que para reparar el menoscabo económico derivado de la aplicación del RDL en aquel proceso laboral por despido suponen o pueden suponer, en suma, las normas que expresan los artículos 161.1.a), inciso final, de la CE y 40.1, inciso inicial, de la LOTC. Cuestión que, pese a los términos tan escuetos con que se formula, pasamos a analizar con detalle, pues es de ahí, de la solución dada a ella en la larguísima serie de sentencias que siguieron a aquellas primeras de 29 de febrero, 13 de junio y 15 de julio de 2000, de donde nace, como causa no única pero sí principal, la seria y fundada controversia doctrinal a la que antes hicimos referencia y, también, el reiterado voto particular que igualmente citamos.

SÉPTIMO. Para ello, para ese análisis, conviene tener a la vista el tenor literal de esas dos normas.

El art. 161.1.a) CE, después de afirmar la competencia del TC para conocer del recurso de inconstitucionalidad contra leyes y disposiciones normativas con fuerza de ley, dispone, siendo esto lo que ahora importa retener, que " *La declaración de inconstitucionalidad de una norma jurídica con rango de ley, interpretada por la jurisprudencia, afectará a ésta, si bien la sentencia o sentencias recaídas no perderán el valor de cosa juzgada ".*

Y el art. 40.1 de la LOTC, incluido en el Capítulo IV de su Título II, bajo el epígrafe "De la sentencia en procedimientos de inconstitucionalidad y de sus efectos", dispone que *"Las sentencias declaratorias de la inconstitucionalidad de Leyes, disposiciones o actos con fuerza de Ley no permitirán revisar procesos fenecidos mediante sentencia con fuerza de cosa juzgada en los que se haya hecho aplicación de las Leyes, disposiciones o actos inconstitucionales, salvo en el caso de los procesos penales o contencioso-administrativos referentes a un procedimiento sancionador en que, como consecuencia de la nulidad de la norma aplicada, resulte una reducción de la pena o de la sanción o una exclusión, exención o limitación de la responsabilidad"*.

Claro es por tanto, como primera conclusión que no ofrece dudas, que la declaración de inconstitucionalidad (con la única y sola excepción que prevé el inciso final de la segunda de esas normas, sólo referida a los procesos penales o contencioso– administrativos de revisión de resoluciones sancionadoras, en los que la inaplicación de la norma inconstitucional determine un efecto beneficioso para aquél o aquellos contra los que se siguieron esos procesos) deja incólume y no menoscaba el valor de cosa juzgada de la sentencia firme cuya razón de decidir y cuyo pronunciamiento se sustentó en la aplicación de la norma luego declarada contraria a la Constitución.

Es más, aquellas normas lo ordenan así contradiciendo y excepcionando el régimen general del instituto de la cosa juzgada, pues en éste, tal y como es de ver en el párrafo segundo del núm. 2

del art. 222 y en el inciso final del núm. 2 del art. 400, ambos de la Ley de Enjuiciamiento Civil (RCL 2000, 34, 962 y RCL 2001, 1892) , "los hechos y los fundamentos jurídicos" posteriores a la completa preclusión de los actos de alegación realizables en el primer o anterior proceso, que por tanto no hubieran podido alegarse en éste, como lo sería la posterior "declaración de inconstitucionalidad", permiten que sea juzgada de nuevo la pretensión que ya lo fue en ese anterior proceso, excluyendo por ello, por ser hechos o fundamentos jurídicos rigurosamente nuevos, en el sentido de que antes no pudieron ser alegados, los llamados efectos negativo y positivo de la cosa juzgada material. Esto es, pueden válidamente basar una acción a la que no le alcancen los efectos, ya sean excluyentes, ya vinculantes, de la cosa juzgada. La nueva LEC ha traducido así a normas jurídicas lo que ya antes expresaba la jurisprudencia bajo la idea de los "límites temporales de la cosa juzgada", pues ésta abarca la situación o relación jurídica configurada o que pudo serlo en un momento histórico concreto; pero no lo que no pudo serlo entonces, que como posterior configura una relación jurídica distinta, objetivamente diversa.

De ahí, de lo que acabamos de justificar, surge una prevención que deriva directamente de las reglas sobre aplicación de las normas jurídicas, que como tal debe ser atendida y tenida en cuenta. Aquellas normas antes trascritas, insertas en el ámbito del instituto de la cosa juzgada, de la que regulan sus efectos o su valor para el específico supuesto al que se refieren, pero que lo hacen restringiendo, limitando y excepcionando los efectos propios del régimen general de ese instituto procesal, son normas que merecen ser calificadas como restrictivas o limitativas de derechos y de carácter excepcional, con la consecuencia, por ende, de que deben ser interpretadas de un modo estricto, no extensivo, que limite su aplicación a lo que expresamente disponen.

Lo que disponen es que la sentencia que aplicó la norma inconstitucional no perderá el valor de cosa juzgada (si lo tiene, claro es); y, consecuentemente, que no cabrá revisar el proceso fenecido mediante una sentencia dotada de ese valor (con la salvedad a la que se refiere el inciso final de aquel art. 40.1).

Ahora bien, la cosa juzgada, la "res iudicata", "lo juzgado", lo que por haber quedado juzgado en ese proceso así fenecido ya no es posible juzgar, revisar, en otro posterior, alcanza a las pretensiones, tal y como expresa el art. 222.2 LEC, es decir, a la concreta tutela jurídica pretendida en aquél. Pretensión que hoy, tras la regla de preclusión que introdujo el art. 400 LEC, no varía y sigue siendo la misma a esos efectos excluyentes o vinculantes propios de la cosa juzgada, de "lo juzgado", aunque cambie, varíe o se modifique en el proceso posterior su causa de pedir; esto es, aunque en ese proceso posterior, pese a que hubieran podido invocarse en el anterior, varíen los hechos, los fundamentos o los títulos jurídicos en que pueda fundarse lo que se pidió y vuelve a pedirse.

Pero hecha esa salvedad atinente a uno de los tres elementos que identifican y delimitan una concreta pretensión, lo que la cosa juzgada no alcanza, como es obvio, es a dar por juzgadas pretensiones que son distintas de las antes deducidas; bien porque lo sean los sujetos frente a los que se piden; bien porque lo sea el "petitum", esto es, el bien jurídico cuya protección se solicita.

Es aquí, precisamente, donde encontramos la razón jurídica que conduce a interpretar que lo ordenado en aquellos artículos 161.1.a) CE y 40.1 LOTC no impide el ejercicio de una acción de responsabilidad patrimonial sustentada en el perjuicio irrogado por la aplicación en la sentencia dotada de ese valor de cosa juzgada de la ley o norma con fuerza de ley luego declarada contraria a la Constitución. El bien jurídico cuya protección se solicita al deducir esta pretensión está, nadie lo duda, claramente conectado con aquél que se solicitó en el proceso no revisable que feneció con esa sentencia, hasta el punto de que uno y otro pueden llegar a guardar una plena relación de equivalencia o utilidad económica, que les haría así, aunque sólo desde esta perspectiva, intercambiables. Pero no es el mismo bien jurídico; no hay identidad entre uno y otro. En el proceso fenecido lo era el derecho o derechos que a juicio del pretendiente derivaban de una concreta situación o relación jurídica. En el nuevo lo es el derecho a ser indemnizado cuando un tercero causa en su patrimonio un perjuicio que no tiene el deber jurídico de soportar. Como tampoco la hay necesariamente entre las partes de uno y otro proceso, entendidas con la extensión con que lo hace el párrafo primero del art. 222.3 LEC, pues en el fenecido sólo lo eran y sólo podían serlo quienes definían la situación o integraban la relación jurídica cuyo contenido o cuyos derechos se ponían en litigio, mientras que en el nuevo lo es el tercero tal vez ajeno a ellas a quien se imputa el daño antijurídico.

En suma, si lo que excluye la cosa juzgada es, tal y como dice el art. 222.1 LEC, un ulterior proceso cuyo objeto sea idéntico al del proceso en que aquélla se produjo, no es ese efecto de exclusión el que producen aquellos artículos 161.1.a) CE y 40.1 LOTC para el posterior proceso de reclamación de responsabilidad, pues no es esa situación de identidad de objeto la existente entre éste y el anterior.

Mantenemos pues el criterio reiterado en la controvertida jurisprudencia que iniciaron aquellas sentencias de 29 de febrero, 13 de junio y 15 de julio de 2000, que afirma que la acción de responsabilidad patrimonial ejercitada es ajena al ámbito de la cosa juzgada derivada de la sentencia que hizo aplicación de la ley luego declarada inconstitucional, y que dota por tanto de sustantividad propia a dicha acción.

Criterio que es, asimismo, el que mejor se acomoda al que rige la posibilidad de ejercicio de acciones de responsabilidad patrimonial contra los Estados miembros, derivadas de los perjuicios que hubiera podido causar la aplicación de normas internas no compatibles con el Derecho Comunitario. Así, en la sentencia de 30 de septiembre de 2003 (TJCE 2003, 292) , dictada por el Pleno del Tribunal de Justicia de las Comunidades Europeas en el asunto Knbler (C-224/2001), se dice en su FJ 39, con una argumentación que recuerda a la que antes hemos desarrollado, que *"Sin embargo, hay que considerar que el reconocimiento del principio de la responsabilidad del Estado derivada de la resolución de un órgano jurisdiccional que resuelva en última instancia no tiene como consecuencia en sí cuestionar la fuerza de cosa juzgada de tal resolución. Un procedimiento destinado a exigir la responsabilidad del Estado no tiene el mismo objeto ni necesariamente las mismas partes que el procedimiento que dio lugar a la resolución que haya adquirido fuerza de cosa juzgada. En efecto, la parte demandante en una acción de responsabilidad con-*
tra el Estado obtiene, si se estiman sus pretensiones, la condena del Estado a reparar el daño sufrido, pero no necesariamente la anulación de la fuerza de cosa juzgada de la resolución judicial que haya causado el daño. En todo caso, el principio de la responsabilidad del Estado inherente al ordenamiento jurídico comunitario exige tal reparación, pero no la revisión de la resolución judicial que haya causado el daño".

OCTAVO. La conclusión alcanzada es a su vez mucho más nítida en el concreto supuesto que aquí enjuiciamos. La parte contra la que se dirige la pretensión de responsabilidad patrimonial no lo era, no era parte, en aquel proceso laboral por despido. Y el contenido de los derechos y deberes recíprocos entre el empresario y el trabajador al que despidió, que era lo que constituía el objeto de lo que allí se juzgó, permanecerá absolutamente igual a como fue definido en la sentencia firme dictada en él, cualquiera que sea el pronunciamiento que ahora recaiga. La cosa juzgada y la seguridad jurídica a que esta institución atiende, en nada se menoscaban al reconocer la posibilidad de ejercicio de la acción de responsabilidad patrimonial que nos ocupa.

NOVENO. Llegados a este punto, debemos analizar ahora si el menoscabo económico alegado por el actor reúne los requisitos que legalmente son precisos para que proceda su indemnización, es decir, si se trata de un daño efectivo, evaluable económicamente, individualizado con relación a una persona o grupo de personas, y antijurídico, en el sentido, éste, de que aquél no tenga el deber jurídico de soportarlo.

Sólo este último se pone en tela de

juicio en el escrito de contestación a la demanda, lo cual es lógico, pues ninguna duda puede existir acerca de la concurrencia de los dos primeros (efectividad y evaluabilidad económica); ni serían consistentes las que aparentemente puede suscitar el tercero (individualización del daño por relación a una persona o grupo de personas). Aquel menoscabo no es uno que por su generalidad o extensión al común de la sociedad, o al común al menos de quienes como agentes intervienen y conforman un amplio y extenso sector económico, merezca o deba merecer el calificativo de carga colectiva, de carga común que todos deban soportar. Lo es aún menos si la reacción del ordenamiento jurídico poniendo freno a aquél se produjo casi de manera inmediata, dando lugar con ello a que quedara ceñido a un número relativamente escaso de quienes, además, eran concretos destinatarios de una previsión singular (trabajador despedido improcedentemente cuyo empresario opta por la extinción de la relación laboral). Se trata en suma de un menoscabo individual que recae o se residencia de modo directo en el patrimonio del reclamante y del grupo singular y bien delimitado de los que se hallaron en su misma o análoga situación.

DÉCIMO. Centramos nuestra atención por tanto en el elemento o requisito de la antijuridicidad del menoscabo.

En los casos en que el título de imputación de la responsabilidad patrimonial del Estado legislador lo es la posterior declaración de inconstitucionalidad de la ley o norma con fuerza de ley cuya aplicación irrogó el perjuicio, debe imponerse como regla general o de principio la afirmación o reconocimiento de la antijuridicidad de éste, pues si tiene

su origen en esa actuación antijurídica de aquél, constatada por dicha declaración, sólo circunstancias singulares, de clara y relevante entidad, podrían, como hipótesis no descartable, llegar a explicar y justificar una afirmación contraria, que aseverara que el perjudicado tuviera el deber jurídico de soportar el daño.

Esa regla general o de principio es, sin duda, la que se desprende con toda evidencia de aquella jurisprudencia iniciada en aquellas primeras sentencias del año 2000, en donde se lee, por ejemplo, que no parece necesario abundar en razones explicativas de la antijuridicidad del daño, dado que éste se produjo exclusivamente en virtud de lo dispuesto en un precepto declarado inconstitucional (así, en aquella sentencia de 15 de julio de 2000 y en otras muchas posteriores); o que no existía para los recurrentes el deber jurídico de soportar ese perjuicio, puesto que el mismo lo produjo una ley posteriormente declarada inconstitucional (así, y también entre otras muchas, en la sentencia de 9 de mayo de 2008); etc.; etc.

En contra de lo afirmado no parece que quepa invocar, como se hace en el escrito de contestación a la demanda, las sentencias de este Tribunal Supremo de fechas 3 (RJ 2002, 3601) y 13 de abril de 2002 (RJ 2002, 3957) (ambas referidas a los daños imputados al modo en que el Real Decreto-ley 7/1996, de 7 de junio (RCL 1996, 1767, 1823), introdujo el régimen de liberalización en la prestación de los servicios funerarios), pues esas sentencias no abordan un caso como el de autos en el que el título de imputación es la inconstitucionalidad de la norma legal aplicada.

UNDÉCIMO. Sin perjuicio de

lo anterior, el análisis de la concurrencia del requisito de la antijuridicidad del daño no quedaría completo en este caso sin prestar atención a aquella Ley 45/2002, de 12 de diciembre, que surge tras convalidar el RDL mediante el procedimiento a que se refiere el art. 86.2 CE y decidir además tramitar su texto como proyecto de ley por el procedimiento de urgencia (art. 86.3 CE).

Como dijimos en la letra C) del segundo de los fundamentos de derecho de esta sentencia, esa ley derogó de modo expreso el RDL y, además, volvió a modificar el art. 56 LET, devolviéndole, en lo que ahora nos importa, el sentido anterior a dicho RDL, reintroduciendo la obligación de pago de los salarios de tramitación en los supuestos de despido improcedente en que el empresario opta por la extinción de la relación laboral.

El significado de tal decisión del legislador, claro, nítido o poco dudoso por producirse precisamente en la ley que se aprueba a través de aquella vía acumulativa a la de la mera convalidación en que consiste la que prevé el citado art. 86.3 CE, es uno equiparable, no a la mera recuperación de una regulación anterior que vuelve a ser considerada como más adecuada al interés general y más en consonancia con el estado actual de un inevitable devenir de los criterios u objetivos de política legislativa, sino, más bien, equiparable a la desautorización de la supresión que había introducido el RDL, por no apreciar el legislador, en suma, que ese interés general o esos criterios u objetivos demandaran en ese momento, ni en el tan inmediatamente anterior en que el RDL fue aprobado, aquella supresión de los salarios de tramitación. De ahí también el fortalecimiento de la conclusión de la inexistencia de un deber jurí-

dico de soportar el daño, pues éste surge al apartarse el RDL de una regulación anterior muy consolidada sin que el legislador apreciara causa material que lo justificara. Y de ahí asimismo la obvia conexión existente entre el vicio de inconstitucionalidad apreciado y el daño, pues éste no hubiera surgido si el Gobierno, por carecer del presupuesto habilitante exigido en el art. 86.1 CE, no hubiera dictado el RDL y hubiera sometido un proyecto de ley en el que incluyera su criterio favorable a aquella supresión al procedimiento normal o de urgencia para la tramitación parlamentaria de las Leyes.

DUODÉCIMO. Dicha Ley 45/2002 incluyó también, como igualmente dijimos en aquella letra C), una Disposición transitoria primera del siguiente tenor: *"las extinciones de contratos producidas con anterioridad a la fecha de entrada en vigor de la presente Ley se regirán, en lo que se refiere a sus aspectos sustantivo y procesal, por las disposiciones vigentes en la fecha en que hubieran tenido lugar dichas extinciones".*

Sin embargo, no atribuimos a esa Disposición transitoria el efecto de sanar la antijuridicidad del daño, o, dicho de otra manera, de derivar de ella la apreciación de que el trabajador despedido improcedentemente (y no readmitido) en el periodo que medió entre la entrada en vigor del RDL (26-5-2002) y la de la Ley 45/2002 (14-12-2002), tenga el deber jurídico de soportar el menoscabo económico producido por la aplicación de una norma inconstitucional y consiguiente supresión del aquel sumando constituido por los salarios de tramitación. Es así, porque la posterior declaración de inconstitucionalidad y nulidad del RDL origina para éste, a falta o en ausencia de un pronunciamiento de signo contrario que se contuviera en la sentencia constitucional, una invalidez con efectos ex tunc, que la retrotraen al momento mismo en que entró en vigor. Y además, porque si aquella decisión del legislador es equiparable a nuestro juicio a una desautorización de la supresión introducida por el RDL, ello conduce o debe conducir a ceñir el significado y trascendencia de aquella Disposición transitoria al propio de las de su naturaleza, esto es, a fijar los efectos de la sucesión temporal de normas, pero no a atribuirle después de declarada la inconstitucionalidad y nulidad de la norma precedente un efecto equivalente a dotar de juridicidad un daño que como regla general o de principio es antijurídico.

DECIMOTERCERO. No apreciamos en el escrito de contestación a la demanda más motivos o razones de oposición, pues aquél que se expresa en el número 1 del fundamento jurídico tercero de dicho escrito, único que aparentemente restaría por tratar, carece de la mínima consistencia necesaria para considerarlo como tal, pues que la sentencia que puso fin al proceso laboral por despido no reconociera al trabajador como un sumando más de la cantidad a percibir el consistente en los llamados salarios de tramitación, fue consecuencia de la vigencia del RDL al tiempo del despido y no elimina, por tanto, la relación causal existente entre la norma inconstitucional y la lesión cuya reparación se pretende.

DECIMOCUARTO. Abordando ya la cuestión del importe o cantidad que deba reconocerse en concepto de indemnización, ninguna duda ofrece la inclusión de aquella de 7.039,76 euros a la que hicimos referencia en la letra E) del segundo de los fundamentos de

derecho de esta sentencia, pues esa es precisamente la que constituye el menoscabo patrimonial derivado de la aplicación en su proceso laboral por despido del RDL inconstitucional y nulo. Cantidad a la que no debemos restar el importe de las prestaciones contributivas por desempleo que el actor percibió entre el 16-08-2002 y el 27–11-2002, tanto porque la Administración no introduce en el proceso semejante cuestión, como por la razón de que esa deducción o resta cobraría justificación si el actor no viera disminuido por la prestación ya percibida la totalidad del periodo en que deba tener derecho a tales prestaciones.

No procede, en cambio, incluir la cantidad de 2.000 euros a la que también nos referimos en aquella letra E), reclamada por el actor, sin mayor alegación, detalle ni precisión, *"en concepto de honorarios profesionales, a los que deberá hacer frente el que suscribe por la tramitación de la presente reclamación"*. Es así, porque a través de una alegación semejante no identifica ni cuantifica gastos concretos anteriores al proceso, que deban quedar regidos por el criterio de la plena indemnidad y no por el régimen jurídico que gobierna los del proceso, que no es el propio del instituto de la responsabilidad patrimonial y sí el de las costas procesales.

DECIMOQUINTO. Aunque omite el escrito de demanda la solicitud de condena al pago de intereses, ello no es obstáculo, tal y como dijo este Tribunal en su sentencia de 13 de mayo de 2003 (RJ 2003, 3922), dictada en el recurso número 159/2000, para incluirla, pues lo exigen así, tanto el principio de total indemnidad que preside el instituto de la responsabilidad patrimonial, como la naturaleza de deuda de valor que tiene la obligación pecuniaria de resarcimiento, e incluso la previsión del art. 141.3 de la Ley 30/1992.

DECIMOSEXTO. No apreciamos que concurran en la conducta pro-

cesal de la Administración las circunstancias de mala fe o temeridad a que se refiere el art. 139.1 de la Ley de la Jurisdicción (RCL 1998, 1741) ; razón por la que no procede imponer las costas causadas.

VOTO PARTICULAR

VOTO PARTICULAR QUE FORMULA EL MAGISTRADO D. Manuel Campos Sanchez-Bordona Y AL QUE SE ADHIERE EL MAGISTRADO EXCMO. SR. D. Pablo Lucas Murillo de la Cueva EN LA SENTENCIA DICTADA POR EL PLENO DE LA SALA DE LO CONTENCIOSO-ADMINISTRATIVO DEL TRIBUNAL SUPREMO CON FECHA 2 DE JUNIO DE 2010, RECAÍDA EN EL RECURSO CONTENCIOSO-ADMINISTRATIVO NÚMERO 2/588/2008.

Discrepo, con todo el respeto que me merece, de la decisión mayoritaria adoptada por el Pleno de la Sala que, a mi juicio, debió ser en este caso desestimatoria de la reclamación de responsabilidad patrimonial.

Comparto buena parte de las consideraciones expuestas con brillantez en los ocho primeros fundamentos jurídicos de la sentencia, sin perjuicio de lo cual estimo que la doctrina general en ellos contenida debería ser objeto de algunas matizaciones. La primera de ellas afecta al binomio inconstitucionalidad de la ley – antijuridicidad del daño provocado. La sentencia aborda esta cuestión, a mi juicio, en unos términos excesivamente rígidos.

PRIMERO. Las consecuencias que para el patrimonio colectivo pueda tener la declaración de inconstitucionalidad de una ley, pronunciada por el Tribunal Constitucional, no están suje-

tas a un tratamiento uniforme. Como reconoce la sentencia mayoritaria, es posible que el propio Tribunal Constitucional las elimine o atempere, bien atribuyendo a su fallo eficacia meramente prospectiva, bien limitando sus efectos anteriores en el tiempo y atenuando por lo tanto su eficacia *ex tunc*. El problema se plantea, obviamente, ante el silencio del Tribunal Constitucional respecto a la eficacia temporal de una sentencia suya de este género.

Coincido, en términos generales, con la mayoría de la Sala en su interpretación de los artículos 161 de la Constitución (RCL 1978, 2836) y 40.1 de la Ley Orgánica del Tribunal Constitucional (RCL 1979, 2383), así como en su respaldo a la línea jurisprudencial según la cual el silencio del Tribunal Constitucional no impide a los tribunales de justicia deducir o administrar las consecuencias patrimoniales para el Estado derivadas de la declaración de inconstitucionalidad de las leyes. Pero tal deducción ha de hacerse no de modo automático ni con la –en mi opinión– rigidez que encuentro en la sentencia de la que discrepo, sino atendiendo a diversos factores el primero de los cuales atañe precisamente a la "intensidad", si se puede emplear el término, de la violación del orden constitucional.

A mi juicio no es lo mismo, desde la perspectiva que ahora importa, una declaración de inconstitucionalidad basada en elementos externos al contenido normativo de la ley anulada que otra fundada en que estos contenidos vulneran, por sí mismos, los derechos de los destinatarios afectados por la ley.

No debería ser igual, desde este punto de vista, que una norma legal de carácter tributario sea anulada por confiscatoria que por haber sido indebidamente incluida en la Ley de Presupuestos: el necesario resarcimiento del daño provocado por la primera no tendría por qué ser equiparable al de la segunda. De hecho, esta misma Sala en Pleno ha denegado pretensiones similares a la actual, pese a la declaración de inconstitucionalidad de una ley, cuando la razón de ser de esta declaración, contenida en la sentencia constitucional 102/2005 (RTC 2005, 102), no era sino la incorrecta atribución al Ministro de Obras Públicas y Transportes de excesiva (casi ilimitada) capacidad normativa para fijar el contenido de unas prestaciones patrimoniales públicas.

Apreciamos en su momento que el pago de las tarifas configuradas conforme a la ley inconstitucional –en aquel supuesto la Ley 27/1992 (RCL 1992, 2496), de Puertos del Estado – respondía a un mecanismo de contraprestación por la percepción de ciertos servicios públicos y que era improcedente la reclamación de responsabilidad patrimonial al Estado basada en la aprobación de la ley declarada inconstitucional (sentencia del Pleno de 5 de marzo de 2008 (RJ 2008, 3716)).

Si la norma legal declarada no conforme a la Constitución lo ha sido por el primer grupo de motivos (que incluyen, por ejemplo, los relativos a cuestiones competenciales o a defectos en la tramitación parlamentaria o, como en este caso sucede, a la incorrecta valoración del requisito de la urgencia nece-

saria para aprobar un Real Decreto-Ley), este hecho por sí mismo –insisto, desligado de cuál sea el contenido sustantivo de la norma legal– no me parece suficiente para abrir paso a la responsabilidad patrimonial del Estado. Responsabilidad que exigiría, siempre según mi opinión, que, además, el contenido material del precepto con rango de ley sea contrario, desde el punto de vista constitucional, a los derechos de los ciudadanos y les haya causado un perjuicio patrimonial efectivo.

En el caso que nos ocupa el precepto declarado inconstitucional lo fue porque el Real Decreto-Ley no respondía a razones reales de urgencia. Pero no se ha negado que dentro de la capacidad de configuración normativa conforme con la Constitución tan adecuados a ella fuera un régimen que regulaba los "salarios de tramitación", esto es, los dejados de percibir tras el despido hasta la sentencia, en los términos previos al Decreto-Ley 5/2002 (RCL 2002, 1360, 1479) (en cuanto parte de las obligaciones impuestas al empresario), como otro que, en definitiva, venía a sustituir aquellos salarios a cargo del empresario por prestaciones de desempleo a cargo de los fondos públicos.

Sólo si se hubiera declarado la inconstitucionalidad material de esta medida –lo que es difícilmente imaginable– estaríamos, a mi juicio, en condiciones de considerar la eventual responsabilidad patrimonial del Estado por aquel hecho. El presupuesto de semejante declaración de inconstitucionalidad implicaría reconocer que la exigencia del pago de los salarios de tramitación en los términos previos al Real Decreto Ley 5/2002 vendría impuesta por el propio texto constitucional, cuando no es sino una opción legislativa tan legítima como su contraria.

Téngase en cuenta, por lo demás, que el propio Tribunal Constitucional, cierto que desde la perspectiva de un recurso de amparo en el que se cuestionaba la vulneración del artículo 14 de la Constitución, mediante su sentencia 84/2008 corroboró la aplicación de las nuevas normas (respecto de los salarios de tramitación) incluidas en el Real Decreto Ley 5/2002 a hechos acaecidos durante su corta vigencia.

Así las cosas, si la nueva regulación de los salarios de tramitación se hubiera establecido por una ley (o si el Real Decreto Ley 5/2002 hubiera respondido realmente a una situación de urgencia), sus destinatarios estarían obligados a respetarla, pues desde el punto de vista sustantivo nada obstaba a su constitucionalidad, y ninguna responsabilidad patrimonial se derivaría para el Estado. Se trataría de una mera consecuencia "normal" de la capacidad legislativa del Estado que se impone a todos los ciudadanos. Desde el enfoque que sostengo, la declaración de inconstitucionalidad del Decreto-Ley por razones ajenas a su contenido no debería conducir a la solución contraria.

En el caso de autos, además, la supresión –matizada– de los tan citados salarios de tramitación quedaba compensaba según el propio Real Decreto Ley 5/2002 con el adelanto en la percepción, por parte del trabajador despedido, de la prestación de desempleo. Esta medida legislativa suponía que el comienzo de la percepción de la prestación de desempleo se fijaba en la fecha del cese por despido, con independencia de su impugnación "[...] posibilitando la existencia de ingresos en el período que medie entre el despido y la conciliación o la sentencia".

Si es cierto, pues, que la modificación en el régimen de los salarios de tramitación podía suponer para los trabajadores despedidos una minoración de los derechos –nacidos de la ley– que les reconocía el sistema preexistente (y es precisamente este dato el que lleva a la sentencia mayoritaria a apreciar el "daño"), también lo es que el nuevo marco normativo consideraba procedente sustituir aquél por otro que configuraba la protección económica del trabajador despedido mediante el mecanismo de la prestación de desempleo. Ambos sistemas de regulación de la relación de trabajo, y del papel del Estado en su entorno, respetaban, a mi juicio, el texto constitucional. Premisa a partir de la cual la declaración de inconstitucionalidad, por la razón ya expuesta, del Real Decreto-Ley 5/2002 no constituye base suficiente para atribuir al Estado la responsabilidad de indemnizar a los ciudadanos afectados por el nuevo régimen normativo. Aun cuando no hubiera razones suficientes para apreciar la urgencia del Real Decreto-Ley, la solución impuesta por éste no era materialmente inconstitucional y significaba un mero cambio de régimen, legítimo, en el tratamiento de las consecuencias económicas de los despidos, asegurando al trabajador despedido la cobertura de la prestación por desempleo en vez de la percepción del "salario de tramitación".

Considero que deberíamos avanzar en este enfoque de la responsabilidad patrimonial del Estado por leyes declaradas inconstitucionales, más atento al contenido material de las normas y a su incidencia y efectos en los derechos de los ciudadanos, así como al mayor o menor grado de intensidad (o "caracterización", por emplear el término empleado en otros ordenamientos) de la infracción constitucional. En el buen entendimiento de que sería aplicable sólo cuando, como ya ha quedado expuesto, no tengamos pautas suficientes en las propias sentencias constitucionales sobre la eficacia temporal, *ex tunc* o *ex nunc*, de los fallos respectivos.

SEGUNDO. Una segunda línea argumental en la sentencia de la que discrepo, referida no tanto al problema "dogmático" de los perfiles de la responsabilidad patrimonial por leyes inconstitucionales, sino al más preciso de la fijación de las normas legales aplicables al caso de autos, es la relativa a la incidencia que sobre el Real Decreto-Ley 5/2002 pudiera tener la ulterior aprobación de la Ley 45/2002 (RCL 2002, 2901) (fundamento jurídico duodécimo de la sentencia mayoritaria).

A mi juicio, era posible una interpretación de la Disposición transitoria primera de esta última Ley (la 45/2002) que corroborase, si fuera necesario, la procedencia de aplicar el Real Decreto-Ley 5/2002 a las extinciones de contratos de trabajo producidas bajo su vigencia, cualquiera que hubieran sido las vicisitudes posteriores de este último.

La aplicación del "nuevo" sistema (sustitución del salario de tramitación por el adelanto de la prestación del desempleo) introducido por el Real Decreto-Ley 5/2002 quedaría, pues, respaldada *a posteriori* por la nueva Ley 45/2002, esto es, por la misma norma legal que derogó el Real Decreto Ley 5/

2002 y "reintrodujo" –por emplear los términos de la sentencia mayoritaria– el régimen vigente hasta el 24 de mayo de 2002 en que la norma de urgencia fue aprobada.

La "validez" del régimen posterior al 24 de mayo de 2002 y de sus medidas de aplicación no procedería, por lo tanto, sólo del propio Real Decreto-Ley 5/2002 (ulteriormente declarado inconstitucional) sino de la asunción de sus contenidos y de su aplicación que –también como opción legislativa legítima para resolver los problemas intertemporales– llevó a cabo la ulterior Ley 45/2002, cuya constitucionalidad no ha sido puesta en duda.

El legislador que aprueba la Ley 45/2002 era tan consciente de que "reintroducía" el sistema primitivo al derogar el Real Decreto-Ley 5/2002 como de que validaba, pese a ello, la aplicación del Real Decreto-Ley 5/2002 a los ceses por despido ocurridos durante su corto tiempo de vigencia. Quiérese decir, pues, que el régimen jurídico aplicable a estos ceses en relación con los salarios de tramitación, aun habiendo sido objeto de la declaración de inconstitucionalidad en la sentencia 68/2007 (RTC 2007, 68) por las razones ya expuestas, goza del respaldo de otra norma legal posterior (la Ley 45/2002) sobre la que ningún pronunciamiento de inconstitucionalidad ha recaído.

VOTO PARTICULAR

VOTO PARTICULAR QUE CONFORME AL ARTÍCULO 260 DE LA LEY 6/1985, DE 1 DE JULIO, ORGANICA DEL PODER JUDICIAL, FORMULA EL MAGISTRADO DE ESTA SALA EXCMO. SR. D. Manuel Martin Timon Y AL QUE SE ADHIERE EL MAGISTRADO EXCMO. SR. D. Emilio Frias Ponce, EN RELACION CON LA SENTENCIA DICTADA EN EL RECURSO CONTENCIOSO-ADMINISTRATIVO NUMERO 588/2008.

Con respeto y acatamiento del criterio mayoritario del Pleno, recogido en la Sentencia que resuelve el recurso contencioso administrativo número 588/2008, expreso a continuación los fundamentos de lo que en mi opinión debió conducir a desestimación. Y para ello, aprovecho la exposición meramente fáctica de la Sentencia de la que discrepo y fijo como premisa de mi argumentación que la Sentencia del Tribunal Constitucional 68/2007,de 28 de marzo (RTC 2007, 68), se limita a declarar *"inconstitucional y nulo"* el Real Decreto-ley 5/2002, de 24 de mayo (RCL 2002, 1360), de medidas urgentes para la reforma del sistema de protección por desempleo y mejora de la ocupabilidad, sin hacer referencia alguna a los efectos de tal declaración.

Ello me permite comenzar con un recuerdo a los primeros años de andadura del Tribunal Constitucional en los que la cultura jurídica del país entendió que la inconstitucionalidad de una ley llevaba aparejada la nulidad de las disposiciones afectadas por la misma con las consecuencias de retroactividad plena a ello inherentes. Se entendía que la norma contra Constitución tiene en sí misma un vicio que provoca su nulidad "ipso iure" y, por ello, las Sentencias del Tribunal Constitucional serían declarativas de ese vicio y provocarían la eliminación de las mismas y de sus efectos con carácter retroactivo o "ex tunc".

Participando el Gobierno de esta forma de pensar, tras las Sentencia del Tribunal Constitucional 179/85, de 19 de diciembre (RTC 1985, 179) y 19/1987, de 17 de febrero (RTC 1987, 19), que declararon inconstitucionales los artículos 8.º1 y 9.º1 de la Ley 24/193, de 21 de diciembre, de Medidas Urgentes de Saneamiento y Regulación de las Haciendas Locales, en cuanto a la libertad e fijación de tipos en los recargos

del IRPF y el artículo 13.1 de la misma Ley, que había establecido la posibilidad de que los Ayuntamientos fijaran libremente el tipo de gravamen en las Contribuciones Rústicas y Urbana, aprobó los Reales Decretos Leyes 1959/1986, de 29 de agosto y 1/1987, de 10 de abril (RCL 1987, 1001), para proceder a la devolución de los tributos indebidamente percibidos.

Con el criterio señalado se producía una separación del modelo kelseniano, que ha quedado reflejado en el Tribunal Constitucional austríaco, que actúa como "legislador negativo" y cuyas sentencias de declaración de inconstitucionalidad tienen eficacia "ex nunc", similar a la derogación.

Sin embargo, el transcurso del tiempo ha demostrado que con distintas motivaciones (principios, valores o intereses generales etc...) se ha llegado a una concepción diferente de la que acabamos de señalar y a una profunda transformación de la idea de la nulidad por inconstitucionalidad que difiere en sus características y efectos de la antes apuntada.

En efecto, fue la Sentencia del Tribunal Constitucional 45/1989, de 20 de febrero (RTC 1989, 45) , que resolvió la cuestión de inconstitucionalidad acordada por el propio Pleno del Tribunal, en relación con la Ley 44/1978 (RCL 1978, 2776), del Impuesto sobre la Renta de las Personas Físicas, teniendo en cuenta la reforma operada por Ley 48/1985 (RCL 1985, 3055) , la que produjo un giro en este y otros aspectos, a mi juicio de carácter esencial.

En primer lugar, se reconoció la posibilidad de declaración de inconstitucionalidad de preceptos sin la calificación de nulidad, siendo el más claro ejemplo el del texto omitido, y así la declaración conjunta en el IRPF se reputó inconstitucional en la medida en que el texto legal no preveía para los miembros de la unidad familiar, ni directamente ni por remisión, posibilidad alguna de sujeción separada. De menor trascendencia, y desde luego menos conocida y citada, fue la declaración inconstitucionalidad del precepto que no incluía entre los períodos impositivos inferiores a un año el correspondiente a los matrimonios contraídos en el curso del mismo.

Y ante la exigencia del artículo 39.1 de la L.O.T.C (RCL 1979, 2383)., en el que se establece que: "*Cuando la sentencia declare la inconstitucionalidad declarará igualmente la nulidad de los preceptos impugnados, así como, en su caso,, la de aquellos que la misma Ley, disposición o acto con fuerza de Ley a los que deba extenderse por conexión o consecuencia*", la justificación que el Tribunal da para la mera declaración de inconstitucionalidad que no supone nulidad, es la de que "*la conexión entre inconstitucionalidad y nulidad quiebra, entre otros casos, en aquellos en los que la razón de la inconstitucionalidad del precepto reside, no en determinación textual alguna de éste, sino en su omisión*".

Es así como se introdujo en nuestro ordenamiento jurídico la novedad que había supuesto también la Ley de 21 de diciembre de 1970, de modificación del Tribunal Constitucional Alemán, al distinguir junto a la "declaración de nulidad" la "declaración de incompatibilidad", equivalente a la inconstitucionalidad simple.

En segundo lugar, se indicó que de conformidad con lo dispuesto en la Ley Orgánica del Tribunal Constitucional (art. 39.1), "*las disposiciones conside-radas inconstitucionales han de ser declaradas nulas, declaración que tiene efectos generales a partir de su publicación en el «Boletín Oficial del Estado»* (art. 38.1 LOTC) *y que en cuanto comporta la inmediata y definitiva expulsión del ordenamiento de los preceptos afectados* (STC 19/1987 (RTC 1987, 19), fundamento jurídico 6.°) *impide la aplicación de los mismos desde el momento antes indicado, pues la Ley Orgánica no faculta a este Tribunal, a diferencia de lo que en algún otro sistema ocurre, para aplazar o diferir el momento de efectividad de la nulidad*", añadiéndose la afirmación también trascendental de que "*ni esa vinculación entre inconstitucionalidad y nulidad es, sin embargo, siempre necesaria, ni los efectos de la nulidad en lo que toca al pasado vienen definidos por la Ley, que deja a este Tribunal la tarea de precisar su alcance en cada caso, dado que la categoría de la nulidad no tiene el mismo contenido en los distintos sectores del ordenamiento*".

Y por último, y precisamente en relación con el pasado, y con evidente diferencia de lo que habían supuesto las Sentencias anteriores, advirtió en relación con los efectos de la sentencia que se dictaba, lo siguiente:

"*La segunda de las mencionadas precisiones es la de que entre las situaciones consolidadas que han de considerarse no susceptibles de ser revisadas como consecuencia de la nulidad que ahora declaramos figuran no sólo aquéllas decididas mediante Sentencia con fuerza de cosa Juzgada* (art. 40.1 LOTC), *sino también por exigencia del principio de seguridad jurídica* (art. 9.3 C. E (RCL 1978, 2836) .), *las establecidas mediante las actuaciones administrativas firmes; la conclusión contraria, en efecto, entrañaría – como con razón observa el representante del Gobierno— un inaceptable trato de disfavor para quien recurrió, sin éxito, ante los Tribunales en contraste con el trato recibido por quien no instó en tiempo la revisión del acto de aplicación de las disposiciones hoy declaradas inconstitucionales.*

Por último, y para concluir, conviene precisar que tampoco en lo que se refiere a los pagos hechos en virtud de autoliquidaciones o liquidaciones provisionales o definitivas acordadas por la Administración puede fundamentar la nulidad que ahora acordamos pretensión alguna de restitución. También en este supuesto, en efecto, esa nulidad provoca una laguna parcial en un sistema trabado que, como tal, no es sustituido por otro sistema alguno".

La desvinculación, posible, de la inconstitucionalidad respecto de la nulidad, la afirmación de que los efectos de ésta última no vienen determinados en la Ley Orgánica, que atribuye al propio Tribunal Constitucional la tarea de precisar su alcance en cada caso y el reconocimiento de la intangibilidad de las situaciones dotadas de firmeza, supuso la introducción en nuestro ordenamiento jurídico del germen de la denominada eficacia "pro futuro" del fallo que declara la inconstitucionalidad de una ley, sin que ello suponga que desconocemos la posible existencia de relaciones jurídicas no firmes, a las que si afectará la declaración de inconstitucionalidad, tal como después exponemos.

A partir de esta Sentencia son innumerables las que declarando la inconstitucionalidad mencionan las limitaciones hacía el pasado que suponen los artículos 9.3 y 161.1 a) de la Constitución y 40.1 de la LOTC.

En todo caso, lo primero que tenemos que hacer es distinguir entre sentencias que declaran la inconstitucionalidad con nulidad y las que no incorporan esta última consecuencia.

En cuanto a las que no declaran la nulidad, preciso es reconocer que, como señala el Tribunal Constitucional, la categoría de la nulidad no tiene el mismo contenido en los distintos sectores del ordenamiento.

Así, en Derecho Privado, la regla general es la nulidad de los actos contra leyes, pero *"salvo que en ellas se establezcan un efecto distinto para el caso de contravención"* (artículo 6.3 del Código Civil [LEG 1889, 27]), lo que pueden hacer tanto expresa como tácitamente, aparte de la aplicación de principios como el de "favor negoti".

En cambio, cuando se trata de infracción del principio de jerarquía de las normas la regla es la de carencia de validez (artículo 1.2 del Código Civil), si bien más expresivamente el artículo 62.2 de la Ley 30/1992, de 26 de noviembre (RCL 1992, 2512, 2775 y RCL 1993, 246), de Régimen Jurídico de las Administraciones Públicas y del Procedimiento Administrativo Común, establece que *"serán nulas de pleno derecho las disposiciones administrativas que vulneren la Constitución, las leyes u otras disposiciones administrativas de rango superior".*

Pues bien, en la inconstitucionalidad las cosas ocurren de otra manera, pues para empezar, la historia de la doctrina del Tribunal Constitucional nos ofrece diversos ejemplos de leyes que son declaradas inconstitucionales sin que ello suponga su nulidad. Aparte de los casos antes citados de la Sentencia 45/1989 (RTC 1989, 45) , pueden mencionarse el de las leyes que contienen partidas presupuestarias o conceden subvenciones y en donde no se duda en acudir a la simple declaración de inconstitucionalidad (sin nulidad) para evitar los perjuicios que en otro caso pudieran producirse. Me limitaré a citar el ejemplo de la Sentencia del Tribunal Constitucional 13/1992, de 16 de febrero (RTC 1992, 13) , que conoció de los recursos de inconstitucionalidad formulados contra determinados preceptos y partidas presupuestarias de las Leyes 33/1987, de 23 de diciembre (RCL 1987, 2660) y 37/1988, de 28 de diciembre (RCL 1988, 2595) de Presupuestos Generales del Estado para 1988 y 1989, respectivamente, y que estimó la pretensión de la Generalidad de Cataluña mediante la declaración de inconstitucionalidad de aquellas partidas presupuestarias que habían invadido sus competencias, pero sin necesidad de anular los correspondiente preceptos presupuestarios ni menos todavía las subvenciones ya concedidas al amparo de los mismos. Por todo ello, concluye la Sentencia "*el alcance de los efectos generales de la declaración de inconstitucionalidad acordada se limita a los futuros ejercicios presupuestarios posteriores a la fecha de publicación de esta Sentencia en el «Boletín Oficial del Estado»*".

Frente a ello, están las Sentencias que declaran la inconstitucionalidad de las leyes con la consecuencia de su nulidad, caso en el que las situaciones en las que se pueden encontrar los ciudadanos son las siguientes: 1ª) la de quienes interpusieron recurso en tiempo y forma todavía no resuelto; 2ª) la de quienes no recurrieron en tiempo y forma o recurrieron, pero sin ver satisfecha estimatoriamente su pretensión; y 3ª) las de quienes sufren una aplicación incorrecta de la ley declarada inconsti-

tucional tras la publicación de la sentencia que así lo dispone.

Naturalmente que en el primero de los supuestos no se plantea problema alguno, porque "*las sentencias recaídas en procedimientos de inconstitucionalidad vincularán a todos los Poderes Públicos y producirán efectos generales desde la fecha de su publicación en el Boletín Oficial del Estado*" (artículo 38.1 de la LOTC). No niego que en estos casos pueda hablarse de retroactividad siempre que se acepte que se trata de lo que la mejor doctrina ha denominado "retroactividad de grado medio", lo que resulta único e insuficiente bagaje para sostener el efecto "ex tunc" de las sentencias de inconstitucionalidad con nulidad.

Tampoco plantea especial conflictividad el tercero de los supuestos indicados, pues el perjudicado podrá interponer el recurso que resulte procedente para ser reestablecido en su derecho.

El verdadero problema se plantea en relación con quienes no recurrieron o recurrieron pero obteniendo un resultado desestimatorio o en general no favorable a sus intereses.

En tales casos, hay que distinguir entre sentencias que fijan expresamente el alcance de la nulidad y aquellas en las que el Tribunal Constitucional guarda silencio sobre dicho alcance.

Si existe pronunciamiento expreso respecto de los efectos de la nulidad, se hace referencia en ellas también a la necesidad de salvar lo dispuesto en el artículo 40.1 de la L.O.T.C., tal como antes ha quedado señalado. Pero además, y como demostración del peculiar carácter de la nulidad por inconstitucionalidad, existen Sentencias de Tribunal Constitucional que aplazan sus efectos de aquella, especialmente en procesos en los que se dilucidan cuestiones competenciales. Así ocurrió en la Sentencia 195/1998, de 1 de octubre (RTC 1998, 195) , en relación con el recurso de inconstitucionalidad de Ley 6/1992, de 27 de marzo (RCL 1992, 722) , por la que se declara Reserva Natural a las Marismas de Santoña y Noja y en donde para evitar los perjuicios a la protección, conservación, restauración y mejora del espacio natural de las Marismas de Santoña, se afirma que *"la declaración de inconstitucionalidad de la* Ley 6/1992 *no debe llevar aparejada la inmediata declaración de nulidad, cuyos efectos quedan diferidos al momento en el que la Comunidad Autónoma dicte la pertinente disposición en la que las Marismas de Santoña sean declaradas espacio natural protegido bajo alguna de las figuras previstas legalmente."* En el mismo sentido, la Sentencia del Tribunal Constitucional 100/2005, de 20 de abril (RTC 2005, 100), que se remite a la 195/1998 (RTC 1998, 195) a que acabamos de referirnos.

Otro ejemplo, para salvaguardar otros intereses igualmente legítimos, lo tenemos en la Sentencia 54/2002, de 27 de febrero (RTC 2002, 54) , dictado en el recurso de inconstitucionalidad promovido por el Gobierno de la Nación contra el artículo único de la Ley del Parlamento Vasco 11/1998, de 20 de abril (LPV 1998, 236), por la que se determinaba la participación de la Comunidad en las plusvalías generadas por la acción urbanística, Sentencia en la que se hace de modo expreso una declaración de nulidad "pro futuro", pues en el Fundamento de Derecho 9 puede leerse lo siguiente:

"En el asunto que nos ocupa debemos traer a colación, a la hora de precisar el alcance en el tiempo de nuestra declaración de nulidad, el principio de seguridad jurídica (art. 9.3 CE), *al que responde la previsión contenida en el* art. 40.1 LOTC , *según el cual las sentencias declaratorias de la inconstitucionalidad de leyes «no permitirán revisar procesos fenecidos mediante sentencia con fuerza de cosa juzgada» en los que se haya hecho aplicación de las leyes inconstitucionales. Ahora bien, la modulación del alcance de nuestra declaración de inconstitucionalidad no se limita a preservar la cosa juzgada. Más allá de ese mínimo impuesto por el* art. 40.1 LOTC *debemos declarar que el principio constitucional de seguridad jurídica* (art. 9.3 CE) *también reclama que –en el asunto que nos ocupa– esta declaración de inconstitucionalidad sólo sea eficaz «pro futuro», esto es, en relación con nuevos supuestos o con los procedimientos administrativos y procesos judiciales donde aún no haya recaído una resolución firme. En efecto, al igual que dijimos en las* SSTC 45/1989, de 20 de febrero (RTC 1989, 45) F. 11, 180/2000, de 29 de junio, F.7 *sobre la* Ley riojana 2/1993, de Presupuestos (RCL 1993, 1254) , y 289/2000, de 30 de noviembre, F. 7 *sobre Ley balear reguladora del Impuesto sobre instalaciones que incidan en el medio ambiente, el principio de seguridad jurídica* (art. 9.3 CE) *reclama la intangibilidad de las situaciones jurídicas consolidadas; no sólo las decididas con fuerza de cosa juzgada, sino también las situaciones administrativas firmes. Esta conclusión se refuerza si se tiene en cuenta, además, que dotar de eficacia «ex tunc» a nuestra declaración de nulidad distorsionaría gravemente la actividad de gestión urbanística desarrollada al amparo de la norma que se declara inconstitucional, tanto por los Municipios vascos como por los particulares, transcendiendo,*

incluso, las previsibles consecuencias económicas adversas que la revisión de las cesiones obligatorias ya firmes supondrían para los Municipios, con el consiguiente riesgo de quiebra del principio de suficiencia financiera de las Haciendas Locales a que se refiere el art. 142 CE*."*

Vemos que con la aplicación de la limitación del artículo 40.1 de la LOTC y con la invocación de distintos principios o justificándolo en distintas razones, es clara la tendencia en las sentencias declararatorias de inconstitucionalidad, incluso en as que proclaman la nulidad, a afirmar su eficacia "pro futuro", de tal forma que hoy puede afirmarse que la doctrina del Tribunal Constitucional se ha incorporado a los vientos de prospectividad que desde la Sentencia del Tribunal Supremo de los EEUU en el asunto "Linkletter vs Walter", corrían en los países de nuestro entorno y de lo que es ejemplo el Tribunal Constitucional austríaco y el Tribunal Constitucional alemán, que a partir de 1970 reconoce las siguientes modalidades de sentencias de declaración de inconstitucionalidad:

a) Sentencias que declaran que una ley es inconstitucional en la medida en que no se reforme en determinado plazo o antes de determinada fecha.

b) Sentencias que declaran la inconstitucionalidad pro futuro.

c) Sentencias que declaran la inconstitucionalidad con retroactividad, pero que no es efectiva hasta que el legislador la complete con determinadas medidas y siempre respetando la cosa juzgada salvo en Materia sancionadora.

Pero también hay sentencias del Tribunal Constitucional con silencio respecto de sus efectos. Un ejemplo típico es el de la Sentencia del Tribunal Constitucional 61/1997 (RTC 1997, 61) , que declaró la nulidad de la mayor parte del Texto Refundido de la Ley del Suelo de 1992 (RCL 1992, 1468 y RCL 1993, 485). Y sin ir muy lejos, la Sentencia 68/2007,de 28 de marzo (RTC 2007, 68) , de la que deriva la del Pleno de esta Sala, se limita a declarar *"inconstitucional y nulo"* el Real Decreto-ley 5/2002, de 24 de mayo, de medidas urgentes para la reforma del sistema de protección por desempleo y mejora de la ocupabilidad.

Ahora bien, ante el silencio del Tribunal Constitucional en cuanto a los efectos de la nulidad podrán extraerse las consecuencias que se estimen oportunas, pero siempre con la limitación del respeto a las situaciones consolidadas, que viene impuesta por el artículo 40.1 de la LOTC, en su condición de precepto tributario del artículo 161.1.a) del la Constitución. El Tribunal Constitucional dejó claro al hablar de *"mínimo impuesto por el* art. 40.1 LOTC*"* (Sentencia 54/2002, de 27 de febrero antes reseñada).

Dicho lo anterior tengo interés en resaltar que el respeto a las situaciones consolidadas ha sido doctrina reiterada en esta Sala en el caso de anulación de disposiciones generales. Y en el caso de la Sección Segunda, que por razones obvias de reparto competencial no ha tratado la materia de responsabilidad del Legislador, tuvo oportunidad de hacer referencia al significado del artículo 40.1 de la LOTC, entendiendo que el mismo no suponía una solución diferente en el caso de declaración de inconstitucionalidad a la que se venía manteniendo respecto de los efectos de la anulación de disposiciones generales (Sentencia de 21 de febrero de 1997) y que situaciones consolidadas eran no solo las consagradas así por una sentencia firme, sino las establecidas por actuaciones administrativas también firmes y con equiparación de la nulidad a la derogación a estos efectos. (Sentencia de 26 de diciembre de 1998).

Pues bien, el obstáculo del respeto a las situaciones consolidadas al que acabo de referirme se trata de salvar limpiamente mediante la afirmación de que lo que ahora se contempla es una acción de responsabilidad formulada por el afectado contra quien no fue parte en el proceso.

Y es en este punto en el que no puedo compartir la tesis mayoritaria y, por el contrario, considero que el recurso contencioso administrativo debió ser desestimado por las razones que expreso a continuación.

Ante todo, en el presente caso, a diferencia de otros que ha conocido la Sala con anterioridad, no existe interposición de acto administrativo que aplique la ley luego declarada inconstitucional, sino que dicha aplicación ha tenido lugar por las Sentencias dictadas, primero por el Juzgado de lo Social nº 32 de Barcelona y luego por el Tribunal Superior de Justicia de Cataluña, por lo que la responsabilidad ha de imputarse directamente al legislador.

Pues bien, el recurso contencioso-administrativo debió ser desestimado, teniendo en cuenta que se formalizó contra la desestimación de la "solicitud por responsabilidad patrimonial de la Administración Pública de acuerdo con el artículo 139 y siguientes de la Ley 30/1992, de 26 de noviembre, de Régimen Jurídico de las Administraciones Públicas y del Procedimiento Administrativo Común y de acuerdo también con el Real Decreto 429/1993, de 26 de marzo (RCL 1993, 1394), por el que se

aprueba el Reglamento de los procedimientos de las Administraciones Públicas en materia de responsabilidad patrimonial".

Por otra parte, preciso es reconocer que la desvinculación de las declaraciones de inconstitucionalidad y de la nulidad, siempre posible, la graduación de los efectos de ésta última en función de sus características, de principios (como el de proporcionalidad) y de otros valores o intereses protegibles, del orden constitucional de competencias etc...hacen muy dificultosa la afirmación de la existencia de un deber general de indemnizar con anclaje en la Constitución invocando tan solo la declaración de inconstitucionalidad.

Pero admitiendo que exista ese deber de indemnizar por daños ocasionados por el Estado legislador, debo indicar que, tal como señaló la Sentencia 159/1997, de 2 de octubre (RTC 1997, 159), del Tribunal Constitucional, citada en el Voto particular que acompaña a las de la Sección Sexta de esta Sala desde la de 21 de junio de 2004 (RJ 2004, 7272) (recurso número 283/2002), es *"indudable que un proceso judicial concluido por sentencia firme* (art. 245.3 LOPJ [RCL 1985, 1578, 2635]) *es, a los fines de lo dispuesto en el* art. 40.1 LOTC , *un «proceso fenecido mediante sentencia con fuerza de cosa juzgada»"*.

Pues bien, el Real Decreto Ley 5/2002, al dar una nueva redacción a los artículos 56 y 57 del Estatuto de los Trabajadores, incidiendo en los llamados "salarios de tramitación", produjo efectos generales dirigidos a todos los ciudadanos y si tuvo lugar individualización en el demandante fue por la interposición de un conjunto de actos que van desde el despido hasta el ejercicio de la opción por el empresario y a sentencia que aplicó una ley luego declarada inconstitucional. Y por ello, la decisión mayoritaria tiene la necesidad de entrar en el interior de la situación jurídica firme creada por la sentencia del Orden jurisdiccional social en la forma que expongo a continuación.

Es tradicional en nuestro ordenamiento jurídico procesal la expresión "pasar en autoridad de cosa juzgada", como vinculada a la "firmeza" de la sentencia, expresión hoy recogida en el artículo 207.3 de la Ley de Enjuiciamiento Civil (RCL 2000, 34, 962 y RCL 2001, 1892) cuando señala que *"las resoluciones firmes pasan en autoridad de cosa juzgada y el tribunal del proceso en que hayan recaído deberá estar en todo caso a lo dispuesto en ellas"*. A esta firmeza (cosa juzgada formal) y solamente a ella es a la que se refiere el artículo 40.1. de la L.O.T.C. cuando indica que *"Las sentencias declaratorias de la inconstitucionalidad de leyes, disposiciones o actos con fuerza de ley no permitirán revisar procesos fenecidos mediante sentencia con fuerza de cosa juzgada en los que se haya hecho aplicación de las leyes, disposiciones o actos inconstitucionales, salvo en el caso de los procesos penales o contencioso– administrativos referentes a un procedimiento sancionador en que, como consecuencia de la nulidad de la norma aplicada, resulte una reducción de la pena o de la sanción o una exclusión, exención o limitación de la responsabilidad"*. Notese que se emplea el mismo calificativo del artículo 243 de las Cortes de Cádiz, en el que se declaraba que *"Ni las Cortes ni el Rey podrán ejercer en ningún caso las funciones judiciales, avocar causas pendientes, ni mandar abrir los juicios fenecidos"* y que igualmente utilizó posteriormente el Real Decreto de 21 de marzo de 1834, al prohibir se diese curso a las instancias dirigidas por las Secretarías de Despacho sobre la justicia o injusticia de pretensiones o negocios que se hallaban pendientes en los Tribunales, ni se permitiera la alteración de trámites, ni variar el número de jueces, ni, por último, reabrir pleitos *"fenecidos"*.

Lo anteriormente expuesto supone que la sentencia que obtiene la cualidad de firme modula los rasgos determinantes de la solución que pone fin a la situación jurídica litigiosa, y lo hace con congelación de los mismos y sin posibilidad de que sean objeto de modificación o revisión.

Pues bien, habida cuenta de que, como antes expresé, el Real Decreto Ley 5/2002 produjo efectos generales dirigidos a todos los ciudadanos, la Sentencia del Pleno se ve obligada a realizar una individualización sobre el demandante, pero ello se hace a base de vincularle a una situación jurídica que quedó congelada en la forma indicada por una sentencia firme que aplicó una norma legal válida en su momento, que no puede ser objeto de revisión, razón por la que aquella no puede ser traída nuevamente al debate procesal.

Aún cuando la Sentencia justifique el éxito de la acción de responsabilidad en su independencia respecto de la ejercida en el proceso laboral de despido y en la concurrencia de partes procesales distintas, tiene que reconocer la vinculación a la que nos referimos cuando afirma que *" el bien jurídico cuya protección se solicita al deducir esta pretensión* (se entiende que la de responsabilidad) *está, nadie lo duda, claramente conectado con aquél que se solicitó en el proceso no revisable que feneció con esa sentencia, hasta el punto de que uno y otro pueden llegar a guardar una plena relación de equivalencia o utili-*

dad económica, que les haría así, aunque solo desde esta perspectiva, intercambiables".

Y aún cuando se pueda sostener lo contrario, lo cierto es que no se logra evitar el obstáculo que supone la situación individual consolidada y, consiguientemente, no se respeta; por el contrario, tras abrir la puerta del proceso al que puso fin la sentencia firme, se penetra en aquella y pese a estar petrificada se la hace revivir para tomar los elementos que interesan a fin de realizar una calificación de responsabilidad y consiguiente indemnización. Y por ello, se nos habla en la sentencia del *"ejercicio de una acción de responsabilidad patrimonial sustentada en el perjuicio irrogado por la aplicación en la sentencia dotada de ese valor de cosa juzgada de la ley o norma con fuerza de ley luego declarada contraria a la Constitución".* Y claro es que como se penetra en la forma expuesta en lo que es una situación "firme" o "consolidada", y no susceptible de revisión, directa o indirecta, es por lo que se produce la paradoja de que lo que no concede el Tribunal Constitucional, que aplica como límite a la declaración de inconstitucionalidad el contenido del artículo 40 de la LOTC, se obtiene por vía de acción de responsabilidad del legislador. Y del mismo modo, a esta última se le reconoce una retroactividad que de ninguna manera admiten los artículos 161.1.a) de la Constitución y 40.1 de la Ley Orgánica del Tribunal Constitucional respecto de situaciones consolidadas.

Expuesta mi opinión en orden a la interpretación del artículo 40.1 de la LOTC y antes de llegar al final, no quiero dejar de señalar que no me resulta posible encontrar un argumento que justifique la aplicación de un crite-

rio en el caso de anulación de disposiciones generales y otro diferente en el caso de declaración de inconstitucionalidad y nulidad de las leyes, como es el caso que ahora nos ocupa.

Y no quiero tampoco finalizar sin hacer referencia a las Sentencias del Tribunal Constitucional dictadas en recurso de amparo contra sentencias formuladas contra las del orden jurisdiccional social que habían aplicado lo dispuesto en el artículo 2.3 del Real Decreto Ley 5/2002, de 24 de mayo. Y me refiero especialmente a la Sentencia 84/2008, de 21 de julio, que ha servido de guía a otras posteriores y que, de un lado, recuerda la referencia contenida en la Sentencia 159/1997, de 2 de octubre, a lo que debe entenderse por sentencia firme y su relación con el artículo 40 de la LOTC, y de otro, a la hora de enjuiciar la infracción del principio de igualdad, declara:

"Finalmente, tampoco puede apreciarse una vulneración del derecho a la igualdad ante la Ley derivada de la limitada vigencia temporal del Real Decreto-ley 5/2002 y, en particular, de la modificación, pocos meses después de su entrada en vigor, de la medida aquí cuestionada, lo que habría determinado, según se dice, una diferencia de trato entre trabajadores en función únicamente de la fecha de su despido. Como recuerda el Ministerio Fiscal en sus alegaciones es doctrina reiterada de este Tribunal que el art. 14 CE no impide el distinto tratamiento temporal de situaciones iguales motivado por la sucesión normativa, porque no exige que se deba dispensar un idéntico tratamiento a todos los supuestos con independencia del tiempo en que se originaron o produjeron sus efectos (por todas, SSTC 38/1995, de 13 de febrero (RTC 1995, 38)], F. 4; y 339/2006, de

11 de diciembre (RTC 2006, 339), F. 3*)."*

Con lo expuesto, mi conclusión ha de ser forzosamente la misma que se ha expresado en el Voto particular que repetidamente acompaña a las distintas Sentencias de la Sección Sexta sobre responsabilidad patrimonial por actos administrativos que aplican leyes luego declaradas inconstitucionales, que comparto en todos sus extremos, y, por tanto, he de finalizar diciendo, al igual que en dicho Voto, que "(el) principio de seguridad jurídica" impone la consolidación de situaciones confirmadas por sentencia firme o por actos administrativos de la misma naturaleza, (por lo que) no procede sustituir, sin desvirtuar tal principio, la imposible revisión del acto por una equivalente indemnización de daños y perjuicios, pues ello, además, desnaturalizaría lo dispuesto en el artículo 40.1 de la Ley Orgánica del

Tribunal Constitucional y la jurisprudencia antes invocada del Tribunal Constitucional y de esta Sala, puesto que en definitiva se trata por ambos medios de obtener el mismo resultado que se concreta, en definitiva, en la reparación del perjuicio ocasionado, expresado, en caso de liquidaciones fiscales, en una devolución de ingresos con sus intereses y, en el supuesto de actos no fiscales, y ante la imposible reparación in natura, en el abono de las cantidades dejadas de percibir con sus intereses o, lo que es lo mismo, con la correspondiente actualización monetaria."

En los términos indicados, y reiterando mi respeto y acatamiento de la decisión mayoritaria, queda expresado mi criterio en el sentido de que la Sentencia del Pleno debió desestimar el recurso contencioso-administrativo interpuesto.

VOTO PARTICULAR

VOTO PARTICULAR que formula el Magistrado Excmo. Sr. D. Octavio Juan Herrero Pina y al que se adhiere la Magistrada Excma. Sra. Dª Maria del Pilar Teso Gamella al amparo del artículo 260 de la Ley Orgánica del Poder Judicial (RCL 1985, 1578, 2635) , al disentir de la mayoría en la decisión adoptada en la sentencia que resuelve este recurso ordinario (c/a) número 588 de 2008.

Con pleno respeto a la opinión mayoritaria y jurisprudencia de la Sala, con la que comparto la sustancial consideración de la declaración de inconstitucionalidad de una Ley como título de imputación de la responsabilidad patrimonial por la aplicación de actos legislativos y también la consideración de la acción de responsabilidad como ajena

al ámbito de la cosa juzgada derivada de la sentencia que resuelve la impugnación del acto de aplicación, vengo a mostrar las razones de mi discrepancia, que se refieren a la incidencia que, no obstante, tiene la firmeza o consolidación de la situación jurídica creada por el acto de aplicación sobre la viabilidad de la acción de responsabilidad y el alcance que la declaración de inconstitucionalidad puede tener en relación con el mantenimiento de tales situaciones jurídicas consolidadas.

PRIMERO. Desde la general concepción de la responsabilidad patrimonial como institución dirigida a garantizar la indemnidad patrimonial, mediante la reparación de las lesiones producidas a los particulares en sus bienes y derechos, por la actividad de los poderes públicos en cuanto afecta de manera negativa a su situación jurídica, causándoles una lesión que no tienen el deber de soportar, resulta significativo que el art. 139.3 de la Ley 30/92, de 26 de noviembre (RCL 1992, 2512, 2775 y RCL 1993, 246), de Régimen Jurídico de las Administraciones Públicas y del Procedimiento Administrativo Común, se refiera a la indemnización "por la aplicación de actos legislativos", pues es el acto de aplicación de la Ley (que se puede plasmar en distintas formas según el contenido de la misma) el que proyecta su incidencia material en la situación jurídica del ciudadano, sin el cual la declaración de inconstitucionalidad de la norma (título de responsabilidad que aquí se examina) puede no tener efecto alguno sobre el patrimonio del particular y por lo tanto no cabría hablar en abstracto de lesión objeto de indemnización.

Pero no basta con la existencia de una lesión, es necesario que la misma sea indemnizable, condición que sólo se predica de aquel daño o perjuicio que el particular no tenga el deber de soportar, como establece con carácter general el art. 141.1 de la Ley 30/92 y de manera específica, en relación con la responsabilidad por la aplicación de actos legislativos, el citado art. 139.3 de la misma Ley, y es la determinación de esta condición de antijuridicidad del daño la que necesariamente nos conduce al examen de la efectividad del acto de aplicación, pues, en la medida que el ordenamiento jurídico imponga al particular la sujeción a los efectos del mismo, que es tanto como el deber jurídico de soportarlos, faltará ese requisito fundamental para que el ejercicio de la acción de responsabilidad pueda tener éxito. Y es el caso que tal acto de aplicación –en general y refiriéndonos a los

de naturaleza administrativa que constituyen la mayoría de los casos en que se ha planteado la cuestión–, en razón de su presunción de validez y eficacia inmediata (art. 57 Ley 30/92), constituye al particular en el deber jurídico de soportar la situación creada por el mismo en cuanto no sea objeto de revisión como resultado de la correspondiente impugnación, quedando consentido y firme, o la impugnación resulte desestimada en virtud de sentencia judicial firme, lo que es predicable de los supuestos como el que nos ocupa en los que la aplicación de la ley se plasma en una sentencia judicial firme; y es que, como señala la sentencia de 13 de enero de 2000, entre los títulos que determinan o imponen jurídicamente el perjuicio, se encuentran la "ejecución administrativa o judicial de una resolución firme de tal naturaleza".

El derecho a la indemnización se anuda, por lo tanto y en estos casos, a la vida jurídica del correspondiente acto de aplicación, cuya efectividad es la causa inmediata de la lesión o perjuicio que el afectado invoca como indemnizable. Ello no supone negar la posibilidad del ejercicio de la acción de responsabilidad patrimonial, que tiene su título en la declaración de inconstitucionalidad de la Ley, sino constatar la falta de éxito de tal acción en cuanto no concurra uno de los requisitos esenciales para ello, cual es la antijuridicidad del daño, que no se predica en razón de la antijuridicidad del acto de aplicación sino de la inexistencia de un deber de soportarlo. Tampoco supone desconocer la autonomía y la distinta naturaleza, contenido y alcance de la acción de responsabilidad patrimonial, por el contrario, son precisamente tales circunstancias las que la hacen inhábil para privar de sus efectos al acto administrativo o la sentencia judicial firme, que son los que imponen al particular el deber jurídico de soportar la lesión denunciada, es decir, inhábil para obtener mediante su ejercicio aquello que no se ha obtenido a través de las acciones de impugnación previstas en el ordenamiento jurídico para privar de efectos a tales situaciones consolidadas, efectos que son los que constituyen el perjuicio cuya reparación se pretende y que se tratan de eliminar por esta vía impropia e inhábil para ello. Otro sería el caso en el que los perjuicios cuya reparación se pretende no se refieran ni trataran de sustituir el contenido y las consecuencias patrimoniales que constituyen el efecto propio del acto de aplicación que el interesado tiene el deber de soportar.

Por otra parte, entiendo que con la referencia a actos firmes y en concreto a sentencias firmes, se alude a situaciones jurídicas consolidadas en el sentido de inatacables por los medios de impugnación y revisión establecidos en el ordenamiento jurídico y ello como una situación previa a la declaración de inconstitucionalidad y, por lo tanto, al margen de los efectos que dicha declaración pueda desplegar respecto de las mismas, cuestión a la que me referiré seguidamente. Por la misma razón entiendo que con la indicación de la firmeza de la sentencia no se alude a la fuerza de cosa juzgada en otro proceso, o cosa juzgada material, y menos aún en relación con el iniciado en el ejercicio de la acción de responsabilidad patrimonial, cuya autonomía y distinto contenido descartan el planteamiento de tal cuestión.

En definitiva, no resulta compatible la subsistencia de la efectividad del acto de aplicación de la norma con el éxito en el ejercicio de la acción de responsabilidad patrimonial, al subsistir el deber jurídico de soportar tales efectos, para cuya eliminación no resulta hábil dicha acción de responsabilidad patrimonial.

SEGUNDO. El segundo aspecto de mi discrepancia con la opinión mayoritaria de la Sala, atañe al alcance que la declaración de inconstitucionalidad puede tener en relación con el mantenimiento de tales situaciones jurídicas consolidadas y, en consecuencia, del deber jurídico del particular de estar a su contenido, cuestión que implica examinar las normas que, en mayor o menor medida, regulan los efectos de las sentencias dictadas por el Tribunal Constitucional, sustancialmente los arts. 161.1.a) de la Constitución (RCL 1978, 2836) y 40 de la Ley Orgánica del Tribunal Constitucional (RCL 1979, 2383), en relación con el principio de seguridad jurídica (art. 9.3 C.E.).

Pues bien, en los casos que el Tribunal Constitucional precisa en la sentencia el alcance de la declaración de inconstitucionalidad, supuestos a los que se refieren las sentencias de 1 de julio (RJ 2003, 5801) y 18 de septiembre de 2003 y 2 de febrero de 2004 (RJ 2004, 1388) , relativas a la responsabilidad derivada de la aplicación de la Disposición Adicional 4ª de la Ley 8/1989 (RCL 1989, 835), Tasas y Precios Públicos, declarada inconstitucional por sentencia 194/2000, de 19 de julio (RTC 2000, 194) , en la que se indica que "al igual que en otras ocasiones, y por exigencia del principio de seguridad jurídica (art. 9.3 C.E.), conviene declarar que únicamente han de considerarse situaciones susceptibles de ser revisadas con fundamento en esta Sentencia aquellas que, a la fecha de publicación de la misma, no hayan adquirido firmeza al haber sido impugnadas en tiempo y forma y no haber recaído todavía una resolución administrativa o judicial firme sobre las mismas (art. 40.1 LOTC)", esta Sala ha rechazado la acción de responsabilidad patrimonial ejercitada, señalando que: "la expresa prohibición del Tribunal Constitucional veda cualquier otra acción de distinta naturaleza de la que sugiere el concepto de revisión, que sí alcanzaría sin duda a la acción de revisión del artículo 102 de la Ley Reguladora de las Administraciones Públicas y del Procedimiento Administrativo Común y, que, por obvias razones de seguridad jurídica, ha de hacerlo también con la que deriva de los artículos 139 y siguientes de la misma Ley. Entenderlo de otro modo desnaturalizaría la decisión del Tribunal Constitucional".

Mi discrepancia surge en los casos en que falta tal declaración del Tribunal Constitucional, pues entiendo que a falta de determinación de efectos en la sentencia que declara la inconstitucionalidad de la ley, ha de acudirse a las previsiones legales existentes al respecto y la interpretación que de las mismas efectúa el Tribunal Constitucional, según dispone el artículo 5.1 de la Ley Orgánica del Poder Judicial. A tal efecto el art. 161.1.a) de la Constitución establece que las sentencias recaídas en aplicación de la ley declarada inconstitucional no pierden el valor de cosa juzgada, y el art. 40 de la Ley Orgánica del Tribunal Constitucional, dispone que "Las sentencias declaratorias de la inconstitucionalidad de leyes, disposiciones o actos con fuerza de ley no permitirán revisar procesos fenecidos mediante sentencia con fuerza de cosa juzgada en los que se haya hecho aplicación de las leyes, disposiciones o actos inconstitucionales, salvo en el caso de los procesos penales o contencioso– administrativos referentes a un procedimiento sancionador en que, como con-

secuencia de la nulidad de la norma aplicada, resulte una reducción de la pena o de la sanción o una exclusión, exención o limitación de la responsabilidad", precepto que como señala la STC 215/1989, de 11 de enero (RTC 1989, 215), no hace mas que matizar lo dispuesto en el art. 161.1.a) de la Constitución.

Tales preceptos han sido interpretados por el propio Tribunal Constitucional en numerosas sentencias, así en la 45/1989 de 20 de febrero (RTC 1989, 45) , comienza recordando que: "de acuerdo con lo dispuesto en la Ley Orgánica de este Tribunal (art. 39.1), las disposiciones consideradas inconstitucionales han de ser declaradas nulas, declaración que tiene efectos generales a partir de su publicación en el "Boletín Oficial del Estado" (art. 38.1 LOTC) y que en cuanto comporta la inmediata y definitiva expulsión del ordenamiento de los preceptos afectados (STC 19/ 1987 (RTC 1987, 19), f. j. 6°) impide la aplicación de los mismos desde el momento antes indicado, pues la Ley Orgánica no faculta a este Tribunal, a diferencia de lo que en algún otro sistema ocurre, para aplazar o diferir el momento de efectividad de la nulidad.

Ni esa vinculación entre inconstitucionalidad y nulidad es, sin embargo, siempre necesaria, ni los efectos de la nulidad en lo que toca al pasado vienen definidos por la Ley, que deja a este Tribunal la tarea de precisar su alcance en cada caso, dado que la categoría de la nulidad no tiene el mismo contenido en los distintos sectores del ordenamiento". Y en cuanto a las precisiones sobre la revisión de actuaciones previas, señala que: "entre las situaciones consolidadas que han de considerarse no susceptibles de ser revisadas como consecuencia de la nulidad que ahora declaramos figuran no sólo aquellas decididas mediante sentencia con fuerza de cosa juzgada (art. 40.1 LOTC), sino también por exigencia del principio de seguridad jurídica (art. 9.3 CE), las establecidas mediante las actuaciones administrativas firmes; la conclusión contraria, en efecto, entrañaría – como con razón observa el representante del Gobierno– un inaceptable trato de disfavor para quien recurrió, sin éxito, ante los Tribunales en contraste con el trato recibido por quien no instó en tiempo la revisión del acto de aplicación de las disposiciones hoy declaradas inconstitucionales". En el mismo sentido las sentencias 195/1984, de 28 de junio (RTC 1984, 195), 179/1994, de 16 de junio y 22/1996, de 18 de marzo (RTC 1996, 22) .

De manera específica y para el caso de que la sentencia no contenga declaración sobre sus efectos, el Tribunal Constitucional señala en su sentencia 159/1997, de 2 de octubre (RTC 1997, 159) , que "no estando en juego la reducción de una pena o de una sanción, o una exclusión, exención o limitación de la responsabilidad, que son los supuestos exclusivamente exceptuados por el art. 40,1 LOTC, la posterior declaración de inconstitucionalidad del precepto no puede tener consecuencia sobre los procesos terminados mediante sentencia con fuerza de cosa juzgada (SSTC 45/1989, 55/1990 (RTC 1990, 55) y 128/1994)". Razona dicha sentencia en cuanto al alcance del art. 40 en los supuestos de existencia de sentencia judicial firme, habiéndose invocado por el recurrente en el proceso la inconstitucionalidad de la norma aplicada y rechazado por el Tribunal el planteamiento de cuestión de inconstitucionalidad, que se mantiene el respeto a la situación consolidada por dicha sentencia y no puede ser objeto de revisión, ya que: "resulta indudable que un proceso judicial concluido por sentencia firme (art. 245,3 LOPJ) es, a los fines de lo dispuesto en el art. 40,1 LOTC, un "proceso fenecido mediante sentencia con fuerza de cosa juzgada" aun cuando dicha sentencia haya sido objeto de un ulterior recurso de amparo. Que en una interpretación literal de dicho precepto es así, ninguna duda ofrece; ni tampoco que otro entendimiento del citado art. 40,1 LOTC llevaría a la inadmisible conclusión de que las sentencias firmes y definitivas de los órganos judiciales carecen de fuerza material de cosa juzgada hasta que transcurre el plazo de 20 días previsto en el art. 44,2 LOTC sin que se interponga recurso de amparo contra ellas o, interpuesto tal recurso, hasta que este Tribunal declara su inadmisión a trámite o dicte sentencia denegando el amparo solicitado. A lo que cabe agregar, por último y más fundamentalmente, que ello sería a todas luces contrario a lo establecido en el inciso 2 del art. 161,1 a) CE como antes se ha indicado; pues este precepto claramente excluye que mediante una declaración de inconstitucionalidad de una norma con rango de ley pierdan el valor de cosa juzgada la sentencia o las sentencias recaídas, mientras que, en cambio, extiende los efectos de esa declaración a la jurisprudencia que ha interpretado la norma".

En los votos particulares a dicha sentencia 159/1997 se aboga por la revisión de los procesos en los que la parte hubiera interesado sin éxito el planteamiento de una cuestión de inconstitucionalidad, siempre que se haya planteado oportunamente recurso de amparo, sin embargo, tales planteamientos no han tenido reflejo en la modificación de la LOTC que se ha producido por la Ley Orgánica 6/2007, de 24 de mayo

(RCL 2007, 1000), que modifica el apartado 2 del art. 40, manteniendo la redacción del apartado 1 y, en consecuencia, la interpretación que del mismo viene efectuando el Tribunal Constitucional.

Por lo demás, dicho Tribunal señala la vinculación a las previsiones del art. 40 de la LOTC en cuanto al respeto de las situaciones consolidadas creadas al amparo de la ley cuya inconstitucionalidad se declara (STC 147/1986, de 25 de noviembre), y en la sentencia 54/2002, tras indicar que tales previsiones constituyen un mínimo impuesto por el precepto, añade que el principio de seguridad jurídica (art. 9.3 CE) reclama la intangibilidad de las situaciones jurídicas consolidadas; no sólo las decididas con fuerza de cosa juzgada, sino también las situaciones administrativas firmes. En semejantes términos, la sentencia 14/2007, de 18 de enero, tras apreciar la inconstitucionalidad del art. 19.a) de la Ley del Parlamento Vasco 9/1989 (LPV 1989, 244), de Valoración del Suelo, señala que: "Sentado lo anterior, y siguiendo la doctrina de la STC 54/2002, de 27 de febrero (RTC 2002, 54) (FJ 9), debemos precisar el alcance de esa declaración de nulidad. Al respecto, el art. 40.1 LOTC, dispone que las sentencias declaratorias de la inconstitucionalidad de leyes "no permitirán revisar procesos fenecidos mediante Sentencia con fuerza de cosa juzgada" en los que se haya hecho aplicación de las leyes inconstitucionales. Ahora bien, más allá de ese mínimo impuesto por el art. 40.1 LOTC y en aplicación del principio constitucional de seguridad jurídica en el asunto que nos ocupa, esta declaración de inconstitucionalidad no podrá alcanzar a aquellos procedimientos administrativos y procesos judiciales en los que haya recaído una resolución firme". Por su parte la senten-

cia 295/2006, de 11 de octubre (RTC 2006, 295) establece que: "Llegados al fin de nuestro enjuiciamiento y antes de pronunciar el fallo sólo nos queda precisar cuál es el alcance concreto que debe atribuirse a la declaración de inconstitucionalidad que lo integra. Pues bien, por exigencia del principio de seguridad jurídica (art. 9.3 CE), procede declarar que únicamente han de considerarse situaciones susceptibles de ser revisadas con fundamento en esta Sentencia aquéllas que, a la fecha de publicación de la misma, no hayan adquirido firmeza por haber sido impugnadas en tiempo y forma y no haber recaído todavía una resolución administrativa o judicial firme sobre las mismas (art. 40.1 LOTC). En los mismos términos se expresa la Sentencia 179/2006, de 13 de junio (RTC 2006, 179) .

En consecuencia, entiendo que la falta de pronunciamiento en la sentencia que declara la inconstitucionalidad de la ley, conduce a la aplicación de las tales previsiones legales, con el alcance que les viene atribuyendo el Tribunal Constitucional y que supone la subsistencia de las situaciones jurídicas consolidadas no sólo en virtud de sentencia firme sino de actos administrativos también firmes, que impiden, no el ejercicio sino la eficacia o éxito de la acción de responsabilidad, en términos semejantes a los apreciados en las citadas sentencias de esta Sala de 1 de julio y 18 de septiembre de 2003 y 2 de febrero de 2004, que se fundaban en una expresa declaración de efectos del Tribunal Constitucional equivalente y coincidente con esas previsiones legales.

TERCERO. No está demás abundar en la incidencia de la seguridad jurídica en esta materia, partiendo del alcance de la misma que establece el Tribunal (STC 235/00, de 5 de octubre (RTC 2000, 235)) cuando señala que "la seguridad jurídica, según constante doctrina de este Tribunal, es suma de certeza y legalidad, jerarquía y publicidad normativa, irretroactividad de lo no favorable e interdicción de la arbitrariedad, sin perjuicio del valor que por sí mismo tiene aquel principio (SSTC 27/1981 (RTC 1981, 27), 99/ 1987, 227/1988 y 150/1990 (RTC 1990, 150))", seguridad jurídica que opera como límite tanto en la determinación del alcance de la norma como en la aplicación de la misma, reflejándose significativamente en las previsiones legales y doctrina de la Sala sobre el alcance de la declaración de nulidad de una disposición general, en la que también se pondera el principio de seguridad jurídica como justificación del mantenimiento de las situaciones jurídicas consolidadas, referencia que se hace salvando las diferencias, pues como tales normas reglamentarias son susceptibles de control judicial (art. 106.1 CE y art. 1 LJCA (RCL 1998, 1741)) y por lo tanto de impugnación ante los Tribunales, ya sea directamente o como fundamento de la impugnación de los actos de aplicación de las mismas (arts. 25 y 26 LJCA), con los consiguientes pronunciamientos sobre la indemnización de los daños causados, ya sea como pretensión derivada de la anulación del acto de aplicación (arts. 31.2 LJCA) o al margen de ello cuando se den las circunstancias de los arts. 139.2 y 141.1 de la Ley 30/92 (RCL 1992, 2512, 2775 y RCL 1993, 246), como señala el art. 102.4 de la misma, entre las cuales se encuentra la exigencia de que el particular no tenga el deber jurídico de soportar la lesión o daño.

A tal efecto el art. 73 de la Ley reguladora de esta Jurisdicción recoge, adaptada el proceso contencioso administrativo, la regla general, ya establecida en el art. 120 de la Ley de Procedimiento Administrativo de 1958, según la cual la anulación de una disposición general no afecta a la subsistencia de los actos firmes dictados en aplicación de la misma, criterio mantenido por la jurisprudencia, por todas las sentencias de 17 de julio de 2003 que cita las de 4 de julio de 2000, 17 de octubre de 1996, 7 de febrero de 1998 y 19 de julio de 1999, señalando esta última que: "como declaró la Sentencia de esta Sala de 17 de octubre de 1996, entre otras muchas, y recuerda la de 7 de febrero de 1998, recaída, precisamente, en un recurso estimado en interés de Ley y, por tanto, con doctrina vinculante –art. 100.7 de la vigente Ley Jurisdiccional, por lo demás efecto común a la sentada en cualquiera de las modalidades casacionales siempre que se de una identidad de circunstancias y de realidad social en cuyo contexto haya de aplicarse la norma–, aun cuando es cierto que la declaración de nulidad de una disposición general, por ser de pleno derecho a tenor de lo expresamente establecido en el art. 47.2 de la Ley Procedimental aquí aplicable –la de 17 de julio de 1958, hoy 62.2 de la vigente de 26 de noviembre de 1992– debe producir sus efectos "ex tunc" y, por consiguiente y en principio, pierde la virtualidad legitimadora de cualquier acto que en ella pretenda ampararse, no lo es menos que, por exigencia del principio constitucional de seguridad jurídica y en garantía de las relaciones establecidas, esta eficacia se encuentra atemperada por el precitado art. 120 de la referida Ley Procedimental, aplicable tanto a los supuestos de recurso administrativo como a los de recurso jurisdiccional, que dispone la subsistencia de los actos firmes dictados en aplicación de la disposición declarada nula –hoy reconoce este efecto el art. 73 de la vigente Ley Jurisdiccional – con equiparación, por tanto, de la anulación a la derogación, aunque solo, como queda dicho, respecto de los actos firmes, subsistiendo en cuanto a los de diferente naturaleza la posibilidad de impugnarlos si así lo permite la legalidad aplicable una vez declarada nula la disposición general".

CUARTO. El planteamiento anterior conduciría, en mi opinión, a la desestimación del presente recurso, en cuanto la reclamación que se formula no tiene otro objeto que la privación de los efectos propios de la sentencia judi-

cial firme de 18 de noviembre de 2002, dictada por el Juzgado de lo Social, que, en aplicación de la normativa vigente en el momento, fijó la correspondiente indemnización por despido improcedente, que el recurrente pretende incrementar con los salarios de tramitación, atribuyendo a la declaración de inconstitucionalidad del Real Decreto Ley 5/2002, de 24 de mayo un efecto, como es la revisión de la situación declarada en dicha sentencia, que según la doctrina del Tribunal Constitucional no tiene y a través de una acción de responsabilidad patrimonial que no es hábil para ello.

VOTO PARTICULAR

Voto particular concurrente que formula el Magistrado Excmo. Sr. D. Jose Manuel Sieira Miguez al amparo del artículo 260 de la Ley Orgánica del Poder Judicial, por cuanto estando conforme con la parte dispositiva de la sentencia que resuelve el recurso 588/2008 considero que debo efectuar alguna matización a su fundamentación.

Con absoluto respeto a la posición que se mantiene en la sentencia mayoritaria, he de mostrar mi disconformidad con algunas de las afirmaciones que en la misma se contienen.

En mi opinión, el articulo 40 de la Ley Orgánica del Tribunal Constitucional al establecer que "las sentencias declarativas de la inconstitucionalidad de las leyes......... no permiten revisar procesos parecidos mediante sentencia con fuerza de cosa juzgada en los que se haya hecho aplicación de las leyes, disposiciones, o actos inconstitucionales...", no pretende establecer una excepción a las reglas de la cosa juzgada material, tal y como sostiene la senten-

cia mayoritaria, sino que el precepto, al referirse a "sentencia con fuerza de cosa juzgada" se refiere a sentencias firmes y por tanto irrecuribles, es decir, se refiere a la cosa juzgada formal, condición esta que en modo alguno se ve alterada por la declaración de inconstitucionalidad que tiene lugar con posterioridad a la firmeza de dichas sentencias y al margen de los efectos que de aquella declaración de inconstitucionalidad puedan derivarse.

Nada afecta, en mi opinión, la declaración el articulo 40 de la Ley Orgánica del Tribunal Constitucional a la posibilidad de ejercicio de una acción de responsabilidad patrimonial, por cuanto, como se afirma en la sentencia de 24 de febrero de 2000, y las que le siguieron, se trata de una acción distinta e independiente de la ejercitada en el proceso seguido para combatir la aplicación de la ley declarada inconstitucional y que dio lugar a la sentencia firme a que se refiere el artículo 40 de la Ley Orgánica del Tribunal Constitucional; por esta razón discrepo igualmente de quienes sostienen que mediante el ejercicio de la acción de responsabilidad patrimonial se pretende subvertir lo resuelto en aquel proceso fenecido, con anterioridad a la declaración de inconstitucionalidad, mediante sentencia con fuerza de cosa juzgada.

Mi discrepancia en este punto se fundamenta en que no sólo estamos ante acciones con contenido distinto si no que el bien jurídico protegido en uno y otro proceso es también distinto. Así, en lo que atañe al caso que ahora nos ocupa, en el proceso seguido ante la jurisdicción laboral el bien jurídico protegido lo eran los concretos derechos del trabajador cuyo reconocimiento se pretendía, en tanto que en el que es objeto del recurso que da lugar a la sentencia a que se formula este voto particular lo es el derecho a la integridad patrimonial del recurrente.

El principio de reparación integral que preside el instituto de la responsabilidad patrimonial no permite afirmar que los bienes jurídicos protegidos en uno y otro proceso sean intercambiables, como tampoco permite, en mi opinión, afirmar como fundamento de la no antijuricidad del daño que mediante el ejercicio de la acción de responsabilidad patrimonial se pretende obtener lo que no se obtuvo con el ejercicio de las acciones de impugnación de los actos de aplicación de la norma declarada inconstitucional, tratando así de subvertir situaciones consolidadas.

En los casos de "gravamen complementario", con los que se inicia la linea jurisprudencial que ahora se ratifica mediante sentencia del Pleno de la Sala y en el que da lugar a esta sentencia, la pretensión indemnizatoria no se limita o es equivalente a la prestación patrimonial que el particular se vio obligado a realizar en aquellos o a la indemniza-

ción de que se vio privado por el Real Decreto Ley cuya declaración de inconstitucionalidad dio lugar al recurso que ahora nos ocupa.

El acto de aplicación cuya impugnación en vía jurisdiccional da lugar a la sentencia con fuerza de cosa juzgada a que se refiere el artículo 40 de la Ley Orgánica del Tribunal Constitucional se mantiene en su integridad con independencia de la estimación de la acción de responsabilidad patrimonial.

Finalmente y sin ánimo de agotar la cuestión en este punto que entiendo deberá irse perfilando en sentencias posteriores en función de las circunstancias del caso concreto que pueda plantearse, quiero dejar constancia de que, en mi opinión, las circunstancias determinantes de la inconstitucionalidad no son irrelevantes a la hora del ejercicio de una hipotética acción de responsabilidad patrimonial como consecuencia de la declaración de inconstitucionalidad de una norma con rango de ley.

Si bien es cierto que en aquella sentencia cuya línea jurisprudencial inicia la de 29 de febrero de 2000 se contienen expresiones del tenor "no parece necesario abundar en razones explicativas de la antijuricidad del daño" ello no supone, en mi opinión, que tal expresión, referida como no podía ser menos al caso concreto entonces examinado, implique que lo que se está afirmando es que la causa de inconstitucionalidad sea siempre irrelevante a aquel efecto. Así, y sin ánimo, como decía, de agotar la cuestión, entiendo que no son equiparables supuestos de inconstitucionali dad sobrevenida como consecuencia de un cambio de criterio del Tribunal Constitucional, con aquellos en que la inconstitucionalidad resulte de la valoración de derechos susceptibles de amparo o aquellos en que la inconstitucionalidad esté directamente vinculada a la causación del daño, tal y como ocurre en los casos de "gravamen complementario" a que se refieren las iniciales sentencias del año 2000, y de alguna manera, aunque pudiera sostener que no con igual intensidad, acontece en el caso que ahora nos ocupa.

En efecto, en el caso que nos ocupa, tal y como acertadamente razona la sentencia mayoritaria en el fundamento undécimo, existe "una obvia conexión entre el vicio de inconstitucionalidad apreciado y el daño" por las razones que allí se exponen, sin que ello pueda

entenderse desvirtuado por la Disposición Transitoria 1ª de Ley 45/02 ya que, además de las razones que en la sentencia mayoritaria se indican, no puede obviarse, en mi opinión, el peso que en el legislador, a la hora de aprobar la ley 45/02, pudo tener la necesidad de respetar el equilibrio económico de las empresas que habían tomado sus decisiones al amparo del principio de confianza legítima fundado en lo dispuesto en el Real Decreto Ley 5/02, lo que justifica aun más en mi opinión la no obligación de los trabajadores afectados de soportar el daño.

VOTO PARTICULAR

VOTO PARTICULAR, QUE AL AMPARO DEL ART. 260 DEL LA LEY ORGÁNICA DEL PODER JUDICIAL, FORMULA EL MAGISTRADO DON Luis Maria Diez-Picazo Gimenez A LA SENTENCIA DE FECHA 2 DE JUNIO DE 2010, DICTADA EN EL RECURSO CONTENCIOSO ADMINISTRATIVO NÚMERO 588/2008, AL QUE SE ADHIEREN D. Angel Aguallo Aviles Y Dª Maria Isabel Perello Domenech.

Con el máximo respeto formulo el presente voto particular, por entender que, frente al parecer mayoritario del Pleno de la Sala, este recurso contencioso-administrativo habría debido ser desestimado. Las razones de mi discrepancia son de dos órdenes. Por un lado, creo que el presente caso presenta notables diferencias con respecto a todos los demás supuestos que anteriormente han llevado a esta Sala a reconocer la responsabilidad patrimonial del Estado por leyes inconstitucionales. Estas diferencias habrían permitido, en mi opinión, desestimar el recurso conten-

cioso-administrativo sin necesidad de apartarse de la construcción jurisprudencial existente hasta ahora. Por otro lado, incluso si las mencionadas diferencias se reputasen irrelevantes, pienso que esa jurisprudencia sobre la responsabilidad patrimonial del Estado por leyes inconstitucionales carece de una justificación suficientemente convincente; y ello tanto porque dicha forma de responsabilidad patrimonial no tiene fundamento en el ordenamiento español, como porque tropieza con lo dispuesto por el art. 40.1 LOTC. De aquí que la jurisprudencia sobre la responsabilidad patrimonial del Estado por leyes inconstitucionales hubiese merecido ser reconsiderada por el Pleno de esta Sala. Es conveniente, para lograr la máxima claridad expositiva posible, analizar separadamente las distintas cuestiones enunciadas.

I

Comenzando por los rasgos diferenciales de este caso, es preciso señalar que en todos los supuestos en que hasta ahora se había reconocido el derecho a indemnización por la aplicación de una norma legal inconstitucional concurrían dos circunstancias: primera, la norma legal fue declarada inconstitucional porque su propio contenido resultó ser contrario a la Constitución, no por defectos en su procedimiento de elaboración; y segunda, la norma legal fue aplicada mediante actos administrativos, tales como liquidaciones tributarias o remuneraciones a funcionarios públicos. Ninguna de estas dos circunstancias, como se verá a continuación, se da en el presente caso.

1) El objeto de la declaración de inconstitucionalidad hecha por la STC 68/2007 no es uno o varios de los preceptos recogidos en el Real Decreto-Ley 5/2002, de 24 de mayo, sino ese texto en su conjunto. La razón por la que el Real Decreto-Ley 5/2002 fue declarado inconstitucional fue la falta del llamado "presupuesto habilitante", es decir, la ausencia de la "extraordinaria y urgente necesidad" que el art. 86 CE exige para que el Gobierno pueda dictar ese tipo de disposiciones con fuerza de ley.

No es ocioso observar incidentalmente que ésa fue la primera ocasión en casi treinta años en que el Tribunal Constitucional, separándose de una ininterrumpida actitud de profunda deferencia frente al Gobierno en la apreciación de la urgencia, declaró la inconstitucionalidad de un decreto-ley por falta del mencionado presupuesto habilitante. Si se llama la atención sobre este extremo es porque la declaración de inconstitucionalidad era objetivamente poco previsible, lo que puede tener relevancia a la hora de enjuiciar daños achacados a la aplicación de leyes inconstitucionales.

Dicho lo anterior, adoptando una terminología arraigada en este campo,

puede decirse la inconstitucionalidad del Real Decreto-Ley 5/2002 no fue "material", sino "formal"; es decir, se debió a un defecto en el modo de elaboración, no a un defecto en el contenido normativo. Este dato es importante porque lo inconstitucional no es la supresión de los llamados "salarios de tramitación" como concepto indemnizatorio en el despido improcedente, que el recurrente indica como causa del daño. La STC 68/2007 no dice que la existencia de los referidos salarios de tramitación venga constitucionalmente impuesta: no son expresión de un derecho fundamental, ni hay ningún principio constitucional que exija su mantenimiento. Que los salarios de tramitación sean o no un concepto indemnizatorio en el despido improcedente es una opción libre del legislador. Pues bien, viniendo al presente caso, todo ello significa que el daño que el recurrente dice haber sufrido no proviene de la aplicación de una norma en sí misma inconstitucional, sino que proviene más bien de que las normas aplicadas –o sea, los arts. 56 y 57 del Estatuto de los Trabajadores tal como quedaron redactados por el Real Decreto-Ley 5/2002 – no habrían existido si no se hubiera aprobado el citado Real Decreto-Ley 5/2002. Esta es una situación muy distinta, por no citar más que un ejemplo, de la abordada en el supuesto con que la STS de 29 de febrero de 2000 dio inicio a la jurisprudencia sobre la responsabilidad patrimonial del Estado por leyes inconstitucionales: allí se trataba de una norma tributaria, relativa al gravamen complementario sobre la tasa del juego, que fue declarada inconstitucional por prever su aplicación retroactiva; es decir, lo inconstitucional era el contenido, no el continente.

Ciertamente, no sería razonable minimizar la importancia de la inconstitucionalidad formal, ni tendría sentido entrar en una polémica sobre si es menos grave que la inconstitucionalidad material. La supremacía de la Constitución exige un respeto escrupuloso por todos sus preceptos, independientemente de que regulen procedimientos o establezcan límites sustantivos a la actuación de los poderes públicos. Sin embargo, hay una diferencia entre sufrir la aplicación de una norma contraria a los principios constitucionales y sufrir la aplicación de una norma que, sin ser en sí misma inconstitucional, no habría debido existir: en la primera hipótesis, el patrimonio del particular es perjudicado como consecuencia de una agresión directa al mismo, lo que no ocurre en la segunda hipótesis. En ésta última, la norma inconstitucional tiene una relevancia meramente causal, no de ilicitud intrínseca del daño.

Esta diferencia habría permitido sostener que el presente caso no encaja dentro de la jurisprudencia hasta ahora existente sobre responsabilidad patrimonial del Estado por leyes inconstitucionales, máxime si se tiene en cuenta que, cuando pocos meses después la Ley 45/2002, de 12 de diciembre, reintrodujo los salarios de tramitación, el legislador habría podido ordenar su eficacia retroactiva al período de siete meses en que estuvieron suprimidos o incluso contemplar alguna forma de compensación para quienes en ese período habían visto menguadas sus indemnizaciones por despido improcedente. Pero la verdad es que no lo hizo. Y no es misión de los tribunales contencioso-administrativos paliar las consecuencias de las variaciones temporales en el régimen jurídico de una determinada institución. Recuérdese que, según ha señalado reiteradamente el Tribunal Constitucional, el cambio normativo no supone una discriminación atentatoria contra el art. 14 CE.

2) La otra circunstancia que distingue al presente caso es que no hubo una aplicación administrativa de la norma más tarde declarada inconstitucional. Aquí sólo ha habido una aplicación de los arts. 56 y 57 del Estatuto de los Trabajadores, tal como quedaron redactados por el Real Decreto-Ley 5/2002, por parte del Juzgado de lo Social nº 32 de Barcelona que, al conocer de un despido improcedente, no pudo incluir los salarios de tramitación en la indemnización correspondiente; sentencia que fue confirmada en suplicación por el Tribunal Superior de Justicia de Cataluña. Se trata de aplicación judicial derecho en estado puro. Así las cosas, la pregunta es por qué el daño –consistente en la imposibilidad de incluir los salarios de tramitación en la indemnización por despido improcedente– debe ser examinado por la jurisdicción contencioso– administrativa.

Este interrogante no puede ser despachado observando que, dado que ha habido una reclamación de indemnización al Consejo de Ministros, la cuestión pertenece ya a la jurisdicción contencioso-administrativa. Dicha reclamación ante el Consejo de Ministros se limita a provocar un acto administrativo –que, por lo demás, en este caso es presunto– contra el que poder recurrir en vía contencioso-administrativa; pero no transforma el fondo del asunto en una cuestión de derecho administrativo. Quien aplicó la norma legal inconstitucional y, por consiguiente, quien ocasionó el daño no fue una Administración Pública: fue un órgano jurisdiccional. La responsabilidad patrimonial regulada en los arts. 139 y siguientes de la LRJ-PAC es la derivada "del funcionamiento normal o anormal de los servicios públicos", siendo pacífico desde hace más de medio siglo que en este contexto la expresión "servicios públicos" debe entenderse en un sentido amplio o impropio; es decir, como equivalente de cualquier actividad que entra dentro del ámbito de una Administración Pública. Por ello, aquellas acciones u omisiones que no pueden ser calificadas como actividad administrativa no pueden dar lugar a responsabilidad patrimonial de la Administración.

En el ordenamiento español, los daños derivados de acciones u omisiones del Poder Judicial tienen un régimen jurídico distinto, que está previsto, como es notorio, en el art. 121 CE y desarrollado en los arts. 292 y siguientes de la LOPJ. De este régimen jurídico conviene ahora destacar un aspecto: es mucho más matizado y restrictivo. A diferencia de lo que ocurre con las Administraciones Públicas, los daños causados por el Poder Judicial no son indemnizables cuando provienen de funcionamiento normal. Es necesario que haya habido una acción u omisión anormal, en el sentido de no ajustada a derecho o, en su caso, a las correspondientes pautas técnicas de comportamiento; y, si el daño proviene específicamente de un acto jurisdiccional, no basta que éste sea anormal en el sentido que se acaba de indicar, sino que es preciso además que se trate de un verdadero error judicial. La Constitución y la Ley Orgánica del Poder Judicial han querido, así, que sólo en supuestos particularmente graves quepa obtener indemnización por daños derivados de la actuación del Poder Judicial; lo que, dicho sea incidentalmente, es un modo indirecto de proteger la independencia de éste.

Pues bien, en el presente caso, dado que el daño fue ocasionado por una aplicación judicial del Real Decreto-Ley 5/2002, la única vía para exigir indemnización era la regulada en los arts. 292 y siguientes de la LOPJ. Es evidente que una pretensión indemnizatoria formulada por esta vía estaba ineluctablemente condenada al fracaso, pues resulta obvio que ni el Juzgado de lo Social nº 32 de Barcelona ni el Tribunal Superior de Justicia de Cataluña cometieron error alguno, sino que se limitaron a aplicar las normas jurídicas que *ratione temporis* regían este caso. Pero la constatación de que una reclamación de responsabilidad patrimonial por error judicial era manifiestamente inviable no es razón suficiente para admitir que pueda reconducirse la pretensión indemnizatoria al ámbito de la responsabilidad patrimonial de la Administración Pública. Si ante el daño derivado de una resolución judicial no cabe la responsabilidad patrimonial por error judicial, ello sólo significa que el ordenamiento español reputa ese daño como no indemnizable. Cualquier otra solución conduce a forzar el derecho de daños, creando nuevas formas de responsabilidad patrimonial sin base legal alguna.

II

Hasta aquí, las circunstancias que hacían inaplicable al presente caso, a mi modo de ver, la existente jurisprudencia sobre responsabilidad patrimonial del Estado por leyes inconstitucionales. Pero, como se dejó apuntado más arriba, la justificación de dicha construcción jurisprudencial dista de ser persuasiva, por lo que habría debido ser objeto de reconsideración por el Pleno de esta Sala. Tomando como inexcusable fuente de inspiración el justamente célebre voto particular del Excmo. Sr. D. Agustin Puente Prieto a la STS de 21 de junio de 2004, luego reiterado en otras sentencias, la principal causa de mi insatisfacción con la actual jurisprudencia en la materia es la ausencia, en el ordenamiento español, de un fundamento identificable para la responsabilidad patrimonial del Estado por leyes inconstitucionales.

Es importante comenzar el análisis de esta cuestión haciendo dos aclaraciones preliminares. La primera es que el frecuentemente citado inciso del art. 9.3 CE que consagra el principio de responsabilidad de los poderes públicos está muy lejos de ofrecer el fundamento que se busca. Se trata, de entrada, de una proclamación muy genérica, que se refiere a todos los poderes públicos, cualquiera que sea su función (legislativa, ejecutiva, judicial) o su nivel (estatal, autonómico, local); y, sobre todo, se trata de una proclamación atinente en general a la "responsabilidad", no a la responsabilidad "patrimonial". Este dato es muy significativo, porque, cuando la Constitución quiere regular la responsabilidad patrimonial, lo hace expresamente. Así ocurre en el art. 106 CE para la Administración Pública, y en el art. 121 para el Poder Judicial. ¿Por qué, entonces, la responsabilidad patrimonial por actos del Poder Legislativo debería estar fundada en una cláusula genérica, que además, a diferencia de lo que sucede con los dos preceptos constitucionales citados, no define las condiciones y características de dicha responsabilidad? Esta pregunta, para nada retórica, no ha recibido hasta ahora una respuesta convincente. De aquí que sea más razonable –y seguramente más respetuoso de la voluntad del constituyente– interpretar el referido inciso del art. 9.3 CE como un recordatorio de la responsabilidad política que en democracia pesa sobre todos los poderes públicos, es decir, del deber de dar cuenta de sus actuaciones

a los ciudadanos, así como de soportar la crítica de éstos.

La otra aclaración preliminar atañe al significado del art. 139.3 LRJ-PAC. Este, como es sabido, dispone: "Las Administraciones Públicas indemnizarán a los particulares por la aplicación de actos legislativos de naturaleza no expropiatoria de derechos y que éstos no tengan el deber jurídico de soportar, cuando así se establezca en los propios actos legislativos y en los términos que especifiquen dichos actos." Esta no es la sede idónea para analizar todos los problemas interpretativos que suscita el art. 139.3 LRJ-PAC; pero es de suma importancia destacar que regula la responsabilidad patrimonial de todas las Administraciones Públicas –no sólo de la estatal– por la aplicación de leyes conformes a la Constitución. Aunque esto último no está expresamente dicho en el precepto transcrito, se desprende necesariamente del mismo, desde el momento en que el deber de indemnizar por la aplicación de actos legislativos se produce "en los términos que especifiquen dichos actos"; y va de suyo que esos actos legislativos sólo pueden especificar algo si son válidos. Sólo las leyes conformes a la Constitución, en otras palabras, pueden en cada caso determinar las condiciones de la responsabilidad patrimonial derivada de su aplicación. Así, cualquiera que sea el alcance del art. 139.3 LRJ-PAC con respecto a las leyes conformes a la Constitución que lesionan derechos de los particulares, no sirve como fundamento de la responsabilidad patrimonial del Estado por leyes inconstitucionales.

Frente a lo que se acaba de afirmar no cabe objetar que el art. 139.3 LRJ-PAC es expresión de un principio más general que obliga a indemnizar todos los daños derivados de las leyes, tanto si éstas son conformes a la Constitución como si son inconstitucionales. Argumentar en esta dirección supone pasar por alto las muy importantes diferencias que, a efectos de responsabilidad patrimonial, median entre leyes conformes a la Constitución y leyes inconstitucionales. Efectivamente, la responsabilidad patrimonial de las Administraciones Públicas por la aplicación de leyes conformes a la Constitución ha sido relativamente poco problemática, incluso en aquellos casos que no encajan en el art. 139.3 LRJ-PAC porque la correspondiente ley nada prevé sobre el deber de indemnizar. La jurisprudencia de esta Sala –inspirándose en la orientación del Tribunal Constitucional, iniciada por la STC 108/1986 y recogida entre otras en las STC 149/1991 y 28 / 1997 – sigue un doble criterio: primero, sólo existe deber de reparar cuando los daños derivados de una ley no tengan alcance general o, si se prefiere, cuando existe un "sacrificio especial"; y, segundo, el daño ocasionado por la ley ha de afectar a un derecho o interés ya integrado en el patrimonio del particular, no a una mera esperanza. Véanse, por citar sólo algunos ejemplos, las STS de 17 de febrero de 1998, 9 de febrero de 1999 y 1 de julio de 2003. Pus bien, es claro que en la responsabilidad patrimonial por leyes conformes a la Constitución el título de imputación –es decir, la razón por la que se impone el deber de indemnizar– es el mencionado sacrificio especial o, si se quiere, la igualdad ante las cargas públicas: unos pocos no deben afrontar el coste de una norma que beneficia a toda la colectividad. El problema estriba en determinar cuán escasos han de ser los lesionados por una ley válida para que quede justificado el deber de indemnizar, problema cuya solución dista de ser fácil. Pero lo que ahora importa es que ese

problema es completamente ajeno a la responsabilidad patrimonial del Estado por leyes inconstitucionales, que, tal como ha sido configurada hasta ahora por la jurisprudencia de esta Sala, es independiente de que haya un sacrificio especial: el título de imputación en la serie de sentencias que se inicia con la STS de 29 de febrero de 2000 es, más bien, la propia inconstitucionalidad de la ley, sin que haya referencia alguna a la exigencia de igualdad ante las cargas públicas. Más aún, de acuerdo con esa construcción jurisprudencial, cabría teóricamente exigir responsabilidad patrimonial al Estado por una ley, luego declarada inconstitucional, que hubiera sido aplicada a un muy elevado número de personas.

Todo lo anteriormente expuesto da pie para afirmar que las leyes conformes a la Constitución y las leyes inconstitucionales plantean problemas distintos desde el punto de vista de la responsabilidad patrimonial, que los títulos de imputación son diferentes en una y otra hipótesis, y que no es incoherente sostener la responsabilidad patrimonial por leyes conformes a la Constitución y rechazar la responsabilidad patrimonial por leyes inconstitucionales.

El examen de la ausencia de fundamento de la responsabilidad patrimonial del Estado por leyes inconstitucionales podría terminar en este punto, limitándose a constatar que en el ordenamiento español no hay norma alguna que expresamente la prevea o implícitamente la justifique. Pero, para reforzar esta conclusión, es posible dar un paso más: la responsabilidad patrimonial de la Administración Pública, dentro de la que la jurisprudencia subsume la responsabilidad patrimonial del Estado por leyes inconstitucionales, requiere siempre que el lesionado no tenga un deber jurídico de soportar el daño (art. 141.1 LRJ-PAC). Pues bien, seguramente la máxima objeción a que está expuesta la responsabilidad del Estado por leyes inconstitucionales –cuyo título de imputación, como se ha comprobado, es la propia inconstitucionalidad de la ley– es que, en línea de principio, existe un deber jurídico de soportar las leyes inconstitucionales. Puede sonar extraño, pero hay sólidas razones para decir que es así.

Una primera razón es la deferencia que, en una sociedad democrática, merece el legislador. Esta deferencia no le es debida tanto por ser la encarnación de la voluntad popular –no hay que olvidar que el constitucionalismo consiste, entre otras cosas, en establecer garantías frente a la mayoría– como por ser quien adopta las decisiones normativas más importantes. Suele decirse que la ley dispone de un poder de "libre configuración del ordenamiento jurídico" y que su vinculación a la Constitución es puramente negativa; es decir, en la medida en que no vulnere ninguna norma constitucional, la ley goza de libertad para establecer la regulación que tenga por más oportuna en cada materia. Esta posición de la ley en el ordenamiento español es muy distinta de la posición de las disposiciones de rango inferior, que están plenamente sometidas a la ley y al derecho (art. 103 CE) y, por consiguiente, tienen un margen de opción normativa mucho más estrecho. Pues bien, el citado principio de libre configuración del ordenamiento por la ley quedaría seriamente puesto en entredicho si se aceptara que, por el mero hecho de que una ley sea declarada inconstitucional, todos los daños que haya podido ocasionar su aplicación deben ser indemnizados. Este es un punto particularmente débil de la actual jurisprudencia, que, como se dejó apuntado más arriba, aplica a la responsabilidad patrimonial del Estado por leyes inconstitucionales, sin ninguna matización, el esquema de la responsabilidad patrimonial de la Administración Pública. Ello supone caer en una especie de "administrativización" de la ley, que no explica por qué la ley no merece, cuanto menos, un régimen de responsabilidad más restrictivo y circunscrito a supuestos particularmente graves y excepcionales, en la línea del previsto por el art. 121 CE para el Poder Judicial.

Hay otra razón, tal vez más profunda, por la que existe, en principio, un deber jurídico de soportar las leyes inconstitucionales: la inconstitucionalidad de la ley es un tipo de invalidez sumamente peculiar. A diferencia de lo que ocurre con el juicio sobre la validez de otros actos jurídicos, incluidos los reglamentos, el juicio sobre la validez de la ley –o sea, sobre su conformidad con la Constitución– está, en la inmensa mayoría de las ocasiones, muy lejos de ser una mera operación de subsunción. Salvo supuestos excepcionales de violación frontal de una norma constitucional, el juicio sobre la validez de la ley consiste en una delicada ponderación entre distintos valores o bienes jurídicos, cuyo resultado es, por ello mismo, altamente imprevisible. Piénsese, como muestra de lo que se acaba de decir, que la STC 173/1996, a partir de la cual la STS de 29 de febrero de 2000 dio inicio a la jurisprudencia sobre la responsabilidad del Estado por leyes inconstitucionales, declaró inconstitucional el gravamen complementario sobre la tasa del juego porque tenía eficacia parcialmente retroactiva. Pues bien, no sólo la retroactividad de las leyes tributarias no se encuentra entre las clases de retroactividad constitucionalmente prohibidas por el art. 9.3 CE –tan es así que el Tribunal Constitucional hubo de acudir al principio de seguridad jurídica para fundar su declaración de inconstitucionalidad–, sino que nunca hasta entonces, habiendo tenido ocasiones para hacerlo, había afirmado el Tribunal Constitucional que las leyes tributarias retroactivas fuesen inconstitucionales. Piénsese igualmente, por poner otro ejemplo mucho más cercano, en el caso que nos ocupa: nunca, hasta la STC 68/2007, se había declarado la inconstitucionalidad de un decreto-ley por falta de extraordinaria y urgente necesidad. Con todo esto no se quiere simplemente señalar que, dado el notable grado de imprevisibilidad de muchas declaraciones de inconstitucionalidad, es de alguna manera injusto que la mera inconstitucionalidad de la ley opere como título de imputación de la responsabilidad patrimonial. Se quiere llamar la atención sobre algo aún más importante: la evolución normativa en el moderno Estado democrático de derecho descansa, en gran medida, en una suerte de diálogo entre el Parlamento y el Tribunal Constitucional, al que normalmente no son ajenos los cambios en la cultura jurídica e incluso en la propia sociedad; y, así las cosas, atribuir responsabilidad patrimonial al Estado por daños derivados de la aplicación de cualesquiera leyes que sean declaradas inconstitucionales equivale a poner serias trabas a dicho diálogo, dificultando el funcionamiento fisiológico del Estado democrático de derecho.

III

La jurisprudencia sobre responsabilidad patrimonial del Estado por leyes inconstitucionales no sólo carece de un fundamento identificable en el ordenamiento español, sino que además tropieza, a mi juicio, con la barrera infranqueable del art. 40.1 LOTC. Dispone el mencionado precepto: "Las sentencias declaratorias de la inconstitucionalidad de Leyes, disposiciones o actos con fuerza de Ley no permitirán revisar procesos fenecidos mediante sentencia con fuerza de cosa juzgada en los que se haya hecho aplicación de las Leyes, disposiciones o actos inconstitucionales, salvo en el caso de los procesos penales o contencioso-administrativos referentes a un procedimiento sancionador en que, como consecuencia de la nulidad de la norma aplicada, resulte una reducción de la pena o de la sanción o una exclusión, exención o limitación de las responsabilidad".

El Pleno de esta Sala entiende mayoritariamente que este precepto, que excluye la eficacia retroactiva de la declaración de inconstitucionalidad salvo en el supuesto de normas sancionadoras desfavorables, no impide sin embargo que, mediante una acción de indemnización, la persona a quien se aplicó la norma inconstitucional pueda verse resarcida exactamente por la pérdida patrimonial –consistente en daño emergente (por ejemplo, gravamen adicional de la tasa del juego) o en lucro cesante (por ejemplo, supresión de los salarios de tramitación como concepto de la indemnización por despido improcedente)– derivada de la aplicación misma de la norma inconstitucional. En apretada síntesis, puede decirse que el argumento en que se apoya el parecer mayoritario es que la acción de responsabilidad por daños derivados de la aplicación de una norma inconstitucional es una acción distinta de la ejercitada en el proceso en que se aplicó la norma luego declarada inconstitucional y, por tanto, no opera la cosa juzgada material. A este argumento se añade que, en tanto en cuanto el Tribunal Constitucional no determine en cada caso concreto el alcance de sus sentencias declaratorias de inconstitucionalidad, corresponde a los tribunales ordinarios la fijación de los efectos de las mismas.

Pues bien, el argumento de que, al no haber cosa juzgada material porque la causa de pedir es distinta, el art. 40.1 LOTC no supone un límite para la responsabilidad patrimonial del Estado por leyes inconstitucionales es, dicho sea con el debido respeto, especioso. Y lo es, de entrada, porque el art. 40.1 LOTC no dice que la cosa juzgada material –esto es, la identidad de sujetos, objeto y causa de pedir– constituya el límite a la posible eficacia retroactiva de las sentencias declaratorias de inconstitucionalidad. Obsérvese que el art. 40.1 LOTC sería seguramente inútil o, cuanto menos, redundante si su finalidad fuera asegurar el juego de la cosa juzgada material: las leyes procesales ordinarias, que habrían de seguirse para iniciar un nuevo proceso con idénticos sujetos, objeto y causa de pedir, ya protegen la cosa juzgada material. El art. 40.1 LOTC dice algo bastante más sutil: que está prohibido "revisar procesos fenecidos", entendiendo por tales aquéllos ya resueltos "mediante sentencia con fuerza de cosa juzgada". Esta última expresión, más que a la cosa juzgada material, hace referencia a la cosa juzgada formal o firmeza; esto es, al carácter definitivo de las sentencias irrecurribles. Y es precisamente de estas sentencias firmes de las que se predica la prohibición de reconsideración del asunto litigioso, so pretexto de que la norma entonces aplicada ha sido luego declarada inconstitucional. No se trata tanto de evitar que una declaración de inconstitucionalidad conduzca a reproponer un proceso con idénticos sujetos, objeto y causa de pedir, como de impedir que las situaciones que han alcanzado firmeza puedan ser reconsideradas, aunque sea de manera indirecta o subrepticia. Lo resuelto en virtud de la

norma inconstitucional resuelto queda, sin que quepa tratar de rectificarlo por otras vías, como es la de otorgar como indemnización lo que no se pudo otorgar por la causa de pedir utilizada en el proceso fenecido.

Siempre con respecto al argumento relativo a la cosa juzgada material, es preciso hacer otra consideración: incluso admitiendo a efectos dialécticos que la causa de pedir en la acción de indemnización por la aplicación de una norma inconstitucional es distinta de la utilizada en el proceso fenecido, lo cierto es que esta nueva causa de pedir no existía en aquel momento. No es un fundamento distinto que, en apoyo de la misma pretensión, pudo ser invocado en el litigio originario. Por expresarlo gráficamente, en el presente caso, el recurrente no habría podido acudir al Juzgado de lo Social nº 32 de Barcelona pidiendo que en la indemnización por despido improcedente se incluyeran los salarios de tramitación o que subsidiariamente, de no ser ello posible como consecuencia de la reforma introducida por el Real Decreto-Ley 5/2002, se condenase al Estado al pago de una cantidad equivalente. Ello demuestra que aquí la cuestión nada tiene que ver con la cosa juzgada material, sino que se trata de una pretensión radicalmente nueva, cuyo fundamento es sólo la inconstitucionalidad de la norma aplicada; y dar por buena esta pretensión indemnizatoria equivale a esquivar la inequívoca finalidad del art. 40.1 LOTC: no reabrir, ni siquiera por otras vías, situaciones litigiosas definitivamente resueltas.

Más importante aún, en mi opinión, es deshacer el equívoco según el cual, a falta de específico pronunciamiento del Tribunal Constitucional sobre el alcance de cada una de sus sentencias declaratorias de inconstitucionalidad, corresponde a los tribunales ordinarios fijar los efectos de las mismas. Esta idea no puede ser compartida, porque parte del presupuesto de que los efectos de las sentencias declaratorias de inconstitucionalidad de las leyes carecen de regulación o, por decirlo más suavemente, que su regulación presenta graves lagunas. Ello no es así, pues la regulación se halla en el art. 40.1 LOTC. Se puede discutir hasta qué punto el Tribunal Constitucional goza de algún margen de discrecionalidad para modular los efectos de sus sentencias declaratorias de inconstitucionalidad, adaptándolas a las circunstancias y necesidades de cada caso. Pero es difícilmente cuestionable que, a falta de pronunciamientos específicos al respecto, los tribunales ordinarios debemos estar a la regla general, que no es otra sino la enunciada en el art. 40.1 LOTC: sólo en el supuesto de normas sancionadoras desfavorables cabe revisar procesos fenecidos. De aquí que el criterio debiera ser, más bien, el opuesto al mantenido por el Pleno de esta Sala; es decir, habrá que estar al tenor del art. 40.1 LOTC salvo que el Tribunal Constitucional haya hecho algún pronunciamiento específico modulando los efectos de la declaración de inconstitucionalidad de que se trate.

A ello hay que añadir que es muy dudoso que los tribunales ordinarios tengan jurisdicción para determinar los efectos de las sentencias declaratorias de inconstitucionalidad. El art. 123 CE dispone que el Tribunal Supremo "es el órgano jurisdiccional superior en todos los órdenes, salvo lo dispuesto en materia de garantías constitucionales". Pues bien, la más arquetípica de las garantías constitucionales a que hace referencia el art. 123 CE es, sin duda alguna, el control de constitucionalidad de las leyes y de los demás actos con fuerza de ley. Tan es así que, a diferencia de lo que ocurre con otras atribuciones del Tribunal Constitucional, éste ostenta un auténtico monopolio sobre la declaración de inconstitucionalidad de la ley. El juicio sobre la validez de la ley, dicho de otro modo, queda fuera de la esfera de la jurisdicción ordinaria; y es difícilmente discutible que determinar los efectos de una declaración de inconstitucionalidad implica intervenir en el mencionado juicio sobre la validez de la ley. Creo que de aquí se sigue que los tribunales ordinarios no pueden atribuir a las sentencias declaratorias de inconstitucionalidad, aunque sea de manera indirecta, ningún efecto sobre situaciones pasadas distinto de los previstos en el art. 40.1 LOTC.

Por todas las razones expuestas, creo que, como dije al inicio, este recurso contencioso– administrativo habría debido ser desestimado.

VOTO PARTICULAR

VOTO PARTICULAR que formula el Magistrado Excmo. Sr. D. Eduardo Espin Templado a la sentencia dictada por el Pleno de la Sala el día 2 de junio de 2.010 en el recurso contencioso-administrativo ordinario n° 2/588/2008.

Con el mayor respeto a la Sentencia mayoritaria, debo expresar mi coincidencia, en lo substancial, con las consideraciones discrepantes expuestas en los votos particulares de los Excmos. Sres. D. Manuel Campos Sanchez-Bordona y D. Luis Maria Diez-Picazo Gimenez.

13	

SENTENCIA 15 JUNIO 2010
(RJ 2011, 945)

Recurso de Casación núm. 4634/2008
Sala de lo Cont.-Adm., Sección 4
Ponente: Sra. Dª Celsa Pico Lorenzo

RESPONSABILIDAD PATRIMONIAL DE LA ADMINISTRACIÓN PUBLICA; Hacienda Pública: liquidación tributaria: anulación de: daños: lesión antijurídica: inexistencia: indemnización improcedente.

FUNDAMENTOS DE DERECHO

PRIMERO. La representación procesal de la entidad Promosastre, SL interpone recurso de casación 4634/08 contra la sentencia de fecha 20 de mayo de 2008 (JUR 2008, 224101) , dictada por la Sala de lo Contencioso-Administrativo de la Audiencia Nacional, Sección 6ª en el recurso núm. 110/06, deducido por aquella contra la desestimación presunta, por silencio negativo, de la solicitud de responsabilidad patrimonial de la Administración para la indemnización de los daños ocasionados a raíz de la liquidación tributaria girada por la Dependencia Regional de Inspección de la Delegación Especial de Cataluña de la Agencia Tributaria por el concepto de Impuesto sobre Sociedades, períodos 1996 a 1998.

Identifica la sentencia el acto impugnado en su PRIMER fundamento al tiempo que recoge la pretensión actora de indemnización derivada de la anulación de la liquidación antedicha por el TEAR. Reclama honorarios de letrado, perjuicios de carácter financiero por constitución de un aval y daños causados en su imagen.

En el SEGUNDO recoge la pretensión actora y la oposición de la administración mientras en el TERCERO

destaca los elementos de la responsabilidad patrimonial del Estado regulada en los arts. 139 y siguientes de la Ley de Régimen Jurídico de las Administraciones Públicas y Procedimiento Administrativo Común (RCL 1992, 2512, 2775 y RCL 1993, 246) , LRJAPAC, con prolija exposición de doctrina jurisprudencial.

Tras ello expone la doctrina que venía manteniendo la Sala sobre reclamaciones análogas, favorable a la pretensión actora, si bien fue modificada en el sentido de que no procede la consideración de la actuación administrativa como antijurídica a los efectos de su condena por responsabilidad patrimonial (al pago de los honorarios del letrado devengados asistiendo al contribuyente en el marco de dicha actuación) por el solo hecho de la anulación del acto administrativo, sea en vía económico– administrativa o jurisdiccional.

Reproduce luego la STS de 24 de enero de 2006 (RJ 2006, 734) , recurso de casación 536/2002.

Ya en el CUARTO explicita que la Sala cambió el criterio tras una serie de sentencias dictadas en 18 de julio de

2006 (JUR 2006, 245649) , recurso contencioso administrativo 626/03 y 368/04 cuyo contenido reproduce con transcripción parcial de aquella sentencia de 24 de enero de 2006.

En el QUINTO declara,

– *"En primer lugar, la Sala no puede admitir la indemnizabilidad de las contragarantías que se reclaman, no sólo –a diferencia de lo que ocurre con los gastos del aval cuyo abono se prevé en la propia Ley General Tributaria (RCL 1963, 2490) y en el* Real Decreto 520/ 2005, de 13 de mayo (RCL 2005, 1069, 1378) – *ante ausencia de previsión legal sino por la falta de prueba de la necesidad de dichas contragarantías que se dicen exigidas para la constitución del aval del caso, al cual no pueden ser vinculadas, sin más, habida cuenta de su independencia respecto de dicho aval, como revela el hecho de que fuese cancelada casi año y medio antes de la ejecución de la resolución económico-administrativa. Faltaría, pues, la prueba del nexo causal, amén de la prueba del daño mismo desde el momento en que tampoco la actora acredita la indisponibilidad del importante préstamo hipotecario concedido.*

– *Por los mismos motivos procede denegar la indemnización relativa al alegado daño financiero, al igual que los daños de imagen que también se alegan, al no haber sido cumplida tampoco la exigencia probatoria; sin discutir el rigor del informe de auditoría aportado por la actora, lo cierto es que no es suficiente desde el momento que, como bien subraya el Abogado del Estado, parte de una premisa errónea, a saber: centrarse en la falta de disponibilidad del importe del referido préstamo hipotecario.*

– *Finalmente, en relación con las*

facturas de honorarios esta Sala no ha podido saber a que trabajos en concreto respondían tales minutas las cuales, por cierto, ni siquiera han sido traídas a los autos. Tan sólo consta una mera referencia numérica y su correspondiente fecha pero sin que se haya especificado en ningún caso el detalle de los trabajos a los que cada una de ellas obedeció. Y tampoco, en efecto, consta el abono efectivo de cantidad alguna por la intervención de los profesionales durante la sustanciación del procedimiento administrativo. No se trata sólo de que en alguno de los cheques bancarios que se han aportado a los autos (documentos 6 y 7) en los que ni siquiera figura el nombre de la recurrente o de que en algún otro caso (documento nº 8) sea de fecha posterior a la propia reclamación que nos ocupa o que tampoco se refleje en los cheques aportados las cantidades a las que se refieren las minutas de honorarios referidas en la demanda sino que, en definitiva, falta la prueba del efectivo cobro de dichos honorarios".

SEGUNDO. 1. Un primer motivo al amparo del art. 88.1.c) de la LJCA (RCL 1998, 1741) . Aduce infracción de las normas procesales reguladoras de la sentencia: vulneración de los artículos 9.3, 24 y 120 de la CE (RCL 1978, 2836) , así como de los artículos 216, 319 y 326 de la Ley 1/2000 (RCL 2000, 34, 962 y RCL 2001, 1892) , de Enjuiciamiento Civil.

Subsidiariamente infracción de los artículos citados al amparo del art. 88.1.d).

Aduce error notorio en la aceptación de los hechos probados que determina el contenido del fallo. Invoca la STS de 15 de noviembre de 2007.

Afirma que la Sala no ha tenido en

cuenta los hechos acreditados y parte de una premisa errónea.

Sostiene que la prueba de la necesidad de prestar una contragarantía de depósito bancario para obtener un aval a resulta del certificado emitido por quien concedió el aval y exigió la contragarantía, el Banco Santander. Así alega que Banco Santander certifica, 1. Que concedió un aval acondicionado a "garantías de carácter real adicional a la póliza de contragarantía vinculada al referido aval". 2. Que la contragarantía consistió en un depósito irregular "que quedó pignorado a tal efecto" por importe de 500.000.000 pesetas. 3. Que "dada la falta de liquidez de la sociedad y a fin de poder constituir la referida imposición a plazo fijo, ZOTMA, SL formalizó (...) escritura de préstamo hipotecario con el Banco de Santander por importe de 500.000.000 de pesetas".

Mantiene que la pignoración implica por mandato legal, artículo 1866 del Código Civil (LEG 1889, 27) , que la cosa pignorada quede en poder del acreedor y, sea indisponible por la parte.

Añade que la cancelación de las contragarantías del aval con el Banco Santander se debió al elevado coste que implicaba, buscándose por ZOTMA otra entidad financiera, que permitió cancelar el primer aval del Banco Santander liberando la pignoración del depósito y la cancelación del mismo a tal finalidad.

Afirma que con relación al daño financiero queda acreditada la indisponibilidad del préstamo hipotecario depositado en el Banco de Santander, al estar afectado como contragarantía del aval necesario para obtener la suspensión de la liquidación impugnada, y la

cuantía de los daños que comporta cuyo rigor en la determinación no se discute por la sentencia, ni la Administración.

Sostiene que frente a la falta de prueba invocada por la Audiencia Nacional resulta que se ha acreditado mediante documentación del Banco Santander la existencia de unos costes por la constitución de un aval que exigió una prenda de un depósito irregular y la constitución de un préstamo hipotecario. Alega resulta acreditado por las "certificaciones del despacho de abogados" y los datos obrantes en las propias resoluciones del TEAR la prestación de servicios su importe y el abono mediante cheques.

1.1. Objeta el motivo el Abogado del Estado que interesa su inadmisión por defectuoso planteamiento ya que debía haberse articulado por la letra d). No obstante, en cuanto al fondo, pide también su desestimación al no ser responsable el estado de la política crediticia de una entidad bancaria.

TERCERO. La posibilidad de revisar cuestiones relacionadas con la prueba en el ámbito casacional se encuentra absolutamente limitada. No debe olvidarse que la finalidad del recurso es uniformar la interpretación del ordenamiento jurídico por lo que no cabe revisar la valoración de la prueba realizada por la Sala de instancia a la que incumbe tal función sin que este Tribunal constituya una segunda instancia. Por ello, este Tribunal insiste en que no corresponde al mismo en su labor casacional revisar la valoración de la prueba efectuada por la Sala de instancia ante el mero alegato de la discrepancia en la valoración efectuado por la parte recurrente.

La pretendida omisión en la valoración de la prueba por no haberse tomado en cuenta documentos que se afirman obran en las actuaciones no constituiría un vicio "in procedendo" ocurrido en el proceso e imputable al Tribunal a "quo".

Tal como nuestra jurisprudencia ha dicho (STS de 23 de febrero de 2010 (RJ 2010, 3995), recurso de casación 1760/2008, ATS 7 de mayo de 2009, Sección Primera, recurso 2383/2008), respecto a un denunciado error en la valoración de la prueba en lo relativo a dos certificados presentados por la demandante en la instancia, sería en todo caso una cuestión que hace referencia a la cuestión de fondo cuyo examen solo puede hacerse mediante la articulación del motivo al amparo de la letra d) del art. 88.1. LJCA.

Como dijo el Tribunal Constitucional en su sentencia 81/1986 de 20 de junio (RTC 1986, 81) respecto a las formalidades establecidas en la LEC 1881 (LEG 1881, 1), perfectamente extrapolables respecto a las fijadas por la LJCA 1998, no es ni puede ser otra que la más correcta ordenación del debate procesal así como asegurar, en beneficio del juzgador y de la parte contraria, la mayor claridad y precisión posible en la comprensión de los motivos del recurso. Por ello deben estar referidos en concreto a uno de los motivos legalmente tasados para evitar toda confusión en la tramitación del recurso. No cabe mezclar falta de motivación con ausencia de valoración de determinados documentos.

Aquí se alude al apartado d), como subsidiario mas al desarrollar el motivo no se articulan separadamente uno y otro entremezclando lesión en la valoración de la prueba, por no haberse tomado en cuenta determinada prueba documental, con ausencia de motivación.

El planteamiento revela, como dijo el ATS 3 de abril de 2008 (JUR 2008, 160027), recurso 3063/2006, la carencia manifiesta de fundamento del recurso al tratarse de motivos que se excluyen entre sí. Esta Sala ha declarado reiteradamente (por todos, Auto de 11 de mayo de 2006 (JUR 2006, 177969), recurso 1295/03), que resulta inapropiado fundar una misma infracción, simultáneamente, en dos de los apartados del artículo 88.1 de la Ley Jurisdiccional, que tipifican motivos de casación de diferente naturaleza y significación, pues el apartado c) del artículo 88.1 de la LRJA no está referido al "que" del fallo, sobre el que se proyecta la infracción jurídica que se imputa al Tribunal "a quo", sino al "como" de la sentencia cuando en la formación de ésta se desatienden las normas esenciales establecidas al efecto en el ordenamiento jurídico, que es el defecto que aquí se imputa. En otras palabras, el motivo que dibujá el apartado c) del artículo 88.1 de la LRJCA suministra cobertura al "error in procedendo", tanto en el curso del proceso como en el momento mismo de la formación de la sentencia, no al "error in iudicando", es decir, al error de juicio cometido al resolver una cuestión objeto de debate.

Se invocan inicialmente un conjunto de preceptos constitucionales (arts. 9.3., 24 y 120 CE) relativos a la motivación a los que luego se añaden otros de la Ley de Enjuiciamiento Civil 1/2000, relativos a la justicia rogada (art. 216) fuerza probatoria de los documentos públicos (artículo 319), fuerza probatoria de los documentos privados (artículo 326) sin distinguir inicialmente qué regla, en relación con qué tipo de documento, ha resultado infringida por la Sentencia recurrida.

Al concluir el motivo invoca el art.

319 mas no se cita cuál de los tres apartados en relación con el art. 317 se encuentra quebrantado al invocar que no se ha tomado en cuenta la presencia de abogados en las resoluciones del TEAR. No cabe una invocación global de un articulado (STS 27 de junio de 2007 (RJ 2007, 6755) , recurso de casación 2603/2000) sino que es preciso desgranar las infracciones cometidas respecto cada uno de los artículos invocados. Respecto al art. 326 finalmente se cita su apartado primero para pretender que los "certificados" emitidos por el Banco de Santander no han sido impugnados.

Se realiza una amplia serie de argumentaciones respecto a documentación del Banco de Santander y "certificaciones de despachos de abogados" mas no se incardinan en regla alguna de la Ley de Enjuiciamiento civil. La utilización de la antedicha terminología resulta plenamente inapropiada al carecer los Abogados de la condición de fedatario.

Se inadmite el primer motivo.

CUARTO. 2. Un segundo motivo al amparo del art. 88.1.d) de la LJCA, por infracción del art. 106.2 de la CE y 139.2 de la Ley 30/1992, de 26 de noviembre, de Régimen Jurídico de las Administraciones Públicas y del Procedimiento Administrativo Común, LRJAPAC, y de la jurisprudencia que lo interpreta.

Alega que no tiene la obligación de soportar el daño de una actuación administrativa ilícita. Sostiene que la liquidación practicada por la Administración ocasionó un perjuicio económico directo al implicar unos honorarios de abogados, unos gastos por prestación de contragarantías y unos costes financieros ligados a la suspensión para la resolución del conflicto. Defiende que

lo relevante no es la actuación de la Administración más o menos razonable, sino que se ha producido una lesión antijurídica.

Invoca distinta Sentencias de la Audiencia Nacional que, a su entender, siguen la postura defendida así como una de este Tribunal de 18 de marzo de 2000.

Sostiene que la sentencia de la Audiencia Nacional confunde la antijuridicidad de la actuación administrativa que no es trascendente y la antijuridicidad de la lesión. Destacado de las sentencias citadas y en todas aquellas a las que éstas se remiten, que los gastos ocasionados por la intervención de letrado en vía económica administrativa dan lugar a responsabilidad patrimonial de la Administración si concurren los requisitos de los artículos 139 y siguientes de la Ley 30/1992 al constituir una lesión antijurídica. La responsabilidad patrimonial abarca no sólo los honorarios de letrados, sino también cualquier otro daño que reúna los requisitos de los artículos 139 y siguientes de la Ley 30/1992, en nuestro caso las contragarantías prestadas para obtener el aval bancario con que suspender la liquidación anulada y los costes financieros.

2.1. Rechaza el motivo el Abogado del Estado al poner de relieve se sustenta en votos particulares de sentencias anteriores a la aquí recurrida que carece de voto disidente alguno.

QUINTO. Esta Sala y Sección en su reciente sentencia de 1 de diciembre de 2009 (RJ 2010, 368) recaída en el recurso de casación para unificación de doctrina 48/2009 reitera la doctrina vertida en la sentencia de 14 de julio de 2008 (RJ 2008, 3432) , resolutoria del recurso de casación para la unificación de doctrina 289/07, entablado contra la dictada por la Sección 6ª de la Sala de lo Contencioso-Administrativo de la Audiencia Nacional el 27 de febrero de 2007 (JUR 2007, 93884) , en el recurso contencioso-administrativo 67/06, zanjando la controversia sobre la divergencia acontecida en pronunciamientos de la antedicha Sección.

«TERCERO.–Podemos ahorrarnos la reproducción de nuestra jurisprudencia sobre la naturaleza objetiva de la responsabilidad patrimonial de las Administraciones públicas y sobre los requisitos que han de confluir para su exigibilidad, de la que las resoluciones judiciales en conflicto dan cumplida cuenta, singularmente el voto particular formulado a la sentencia que revisamos.

En nuestra indagación, dado que nos encontramos ante reclamaciones para recuperar los gastos de asistencia jurídica retribuidos a fin de obtener la revocación de liquidaciones tributarias, debemos considerar como punto de partida que, en virtud del artículo 142, apartado 4, de la Ley 30/1992, heredero del artículo 40, apartado 2, de la Ley de Régimen Jurídico de la Administración del Estado, de 26 de julio de 1957 (RCL 1957, 1058, 1178) (BOE de 31 de julio de 1957), la anulación en la vía administrativa o jurisdiccional de un acto o de una disposición de la Administración no presupone el derecho a indemnización, lo que implica tanto como decir que habrá lugar a ella cuando se cumplan los requisitos precisos. Hay que rechazar, pues, las tesis maximalistas de cualquier signo, tanto las que defienden que no cabe nunca derivar la responsabilidad patrimonial de la Administración autora de un acto anulado como las que sostienen su existencia en todo caso (véase la sentencia

de esta Sala y Sección de 5 de febrero de 1996 (RJ 1996, 987) , casación 2034/93, FJ2º).

Pues bien, nadie discute que en los supuestos analizados por las sentencias en conflicto la Administración tributaria causó un daño patrimonial real, efectivo, evaluable económicamente e individualizado en los administrados, quienes reclamaron en el plazo de un año, conforme preceptúa el artículo 142, apartado 5, de la Ley 30/1992. La discrepancia y el punto de inflexión, determinante del cambio de doctrina y que ha provocado este recurso para su unificación, se encuentra en la apreciación del requisito de la lesión, que ha de ser antijurídica, es decir, en los términos empleados por el legislador, debe tratarse de un daño que los particulares no tengan el deber jurídico de soportar de acuerdo con la ley (artículo 141, apartado 1, de la Ley 30/1992).

Centraremos, pues, nuestra atención sobre este requisito, que no desdice el talante objetivo de la responsabilidad de las organizaciones públicas, pues el daño jurídicamente no tolerable se independiza de la índole de su actividad, normal o anormal, correcta o incorrecta.

Ya en dicho análisis, la primera conclusión que se ha sentar, sobre la que también existe acuerdo, consiste en que la antijuridicidad de la lesión no desaparece por la circunstancia de que para actuar ante los órganos tributarios de gestión o de revisión no resulte preceptiva la asistencia letrada, planteamiento defendido en repetidas ocasiones por el Consejo de Estado [pueden consultarse entre los más recientes los dictámenes de 19 de junio de 2003 (expediente 971/03, punto IV.C) y 15 de julio de 2004 (expediente 958/04, punto IV)]. Pese a que en la vía económico-administrativa no sea obligada la comparecencia mediante un profesional del derecho [así se deduce del artículo 33 del Reglamento de Procedimiento en las Reclamaciones Económico-Administrativas, aprobado por Real Decreto 391/1996, de 1 de marzo (RCL 1996, 1072, 2005) (BOE de 23 de marzo); igual deducción se obtiene actualmente del artículo 3 del Reglamento general de desarrollo de la Ley 58/2003, de 17 de diciembre (RCL 2003, 2945) , General Tributaria, en materia de revisión en vía administrativa, aprobado por Real Decreto 520/2005, de 13 de mayo (BOE de 27 de mayo)], la complejidad de los procedimientos tributarios, la dificultad intrínseca de las disposiciones que regulan las distintas figuras impositivas y la especialización de los órganos y de los funcionarios que intervienen en las fases administrativas de gestión y de revisión no sólo aconsejan sino que, en la mayoría de los casos, hacen materialmente imprescindible que los contribuyentes comparezcan asesorados por expertos singularmente preparados para la tarea. En otras palabras, los ciudadanos que deciden voluntariamente asistirse de un técnico cuando se enfrentan a los vericuetos de una inspección fiscal y a la liquidación en la que desemboca no siempren quedan constreñidos a soportar los gastos que comporta ese asesoramiento, a veces insoslayable para obtener la anulación pretendida. El propio Consejo de Estado ha acudido en alguna ocasión a la noción de «gastos necesarios» (dictamen de 20 de mayo de 2004, expediente 957/04, punto III).

Ahora bien, desplazándonos al otro extremo del diagrama, tampoco es certera la afirmación de que, habida cuenta de aquella complejidad y siempre que la propia Administración estime sus pretensiones, debe resarcírseles por los emolumentos de abogados, puesto que

la Administración tributaria se encuentra habilitada para comprobar e investigar los hechos imponibles y, si procede, integrar las bases tributarias y practicar las liquidaciones correspondientes [véanse los artículo 109, 110 y 140 de la Ley 230/1963, de 28 de diciembre (RCL 1963, 2490) , General Tributaria (BOE de 31 de diciembre); en la misma línea los artículos 115 y 141 de la Ley homónima 58/2003, de 17 de diciembre (BOE de 18 de diciembre)], con el fin de establecer, en defensa de los intereses generales que debe servir con objetividad y efectividad, un sistema tributario justo (artículos 103, apartado 1, y 31, apartado 1, de la Constitución). Y a esta potestad corresponde, como si fuera el envés de la misma moneda, la obligación del contribuyente de colaborar, atendiendo los requerimientos de la Administración, hoy explicitado en el artículo 142 de la Ley citada en segundo lugar. No cabe olvidar que la recepción constitucional del deber de contribuir al sostenimiento de los gastos públicos según la capacidad económica de cada uno configura un mandato que vincula tanto a los poderes públicos como a los ciudadanos, incidiendo en la naturaleza misma de la relación tributaria (sentencia del Tribunal Constitucional 76/1990 (RTC 1990, 76) , FJ3º), de modo que para su efectivo cumplimiento resulta irrenunciable la actividad inspectora y de comprobación de la Administración (sentencias del Tribunal Constitucional 110/1984 (RTC 1984, 110) , FJ3º, y 76/1990, FJ3º).

En resumen, y de este modo avanzamos hacia la resolución del dilema, cuando un obligado tributario, valiéndose de un asesoramiento específico y retribuido, obtiene de la Administración, bien en la vía de gestión bien en la económico– administrativa, la anulación de un acto que le afecta, ha de soportar el detrimento patrimonial que la retribución comporta si la actuación administrativa frente a la que ha reaccionado se produce dentro de los márgenes ordinarios o de los estándares esperables de una organización pública que debe servir los intereses generales, con objetividad, efectividad y pleno sometimiento a la ley y al derecho, eludiendo todo atisbo de arbitrariedad (artículos 103, apartado 1, y 9, apartado 3, de la Constitución).

Con este planteamiento no se "subjetiviza" el instituto de la responsabilidad patrimonial de las organizaciones públicas, que sigue haciendo abstracción de todo elemento culpabilístico en la conducta administrativa, sino, muy al contrario, se traslada el debate a un dato de inegable talante objetivo cual es el resultado, indagando su antijuricidad, nota que viene determinada, antes que por un atributo o una condición de los sujetos que intervienen en la relación jurídica, por la posición que uno de ellos, el lesionado, ocupa frente al ordenamiento jurídico, posición en la que no influyen las características de la actuación administrativa a la que se imputa el desenlace, su "normalidad" o su "anormalidad".

CUARTO.–Resulta innegable que la precisión de esa ubicación objetiva del sujeto pasivo en el sistema jurídico, que define si está obligado a soportar el daño y, por consiguiente, la condición de este último y el deber de reparación de la Administración ex artículo 106, apartado 2, de la Constitución, se perfila gracias a elementos de muy diversa factura: unos tienen que ver con la naturaleza misma de la actividad administrativa y otros con las condiciones personales del afectado.

En efecto, el panorama no es igual si se trata del ejercicio de potestades discrecionales, en las que la Administración puede optar entre diversas alternativas, indiferentes jurídicamente, sin más límite que la arbitrariedad que proscribe el artículo 9, apartado 3, de la Constitución, que si actúa poderes reglados, en lo que no dispone de margen de apreciación, limitándose a ejecutar los dictados del legislador. Y ya en este segundo grupo, habrá que discernir entre aquellas actuaciones en las que la predefinición agotadora alcanza todos los elementos de la proposición normativa y las que, acudiendo a la técnica de los conceptos jurídicos indeterminados, impelen a la Administración a alcanzar en el caso concreto la única solución justa posible mediante la valoración de las circunstancias concurrentes, para comprobar si a la realidad sobre la que actúa le conviene la proposición normativa delimitada de forma imprecisa. Si la solución adoptada se produce dentro de los márgenes de lo razonable y de forma razonada, el administrado queda compelido a soportar las consecuencias perjudiciales que para su patrimonio jurídico derivan de la actuación administrativa, desapareciendo así la antijuridicidad de la lesión [véase nuestra sentencia de 5 de febrero de 1996, ya citada, FJ3°, rememorada en la de 24 de enero de 2006 (RJ 2006, 734) (casación 536/02), FJ3°; en igual sentido se manifestaron las sentencias de 13 de enero de 2000 (RJ 2000, 659) (casación 7837/95, FJ2°), 12 de septiembre de 2006 (RJ 2006, 6346) (casación 2053/02, FJ5°), 5 de junio de 2007 (RJ 2007, 4991) (casación 9139/03, FJ2°), 31 de enero de 2008 (RJ 2008, 1347) (casación 4065/03, FJ3°) y 5 de febrero de 2008 (RJ 2008, 1351) (recurso directo 315/06, FJ3°)].

Ahora bien, no acaba aquí el catálogo de situaciones en las que, atendiendo al cariz de la actividad administrativa de la que emana el daño, puede concluirse que el particular afectado debe sobrellevarlo. También resulta posible que, ante actos dictados en virtud de facultades absolutamente regladas, proceda el sacrificio individual, no obstante su anulación posterior, porque se ejerciten con los márgenes de razonabilidad que cabe esperar de una Administración pública llamada a satisfacer los intereses generales y que, por ende, no puede quedar paralizada ante el temor de que, si revisadas y anuladas sus decisiones, tenga que compensar al afectado con cargo a los presupuestos públicos, en todo caso y con abstracción de las circunstancias concurrentes. Esta idea cobra especial fuerza tratándose de la Administración tributaria, a la que el constituyente y el legislador demandan una actitud activa consistente en, como ya hemos apuntado, comprobar, investigar, inspeccionar y, si procede, corregir los hechos de los administrados con trascendencia fiscal. Con esta perspectiva parece evidente la diferencia, a los efectos que nos ocupan, entre, por ejemplo, la situación de un sujeto pasivo que acude al asesoramiento legal para enfrentarse a una liquidación impositiva practicada en el ejercicio de una potestad groseramente prescrita que la del que utiliza el mismo instrumento a fin de discutir otra en la que se eliminan como gastos deducibles los intereses pagados por un establecimiento en España a una sociedad matriz foránea como retribución de la financiación que recibe de ella.

En definitiva, para apreciar si el detrimento patrimonial que supone para un administrado el pago del asesoramiento que ha contratado constituye una lesión antijurídica, ha de analizarse la índole de la actividad administrativa y si responde a los parámetros de racionalidad exigibles. Esto es, si, pese a su

anulación, la decisión administrativa refleja una interpretación razonable de las normas que aplica, enderezada a satisfacer los fines para lo que se la ha atribuido la potestad que ejercita.

QUINTO.–En la descripción de la posición del administrado frente a una lesión, al objeto de calificarla como antijurídica y, por consiguiente, de resarcible, intervienen también matices personales, que coadyuvan a perfilarla, sin que por ello se introduzca ningún "tinte subjetivista" en la construcción de la responsabilidad patrimonial de las Administraciones públicas. No existe "igualitarismo" en este ámbito, pues ante una misma realidad no todos los sujetos se sitúan en igual posición.

Parece tan evidente que resulta superfluo subrayarlo: no puede equipararse a los efectos de analizar si queda jurídicamente obligado a hacer frente a la minuta de los profesionales que ha contratado para obtener la razón en la vía administrativa, un sujeto pasivo de un impuesto, persona física, que se relaciona esporádicamente con los órganos tributarios y que, ante un requerimiento, un procedimiento de inspección o una liquidación, se ve obligado a buscar un asesoramiento *ad hoc*, con una sociedad, organización compleja, habituada, por su actividad, a entrar en conflicto con la hacienda pública y que, incluso, cuenta en plantilla con profesionales que, llegada la ocasión, intervienen en su defensa o que tiene contratado, en régimen de "iguala", un asesoramiento externo.

Estas condiciones personales, junto con las circunstancias objetivas trazadas en el fundamento anterior, deben ponderarse para inferir, en un caso concreto, si el perjuicio consistente en los tan repetidos honorarios de abogado constituye una lesión patrimonial antijurídica y, por lo tanto, resarcible en virtud del principio que proclama, al más alto nivel (artículo 106, apartado 2, de la Constitución), la responsabilidad patrimonial de las Administraciones públicas.

Desde luego, a juicio de esta Sala resulta rechazable la tesis, sostenida en las sentencias de contraste y que, junto con otras anteriores, la recurrida corrige, conforme a la que, obtenida la razón en la vía administrativa, en todo caso y con abstracción de las circunstancias singulares presentes, debe resarcirse al administrado por los derechos que le giran sus abogados, socializando el riesgo y convirtiendo a la Administración pública, vía presupuestaria, en una mutua de siniestros jurídicos. No le falta razón al Abogado del Estado cuando destaca la paradoja que supone aplicar en el ámbito administrativo un principio que el legislador no ha querido para el jurisdiccional, donde la regla general consiste en que cada parte peche con sus gastos, salvo que medie temeridad o mala fe de una de ellas.

SEXTO. El seguimiento de la anterior doctrina impide prospere el segundo motivo máxime cuando el no acogimiento del primero impide revisar las circunstancias fácticas del litigio. A mayor abundamiento la precedente doctrina rechaza expresamente el criterio defendido por la recurrente en un conjunto de votos particulares formulados a distintas sentencias pronunciadas por la Sección 6ª de la Sala de lo Contencioso-Administrativo de la Audiencia Nacional.

SEPTIMO. En virtud del artículo 139, apartado 2, de la Ley de esta jurisdicción han de imponerse las costas causadas a la parte recurrente, si bien la Sala, haciendo uso de la facultad que le otorga el apartado 3 de dicho precepto, tiene en cuenta la entidad del recurso y su dificultad para fijar en 3000 euros el límite de los honorarios del Abogado del Estado.

14

SENTENCIA 17 SEPTIEMBRE 2010
(RJ 2011, 679)

Recurso contencioso-administrativo núm. 153/2007
Sala de lo Cont.-Adm., Sección 6
Ponente: Sr. D. Carlos Lesmes Serrano

RESPONSABILIDAD PATRIMONIAL DE LA ADMINISTRACION PUBLICA: Acción derivada de acto legislativo: tributos: IVA: limitación del derecho a la deducción del IVA soportado correspondiente a las subvenciones percibidas para financiar bienes de inversión: infracción del derecho comunitario: existencia: indemnización procedente.

FUNDAMENTOS DE DERECHO

PRIMERO. El presente recurso contencioso-administrativo tiene por objeto el Acuerdo del Consejo de Ministros, de fecha 12 de enero de 2007, por el que se desestima la solicitud de indemnización por responsabilidad patrimonial del Estado legislador formulada por TRANSPORTES URBANOS Y SERVICIOS GENERALES, S.A.L. en fecha 30 de marzo de 2006, como consecuencia de la limitación del derecho a la deducción del IVA soportado correspondiente a las subvenciones percibidas en los ejercicios 1999 y 2000, y con fundamento en el incumplimiento por parte del Estado Español de las obligaciones que le incumben en esta materia en virtud del Derecho Comunitario y, en particular, de los arts. 17, apartados 2 y 5 de la Directiva 77/388/CEE del Consejo, de 17 de mayo de 1977 (LCEur 1977, 138) (Sexta Directiva en materia de IVA).

En el suplico de la demanda se concreta la pretensión solicitando la declaración de ser contrario a Derecho el Acuerdo impugnado por no reconocer la existencia de responsabilidad patrimonial del Estado por la limitación indebida del derecho a la deducción del IVA soportado correspondiente a las subvenciones percibidas por la entidad actora en los ejercicios 1999 y 2000 y se pide el reconocimiento de su derecho al resarcimiento de los daños y perjuicios producidos por la situación anterior, daños y perjuicios que se concretan en la cantidad de 1.228.366,39 euros más los intereses de demora que correspondan, así como al abono de las costas.

SEGUNDO. El Abogado del Estado propone como causa de inadmisi-bilidad, al amparo del art. 69.c) de la Ley Jurisdiccional (RCL 1998, 1741), el haberse dirigido el recurso contra actos no susceptibles de impugnación y ello porque las liquidaciones tributarias practicadas no fueron recurridas en tiempo y forma por lo que han devenido en actos consentidos y firmes frente a los que no cabe ahora recurso alguno.

Esta causa de inadmisibilidad debe rechazarse pues el acto impugnado es el Acuerdo del Consejo de Ministros de 12 de enero de 2007 por el que se desestima la solicitud de indemnización por responsabilidad patrimonial del Estado Legislador en razón de la vulneración del Derecho Comunitario por la Ley 37/1992 (RCL 1992, 2786 y RCL 1993, 401), y no las liquidaciones tributarias practicadas en su día al amparo de tal Ley.

TERCERO. Las deducciones constituyen un elemento esencial en la mecánica del Impuesto sobre el Valor Añadido y vienen obligadas por la neutralidad de este impuesto para los empresarios y profesionales que intervienen en las distintas fases de los procesos productivos, permitiéndoseles deducir las cuotas soportadas en la adquisición o importación de bienes y servicios.

En el Derecho Comunitario esta materia viene regulada en la Sexta Directiva del Consejo de 17 de mayo de 1977, Directiva 77/388/CEE, que tiene por objeto la armonización de las legislaciones de los Estados miembros relativas a los impuestos sobre el volumen de negocios, dedicando su Título XI, arts. 17 a 20, a las deducciones.

El art. 17.2 de la Directiva autoriza la deducción de las cuotas impositivas soportadas en la adquisición de bienes y servicios en la medida en que estos bienes y servicios se utilicen por el sujeto pasivo para las necesidades de sus propias operaciones gravadas. En aquellos casos en que los bienes y servicios se utilizan indistintamente por el sujeto pasivo para efectuar operaciones con derecho a deducción junto con otras operaciones que no conlleven tal derecho, sólo se admitirá, según el art. 17.5 de la Directiva, la deducción por la parte de las cuotas del Impuesto sobre el Valor Añadido que sea proporcional a la cuantía de las operaciones deducibles. En estos casos –art. 19 – se calcula una prorrata de deducción que será la resultante de una fracción en la que figuren en el numerador, la cuantía total determinada para el año natural del volumen de negocios, excluido el Impuesto sobre el Valor Añadido, relativa a las operaciones que conlleven el derecho a la deducción, de acuerdo con lo dispuesto en los apartados 2 y 3 del artículo 17 y en el denominador, la cuantía total determinada para el año natural del volumen de negocios, excluido el Impuesto sobre el Valor Añadido, relativa a las operaciones reflejadas en el numerador y a las restantes operaciones que no conlleven el derecho a la deducción. La cifra de prorrata, válida para el año natural, quedará determinada en un porcentaje que será redondeado en la unidad superior.

Nos referiremos posteriormente con mayor detalle a esta normativa.

La Ley 37/1992, de 28 de diciembre, del Impuesto sobre el Valor Añadido, regula en sus artículos 92 a 114 el régimen de deducciones de este impuesto, expresando en el artículo 102.1 que la regla de prorrata será de aplicación cuando el sujeto pasivo, en el ejercicio de su actividad empresarial o profesional, efectúe conjuntamente entregas de bienes o prestaciones de servicios que originen el derecho a la deducción y otras operaciones de análoga naturaleza que no habiliten para el ejercicio del citado derecho, fijando en el artículo 104 el sistema de determinación del porcentaje de deducción en los casos de aplicación de la regla de prorrata.

La Ley 66/1997 (RCL 1997, 3106 y RCL 1998, 1636) introdujo diversas modificaciones en la Ley 37/1992, entre ellas la adición de un párrafo segundo al inciso primero del art. 102, que decía así:

"Asimismo, se aplicará la regla de prorrata cuando el sujeto pasivo perciba subvenciones que con arreglo al artículo 78, apartado dos, número 3, de esta ley , no integren la base imponible, siempre que las mismas se destinen a financiar actividades empresariales o profesionales del sujeto pasivo."

También añadió esta Ley un párrafo al artículo 104 de la Ley 37/1992, con el siguiente contenido:

"No obstante, las subvenciones de capital concedidas para financiar la compra de determinados bienes y servicios, adquiridas en virtud de operaciones sujetas y no exentas del impuesto, minorarán exclusivamente el importe de la deducción de las cuotas soportadas o satisfechas por dichas operaciones, en la misma medida en que hayan contribuido a su financiación."

Con la primera de estas adiciones (la establecida en el art. 102 en relación con la primera frase de las disposiciones del art. 104) la normativa española contempló la aplicación de la regla de prorrata de deducción a todos los sujetos pasivos que recibieran subvenciones destinadas a financiar sus actividades empresariales o profesionales, salvo cuando éstas integrasen la base imponible del IVA, subvenciones que debían incluirse en el denominador de la fracción de la que resulta la prorrata, por lo que reducían, de forma general, el derecho a deducción que se reconoce a los sujetos pasivos. Por otra parte, la adición realizada al artículo 104 también determinaba que las subvenciones destinadas de forma específica a financiar la compra de determinados bienes o servicios, adquiridos en virtud de operaciones sujetas y no exentas del IVA, minoran exclusivamente el importe de la deducción del IVA soportado o satisfecho por dichas operaciones, en la misma medida en que hayan contribuido a su financiación.

La Comisión Europea entendió que este supuesto de aplicación de la regla de prorrata a los sujetos pasivos totales del Impuesto no estaba contemplado en el art. 17.5 de la Sexta Directiva, que limita dicha regla a los sujetos pasivos mixtos del Impuesto (los que efectúan indistintamente operaciones gravadas con derecho a deducción y operaciones exentas que no conlleven tal derecho), por lo que interpuso en 2003 un recurso contra España ante el Tribunal de Justicia de las Comunidades Europeas por considerar que una parte de la normativa española relativa al Impuesto sobre el Valor Añadido era contraria a la Sexta Directiva.

La Sentencia del Tribunal de Justicia de las Comunidades Europeas de 6 de octubre de 2005 (TJCE 2005, 292) (Asunto C-204/03) decidió lo siguiente:

"Declarar que el Reino de España ha incumplido las obligaciones que le incumben en virtud del Derecho comunitario y, en particular, de los artículos

17, apartados 2 y 5, y 19 de la Directiva 77/388/CEE del Consejo, de 17 de mayo de 1977, Sexta *Directiva en materia de armonización de las legislaciones de los Estados miembros relativas a los impuestos sobre el valor añadido: base imponible uniforme, en su versión modificada por la* Directiva 95/7 (LCEur 1995, 827) / CE del Consejo, de 10 de abril de 1995 , *al prever una prorrata de deducción del impuesto sobre el valor añadido soportado por los sujetos pasivos que efectúan únicamente operaciones gravadas y al instaurar una norma especial que limita el derecho a la deducción del IVA correspondiente a la compra de bienes o servicios financiados mediante subvenciones."*

Según los fundamentos de esta Sentencia el art. 19, apartado 1, segundo guión de la Sexta Directiva sólo permite limitar el derecho a deducción, mediante la toma en consideración de las subvenciones que no estén vinculadas al precio del bien o servicio suministrado y que no formen parte de la base imponible del IVA, a los sujetos pasivos que utilizan los bienes y servicios previamente adquiridos para realizar de manera indistinta operaciones gravadas con derecho a deducción y operaciones que no conllevan tal derecho (los denominados sujetos pasivos mixtos), por lo que la norma general contenida en la Ley 37/1992, que amplía la limitación del derecho a deducción mediante su aplicación a los sujetos pasivos totales, introduce una restricción mayor que la prevista expresamente en los artículos 17, apartado 5, y 19 de la Sexta Directiva e incumple las disposiciones de dicha Directiva. También declara esta Sentencia que es contraria al Derecho comunitario la norma especial establecida por la Ley española sobre el Valor Añadido, establecida en el art.104, apartado 2, nº 2, párrafo segundo, ya que se trata de un criterio de limitación del derecho a la deducción que no está previsto en los artículos 17, apartado 5, y 19 de la Sexta Directiva ni en ninguna otra disposición de ésta. En consecuencia tal criterio no está autorizado por la citada Directiva.

Junto a ello el Tribunal reitera la obligación que incumbe a los Estados miembros de aplicar la Sexta Directiva aunque la consideren mejorable de suerte que aunque la interpretación propuesta por algunos Estados miembros permitiese alcanzar mejor determinados objetivos perseguidos por la Sexta Directiva, como la neutralidad del impuesto, sigue siendo cierto que dichos Estados no pueden eludir la aplicación de las disposiciones expresamente establecidas en ella, en este caso mediante la introducción de limitaciones del derecho a deducción distintas de las previstas en los artículos 17 y 19 de la citada Directiva.

En segundo lugar, reitera también su jurisprudencia en relación con la posibilidad de limitar en el tiempo los efectos de las sentencias. Recuerda que sólo con carácter excepcional puede el Tribunal de Justicia, aplicando el principio general de seguridad jurídica inherente al ordenamiento jurídico comunitario, verse inducido a establecerla, declaración que resulta relevante para la decisión de este pleito como luego se verá.

En cuanto a los efectos de esta Sentencia, la Administración Española adoptó la Resolución 2 / 2005, de 14 de noviembre (RCL 2005, 2272) , de la Dirección General de Tributos, sobre la incidencia en el derecho a la deducción en el Impuesto sobre el Valor Añadido de la percepción de subvenciones no vinculadas al precio de las operaciones

(Boletín Oficial del Estado de 22 de noviembre).

En el apartado VII de esta Resolución se estableció lo siguiente:

Finalmente, se plantea la cuestión del efecto temporal de la Sentencia. A este respecto, debe señalarse que la sentencia que se analiza, de forma expresa (apartado 31), manifiesta que no se aplica la posibilidad excepcional de limitar sus efectos en el tiempo.

Por tanto, hay que remitirse a los efectos generales de la jurisprudencia comunitaria en el tiempo para conocer el alcance de la sentencia en cuestión. El mismo Tribunal de Justicia viene afirmando, en aplicación del «efecto directo» y «primacía» del Derecho comunitario, que la sentencia que declara el incumplimiento por parte de un Estado miembro tiene efectos «ex tunc». Además, el Tribunal de Justicia ha señalado que la declaración de que un Estado miembro ha incumplido sus obligaciones comunitarias implica para las autoridades tanto judiciales como administrativas de ese Estado miembro, por una parte, la prohibición de pleno Derecho de aplicar el régimen incompatible y, por otra, la obligación de adoptar todas las disposiciones necesarias para que surta pleno efecto el Derecho comunitario (sentencias de 22 de junio de 1989 (TJCE 1989, 149) Fratelli Constanzo 103/88 Rec. p. 1839, apartado 33 y de 19 de enero de 1993 (TJCE 1993, 8) , Comisión/Italia, C-101/91, Rec. P-I-191, apartado 24 .

Por otra parte, en cuanto a la cuestión de la devolución de los ingresos indebidamente pagados, el Tribunal de Justicia ya ha indicado en reiteradas ocasiones que ante la inexistencia de una normativa comunitaria corresponde al ordenamiento jurídico interno

de cada Estado miembro designar los órganos jurisdiccionales competentes y configurar la regulación procesal de los recursos judiciales destinados a garantizar la salvaguardia de los derechos que el Derecho comunitario concede a los justiciables, siempre que, por una parte, dicha regulación no sea menos favorable que la referente a recursos semejantes de naturaleza interna (principio de equivalencia) ni, por otra parte, haga imposible en la práctica o excesivamente difícil el ejercicio de los derechos conferidos por el ordenamiento jurídico comunitario (principio de efectividad) (sentencias de 15 de septiembre de 1988, Edis, C-231/96, Rec. p. 1-4951, apartado 34 y de 17 de junio de 2004 (TJCE 2004, 154) , Recheio-Casch & Carray, C-30/02, 6 aún sin publicar, apartado 17).

Ahora bien, el hecho de que la sentencia deba aplicarse con efectos «ex tunc» y conforme a los procedimientos internos de devolución de ingresos indebidos, no significa que dicha aplicación deba realizarse sin límite alguno. Es más, el propio Tribunal ha reconocido expresamente dichos límites y, en concreto, la posibilidad de denegar la revisión de lo actuado cuando haya transcurrido un plazo razonable de prescripción. Así, la sentencia de 17 de noviembre de 1998 (TJCE 1998, 276) , Aprile, C-228/96, Rec. p. 1-7141 , *apartado 19, reconoce expresamente la compatibilidad con el Derecho comunitario de la fijación de plazos preclusivos para reclamar en aras de la seguridad jurídica, reconociendo expresamente que un plazo nacional de preclusión de tres años a partir de la fecha del pago impugnado parece razonable. En semejante sentido se pronuncian las* sentencias de 9 de febrero de 1999 (TJCE 1999, 20) , Dilexport, C-343/96,

Rec. p. I-579, apartado 26, o la de 11 de julio de 2002 (TJCE 2002, 224) , Marks & Spencer, C-62/00, Rec, p. I-6325, apartados 34 *y siguientes. Es más, estas sentencias admitirían que la normativa nacional redujera los plazos en que puede reclamarse la devolución de las cantidades pagadas, infringiéndose el Derecho comunitario, si se reúnen determinadas circunstancias como es que dicha normativa no esté específicamente dirigida a limitar los efectos de la sentencia, que establezca un plazo suficiente para reclamar el ingreso indebido y que no tenga realmente un alcance retroactivo.*

La aplicación de estos límites al presente caso en relación con las solicitudes de rectificación de autoliquidaciones –a las que ha de aplicarse la normativa interna común a todos los casos y que, por tanto, no ha sido creada especialmente para la ejecución de esta sentencia ni por ello puede calificarse en ningún momento como más gravosa que la normativa general puede sintetizarse de la siguiente forma:

1.° Supuestos en los que se ha dictado una liquidación administrativa provisional o definitiva y ésta ha devenido firme. En tal caso no podrá procederse a la devolución de ingresos indebidos por aplicación del artículo 221.3 de la Ley 58/2003, de 17 de diciembre (RCL 2003, 2945) , General Tributaria.

2.° Casos en los que se ha dictado liquidación administrativa pero no ha devenido firme, en los cuales habrá que estar a la resolución o sentencia que ponga término al procedimiento.

3.° En cualquier otro supuesto la solicitud deberá referirse siempre a ejercicios no prescritos. Así se desprende del artículo 66 de la Ley General Tributaria *, que limita la posibilidad de exi-*

gir la devolución de ingresos indebidos más allá del plazo de cuatro años de prescripción.

Como conclusión final, ha de afirmarse que la sentencia tiene un efecto retroactivo limitado a las situaciones jurídicas a las que le sea aplicable y respecto de las que no haya cosa juzgada, prescripción, caducidad o efectos similares, respetando, por tanto, las situaciones jurídicas firmes."

Esta Resolución impidió obviamente la devolución de los ingresos efectuados en aplicación de la normativa española declarada contraria al Derecho Comunitario en todos aquellos casos en los que las liquidaciones tributarias habían ganado firmeza en sede administrativa o judicial.

CUARTO. Transportes Urbanos y Servicios Generales, S.A.L., en los años 1999 y 2000 era concesionaria del servicio público de Transporte Urbano Colectivo en el área de Badalona y otros municipios y del Transporte Urbano Colectivo Nocturno en el municipio de Barcelona, de acuerdo con los contratos de gestión interesada suscritos con la "Entitat Metropolitana del Transport".

La sociedad recurrente percibió subvenciones de explotación de la "Entitat Metropolitana del Transport" por un importe de 7.672.363,71 en el ejercicio 1999 y 11.989.982,96 en el ejercicio 2000. De conformidad con la normativa introducida por la Ley 66/1997 en la Ley 37/1992, de 28 de diciembre, sobre el IVA, a la que antes nos hemos referido, aplicó durante los ejercicios de 1999 y 2000 la regla de prorrata al haber destinado el importe de las subvenciones a amortizar capital en los contratos de arrendamiento financiero mediante los que se habían adquirido ve-

hículos de la empresa, así como a otros bienes de inversión. La prorrata definitiva de los ejercicios 1999 y 2000 fue respectivamente del 59% y del 50%, porcentajes que se aplicaron sobre todo el importe del Impuesto sobre el Valor Añadido soportado una vez detraído el importe del IVA soportado por la adquisición de vehículos financiados mediante subvenciones específicas de capital en aplicación de lo dispuesto en el art. 104.2 de la Ley 37/1992.

Como consecuencia de la aplicación de la regla de prorrata durante los ejercicios fiscales indicados, la sociedad recurrente dejó de deducir en concepto de Impuesto sobre el Valor Añadido la cantidad de 484.932,95 en el ejercicio 1999 y 743.433,44 en el ejercicio 2000, cantidades que de no haber sido de aplicación la regla de prorrata hubieran sido deducidas en la liquidación del Impuesto.

Las liquidaciones tributarias en las que se plasmaron las anteriores operaciones no fueron recurridas por la sociedad Transportes Urbanos y Servicios Generales, S.A.L., y ganaron firmeza en sede administrativa.

Conocida la Sentencia del Tribunal de Justicia de las Comunidades Europeas de 6 de octubre de 2005 (Asunto C-204/03) a la que nos hemos referido en el anterior fundamento, en fecha 30 de marzo de 2006, al amparo de los artículos 139 y siguientes de la Ley 30/1992, de 26 de noviembre (RCL 1992, 2512, 2775 y RCL 1993, 246), la sociedad Transportes Urbanos y Servicios Generales, S.A.L., formuló reclamación de responsabilidad patrimonial del Estado Legislador, solicitando ser indemnizada en la cuantía de 1.228.366,39, más los intereses legales, a los efectos de resarcir los perjuicios económicos que entendía le habían sido ocasionados como consecuencia de la limitación que sufrió de su derecho a la deducción del IVA soportado correspondiente a los ejercicios 1999 y 2000, al haber incumplido el Estado Español las obligaciones que le incumbían en virtud del Derecho Comunitario y, en particular, de los artículos 17, apartados 2 y 5, y 19 de la Directiva 77/388/CEE del Consejo, de 17 de mayo de 1977, Sexta Directiva en materia de IVA.

En respuesta a esta reclamación el Consejo de Ministros dictó el Acuerdo de 12 de enero de 2007, desestimándola. Precisamente el examen de legalidad de este Acuerdo constituye el objeto de este proceso. Examinaremos sus razones a continuación.

QUINTO. El Acuerdo del Consejo de Ministros de 12 de enero de 2007 comienza considerando inadecuada la reclamación presentada a los supuestos previstos en el instituto indemnizatorio configurado en la Ley 30/1992, pues aún cuando el artículo 139.3 de dicha Ley prevé la posibilidad de indemnización por la aplicación de actos legislativos de naturaleza no expropiatoria de derechos cuando los particulares no tengan el deber jurídico de soportarlos, tales indemnizaciones se hacen depender de que el propio acto legislativo así lo prevea, circunstancia que aquí no concurre.

No obstante, el Consejo de Ministros es consciente de que la legislación nacional –ley 30/1992 – no es la única llamada a resolver la reclamación, pues ésta se funda en la vulneración del Derecho comunitario y este ordenamiento puede prever mecanismos compensatorios ordenados con arreglo a principios diferentes a los previstos en nuestro ordenamiento jurídico interno, y en este sentido el Acuerdo recuerda la doctrina

establecida por el Tribunal de Justicia de las Comunidades Europeas sobre el principio de responsabilidad de los Estados miembros por incumplimiento del Derecho Comunitario, responsabilidad que se extiende también a los casos en que el incumplimiento le es atribuido al legislador nacional.

Sentado lo anterior y partiendo de los requisitos que para el establecimiento de la responsabilidad patrimonial se concretaron en la sentencia *Factortame III* del TJCE, rechaza que en el presente casopueda declararse tal responsabilidad. Así, considera que la Ley 66/1997, al introducir en la Ley 30/1992, del IVA, determinadas limitaciones al derecho de deducción, no determinó una infracción suficientemente caracterizada del Derecho Comunitario, concretamente de la Sexta Directiva, pues tal infracción solo puede sustentarse en un apartamiento manifiesto y grave de sus mandatos, circunstancia que aquí no se produce por estar amparada la innovación de la Ley 66/1997 en el margen de discrecionalidad que a todos los Estados se les reconoce en la transposición de la Directivas comunitarias, discrecionalidad que en el presente caso ha sido ejercida dentro de unos márgenes de apreciación razonables lo que impide que pueda hablarse de lesión antijurídica.

También opone el Acuerdo impugnado a la existencia de responsabilidad la no concurrencia de relación de causalidad directa entre la infracción de la obligación que se imputa al Estado y el daño producido. Esta ausencia de relación causal se fundamenta en el hecho de que la entidad reclamante no mostró oposición alguna a los ingresos realizados en plazo en aplicación de los preceptos de la Ley del IVA citados, con lo que tales ingresos ya tienen en la vía administrativa (y, por consiguiente, también en la judicial) el carácter de firmes y, por tanto, se trata de "situaciones consolidadas", según las sentencias del Tribunal Constitucional de 20 de febrero de 1989 (RTC 1989, 45) y 14 de diciembre de 1995 (RTC 1995, 185) , a efectos de considerarlas "no susceptibles de ser revisadas". En este punto el Consejo de Ministros trae a colación lo que considera una situación equiparable, sino idéntica, como es la declaración de inconstitucionalidad de una ley, que encuentra según su criterio como muro de contención a los efectos del establecimiento de la responsabilidad patrimonial el principio de la intangibilidad de las situaciones firmes, ex art. 40.1 de la Ley Orgánica 2/1979, de 3 de octubre (RCL 1979, 2383) , del Tribunal Constitucional. Pero es finalmente en las Sentencias de esta Sala de 29 de enero de 2004 (RJ 2004, 1077) y 24 de mayo de 2005 (RJ 2005, 5408) donde encuentra su más firme bastión para entender roto el nexo causal entre el daño patrimonial invocado y el acto del legislador.

Concluye el Acuerdo del Consejo de Ministros haciendo unas observaciones sobre la que califica como "novedosa y controvertida doctrina" establecida por esta Sala del Tribunal Supremo a partir de su sentencia de 29 de febrero de 2000 (RJ 2000, 2730) , en relación con la responsabilidad patrimonial del Estado legislador derivada de la aplicación de una norma con rango de ley formal posteriormente declarada inconstitucional, observaciones que le llevan a rechazar su aplicación al presente caso por no ser análogos los supuestos de hecho sobre los que versan, tal como pusieron de manifiesto las sentencias, también de esta Sala, de 29 de enero de 2004 y 24 de mayo de 2005 al distinguir entre la responsabilidad patrimo-

nial del Estado Legislador derivada de la vulneración de la Constitución y la que deriva de la vulneración del Derecho Comunitario.

SEXTO. Planteados así los términos del debate se hace preciso recordar la doctrina de esta Sala sobre la responsabilidad patrimonial del Estado legislador y determinar su alcance sobre la cuestión litigiosa.

Dicha doctrina se asienta, *prima facie* en el principio de responsabilidad de los poderes públicos, principio positivizado al máximo nivel en el artículo 9.3º de la Constitución Española (RCL 1978, 2836) y que tiene un valor normativo directo, sirviendo para estructurar, junto con otros, todo el sistema jurídico-político de nuestro Estado.

Nuestra Sentencia de 27-11-2009 (RJ 2010, 1262) expresó que este principio, como todo principio general del derecho, cumplía la triple función de expresar uno de los fundamentos del orden jurídico, servir de fuente inspiradora del ordenamiento y criterio orientador en su interpretación, así como operar en cuanto fuente supletoria del derecho para los casos de inexistencia o de insuficiencia de la regulación legal, triple funcionalidad que autoriza a afirmar que no hay en nuestro sistema constitucional ámbitos exentos de responsabilidad, estando el Estado obligado a reparar los daños antijurídicos que tengan su origen en la actividad de los poderes públicos, sin excepción alguna.

Ahora bien, para el establecimiento de mecanismos de garantía de este principio de responsabilidad el legislador goza de un importante margen de maniobra pudiendo configurarlos de forma diferente según el poder público de que se trate, del mismo modo que la propia Constitución, y sirva en este punto de ejemplo, no establece el mismo diseño para las Administraciones Públicas –art. 106.2– que para el Poder Judicial –art.121–, pese a que ambos poderes públicos están claramente sujetos al principio de responsabilidad. Pero esta discrecionalidad o libertad de configuración del legislador no es ilimitada ya que no permite crear espacios inmunes fundados en la ausencia de regulación. Precisamente esta Sala recientemente ha proclamado el sometimiento al principio de responsabilidad patrimonial del Tribunal Constitucional (STS 26-11-2009) y del Defensor del Pueblo (STS 27-11-2009), pese a que dichos órganos constitucionales carecían hasta ese momento de normativa específica que la estableciera.

En lo que atañe a la responsabilidad patrimonial derivada de actos del poder legislativo la jurisprudencia de esta Sala fue reticente a reconocerla hasta la STS de 29 de febrero de 2000 (RJ 2000, 2730) (Rec. 49/1998), que la estableció para los casos de leyes declaradas inconstitucionales, con los siguientes argumentos:

"CUARTO.–La Ley de Régimen jurídico de las Administraciones Públicas y del procedimiento administrativo común ha venido a consagrar expresamente la responsabilidad de la Administración por actos legislativos estableciendo el artículo 139.3 *que "Las Administraciones Públicas indemnizarán a los particulares por la aplicación de actos legislativos de naturaleza no expropiatoria de derechos y que estos no tengan el deber jurídico de soportar, cuando así se establezca en los propios actos legislativos y en los términos que especifiquen dichos actos". Responde sin duda esta normación a la consideración de la responsabilidad del Estado legislador como un supuesto excepcio-*

nal vinculado al respeto a la soberanía inherente al poder legislativo.

Se ha mantenido que si la ley no declara nada sobre dicha responsabilidad, los tribunales pueden indagar la voluntad tácita del legislador (ratio legis) para poder así definir si procede declarar la obligación de indemnizar. No debemos solucionar aquí esta cuestión, que reconduce a la teoría de la interpretación tácita la ausencia de previsión expresa legal del deber de indemnizar. No es necesario que lo hagamos, no sólo porque la Ley de Régimen jurídico de las Administraciones Públicas y del procedimiento administrativo común es posterior a los hechos que motivan la reclamación objeto de este proceso, sino también porque, por definición, la ley declarada inconstitucional encierra en sí misma, como consecuencia de la vinculación más fuerte de la Constitución, el mandato de reparar los daños y perjuicios concretos y singulares que su aplicación pueda haber originado, el cual no podía ser establecido a priori en su texto. Existe, en efecto, una notable tendencia en la doctrina y en el derecho comparado a admitir que, declarada inconstitucional una ley, puede generar un pronunciamiento de reconocimiento de responsabilidad patrimonial cuando aquélla ocasione privación o lesión de bienes, derechos o intereses jurídicos protegibles.

Este mismo principio ha sido defendido desde tiempo relativamente temprano por nuestra jurisprudencia, separando el supuesto general de responsabilidad del Estado legislador por imposición de un sacrificio singular de aquél en que el título de imputación nace de la declaración de inconstitucionalidad de la ley. La sentencia de esta Sala de 11 de octubre de 1991 (RJ

1991, 7784), _además de remitir la responsabilidad por acto legislativo a los requisitos establecidos con carácter general para la responsabilidad patrimonial de la Administración por funcionamiento normal o anormal de los servicios públicos (que la lesión no obedezca a casos de fuerza mayor; que el daño alegado sea efectivo, evaluable económicamente e individualizado; que no exista el deber de soportarlo; y que la pretensión se deduzca dentro del año en que se produjo el hecho que motive la indemnización) y de afirmar que "en el campo del Derecho tributario, es obvio que la responsabilidad del Estado-legislador no puede fundarse en el principio de la indemnización expropiatoria", añade que "el primer hito señalado por el Tribunal Constitucional para la responsabilidad del Estado-legislador ha de buscarse en los efectos expropiatorios de la norma legal. Pero con ello queda no agotado el tema. Ciertamente, el Poder Legislativo no está exento de sometimiento a la Constitución y sus actos –leyes– quedan bajo el imperio de tal Norma Suprema. En los casos donde la Ley vulnere la Constitución, evidentemente el Poder Legislativo habrá conculcado su obligación de sometimiento, y la antijuridicidad que ello supone traerá consigo la obligación de indemnizar. Por tanto, la responsabilidad del Estado-legislador puede tener, asimismo, su segundo origen en la inconstitucionalidad de la Ley." La determinación del título de imputación para justificar la responsabilidad del Estado legislador por inmisiones legislativas en la esfera patrimonial (que ha vacilado entre las explicaciones que lo fundan en la expropiación, en el ilícito legislativo y en la teoría del sacrificio, respectivamente) ofrece así una especial claridad en el supuesto de ley declarada inconstitucional._

QUINTO.–Ciertamente, se ha mantenido que la invalidación de una norma legal por adolecer de algún vicio de inconstitucionalidad no comporta por sí misma la extinción de todas las situaciones jurídicas creadas a su amparo, ni tampoco demanda necesariamente la reparación de las desventajas patrimoniales ocasionadas bajo su vigencia. Para ello se ha recordado que los fallos de inconstitucionalidad tienen normalmente eficacia prospectiva o "ex nunc" (los efectos de la nulidad de la Ley inconstitucional no vienen definidos por la Ley Orgánica del Tribunal Constitucional "que deja a este Tribunal la tarea de precisar su alcance en cada caso" –sentencia del Tribunal Constitucional 45/1989 (RTC 1989, 45), fundamento jurídico 11–).

Ello nos da pie para resolver la excepción opuesta por el abogado del Estado, en el sentido de que el recurso es inadmisible por existencia de cosa juzgada material, pues la entidad recurrente había impugnado en su día las liquidaciones tributarias y, previo agotamiento de la vía económico-administrativa, interpuso recurso contencioso-administrativo que fue desestimado por sentencia de la Sala de lo Contencioso-administrativo del Tribunal Superior de Justicia de Andalucía (Sevilla) el 30 de julio de 1994, sentencia que devino firme al inadmitirse la casación y desestimarse la queja contra dicha inadmisión.

_El_ Tribunal Constitucional en Pleno, en sentencia de 2 de octubre de 1997, número 159/1997 (RTC 1997, 159), _considera, ciertamente, que la declaración de inconstitucionalidad que se contiene en la_ sentencia del Tribunal Constitucional 173/1996 (RTC 1996, 173), _que declaró inconstitucional y nulo el_ artículo 38.2.2 de la Ley 5/

1990, de 29 de junio (RCL 1990, 1337, 1628), *no permite, según el Tribunal, revisar un proceso fenecido mediante sentencia judicial con fuerza de cosa juzgada en el que, como sucede en el presente caso, antes de dictarse aquella decisión se ha aplicado una ley luego declarada inconstitucional. No estando en juego la reducción de una pena o de una sanción, o una exclusión, exención o limitación de la responsabilidad, que son los supuestos exclusivamente exceptuados por el* art. 40.1 de la Ley Orgánica *del Tribunal Constitucional, la posterior declaración de inconstitucionalidad del precepto no puede tener consecuencia sobre los procesos terminados mediante sentencia con fuerza de cosa juzgada* [sentencias del Tribunal Constitucional 45/1989 (RTC 1989, 45), 55/1990 (RTC 1990, 55) y 128/1994 (RTC 1994, 128)*]*.

SEXTO.–Esta Sala considera, sin embargo, que la acción de responsabilidad ejercitada es ajena al ámbito de la cosa juzgada derivada de la sentencia. El resarcimiento del perjuicio causado por el poder legislativo no implica dejar sin efecto la confirmación de la autoliquidación practicada, que sigue manteniendo todos sus efectos, sino el reconocimiento de que ha existido un perjuicio individualizado, concreto y claramente identificable, producido por el abono de unas cantidades que resultaron ser indebidas por estar fundado aquél en la directa aplicación por los órganos administrativos encargados de la gestión tributaria de una disposición legal de carácter inconstitucional no consentida por la interesada. Sobre este elemento de antijuridicidad en que consiste el título de imputación de la responsabilidad patrimonial no puede existir la menor duda, dado que el Tribunal Constitucional declaró la nuli-

dad del precepto en que dicha liquidación tributaria se apoyó.

La sentencia firme dictada, al no corregir el perjuicio causado por el precepto inconstitucional mediante el planteamiento de la cuestión de inconstitucionalidad a la que acudieron otros tribunales, consolidó la actuación administrativa impugnada, que en ningún momento fue consentida por la entidad interesada, la cual agotó todos los recursos de que dispuso. Con ello se impidió la devolución de lo indebidamente ingresado consiguiente a la anulación de la actuación viciada. Esta devolución se produjo, en cambio, en otros supuestos idénticos resueltos por otros órganos jurisdiccionales que creyeron oportuno plantear la cuestión. La firmeza de la sentencia, así ganada, no legitimó el perjuicio padecido por la recurrente, directamente ocasionado por la disposición legal e indirectamente por la aplicación administrativa de la norma inconstitucional. Es precisamente dicha sentencia, de sentido contrario a la pronunciada por los tribunales que plantearon la cuestión de inconstitucionalidad y la vieron estimada, la que pone de manifiesto que el perjuicio causado quedó consolidado, al no ser posible la neutralización de los efectos del acto administrativo fundado en la ley inconstitucional mediante la anulación del mismo en la vía contencioso– administrativa, no obstante la constancia de la sociedad interesada en mantener la impugnación contra el acto que consideraba inconstitucional."

Poco después la STS de 13 de junio de 2000 (RJ 2000, 5939) insistió en que la acción de responsabilidad ejercitada era ajena al ámbito de la cosa juzgada derivada de la sentencia y que incluso para su existencia no era preciso que el acto administrativo de aplicación de ley declarada inconstitucional hubiera sido judicialmente impugnado, razonándolo así:

"...no puede considerarse una carga exigible al particular con el fin de eximirse de soportar los efectos de la inconstitucionalidad de una ley la de recurrir un acto adecuado a la misma fundado en que ésta es inconstitucional. La Ley, en efecto goza de una presunción de inconstitucionalidad y, por consiguiente, dota de presunción de legitimidad a la actuación administrativa realizada a su amparo. Por otra parte, los particulares no son titulares de la acción de inconstitucionalidad de la ley, sino únicamente pueden solicitar del Tribunal que plantee la cuestión de inconstitucionalidad con ocasión, entre otros supuestos, de la impugnación de una actuación administrativa. Es sólo el tribunal el que tiene facultades para plantear "de oficio o a instancia de parte" al Tribunal Constitucional las dudas sobre la constitucionalidad de la ley relevante para el fallo (artículo 35 de la Ley Orgánica *del Tribunal Constitucional).*

La interpretación contraria supondría imponer a los particulares que pueden verse afectados por una ley *que reputen inconstitucional la carga de impugnar, primero en vía administrativa (en la que no es posible plantear la cuestión de inconstitucionalidad) y luego ante la jurisdicción contencioso-administrativa, agotando todas las instancias y grados si fuere menester, todos los actos dictados en aplicación de dicha ley, para agotar las posibilidades de que el tribunal plantease la cuestión de inconstitucionalidad. Basta este enunciado para advertir lo absurdo de las consecuencias que resultarían de dicha interpretación, cuyo manteni-*

miento equivale a sostener la necesidad jurídica de una situación de litigiosidad desproporcionada y por ello inaceptable".

Recientemente, el Pleno de esta Sala, S. 2-6-2010 (RJ 2010, 5494), rec. 588/2008, ante la controversia doctrinal que generaron las anteriores sentencias y las numerosas que las siguieron, a la que precisamente se refiere el Acuerdo del Consejo de Ministros ahora impugnado, se ha pronunciado nuevamente sobre el obstáculo que puede suponer para el ejercicio de la acción de responsabilidad lo previsto en los artículos 161.1.a), inciso final, de la Constitución Española, y 40.1, inciso inicial, de la LOTC, normas que establecen determinados límites a la eficacia ex tunc de las declaraciones de inconstitucionalidad. Pues bien, dicha sentencia ha mantenido el criterio sostenido en sentencias anteriores sobre esta materia.

En definitiva, aunque los actos administrativos sean firmes –en este caso las liquidaciones tributarias relativas al IVA– ello no impide el ejercicio de la acción de responsabilidad patrimonial del Estado por actos del legislador.

SÉPTIMO. Como hemos visto en los fundamentos anteriores en el presente caso litigioso nos encontramos ante un supuesto en el que la entidad recurrente no plantea en la demanda una reclamación de responsabilidad patrimonial al Estado por acto legislativo contrario a la Constitución Española, sino porincumplimiento del Derecho Comunitario, que concreta en la extralimitación cometida al transponer al Derecho nacional la Directiva 77/388/CEE, de Consejo de 17 de mayo de 1977, Sexta Directiva en materia de armonización de las legislaciones de los Estados miembros relativas a los Impuestos sobre el volumen de negocios – Sistema común del impuesto sobre el valor añadido: base imponible uniforme, en su versión modificada por la Directiva 95/7 / CE del Consejo, de 10 de abril, concretamente en lo que atañe a los arts. 17.2 y 5 y 19 de la misma.

Por tanto, el título de imputación de la responsabilidad patrimonial del Estado legislador no se produce como consecuencia de la posterior declaración de inconstitucionalidad de la Ley del IVA cuya aplicación irrogó el perjuicio o daño que en virtud de dicha declaración el particular no tenía el deber de soportar, sino la declaración, realizada en este caso por el Tribunal de Justicia de las Comunidades Europeas, es la de ser contraria dicha Ley al Derecho Comunitario.

Hemos recogido sucintamente en el anterior fundamento la doctrina de este Tribunal Supremo en materia de responsabilidad patrimonial del Estado legislador en los casos de vulneración de la Constitución Española.

En el ámbito de la Unión Europea ha sido el propio Tribunal de Justicia, a partir de su sentencia de 19 de noviembre de 1991 (TJCE 1991, 296) , asunto Francovich y Bonifachi, el que ha establecido el principio de la responsabilidad del Estado por daños causados a los particulares por violaciones del Derecho Comunitario, al indicar *"que el Derecho comunitario impone el principio de que los Estados miembros están obligados a reparar los daños causados a los particulares por las violaciones del Derecho comunitario que les sean imputable"*, principio que se fundamenta en el hecho de que la plena eficacia de las normas comunitarias se vería cuestionada y la protección de los derechos que reconocen se debilitaría si los particulares no tuvieran la posibili-

dad de obtener una reparación cuando sus derechos son lesionados por una violación del Derecho Comunitario imputable a un Estado miembro.

Añade esta sentencia que la obligación de los Estados miembros de reparar dichos daños se basa también en el artículo 5 del Tratado (RCL 1999, 1205 ter) , en virtud del cual los Estados miembros deben adoptar todas las medidas generales o particulares apropiadas para asegurar el cumplimiento de las obligaciones que les incumben en virtud del Derecho Comunitario. Entre esas obligaciones se encuentra la de eliminar las consecuencias ilícitas de una violación del Derecho Comunitario.

Tal planteamiento es válido ya se trate de normas invocables o no directamente por los ciudadanos ante los tribunales, como se precisó por el Tribunal en sentencia de 5 de marzo de 1996 (TJCE 1996, 37) , Basserie du Pgcheur y Factortame, señalando que *"así sucede también en el caso de lesión de un derecho directamente conferido por una norma comunitaria que los justiciables tienen precisamente derecho a invocar ante los órganos jurisdiccionales nacionale"* y añadiendo como fundamento, que *"en este supuesto, el derecho a reparación constituye el corolario necesario del efecto directo reconocido a las disposiciones comunitarias cuya infracción ha dado lugar al daño causado"*.

Por lo demás el propio Tribunal justifica la elaboración de este régimen de responsabilidad, señalando en dicha sentencia, que a falta de disposiciones en el Tratado que regulen de forma expresa y precisa las consecuencias de las infracciones del Derecho Comunitario por parte de los Estados miembros, corresponde al Tribunal de Justicia, en el ejercicio de la misión que le confiere el artículo 164 del Tratado, consistente en garantizar la observancia del Derecho en la interpretación y la aplicación del Tratado, pronunciarse sobre tal cuestión según los métodos de interpretación generalmente admitidos, recurriendo, en particular, a los principios fundamentales del sistema jurídico comunitario y, en su caso, a principios generales comunes a los sistemas jurídicos de los Estados miembros.

El principio, así establecido expresamente en el artículo 215 del Tratado, de la responsabilidad extracontractual de la Comunidad, no es sino una expresión del principio general conocido en los ordenamientos jurídicos de los Estados miembros, conforme al cual una acción u omisión ilegal produce la obligación de reparar el perjuicio causado. Esta disposición pone de manifiesto también la obligación de los poderes públicos de indemnizar los daños causados en el ejercicio de sus funciones.

Por otro lado, debe señalarse que, en gran número de sistemas jurídicos nacionales, el régimen jurídico de la responsabilidad del Estado ha sido elaborado de modo determinante por vía jurisprudencial.

En la sentencia de 4 de julio de 2000 (TJCE 2000, 150) , Haim II, el Tribunal de Justicia proclama con carácter general que la responsabilidad por los daños causados a los particulares por violaciones del Derecho Comunitario imputables a una autoridad pública nacional constituye un principio, inherente al sistema del Tratado, que genera obligaciones a cargo de los Estados miembros (véanse las sentencias de 19 de noviembre de 1991, Francovich y otros, asuntos acumulados C-6/90 y C-9/90, Rec. p. I-5357, apartado 35; de 5 de marzo de 1996, Brasserie du Pgcheur y Factortame, asuntos acumulados C-46/93 y

C-48/93, Rec. p. I-1029, apartado 31; de 26 de marzo de 1996 (TJCE 1996, 56) , British Telecommunications, C-392/93, Rec. p. I-1631, apartado 38; de 23 de mayo de 1996 (TJCE 1996, 90) , Hedley Lomas, C-5/94, Rec. p. I-2553, apartado 24; de 8 de octubre de 1996 (TJCE 1996, 178) , Dillenkofer y otros, asuntos acumulados C-178/94, C-179/94 y C-188/94 a C-190/94, Rec. p. I-4845, apartado 20,y de 2 de abril de 1998 (TJCE 1998, 59) , Norbrook Laboratories, C-127/95, Rec. p. I– 1531, apartado 106).

La responsabilidad del Estado miembro se produce y es exigible por la vulneración del Derecho Comunitario, con independencia del órgano del mismo autor de la acción u omisión causante del incumplimiento, incluso en los casos en los que lo haya sido un legislador nacional, como ha establecido el Tribunal de Justicia en la citada sentencia de 5 de marzo de 1996, Brasserie du Pgcheur y Factortame, al señalar que *"el principio conforme al cual los Estados miembros están obligados a reparar los daños causados a los particulares por las violaciones del Derecho comunitario que les sean imputables es aplicable cuando el incumplimiento reprochado sea atribuido al legislador nacional"*.

En tal sentido, senala el Tribunal de Justicia en la citada sentencia de 4 de julio de 2000, Haim II, que incumbe a cada Estado miembro garantizar que los particulares obtengan la reparación del daño ocasionado por el incumplimiento del Derecho Comunitario, sea cual fuere la autoridad pública que haya incurrido en dicho incumplimiento y sea cual fuere aquella a la que, con arreglo al Derecho del Estado miembro afectado, le corresponda en principio hacerse cargo de dicha reparación (sentencia de 1 de junio de 1999 (TJCE 1999, 111), Konle, C-302/97, Rec. p. I-3099, apartado 62).

Por tanto, los Estados miembros no pueden liberarse de la mencionada responsabilidad ni invocando el reparto interno de competencias y responsabilidades entre las entidades existentes en su ordenamiento jurídico interno ni alegando que la autoridad pública autora de la violación del Derecho Comunitario no disponía de las competencias, conocimientos o medios necesarios.

En cuanto a los requisitos exigidos para dar lugar a indemnización en virtud de dicha responsabilidad del Estado miembro, el Tribunal de Justicia ha desarrollado una doctrina desde esa inicial sentencia (Francovich y Bonifachi), señalando que dependen de la naturaleza de la violación del Derecho Comunitario que origine el perjuicio causado, precisando que cuando un Estado miembro incumple la obligación que le incumbe de adoptar todas las medidas necesarias para conseguir el resultado prescrito por una Directiva, la plena eficacia de esa norma de Derecho comunitario impone un derecho a indemnización siempre y cuando concurran tres requisitos: que el resultado prescrito por la Directiva implique la atribución de derechos a favor de particulares; que el contenido de estos derechos pueda ser identificado basándose en las disposiciones de la Directiva; y que exista una relación de causalidad entre el incumplimiento de la obligación que incumbe al Estado y el daño sufrido por las personas afectadas.

Este planteamiento inicial se desarrolla en la sentencia Brasserie du Pgcheur y Factortame, según la cual *"el Derecho comunitario reconoce un derecho a indemnización cuando se cumplen tres requisitos, a saber, que la norma jurí-dica violada tenga por objeto conferir derechos a los particulares, que la violación esté suficientemente caracterizada, y, por último, que exista una relación de causalidad directa entre la infracción de la obligación que incumbe al Estado y el daño sufrido por las víctimas.*

En efecto, estos requisitos satisfacen, en primer lugar, las exigencias de la plena eficacia de las normas comunitarias y de la tutela efectiva de los derechos que éstas reconocen.

En segundo lugar, estos requisitos se corresponden, sustancialmente, con los establecidos sobre la base del artículo 215 *por el Tribunal de Justicia en su jurisprudencia relativa a la responsabilidad de la Comunidad por daños causados a particulares debido a actos normativos ilegales de sus Instituciones."*

De los tres requisitos es el segundo el que plantea mayores dificultades para su concreción en cada caso, de manera que el propio Tribunal viene a indicar los elementos que pueden valorarse al efecto, señalando que el criterio decisivo para considerar que una violación del Derecho comunitario es suficientemente caracterizada es el de la inobservancia manifiesta y grave, por parte tanto de un Estado miembro como de una Institución comunitaria, de los límites impuestos a su facultad de apreciación.

A este respecto, entre los elementos que el órgano jurisdiccional competente puede tener que considerar, debe señalarse el grado de claridad y de precisión de la norma vulnerada, la amplitud del margen de apreciación que la norma infringida deja a las autoridades nacionales o comunitarias, el carácter intencional o involuntario de la infracción cometida o del perjuicio causado, el carácter excusable o inexcusable de un eventual error de Derecho, la circunstancia de que las actitudes adoptadas por una Institución comunitaria hayan podido contribuir a la omisión, la adopción o al mantenimiento de medidas o de prácticas nacionales contrarias al Derecho Comunitario.

En cualquier caso, una violación del Derecho Comunitario es manifiestamente caracterizada cuando ha perdurado a pesar de haberse dictado una sentencia en la que se declara la existencia del incumplimiento reprochado, de una sentencia prejudicial o de una jurisprudencia reiterada del Tribunal de Justicia en la materia, de las que resulte el carácter de infracción del comportamiento controvertido.

La infracción del deber de transposición de una Directiva en el plazo establecido se viene considerando, "per se", una infracción manifiesta y grave, por lo que dará lugar a indemnización.

La obligación de reparar los daños causados a los particulares no puede supeditarse a un requisito, basado en el concepto de culpa, que vaya más allá de la violación suficientemente caracterizada del Derecho comunitario. En efecto, imponer un requisito suplementario de tal naturaleza equivaldría a volver a poner en entredicho el derecho a indemnización que tiene su fundamento en el ordenamiento jurídico comunitario.

La sentencia de 4 de julio de 2000, Haim II, refleja de una forma casi completa la doctrina del Tribunal de Justicia respecto de este segundo requisito, señalando que:

"... por una parte, una violación está *suficientemente caracterizada cuando un Estado miembro, en el ejercicio de*

su facultad normativa, ha vulnerado, de manera manifiesta y grave, los límites impuestos al ejercicio de sus facultades (véanse las sentencias, antes citadas, Brasserie du Pgcheur y Factortame, apartado 55; British Telecommunications, apartado 42, y Dillenkofer, apartado 25), y que, por otra parte, si el Estado miembro de que se trate, en el momento en que cometió la infracción, sólo disponía de un margen de apreciación considerablemente reducido, incluso inexistente, la mera infracción del Derecho comunitario puede bastar para demostrar la existencia de una violación suficientemente caracterizada (véanse las sentencias, antes citadas, Hedley Lomas, apartado 28, y Dillekofer, apartado 25).

39.   A este respecto, procede recordar que la obligación de reparar los daños causados a los particulares no puede supeditarse a un requisito, basado en el concepto de culpa, que vaya más allá de la violación suficientemente caracterizada del Derecho comunitario (sentencia Brasserie du Pgcheur y Factortame, antes citada, apartado 79).

40.   Pues bien, el margen de apreciación mencionado en el apartado 38 de la presente sentencia es el margen de que dispone el Estado miembro considerado. Su existencia y amplitud se determinan en relación con el Derecho comunitario, y no con el Derecho nacional. Por consiguiente, el margen de apreciación que el Derecho nacional, en su caso, confiera al funcionario o a la Institución que haya violado el Derecho comunitario carece de importancia a este respecto.

41.   De la jurisprudencia citada en ese mismo apartado 38 se desprende también que una mera infracción del Derecho comunitario por parte de un

Estado miembro puede constituir una violación suficientemente caracterizada, pero no la constituye necesariamente.

42. *Para determinar si una infracción del Derecho comunitario constituye una violación suficientemente caracterizada, el Juez nacional que conozca de una demanda de indemnización de daños y perjuicios deberá tener en cuenta todos los elementos que caractericen la situación que se le haya sometido.*

43. *Entre los elementos que acaban de mencionarse, figuran el grado de claridad y de precisión de la norma vulnerada, el carácter intencional o involuntario de la infracción cometida o del perjuicio causado, el carácter excusable o inexcusable de un eventual error de Derecho y la circunstancia de que las actitudes adoptadas por una Institución comunitaria hayan podido contribuir a la adopción o al mantenimiento de medidas o de prácticas nacionales contrarias al Derecho comunitario (véase la sentencia Brasserie du pgcheur y Factortame, antes citada, apartado 56, sobre los requisitos para que el Estado incurra en responsabilidad como consecuencia de los actos y omisiones del legislador nacional contrarios al Derecho comunitario)".*

La garantía del derecho de indemnización de los particulares y el conocimiento de las oportunas reclamaciones corresponde a los jueces y tribunales nacionales, como ya se indicaba en la inicial sentencia de 19 de noviembre de 1991 (TJCE 1991, 296), "*encargados de aplicar, en el marco de sus competencias, las disposiciones de Derecho comunitario, garantizar la plena eficacia de tales normas y proteger los derechos que confieren a los particulares (véanse, principalmente, las* sentencias

de 9 de marzo de 1978, Simmenthal, 106/77, Rec. p. 629, apartado 16, y de 19 de junio de 1990 (TJCE 1991, 12) , Factortame, C-213/89, Rec. p. I-2433, apartado 19), señalándose en la de 5 de marzo de 1996 (TJCE 1996, 37) que "*el Tribunal de Justicia no puede sustituir la apreciación de los órganos jurisdiccionales nacionales, únicos competentes para determinar los hechos de los asuntos principales y para caracterizar las violaciones del Derecho comunitario de que se trata, por la suya propia*", añadiendo que "*corresponde a los órganos jurisdiccionales nacionales comprobar si existe una relación de causalidad directa entre el incumplimiento de la obligación que incumbe al Estado y el daño sufrido por las personas lesionadas*".

En el mismo sentido se expresa la sentencia de 4 de julio de 2000.

En lo que atañe al procedimiento y marco normativo en que han de desarrollarse las correspondientes reclamaciones de responsabilidad por incumplimiento del Derecho Comunitario, señala el Tribunal de Justicia (S.19-11-1991) que:

"*El Estado debe reparar las consecuencias del perjuicio causado en el marco del Derecho nacional en materia de responsabilidad. En efecto, a falta de una normativa comunitaria, corresponde al ordenamiento jurídico interno de cada Estado miembro designar los órganos jurisdiccionales competentes y regular las modalidades procesales de los recursos judiciales destinados a garantizar la plena protección de los derechos que corresponden a los justiciables en virtud del Derecho comunitario (véanse las* sentencias de 22 de enero de 1976, Russo, 60/75, Rec. p. 45; de 16 de diciembre de 1976, Rewe, 33/76,

Rec. p. 1989, y de 7 de julio de 1981, Rewe, 158/80, Rec. p. 1805*)*.

43.–Debe señalarse, además, que las condiciones, de fondo y de forma, establecidas por las diversas legislaciones nacionales en materia de indemnización de daños no pueden ser menos favorables que las referentes a reclamaciones semejantes de naturaleza interna y no pueden articularse de manera que hagan prácticamente imposible o excesivamente difícil obtener la indemnización (véase, en lo que respecta a la materia análoga del reembolso de gravámenes percibidos en contra de lo dispuesto por el Derecho comunitario, especialmente la sentencia de 9 de noviembre de 1983, San Giorgio, 199/82, Rec. p. 3595)*”*.

Precisa el Tribunal de Justicia (S.5-3-2006) que:

“...en los casos en que una violación del Derecho comunitario por un Estado miembro sea imputable al legislador nacional que ha actuado en un ámbito en el que dispone de un margen de apreciación amplio para adoptar opciones normativas, los particulares lesionados tienen derecho a una indemnización cuando la norma de Derecho comunitario violada tenga por objeto conferirles derechos, la violación esté suficientemente caracterizada y exista una relación de causalidad directa entre esta violación y el perjuicio sufrido por los particulares. Con esta reserva, el Estado debe reparar las consecuencias del perjuicio causado por una violación del Derecho comunitario que le es imputable, en el marco del Derecho nacional en materia de responsabilidad, teniendo en cuenta que los requisitos fijados por la legislación nacional aplicable no podrán ser menos favorables que los referentes a reclamaciones semejantes de naturaleza interna y que

no podrán articularse de manera que hagan prácticamente imposible o excesivamente difícil obtener la reparación”.

Igualmente y por lo que atañe la determinación de la reparación del daño, establece el Tribunal de Justicia (S. 5-3-1996, Brasserie du Pgcheur y Factortame), que:

“la reparación, a cargo de los Estados miembros, de los daños que han causado a los particulares por las violaciones del Derecho comunitario debe ser adecuada al perjuicio por éstos sufrido. A falta de disposiciones comunitarias en este ámbito, corresponde al ordenamiento jurídico interno de cada Estado miembro fijar los criterios que permitan determinar la cuantía de la indemnización, que no pueden ser menos favorables que los que se refieran a reclamaciones o acciones semejantes basadas en el Derecho interno y que, en ningún caso, pueden articularse de manera que hagan prácticamente imposible o excesivamente difícil la reparación. No es conforme al Derecho comunitario una normativa nacional que limite, de manera general, el daño indemnizable únicamente a los daños causados a determinados bienes individuales especialmente protegidos, excluyendo el lucro cesante sufrido por los particulares. Por otra parte, en el marco de reclamaciones o acciones basadas en el Derecho comunitario, debe poder concederse una indemnización de daños y perjuicios particulares, como son los daños y perjuicios “disuasorios” previstos por el Derecho inglés, si el derecho a dicha indemnización puede ser reconocido en el marco de reclamaciones o acciones similares basadas en el Derecho interno”.

En cuanto al ámbito temporal de la responsabilidad del Estado miembro, el

Tribunal de Justicia señala en la sentencia de 5 de marzo de 1996, que:

"la obligación, a cargo de los Estados miembros, de reparar los daños causados a los particulares por las violaciones de Derecho comunitario que les son imputables no puede limitarse únicamente a los daños sufridos con posterioridad a que se haya dictado una sentencia del Tribunal de Justicia en la que se declare el incumplimiento reprochado", pero en la misma sentencia, ante la solicitud de limitación de la indemnización a los daños producidos después de que se dicte la sentencia, en la medida en que los perjudicados no hubieren iniciado previamente un procedimiento judicial o una reclamación equivalente, el Tribunal de Justicia señala que "procede recordar que, el Estado debe reparar las consecuencias del perjuicio causado, en el marco del Derecho nacional sobre responsabilidad. Los requisitos de fondo y de forma, fijados por las distintas legislaciones nacionales en materia de indemnización de daños, pueden tener en cuenta las exigencias del principio de seguridad jurídica".

En particular y por lo que se refiere a la labor que desempeñan los órganos jurisdiccionales de los Estados miembros en este ámbito, en dos sentencias fundamentales para la construcción y efectividad del Derecho comunitario (Sentencia Simmenthal, de 9 de marzo de 1978, y Sentencia Factortame III, de 5 de marzo de 1996), el TJCE recordó expresamente que los Jueces nacionales deben garantizar la eficacia del Derecho Comunitario y la protección de los derechos que confiere a los particulares, garantía que expresamente se extiende a la posibilidad de obtener una reparación en aquellos casos en que sus derechos son vulnerados como consecuencia de una violación del Derecho Comunitario.

OCTAVO. Pues bien, esta Sala ha venido aplicando la anterior doctrina cuando se le han planteado demandas de responsabilidad patrimonial por vulneraciones del Derecho Comunitario, como se pone de manifiesto en la STS de 12 de junio de 2003 (RJ 2003, 8844).

Sin embargo, en relación con sentencias del Tribunal de Justicia que se refieren a normas de contenido tributario que no son compatibles con el Derecho Comunitario, esta Sala ha modulado y precisado la anterior doctrina en relación con la establecida para el ejercicio de acciones de responsabilidad patrimonial del Estado legislador por vulneración de la Constitución Española, en los términos desarrollados en el fundamento sexto de esta Sentencia. Nos referimos concretamente a la sentencia de 29 de enero de 2004 (RJ 2004, 1077), reproducida en la de 24 de mayo de 2005 (RJ 2005, 5408), dictada en un supuesto semejante al presente, de responsabilidad del Estado al haberse declarado contrario a la normativa comunitaria el art. 111 de la Ley 37/1992 en cuya virtud se había levantado acta de inspección por deducción indebida del IVA.

Estas sentencias, invocadas en el Acuerdo del Consejo de Ministros impugnado en este recurso para justificar el rechazo de la reclamación de responsabilidad patrimonial, se apartaron de la doctrina expresada sobre la no necesidad de agotar la vía de recursos para poder ejercitar la acción de responsabilidad patrimonial del Estado legislador en los casos de vulneración de la Constitución. Lo razonaron así:

"Esta doctrina no es trasladable a

los supuestos en que una norma, en nuestro caso el artículo 111 *de la Ley 37/92, es contrario a la legislación europea ya que tal contradicción es directamente invocable ante los tribunales españoles y por tanto la recurrente pudo recurrir en vía administrativa primero y en vía contenciosa después al acta de liquidación y tanto la administración como la jurisdicción posteriormente debían haber aplicado directamente el ordenamiento comunitario.*

La recurrente en este caso, al contrario de lo que acontece en los supuestos de gravamen complementario de la tasa de juego, sí era titular de la acción por invocar la contradicción entre el ordenamiento estatal y el ordenamiento comunitario que debía ser aplicado directamente por los tribunales nacionales incluso aun cuando no hubiese sido invocado expresamente, por tanto la doctrina del acto firme y consentido unida al principio de seguridad jurídica justifica en este caso, el contrario de lo que hemos establecido en las sentencias citadas sobre ingreso indebido del gravamen complementario, la no aplicación al caso de autos de la doctrina sentada en aquellas sentencias y la desestimación de la pretensión indemnizatoria ya que la recurrente, al no impugnar el acta de conformidad levantada por la Agencia Tributaria, está obligada a soportar el perjuicio causado al no concurrir en el caso que nos ocupa la misma circunstancia que en las sentencias de esta sala anteriormente citadas.

Por otra parte en el caso que enjuiciamos la responsabilidad patrimonial que se demanda, de existir, lo sería por infracción de la normativa comunitaria, infracción que es apreciada en sentencia que resuelve una cuestión prejudicial y que por tanto no acarrea per

se la desaparición ex tunc de la norma del ordenamiento jurídico, al contrario de lo que ocurre con una sentencia de inconstitucionalidad, ello con independencia de que los efectos de la nulidad de la Ley inconstitucional normalmente sean "ex nunc" correspondiendo al Tribunal apreciar su alcance en cada caso.

Estando como estamos por tanto ante un supuesto de responsabilidad patrimonial por infracción del Derecho comunitario, para que tal responsabilidad pueda apreciarse el Tribunal de Justicia de las Comunidades ha venido estableciendo que deben darse el menos tres requisitos, a salvo de que el ordenamiento interno sea mas favorable, a saber: que la norma tenga por objeto conferir derechos a los particulares, que la infracción sea suficientemente caracterizada y finalmente que exista nexo de causalidad directo entre el actuar del Estado miembro, la infracción del Derecho Comunitario, y el resultado dañoso producido.

En el caso que nos ocupa cabe cuestionar la concurrencia del segundo y tercer requisitos citados.

La relevancia de la infracción no cabe apreciarla por la simple dilación temporal en cuanto al momento en que puede efectuarse la deducción. El derecho del particular a efectuar la deducción no se cuestiona, la norma estatal únicamente fija el momento en que cabe efectuar aquella pero sin cuestionarla. La negativa de la deducción sí sería infracción relevante en cuanto implicaría la negación del derecho del particular, pero no acontece lo misma si lo único que se produce es un retraso en el tiempo para llevar a cabo la deducción.

En cuanto a la relación directa entre

la infracción de Derecho comunitario y el daño tampoco cabe apreciarlo ya que el daño alegado no es consecuencia directa de la norma estatal, el daño surge como consecuencia de un acta de aplicación y del no ejercicio por la recurrente de la acción de reintegro en los términos establecidos por la doctrina del Tribunal de Justicia de las Comunidades anteriormente expuesto.

En modo alguno estamos ante una norma autoaplicativa, en terminología del Tribunal Constitucional, ya que no estamos ante una ley singular que tenga efectos retroactivos sobre situaciones producidas con anterioridad.

Como consecuencia de lo hasta aquí dicho es la desestimación del recurso contencioso, ello sin perjuicio de que la recurrente pueda si no se ha cumplido la fecha para ello, ejercitar la acción de reintegro al amparo de la doctrina del Tribunal Europeo o incluso a efectuar la deducción que corresponda si no han transcurrido los plazos previstos en la legislación del I.V.A. para llevarla a cabo y sin que pueda tampoco invocarse en favor de la tesis de la recurrente la doctrina del Tribunal de Justicia de que ningún Estado puede beneficiarse de sus infracciones del Ordenamiento Comunitario, en este caso la causa del fracaso de la acción que se ejercita es la no actuación de la recurrente que no impugna el acto administrativo ni ejerció la acción de devolución al amparo de la sentencia del Tribunal de Justicia que invoca."

En definitiva, según estas sentencias, el aquietamiento del particular con los actos aplicativos de una norma declarada posteriormente contraria al Derecho Comunitario le impide el ejercicio de la acción de responsabilidad patrimonial por rotura del nexo causal, ya que pudo, a través del ejercicio de las oportunas acciones, invocar directamente la aplicación del Derecho Comunitario frente a la norma nacional.

NOVENO. Como quiera que en la tramitación del presente recurso contencioso-administrativo, la actora solicitó en su demanda el planteamiento de cuestión prejudicial a los efectos de que el Tribunal de Justicia de las Comunidades Europeas se pronunciara sobre si el principio de equivalencia enunciado por éste, es compatible con la doctrina jurisprudencial en que se apoya el Consejo de Ministros y que se acaba de expresar en el fundamento anterior –STS de 29 de enero de 2004 y 24 de mayo de 2005 –, doctrina basada en una diferencia de trato para los supuestos de infracción del Derecho Comunitario y para los de inconstitucionalidad de una norma, a los solos efectos de negar la existencia de responsabilidad patrimonial del Estado legislador por violación del Derecho Comunitario, la Sala mediante Auto de uno de febrero de 2008 planteó al Tribunal de Justicia la siguiente cuestión:

¿Resulta contrario a los principios de equivalencia y efectividad la aplicación de distinta doctrina por el Tribunal Supremo del Reino de España en las Sentencias de 29 de enero de 2004 y 24 de mayo de 2005 *a los supuestos de reclamación de responsabilidad patrimonial del Estado legislador cuando se funden en actos administrativos dictados en aplicación de una ley declarada inconstitucional, de aquellos que se funden en aplicaciones de una norma declarada contraria al Derecho Comunitario?*

El Tribunal de Justicia, en su Sentencia de 26 de enero de 2010 (TJCE 2010, 21) (Asunto C-118/08) razonó su respuesta con los siguientes argumentos:

"29 Para responder a esta cuestión, procede recordar, con carácter preliminar, que, según reiterada jurisprudencia, el principio de la responsabilidad del Estado por daños causados a los particulares por violaciones del Derecho de la Unión que le son imputables es inherente al sistema de los Tratados en los que ésta se funda (véanse, en este sentido, las sentencias de 19 de noviembre de 1991, Francovich y otros, C-6/90 y C-9/90, Rec. p. I-5357, apartado 35; de 5 de marzo de 1996, Brasserie du pgcheur y Factortame, C-46/93 y C-48/93, Rec. p. I-1029, apartado 31 *, y de 24 de marzo de 2009 (TJCE 2009, 63)* , Danske Slagterier, C-445/06, Rec. p. I-0000, apartado 19).

30 A este respecto, el Tribunal de Justicia ha declarado que los particulares perjudicados tienen derecho a indemnización cuando se cumplen tres requisitos: que la norma de Derecho de la Unión violada tenga por objeto conferirles derechos, que la violación de esta norma esté suficientemente caracterizada y que exista una relación de causalidad directa entre tal violación y el perjuicio sufrido por los particulares (véase, en este sentido, la sentencia Danske Slagterier, antes citada, apartado 20 y jurisprudencia citada).

*31 El Tribunal de Justicia ha tenido también ocasión de precisar que, sin perjuicio del derecho a indemnización que está basado directamente en el Derecho de la Unión desde el momento en que se reúnen estos tres requisitos, incumbe al Estado, en el marco del Derecho nacional en materia de responsabilidad, reparar las consecuencias del perjuicio causado, entendiéndose que los requisitos establecidos por las legislaciones nacionales en materia de indemnización de daños no pueden ser menos favorables que los que se apli-*can a reclamaciones semejantes de naturaleza interna (principio de equivalencia) y no pueden articularse de manera que hagan en la práctica imposible o excesivamente difícil obtener la indemnización (principio de efectividad) (véanse, en este sentido, las* sentencias de 30 de septiembre de 2003 (TJCE 2003, 292) , Knbler, C-224/01, Rec. p. I-10239, apartado 58 , *y de 13 de marzo de 2007 (TJCE 2007, 59)* , Test Claimants in the Thin Cap Group Litigation, C-524/04, Rec. p. I-2107, apartado 123).

32 En consecuencia, como ha señalado el órgano jurisdiccional remitente, procede examinar la cuestión planteada a la luz de estos principios.

Sobre el principio de equivalencia

33 Por lo que se refiere al principio de equivalencia, procede recordar que, según jurisprudencia reiterada, dicho principio exige que el conjunto de normas aplicables a los recursos, incluidos los plazos establecidos, se aplique indistintamente a los recursos basados en la violación del Derecho de la Unión y a aquellos basados en la infracción del Derecho interno (véanse, en este sentido, las sentencias de 15 de septiembre de 1998, Edis, C-231/96, Rec. p. I-4951, apartado 36; de 1 de diciembre de 1998 (TJCE 1998, 298) , Levez, C-326/96, Rec. p. I-7835, apartado 41; de 16 de mayo de 2000 (TJCE 2000, 95) , Preston y otros, C-78/98, Rec. p. I-3201, apartado 55 , *y de 19 de septiembre de 2006 (TJCE 2006, 260)* , i-21 Germany y Arcor, C-392/04 y C-422/04, Rec. p. I-8559, apartado 62).

34 No obstante, este principio no puede interpretarse en el sentido de que obliga a un Estado miembro a extender su régimen interno más favorable a todas los recursos interpuestos en un ámbito determinado del Derecho (sentencias Levez, antes citada, apartado 42; de 9 de febrero de 1999, Dilexport, C-343/96, Rec. p. I-579, apartado 27 , y de 29 de octubre de 2009 (TJCE 2009, 334) , Pontin, C– 63/08, Rec. p. I-0000, apartado 45).

35 En consecuencia, para comprobar si se respeta el principio de equivalencia en el litigio principal, es preciso examinar si, habida cuenta de su objeto y de sus elementos esenciales, la reclamación de responsabilidad patrimonial interpuesta por Transportes Urbanos, basada en la infracción del Derecho de la Unión, y la que dicha sociedad habría podido interponer basándose en una posible infracción de la Constitución pueden considerarse similares (véase, en este sentido, la sentencia Preston y otros, antes citada, apartado 49).

36 Pues bien, por lo que se refiere al objeto de las dos reclamaciones de responsabilidad patrimonial mencionadas en el apartado anterior, procede señalar que tienen exactamente el mismo objeto, a saber, la indemnización del daño sufrido por la persona lesionada por un acto o una omisión del Estado.

37 Respecto de los elementos esenciales, cabe recordar que la regla del agotamiento previo que se discute en el litigio principal lleva a cabo una distinción entre estas reclamaciones, en la medida en que exige que el demandante haya agotado previamente las vías de recurso contra el acto lesivo sólo cuando la reclamación de responsabilidad patrimonial se basa en la infracción del Derecho de la Unión por la ley nacional en aplicación de la cual se ha adoptado el mencionado acto.

38 Ahora bien, procede señalar que,

contrariamente a lo que parecen sugerir determinados planteamientos de la jurisprudencia controvertida, recordados en el apartado 20 de la presente sentencia, la reparación del daño causado por una infracción del Derecho de la Unión por un Estado miembro, no está subordinada al requisito de que una sentencia dictada por el Tribunal de Justicia con carácter prejudicial declare la existencia de tal infracción (véanse, en este sentido, las sentencias Brasserie du pgcheur y Factortame, antes citada, apartados 94 a 96; de 8 de octubre de 1996, Dillenkofer y otros, C-178/94, C-179/94 y C– 188/94 a C-190/94, Rec. p. I-4845, apartado 28, y Danske Slagterier, antes citada, apartado 37).

39 No obstante, ha lugar a señalar que, en el litigio principal, Transportes Urbanos basó su recurso expresamente en la sentencia Comisión/España, antes citada, dictada con arreglo al artículo 226 CE , en la cual el Tribunal de Justicia declaró la infracción de la Sexta Directiva por la Ley 37/1992 .

40 Además, se deduce del auto de remisión que Transportes Urbanos interpuso la reclamación ante el Consejo de Ministros porque el plazo para presentar una solicitud de rectificación de las autoliquidaciones de los ejercicios 1999 y 2000 había expirado en el momento en que se dictó la mencionada sentencia Comisión/España.

41 No obstante, como se ha dicho en los apartados 12 y 13 de la presente sentencia, dicha reclamación fue desestimada por el Consejo de Ministros teniendo en cuenta precisamente que Transportes Urbanos no había solicitado la rectificación de sus autoliquidaciones antes de la interposición de dicha reclamación.

42 En cambio, según el auto de remisión, si Transportes Urbanos hubiera podido fundamentar su reclamación de responsabilidad patrimonial en una sentencia del Tribunal Constitucional que declarara la nulidad de la misma ley por infringir la Constitución, esta reclamación habría sido estimada, con independencia de que dicha sociedad no hubiera solicitado la rectificación de dichas autoliquidaciones antes de que expiraran los plazos para hacerlo.

43 Se desprende de las consideraciones precedentes que, en el contexto particular que ha dado origen al litigio principal tal como se describe en el auto de remisión, la única diferencia existente entre las dos reclamaciones mencionadas en el apartado 35 de la presente sentencia consiste en que las infracciones jurídicas en las que se basan han sido declaradas, en un caso, por el Tribunal de Justicia mediante una sentencia dictada con arreglo al artículo 226 CE *y, en otro, por una sentencia del Tribunal Constitucional.*

44 Ahora bien, esta única circunstancia, a falta de cualquier mención en el auto de remisión de otros elementos que permitan declarar la existencia de otras diferencias entre la reclamación de responsabilidad patrimonial del Estado efectivamente presentada por Transportes Urbanos y aquélla que habría podido interponer sobre la base de una infracción de la Constitución declarada por el Tribunal Constitucional, no basta para establecer una distinción entre ambas reclamaciones a la luz del principio de equivalencia.

45 En tal situación, procede señalar que las dos reclamaciones antes mencionadas pueden considerarse similares, en el sentido de la jurisprudencia recordada en el apartado 35 de la presente sentencia.

46 De ello se deduce que, habida cuenta de las circunstancias descritas en el auto de remisión, el principio de equivalencia se opone a la aplicación de una regla como la controvertida en el litigio principal.

47 Habida cuenta de esta conclusión, no es necesario examinar la regla del agotamiento previo de las vías de recurso discutida en el litigio principal a la luz del principio de efectividad.

48 De lo anterior resulta que procede responder a la cuestión planteada que el Derecho de la Unión se opone a la aplicación de una regla de un Estado miembro en virtud de la cual una reclamación de responsabilidad patrimonial del Estado basada en una infracción de dicho Derecho por una ley nacional declarada mediante sentencia del Tribunal de Justicia dictada con arreglo al artículo 226 CE *sólo puede estimarse si el demandante ha agotado previamente todas las vías de recurso internas dirigidas a impugnar la validez del acto administrativo lesivo dictado sobre la base de dicha ley, mientras que tal regla no es de aplicación a una reclamación de responsabilidad patrimonial del Estado fundamentada en la infracción de la Constitución por la misma ley declarada por el órgano jurisdiccional competente."*

Así las cosas, hemos de detenernos en el examen de la vinculación de esta sentencia del Tribunal de Justicia, dictada en respuesta a nuestro reenvío prejudicial, y en qué medida nos obliga a rectificar nuestra jurisprudencia tal como se manifestó en las citadas sentencias de 29 de enero de 2004 y 24 de mayo de 2005 pues, como es sabido no existe propiamente entre el Tribunal de Justicia y los tribunales nacionales una relación de subordinación institucional ni jerárquica sino de cooperación y colaboración. Al efecto conviene recordar que la Comunidad Europea, como comunidad de derecho que es, necesita que sus normas se apliquen de forma uniforme en todos los Estados miembros y es, precisamente, la cuestión prejudicial, y la sentencia que la responde, el instrumento procesal idóneo para conseguir una interpretación y una aplicación uniforme de las normas comunitarias por parte de los tribunales nacionales, a los que corresponde, como jueces comunitarios, la aplicación en los correspondientes procesos del ordenamiento jurídico comunitario, y esa interpretación y aplicación uniforme sólo podrá conseguirse proporcionando a las sentencias del Tribunal de Justicia el carácter de vinculantes pues de otro modo esa finalidad esencial del mecanismo prejudicial quedaría frustrada. Abunda en los criterios anteriores evidentes razones de seguridad jurídica pues la aplicación dispar de una misma norma comunitaria en diferentes Estados miembros pondría en cuestión la propia construcción y funcionamiento de la Unión Europea.

Este Tribunal, sensible a esa necesidad uniformadora, ha reconocido lo que denomina "autoridad de cosa interpretada" respecto de las Sentencias del TJCE, en paralelo con la autoridad de cosa juzgada que corresponde a todo pronunciamiento judicial (STS, Sala Tercera, de 3 de diciembre de 1993, Rec. 152/1989), llegando incluso a afirmar que el principio de prevalencia o primacía del Derecho comunitario, continuamente afirmado por el TJCE y reconocido con claridad en nuestro ordenamiento (art. 93 de la Constitución y jurisprudencia del Tribunal Supremo también reiterada), lo es también de la jurisprudencia comunitaria sobre la doctrina o jurisprudencia de los tribunales de los países miembros en la inter-

pretación o aplicación de los preceptos o disposiciones del Derecho comunitario (STS, Sala Cuarta, de 17 de diciembre de 1997 (RJ 1997, 9481) , Rec. Unificación de Doctrina 4130/1996).

Como se ha visto en anteriores fundamentos la cuestión prejudicial planteada en este proceso no versó sobre la interpretación de una norma concreta sino sobre el alcance de determinados principios estructurales del sistema jurídico comunitario como son los principios de equivalencia y efectividad en la medida en que la Sala apreciaba distinto trato en su propia jurisprudencia a las pretensiones de responsabilidad patrimonial de Estado legislador cuando la reclamación se fundaba en los perjuicios derivados de un acto firme dictado en aplicación de una norma posteriormente declarada inconstitucional respecto de aquellos otros actos firmes que se dictaron en aplicación de normas de rango legal respecto de las que el TJCE declaró posteriormente que España había incumplido las obligaciones que le incumbían en virtud del Derecho Comunitario. Dudas interpretativas que derivaban de la propia jurisprudencia comunitaria relativa a la extensión y límites de la responsabilidad patrimonial de los Estados por vulneración del Derecho Comunitario.

La respuesta prejudicial de la Sentencia de 26 de enero de 2010 del TJCE no ofrece duda: la doctrina de este Tribunal Supremo, resumida en el fundamento sexto, sobre la responsabilidad del Estado legislador en los casos de vulneración de la Constitución debe aplicarse, por el principio de equivalencia, a los casos de responsabilidad del Estado legislador por vulneración del Derecho Comunitario. Ello obliga, por el principio de vinculación a que antes nos hemos referido, a rectificar la doctrina sentada en las sentencias de 29 de enero de 2004 y 24 de mayo de 2005, que entendieron que la no impugnación, administrativa y judicial, del acto aplicativo de la norma contraria al Derecho Comunitario rompía el nexo causal exigido por la propia jurisprudencia comunitaria para la declaración de la responsabilidad patrimonial, ruptura que, como ya se expreso, no se admite en los casos de actos de aplicación de leyes inconstitucionales, casos en los que no es preciso el agotamiento de los recursos administrativos y jurisdiccionales para el ejercicio de la acción de responsabilidad.

Sentado lo anterior puede afirmarse que no constituye obstáculo para el ejercicio de la acción de responsabilidad patrimonial por parte de TRANSPORTES URBANOS Y SERVICIOS GENERALES, S.A.L. el hecho de que no impugnara las liquidaciones tributarias relativas al IVA en las que se había aplicado la regla de prorrata posteriormente declarada contraria al Derecho Comunitario por la STJCE de 6 de octubre de 2005.

Consecuentemente deben rechazarse las razones que, con fundamento en las SSTS de 29 de enero de 2004 y 24 de mayo de 2005, condujeron al Consejo de Ministros a desestimar la reclamación de responsabilidad patrimonial presentada por la entidad recurrente.

DÉCIMO. Despejado este obstáculo debemos volver al camino marcado por el Tribunal de Justicia para la declaración de la responsabilidad patrimonial de los Estados por vulneración del Derecho Comunitario. Destacábamos en el fundamento séptimo la sentencia Brasserie du Pgcheur y Factortame, en la medida en que había desarrollado los requisitos según los cuales

el Derecho Comunitario reconoce un derecho a indemnización: que la norma jurídica violada tenga por objeto conferir derechos a los particulares, que la violación esté suficientemente caracterizada, y, por último, que exista una relación de causalidad directa entre la infracción de la obligación que incumbe al Estado y el daño sufrido por las víctimas.

Ya indicamos que de los tres requisitos es el segundo el que plantea mayores dificultades para su concreción en cada caso. Ello nos obliga a realizar un minucioso contraste entre la norma comunitaria y la española pues el Tribunal de Justicia viene a distinguir entre aquellos supuestos en que el Estado miembro goce de un margen de apreciación más o menos amplio y aquellos otros en que se le impone una obligación para cuyo cumplimiento no gozan de ninguna discrecionalidad, siendo en el primer caso las condiciones para que se de lugar la responsabilidad mas estrictas que en el segundo.

En este caso la normativa comunitaria, Sexta Directiva, establece en su artículo 11, parte A, apartado 1, letra a), que la base imponible estará constituida: *"en las entregas de bienes y prestaciones de servicos (...), por la totalidad de la contraprestación que quien realice la entrega o preste el servicio obtenga o vaya a obtener, con cargo a estas operaciones, del comprador de los bienes, del destinatario de la prestación o de un tercero, incluidas las subvenciones directamente vinculadas al precio de estas operaciones"*.

El artículo 17, apartado 2, letra a), de la citada Directiva, en la versión resultante de su artículo 28 séptimo, prevé que, *"en la medida en que los bienes y los servicios se utilicen para las necesidades de sus operaciones gravadas, el* sujeto pasivo podrá deducir del impuesto del que es deudor (...) el Impuesto sobre el Valor Añadido debido o pagado dentro del país por los bienes que le hayan sido o le vayan a ser entregados y por los servicios que le hayan sido o le vayan a ser prestados por otro sujeto pasivo".

El apartado 5 del mismo artículo señala que:

"En lo concerniente a bienes y servicios utilizados por un sujeto pasivo para efectuar indistintamente operaciones con derecho a deducción, enunciadas en los apartados 2 y 3, y operaciones que no conlleven tal derecho, sólo se admitirá la deducción por la parte de las cuotas del Impuesto sobre el Valor Añadido que sea proporcional a la cuantía de las operaciones primeramente enunciadas.

Esta prorrata se aplicará en función del conjunto de las operaciones efectuadas por el sujeto pasivo, conforme a las disposiciones del artículo 19 ".

Este artículo 19, apartado 1, de la Sexta Directiva, titulado "Cálculo de la prorrata de deducción", dispone lo siguiente:

"La prorrata de deducción, establecida en el párrafo primero del apartado 5 del artículo 17 *, será la resultante de una fracción en la que figuren:*

– en el numerador, la cuantía total determinada para el año natural del volumen de negocios, excluido el Impuesto sobre el Valor Añadido, relativa a las operaciones que conlleven el derecho a la deducción, de acuerdo con lo dispuesto en los apartados 2 y 3 del artículo 17 *;*

– en el denominador, la cuantía total determinada para el año natural del volumen de negocios, excluido el Im-

puesto sobre el Valor Añadido, relativa a las operaciones reflejadas en el numerador y a las restantes operaciones que no conlleven el derecho a la deducción. Los Estados miembros estarán facultados para incluir igualmente en el denominador la cuantía de las subvenciones que no sean las enunciadas en la letra a) del apartado 1 (de la parte A) del artículo 11 ".

Por su parte el artículo 102 de la Ley 37/1992, de 28 de diciembre, del Impuesto sobre el Valor Añadido, en su versión modificada por la Ley 66/1997, de 30 de diciembre, establece en su primer apartado que:

"La regla de prorrata será de aplicación cuando el sujeto pasivo, en el ejercicio de su actividad empresarial o profesional, efectúe conjuntamente entregas de bienes o prestaciones de servicios que originen el derecho a la deducción y otras operaciones de análoga naturaleza que no habiliten para el ejercicio del citado derecho.

Asimismo, se aplicará la regla de prorrata cuando el sujeto pasivo perciba subvenciones que, con arreglo al artículo 78, apartado dos, número 3º de esta Ley *, no integren la base imponible, siempre que las mismas se destinen a financiar actividades empresariales o profesionales del sujeto pasivo".* Y el artículo 104 de la misma Ley en su apartado 2, número 2º, párrafo segundo, dispone que: *"Las subvenciones de capital se incluirán en el denominador de la prorrata, si bien podrán imputarse por quintas partes en el ejercicio en el que se hayan percibido y en los cuatro siguientes. No obstante, las subvenciones de capital concedidas para financiar la compra de determinados bienes o servicios, adquiridos en virtud de operaciones sujetas y no exentas del impuesto, minorarán exclusivamente el* *importe de la deducción de las cuotas soportadas o satisfechas por dichas operaciones, en la misma medida en que hayan contribuido a su financiación."*

Sobre la posible contradicción entre una normativa y otra conviene detenerse en las posiciones de las partes mantenidas en el proceso seguido ante el Tribunal de Justicia, según se deduce de la lectura de la sentencia de 6 de octubre de 2005.

La Comisión sostuvo que la norma general que figura en la Ley española 37/1992 amplía de forma ilegal la limitación del derecho a deducción prevista en el artículo 17, apartado 5, en relación con el artículo 19 de la Sexta Directiva, ya que dicha limitación no sólo se aplica a los sujetos pasivos mixtos, sino también a los sujetos pasivos totales. Por otra parte, la Comisión estimó que la norma especial establecida por esta misma Ley introduce un criterio para el cálculo de la deducción que no está previsto en la Sexta Directiva y que es contrario a ésta.

Por su parte, el Gobierno español consideró que la Comisión interpretaba de forma literal la Sexta Directiva, sin tener en cuenta los objetivos que persigue dicha norma ni, en particular, el principio de neutralidad del IVA. Sostenía también el Gobierno español que el artículo 19 de la Sexta Directiva no se limita a fijar una regla para el cálculo de la prorrata señalada en el artículo 17, apartado 5, de esta Directiva, a fin de determinar, en el caso de los sujetos pasivos mixtos, cuál es el porcentaje que representan las actividades gravadas con derecho a deducción respecto de la totalidad de las actividades gravadas y exentas del sujeto pasivo. El legislador, al disponer en dicho artículo 19 que los Estados miembros podrán incluir en el

denominador de la fracción las subvenciones que no estén directamente vinculadas al precio de las operaciones ni se integren, por ello, en la base imponible definida en el artículo 11, parte A, apartado 1, letra a), de la citada Directiva, introdujo, a juicio de la parte demandada (Reino de España), una excepción a la norma establecida en el artículo 17, apartado 5, relativa a los sujetos pasivos mixtos, excepción que permite limitar el derecho a deducción de los sujetos pasivos totales. Por otra parte entendió que el artículo 19 de la Sexta Directiva tiene como finalidad permitir que los Estados miembros restablezcan el equilibrio en materia de competencia, para así dar cumplimiento al principio de neutralidad del impuesto. En apoyo de su postura, toma como ejemplo la situación de un transportista que recibe una subvención para la adquisición de un vehículo. La subvención le permite disminuir el precio de los servicios que presta y, por ende, el importe del IVA aplicable a éstos. Según el Gobierno español, si dicho transportista tuviera además la posibilidad de deducir la totalidad del IVA aplicable a los gastos financiados con la subvención, dispondría de una ventaja añadida frente a sus competidores que no perciban subvenciones. Añade que la norma especial prevista en la Ley 37/1992 limita el derecho a deducción en menor medida que lo que resultaría de la aplicación del artículo 19 de la Sexta Directiva, ya que sólo afecta a la deducción del IVA correspondiente al bien o servicio financiado con la subvención y no a la relativa al resto de bienes o servicios adquiridos por el sujeto pasivo.

El Tribunal de Justicia razona el incumplimiento del Estado Español señalando que:

"El artículo 17, apartado 2, de la

Sexta Directiva *enuncia el principio del derecho a la deducción del IVA. Éste se aplica al impuesto soportado por la adquisición de los bienes o servicios que el sujeto pasivo utilice para las necesidades de sus operaciones gravadas.*

22.   *Cuando el sujeto pasivo efectúe indistintamente operaciones gravadas con derecho a deducción y operaciones exentas que no conlleven tal derecho, el* artículo 17, apartado 5, de la citada Directiva *prevé que sólo se admitirá la deducción por la parte del IVA que sea proporcional a la cuantía de las operaciones gravadas. Esta prorrata se calcula con arreglo a la fórmula establecida en el* artículo 19 de la Directiva .

23.   *Como ha recordado el Tribunal de Justicia en numerosas ocasiones, toda limitación del derecho a deducción incide en el nivel de la carga fiscal y debe aplicarse de manera similar en todos los Estados miembros. Por ello, sólo se permiten excepciones en los casos previstos expresamente por la Sexta Directiva (véanse, en particular, las* sentencias de 21 de septiembre de 1988, Comisión/Francia, 50/87, Rec. p. 4797, apartado 17; de 6 de julio de 1995, BP Soupergaz, C-204/93, Rec. p. I-1883, apartado 18 , *y de 8 de enero de 2002 (TJCE 2002, 2) , Metropol y Stadler, C-204/99, Rec. p. I-1883, apartado 42).*

24.   *A este respecto, debe advertirse que el* artículo 19 de la Sexta Directiva *, titulado "Cálculo de la prorrata de deducción", remite de forma expresa al* artículo 17, apartado 5, de la misma Directiva *, al que está íntegramente vinculado.*

25.   *Por tanto, las disposiciones del* artículo 19, apartado 1, segundo *guión,*

relativas a las subvenciones que no sean las enunciadas en el artículo 11, parte A, apartado 1, letra a), de la Sexta Directiva *, esto es, a las subvenciones que no estén vinculadas al precio del bien o servicio suministrado y que no formen parte de la base imponible del IVA, deben ser interpretadas a la luz de dicho* artículo 17, apartado 5 . *Pues bien, este último precepto sólo se refiere a los sujetos pasivos mixtos, como se desprende expresamente de su tenor literal. De ahí que el citado* artículo 19, apartado 1, segundo *guión, al no tratarse de una excepción aplicable a los sujetos pasivos mixtos y totales, únicamente permite limitar el derecho a deducción, mediante la toma en consideración de las subvenciones antes definidas, en el caso de los sujetos pasivos mixtos.*

26.   *Por consiguiente, la norma general contenida en la* Ley 37/1992 , *que amplía la limitación del derecho a deducción mediante su aplicación a los sujetos pasivos totales, introduce una restricción mayor que la prevista expresamente en los* artículos 17, apartado 5, y 19 de la Sexta Directiva *e incumple las disposiciones de dicha Directiva.*

27.   *En lo que se refiere a la norma especial establecida por la citada Ley, basta con señalar que instaura un criterio de limitación del derecho a deducción que no está previsto en los* artículos 17, apartado 5, y 19 de la Sexta Directiva *ni en ninguna otra disposición de ésta. En consecuencia, tal criterio no está autorizado por la citada Directiva.*

28.   *La alegación del Gobierno español, según la cual la interpretación que propone del* artículo 19 de la Sexta Directiva *es más adecuada para garantizar el equilibrio en materia de compe-*

tencia y, por tanto, el cumplimiento del principio de neutralidad del IVA, debe ser rechazada. En efecto, los Estados miembros están obligados a aplicar la Sexta Directiva aunque la consideren mejorable. Como se desprende de la sentencia de 8 de noviembre de 2001 (TJCE 2001, 306) , Comisión/Países Bajos (C-204/98 , Rec. p. I-1883), apartados 55 y 56, aunque la interpretación propuesta por algunos Estados miembros permitiese alcanzar mejor determinados objetivos perseguidos por la Sexta Directiva, como la neutralidad del impuesto, sigue siendo cierto que dichos Estados no pueden eludir la aplicación de las disposiciones expresamente establecidas en ella, en este caso mediante la introducción de limitaciones del derecho a deducción distintas de las previstas en los artículos 17 y 19 de la citada Directiva .

29. Por lo que respecta a la limitación en el tiempo de los efectos de la sentencia del Tribunal de Justicia que ha solicitado el Gobierno español, debe recordarse que sólo con carácter excepcional puede el Tribunal de Justicia, aplicando el principio general de seguridad jurídica inherente al ordenamiento jurídico comunitario, verse inducido a establecerla.

30. Para ello, como ha señalado el Abogado General en el punto 24 de sus conclusiones, es necesario que pueda acreditarse que las autoridades estatales fueron incitadas a adoptar una normativa o a observar una conducta contraria al Derecho comunitario en razón de una incertidumbre objetiva e importante en cuanto al alcance de las disposiciones comunitarias en cuestión (véase, en este sentido, la sentencia de 12 de septiembre de 2000 (TJCE 2000, 191) , Comisión/Reino Unido, C-204/ 97, Rec. p. I-1883, apartado 92). *Pues*

bien, en este caso no existía tal incertidumbre. No procede, por tanto, limitar los efectos en el tiempo de la presente sentencia."

La valoración del alcance de la infracción, atendiendo a la definición de la situación por las normas comunitarias y la justificación por el Estado de la opción legislativa adoptada, en los términos que para mayor claridad se han reproducido, conducen a estimar concurrente este requisito de vulneración suficientemente caracterizada, pues los pronunciamientos del Tribunal dejan pocas opciones para justificar la postura del Estado, al señalar que en este caso no existía incertidumbre en cuanto al alcance de las disposiciones comunitarias en cuestión, afirmación que por lo demás resulta del examen de las mismas que se efectúa en la sentencia y que pone de manifiesto que la regla de prorrata de la deducción establecida en el art. 19 de la Directiva viene referida al art. 17.5 de la misma, es decir, a los sujetos pasivos mixtos y es a ellos a los que va referida la facultad de los Estados miembros para introducir en el denominador la cuantía de subvenciones no enunciadas en el art. 11.1.a). El margen de apreciación del Estado al efecto es muy reducido y no se justifica por error en la interpretación del precepto, acudiendo a la finalidad de la Sexta Directiva, que no permite alterar sus previsiones en perjuicio de los contribuyentes. Menos justificación tiene la introducción de la regla especial del art. 104 de la Ley 37/1992, que introduce un criterio de deducción, también en perjuicio del contribuyente, sin apoyo alguno en la normativa comunitaria, que se ve alterada limitando el derecho a deducción establecido. Tal planteamiento del Estado, cuya voluntariedad e intencionalidad se refleja en sus propias alegaciones que tratan de justificar la opción adoptada, no puede atribuirse, por lo tanto, a una incertidumbre objetiva e importante de la normativa comunitaria, como se señala en la sentencia, ni aparece provocada por la actitud de alguna Institución comunitaria que haya podido contribuir a ello.

Por lo demás, existían precedentes jurisprudenciales del propio Tribunal de Justicia sobre el alcance de las limitaciones del derecho de deducción en sentido radicalmente distinto al sostenido por el Gobierno español y que los poderes públicos nacionales tenían el deber de conocer. Así, en la STJCE de 21 de septiembre de 1988, Comisión/Francia, 50/87, se había sostenido que las limitaciones del derecho de deducción sólo se permiten en los casos previstos expresamente por la Sexta Directiva y que toda limitación del derecho a la deducción del IVA incide en el nivel de la carga fiscal y debe aplicarse de manera similar en todos los Estados miembros, por lo que sólo se permiten excepciones en los casos previstos expresamente por la Sexta Directiva y en la STJCE de 8 de noviembre de 2001, Comisión/Países Bajos (C-338/98, Rec. p. I-8265), apartados 55 y 56, expresa y taxativamente se dijo que, aunque la interpretación propuesta por algunos Estados miembros permitiese alcanzar mejor determinados objetivos perseguidos por la Sexta Directiva, como la neutralidad del impuesto, dichos Estados no pueden eludir la aplicación de las disposiciones expresamente establecidas en ella.

No existía, por tanto, ninguna incertidumbre objetiva e importante en cuanto al alcance de las disposiciones comunitarias en cuestión.

Todo lo cual lleva a concluir que estamos ante una violación suficientemente caracterizada al haberse vulne-

rado por el Estado, en el ejercicio de su facultad normativa, de manera manifiesta y grave, los límites impuestos al ejercicio de sus facultades.

UNDÉCIMO. El reconocimiento de principio de responsabilidad patrimonial del Estado constituye una cláusula de cierre del sistema que regula las relaciones entre el Derecho Comunitario y los ordenamientos nacionales al garantizar la plena eficacia del ordenamiento comunitario y la tutela judicial efectiva de los particulares, al ver reparados los perjuicios que les causa la infracción o incumplimiento del Derecho Comunitario por parte de las autoridades nacionales.

En este sentido la Sentencia de esta Sala de 12 de junio de 2003 (RJ 2003, 8844) (Rec. 46/1999) indicó que *"Ante todo debe sentarse la premisa de que la interpretación del instituto de la responsabilidad patrimonial debe ser siempre de carácter extensivo en el sentido de que ha de ser siempre favorable a la protección del particular frente al actuar del Estado, de una parte porque así lo exige el carácter objetivo de esa responsabilidad en el ámbito del derecho interno y de otra porque no es sino una forma de paliar las deficiencias que otras técnicas de protección de esos intereses presentan, no siendo en consecuencia razonable que el particular vea minorado su derecho a la tutela judicial efectiva en beneficio del Estado infractor. La interpretación pro particular de la responsabilidad se infiere con claridad del hecho de que los requisitos establecidos por el Tribunal de Justicia no excluyen la aplicación de criterios menos restrictivos derivados de la legislación estatal, lo que por otra parte resulta tremendamente importante en la esfera de nuestro ordenamiento jurídico en cuyo marco el instituto de la responsabilidad patrimonial del Estado tiene carácter objetivo, de modo que basta la existencia de un daño antijurídico e individualizado para que, de existir nexo causal entre el actuar de la administración y el resultado producido, opere el citado instituto jurídico."*

Pues bien, se dan en el presente caso todos los requisitos exigidos por la jurisprudencia del TJCE para que prospere la acción de responsabilidad patrimonial.

De un lado, la norma jurídica vulnerada –Sexta Directiva– confería derechos a los particulares, concretamente el derecho a la deducción de IVA soportado sin más excepciones o limitaciones que las establecidas en ella, limitando tal derecho la normativa española tantas veces reseñada al establecer una limitación adicional a las previstas en la norma comunitaria.

De otro, se ha producido una infracción suficientemente caracterizada del Derecho Comunitario, habiéndonos ya referido extensamente a esta cuestión en el fundamento anterior.

Finalmente, puede afirmarse que existe una relación de causalidad directa entre la infracción de la obligación que incumbe al Estado y el daño sufrido por el particular, sin que tal relación de causalidad pueda entenderse rota por el hecho del que el reclamante no agotara los recursos administrativos o judiciales frente a la liquidación tributaria practicada, según lo expuesto en el fundamento noveno de esta Sentencia. En este sentido, no ofrece duda de que concurre el nexo de causalidad directa entre la aplicación de la norma interna declarada por la STJCE de 6 de octubre de 2005 contraria a la Sexta Directiva y el daño ocasionado a la socie-

dad Transportes Urbanos y Servicios Generales, S.A.L., que tuvo que abonar a la Hacienda Pública unas cantidades superiores a las que le hubieran correspondido de haberse respetado por la legislación española los mandatos contenidos en la norma comunitaria.

Concurren, pues, los requisitos para que declaremos, con estimación del recurso contencioso-administrativo interpuesto, la responsabilidad patrimonial del Estado y declaremos la obligación de su Administración a indemnizar los perjuicios ocasionados por la aplicación de la Ley 37/1992, en los términos expresados en los anteriores fundamentos, por vulneración del Derecho Comunitario.

La indemnización debe comprender el importe de lo indebidamente ingresado a favor de la Hacienda Pública, UN MILLÓN DOSCIENTOS VEINTIOCHO MIL TRESCIENTOS SESENTA Y SEIS CON TREINTA Y NUEVE EUROS (1.228.366,39), cuya procedencia resulta justificada en los documentos que obran en autos y en la falta de oposición del Abogado del Estado a los mismos, y que se expresan en el concreto petitum del escrito de demanda, reproducido en los antecedentes de hecho de esta sentencia y detallados en su fundamento cuarto.

Además, el principio general en materia de indemnización por responsabilidad patrimonial del Estado es el de la *"restitutio in integrum"* o reparación integral del daño, lo que obliga no solo al abono de la cantidad indebidamente satisfecha a las arcas públicas sino también, en aras de ese principio de plena indemnidad, reconocido en la jurisprudencia de esta Sala (SSTS de 5 de febrero (RJ 2000, 2171) y 15 de julio de 2000 (RJ 2000, 7423) , entre otras muchas) y en la propia Ley 30/1992 (art.

141.3) al abono de los intereses legales de la cantidad a devolver desde el día en que se efectuó la reclamación administrativa hasta la fecha de notificación de esta Sentencia, a partir de la cual se cuantificarán los intereses de acuerdo con lo establecido en el art. 106, apartados 2 y 3 de la Ley Jurisdiccional.

DÉCIMOSEGUNDO.– Atendiendo a lo dispuesto en el artículo 139.1 de la Ley 29/1998, no procede hacer una especial imposición de las costas causadas.

| 15 |

SENTENCIA 21 SEPTIEMBRE 2010

(RJ 2010, 6700)

Recurso de Casación núm. 533/2006

Sala de lo Cont.-Adm., Sección 6

Ponente: Sr. D. Luis María Díez-Picazo Giménez

RESPONSABILIDAD PATRIMONIAL DE LA ADMINISTRACION PUBLICA: Anulación de actos o disposiciones en vía jurisdiccional: tributos: artículo del Reglamento del Impuesto de Transmisiones Patrimoniales: nulidad declarada por sentencia: pagos hechos por imperativo de precepto declarado nulo: daño antijurídico: existencia: indemnización procedente: determinación: todos los pagos hechos en concepto de amortización de obligaciones desde que surte efecto la anulación del precepto: plazo de prescripción de cuatro años: aplicación: improcedencia: no se trata de devolución de ingresos tributarios indebidos: depreciación monetaria: compensación: existencia: actualización de la indemnización: improcedencia.

FUNDAMENTOS DE DERECHO

PRIMERO. El presente recurso de casación es interpuesto por la representación procesal de Túnel del Cadí S.A. Concesionaria contra la sentencia de la Sala de lo Contencioso-Administrativo (Sección 6ª) de la Audiencia Nacional de 28 de noviembre de 2005 .

Los antecedentes del asunto son los siguientes. El art. 20 del Reglamento del Impuesto de Transmisiones Patrimoniales y Actos Jurídicos Documentados, aprobado por Real Decreto 3494/1981 (RCL 1982, 332, 1690), gravaba

la emisión y amortización de obligaciones. Este precepto reglamentario fue anulado, en cuanto contrario al derecho comunitario europeo, por sentencia de esta Sala de 9 de marzo de 2001 (RJ 2001, 1669). Dicha anulación debía surtir efectos a partir del 1 de enero de 1986, fecha de la incorporación de España a la Comunidad Europea. Entretanto el citado precepto reglamentario había sido derogado por el Real decreto 828/1995 (RCL 1995, 1816). En este contexto, con fecha 8 de marzo de

2002, la recurrente presentó reclamación de responsabilidad patrimonial de la Administración por las cantidades pagadas a la Hacienda Pública en concepto de amortización de obligaciones con posterioridad al 1 de enero de 1986, reclamación que fue denegada por resolución del Ministerio de Hacienda de 13 de febrero de 2003.

Disconforme con ello, acudió la recurrente a la vía jurisdiccional, donde la sentencia ahora impugnada estima parcialmente su pretensión. El tribunal *a quo*, remitiéndose a lo expuesto en su sentencia de 29 de junio de 2004 recaída en un caso similar, entiende que efectivamente los pagos hechos por imperativo de un precepto reglamentario que luego es declarado nulo constituyen una lesión patrimonial antijurídica e imputable a la Administración. No obstante, considera que ese daño queda circunscrito a los pagos hechos en los cuatro años inmediatamente anteriores a la presentación de la reclamación de responsabilidad patrimonial de la Administración, ya que el plazo de prescripción de los créditos frente a la Hacienda Pública, con arreglo al art. 64 de la Ley General Tributaria (RCL 1963, 2490) vigente en el momento de la reclamación, era precisamente de cuatro años. Ello implica, siempre según el tribunal *a quo*, que la recurrente ya no tenía la facultad de recuperar los pagos indebidos anteriores a esa fecha y, por consiguiente, que éstos no constituyen un daño indemnizable. Por lo demás, la sentencia impugnada rechaza igualmente la pretensión, basada en el art. 141.3 LRJ-PAC (RCL 1992, 2512, 2775 y RCL 1993, 246), de actualización con arreglo al índice de precios al consumo de las cantidades ingresadas a la Hacienda Pública; y ello porque entiende que "la depreciación viene compensada por los intereses legales que

han de reconocerse desde la fecha de ingreso de las distintas sumas objeto de indemnización".

SEGUNDO. Se basa este recurso de casación en dos motivos que, si bien se apoyan genéricamente en el art. 88.1 LJCA (RCL 1998, 1741), no citan la concreta letra del mismo que les sirve de fundamento. Esto supone, sin duda alguna, una defectuosa articulación del recurso de casación; pero, habida cuenta de que por su contenido es evidente que ambos motivos aducen infracción de normas jurídicas aplicables para resolver el debate, hay que entender que se refieren a la letra d) del citado precepto legal y, en consecuencia, pueden ser admitidos.

En el motivo primero, se alega infracción de los arts. 139 y 142 LRJ-PAC (RCL 1992, 2512, 2775 y RCL 1993, 246) y del art. 64 de la antigua Ley General Tributaria. Sostiene la recurrente que su pretensión es de responsabilidad patrimonial de la Administración, no de devolución de ingresos tributarios indebidos, por lo que no resulta aplicable la prescripción de los créditos frente a la Hacienda Pública.

En el motivo segundo, se alega infracción del art. 141.3 LRJ-PAC, señalando que este precepto legal prevé expresamente la actualización de la cuantía de la indemnización con arreglo al índice de precios al consumo.

TERCERO. Comenzando por el motivo primero, es indiscutible que, como observa la recurrente, lo que aquí se discute es una pretensión de responsabilidad patrimonial de la Administración por los daños derivados de la aplicación de un precepto reglamentario que luego es declarado nulo. Esto es tan claro que la propia sentencia impugnada, que es parcialmente estimatoria, así lo reconoce. Así las cosas, el daño indemnizable consiste necesariamente en la pérdida económica causada a la recurrente por la aplicación del precepto reglamentario ilegal; pérdida económica que comprende todos los pagos a la Hacienda Pública hechos en concepto de amortización de obligaciones con posterioridad al 1 de enero de 1986, fecha a partir de la cual surte efectos la anulación del citado precepto reglamentario. La circunstancia de que algunos de esos pagos hubieran sido hechos más de cuatro años antes del día en que se presentó la reclamación de responsabilidad patrimonial de la Administración resulta aquí irrelevante, porque –como bien dice la recurrente– el plazo de prescripción de cuatro años del art. 64 de la antigua Ley General Tributaria (RCL 1963, 2490) opera para los créditos frente a la Hacienda Pública; lo que no puede ocurrir en este caso, pues no trata de una pretensión de devolución de ingresos tributarios indebidos.

A idéntica conclusión, por lo demás, se llega adoptando el criterio de la llamada *actio nata*. Es bien sabido que, de acuerdo con el art. 1969 CC (LEG 1889, 27) , "el tiempo para la prescripción de toda clase de acciones, cuando no haya disposición especial que otra cosa determine, se contará desde el día en que pudieron ejercitarse". Aplicado esto al presente caso, es claro que la recurrente no pudo ejercer su pretensión indemnizatoria con anterioridad al 9 de marzo de 2001, fecha de la sentencia que anuló el art. 20 del Reglamento del Impuesto de Transmisiones Patrimoniales y Actos Jurídicos Documentados (RCL 1982, 332, 1690) o, para ser aún más precisos, desde que dicha sentencia fue publicada y pudo ser conocida. Esto significa que no puede considerarse prescrito su derecho a ser indemnizada por el daño consistente en los pagos hechos en cumplimiento del precepto reglamentario anulado, aunque algunos de ellos correspondieran a ingresos que no habrían podido ya ser combatidos como indebidos por tropezar contra la prescripción regulada en la legislación tributaria. Dicho brevemente, que un pago no pueda ser impugnado como ingreso indebido por haber expirado el plazo legalmente previsto para ello no significa, por sí sólo, que ese mismo pago no pueda constituir un daño indemnizable cuando concurran las condiciones establecidas en los arts. 139 y siguientes de la LRJ-PAC (RCL 1992, 2512, 2775 y RCL 1993, 246) y, en particular, cuando se declare nula la norma en cumplimiento de la cual se efectuó ese pago. Así, dado que la recurrente presentó la reclamación de responsabilidad patrimonial de la Administración dentro del plazo de un año desde que manifestó la lesión, tal como ordena el art. 142.5 LRJ-PAC, el daño viene dado por la suma total de los pagos en concepto de amortización de obligaciones hechos a la Hacienda Pública desde el 1 de enero de 1986.

Por todo lo expuesto, el motivo primero de este recurso de casación debe ser estimado, lo que conduce a la anulación de la sentencia impugnada.

CUARTO. En cuanto al motivo segundo, en cambio, no cabe acoger la argumentación de la recurrente. Es verdad que el art. 141.3 LRJ-PAC (RCL 1992, 2512, 2775 y RCL 1993, 246) dispone que la cuantía de la indemnización, una vez calculada con referencia al día en que se produjo la lesión, se actualizará a la fecha en que finalice el procedimiento de responsabilidad con arreglo al índice precios al consumo y a la cifra así obtenida se añadirán los correspondientes intereses de demora. Y es asimismo claro que, en el presente caso, no se ha reconocido el derecho a la mencionada actualización. No obstante, hay que tener en cuenta que la finalidad de este precepto legal es evitar las consecuencias de la depreciación monetaria: la indemnización no sería integral si la pérdida de valor del dinero acaecida desde que tuvo lugar la lesión hasta que se declara el derecho a la indemnización hubieran de pesar sobre el perjudicado. Esto significa que si la depreciación monetaria se ve compensada por otra vía, no tiene sentido llevar a cabo la actualización de la cuantía de la indemnización incrementándola con arreglo al índice de precios al consumo. No otra cosa ocurre en el presente caso: el daño consiste en sumas de dinero líquidas, correspondientes a los distintos pagos hechos a la Hacienda Pública, por lo que la determinación de la cuantía total de la indemnización exige una simple operación aritmética. Si a ello se añade que, como dice la sentencia impugnada, esas sumas de dinero producen los intereses legales, sólo cabe concluir que la depreciación monetaria queda perfectamente compensada y,

por tanto, que no es preciso hacer actualización alguna. Por ello, el motivo segundo de este recurso de casación debe ser desestimado.

QUINTO. La anulación de la sentencia impugnada conduce ahora, de conformidad con lo dispuesto por el art. 95.2.d) LJCA (RCL 1998, 1741) , a deber resolver el litigio en los términos en que quedó planteado en la instancia. A la vista de cuanto se ha dicho anteriormente, es claro que el único aspecto de la sentencia impugnada y ahora casada que debe ser revisado es el relativo a que la indemnización no comprenda los pagos hechos más de cuatro años antes de la reclamación de responsabilidad patrimonial de la Administración. En todo lo demás, como se ha visto, los pronunciamientos del tribunal _a quo_ son perfectamente ajustados a derecho y, por ello, deben ser mantenidos.

SEXTO. Con arreglo al art. 139 LJCA (RCL 1998, 1741) , no procede hacer imposición de las costas de este recurso de casación y, en cuanto a las costas de la instancia, no se aprecia temeridad o mala fe que justifique una condena al pago de las mismas.

| 16 | SENTENCIA 17 NOVIEMBRE 2010 |

SENTENCIA 17 NOVIEMBRE 2010

(RJ 2010, 8531)

Recurso de Casación núm. 1316/2009
Sala de lo Cont.-Adm., Sección 4
Ponente: Sr. D. Enrique Lecumberri Martí

RESPONSABILIDAD PATRIMONIAL DE LA ADMINISTRACION PUBLICA: Reclamación de daños y perjuicios causados a la recurrente como consecuencia del cambio de criterio de la administración tributaria en relación al tipo del IVA aplicable a productos zoosanitarios, pasando del tipo reducido del 7 %, a aplicar en inspección el tipo general del 16 %:

existencia de nexo causal y de daño antijurídico: reclamación procedente: estimación del recurso de casación.

FUNDAMENTOS DE DERECHO

PRIMERO. En este recurso de casación se impugna por la representación procesal de la entidad mercantil "Ecolab Hispano Portuguesa, S.A." la sentencia (JUR 2009, 48347) dictada por la Sección Sexta de la Sala de lo Contencioso-Administrativo de la Audiencia Nacional, de fecha diez de noviembre de dos mil ocho, que desestimó el recurso contencioso-administrativo contra la resolución del Presidente de la Agencia Tributaria en delegación del Director General de la Agencia Tributaria, que desestimó la reclamación formulada, por responsabilidad patrimonial de la Administración, por los daños y perjuicios ocasionados como consecuencia de las actuaciones realizadas por la Inspección de Madrid, derivadas del cambio de criterio de la Administración Tributaria respecto del tipo de IVA aplicado a los productos zoosanitarios para la higiene, cuidado y productos de alimentos.

SEGUNDO. La Sala de instancia, después de relatar en estos términos los hechos que se encuentran en el origen del recurso:

«*1–. El 22 de abril de 2003 la Inspección de la AEAT de Madrid, extendió a la hoy actora acta, firmada de conformidad A01 72849740 relativa al IVA ejercicios 1.999, 2000 y 2001 con una cuota de 428.397,58 euros, intereses de demora por 55.122,12 euros, y una deuda tributaria total de 483.519,70 euros.*

2–. La regularización se fundamentó en la aplicación por la Inspección del tipo general del 16$ en vez del reducido del 7% aplicado por el contribuyente al comercializar determinados productos de higiene, cuidado y manejo de animales. La Inspección se fundamentó en la ley del IVA (RCL 1992, 2786 y RCL 1993, 401) y en la contestación que la Dirección General de Tributos había dado a una consulta al efecto el día 23 de mayo de 2002.*

–. La liquidación devino firme y fue ingresada el día 20 de junio de 2003.

–. El día 22 de noviembre de 2004 la hoy actora interesó la revocación de la liquidación con fundamento en el cambio de criterio de la Dirección General de Tributos, que aceptó la procedencia de aplicar el tipo del 7%, solicitud que fue denegada el día 6 de octubre de 2005.

–. El día 13 de enero de 2006 se formula la reclamación por responsabilidad patrimonial, concretando la pretensión indemnizatoria en que no todos los clientes abonaron las facturas rectificativas emitidas por la diferencia entre el IVA repercutido al 7% y el IVA ingresado por la regularización tributaria (al 16%).

–. Las cifras reclamadas son las siguientes:

a) 301.191,26 euros de la "deuda pendiente de cobro" por las facturas rectificativas no abonadas por los clientes.

b) 16.634,04 euros correspondientes al coste administrativo externo por la modificación de las facturas.

c) 52.478,25 euros de los intereses de demora satisfechos en el acta.

d) 30.867,44 euros de los intereses de los anteriores importes hasta la fecha del 5 de agosto de 2005 incluido en el informe pericial. Más los intereses legales que se devenguen desde entonces hasta la fecha del pago.

e) coste de los honorarios profesionales intervinientes en este proceso, más los honorarios del perito contable, más los intereses de demora. »

Considera, a la luz de los artículos 106.2 de la Constitución (RCL 1978, 2836), 139.1 de la Ley 30/1992 (RCL 1992, 2512, 2775 y RCL 1993, 246), de 26 de noviembre, de Régimen Jurídico de las Administraciones Públicas y del Procedimiento Administrativo Común, que en el supuesto enjuiciado *"l a recurrente, no solo firmó el acta de conformidad, sino que ingresó el importe correspondiente, y no atacó mediante los recursos previstos por la Ley un acto administrativo que consideró, porque en aquel momento tal era la previsión legal y la interpretación dada por las autoridades tributarias del tipo legal aplicable, conforme a derecho. Consintió por tanto las resoluciones administrativas circunstancia que constituye la ruptura del nexo causal y que por lo tanto, impide la estimación de su pretensión: efectivamente, la recurrente no tendría el deber de soportar el perjuicio irrogado por la actividad administrativa al modificar su criterio la Administración con posterioridad, pero la cuestión debió plantearse en su momento mediante los correspondientes medios de impugnación, que no utilizó, con las inherentes consecuencias, la firmeza y la ruptura del nexo causal entre la actuación administrativa y la consecuencia lesiva.»*

Y, en base a este planteamiento, entiende que las supuestas consecuencias lesivas tampoco se llegaría al resultado indemnizatorio pretendido ya que:

. *" En primer lugar, la propia mecánica del IVA ofrece al interesado que ve aumentado el impuesto soportado en una actuación de comprobación la posibilidad de solicitar de la Administración tributaria la regularización de la totalidad de su situación, a fin de que el impuesto no pierda la neutralidad que su propia esencia impone.*

. *En segundo lugar, y respecto a los costes administrativos, de la pericial resulta la contratación de dos empleadas para rectificar facturas, pero una de ellas fue contratada antes de firmarse el acta de conformidad, y la otra inmediatamente después, sin que se haya acreditado su exclusiva dedicación a la función por la que se solicita indemnización.*

. *Finalmente respecto de los honorarios de Letrado, esta Sala ha establecido reiteradamente que los correspondientes a los procesos contencioso-administrativos forman parte de las costas procesales, principio que se aplica igualmente a los honorarios del perito utilizado en el periodo de prueba, y por lo tanto quedan fuera del ámbito de aplicación de la responsabilidad patrimonial de la Administración."*

TERCERO. Disconforme con este razonamiento, la representación procesal de la sociedad recurrente aduce al amparo del artículo 88.1.d) de la Ley Jurisdiccional (RCL 1998, 1741) dos motivos de casación, que respectivamente fundamenta en la infracción de los artículos 106.2 de la Constitución, 139 y siguientes de la Ley 30/1992 y la doctrina jurisprudencial sustentada en la sentencia de veintiuno de abril de mil novecientos noventa y ocho (RJ 1998, 3906) que parcialmente reproduce, por considerar que ha resultado probado la existencia real y efectiva del daño cuyo resarcimiento reclama al existir una relación de causalidad entre la actuación de la Administración y la lesión causada –primer motivo–, y, por vulneración de la doctrina sustentada en las sentencias de veintisiete de marzo de mil novecientos noventa y ocho (RJ 1998, 2942) y veinticuatro de enero de mil novecientos noventa y siete (RJ 1997, 739) , por no haberse aplicado correctamente el principio de la reparación integral –segundo motivo–.

CUARTO. Dados los términos en que se estructuran estos motivos de casación deben ser analizados conjuntamente, pues, ambos versan sobre los presupuestos o requisitos necesarios para que prospere de acuerdo con nuestro Ordenamiento jurídico y la jurisprudencia que los interpreta la viabilidad de una acción de esta naturaleza.

Si entre la actuación administrativa y el daño tiene que haber una relación de causalidad, una conexión de causa o efecto, que puede ser directo, inmediato o exclusivo, o indirecto, sobrevenido o concurrente con hechos dañosos de terceros o de la propia víctima, siempre que exista algún punto de conexión entre el perjuicio patrimonial sufrido y el servicio público, resulta que en el supuesto que enjuiciamos, la recurrente a pesar de que no era la destinataria final del impuesto, sino un mero obligado a ingresar las cantidades que se habían de repercutir en los precios abonados por sus clientes en el período impositivo por el IVA, es evidente que al firmar un acta previa de conformidad ante la Inspección de la Agencia Estatal de Tributos por la que tuvo que ingresar otras cantidades además de sus intere-

ses por el diferencial del IVA, con la seguridad que dicho importe podía ser recuperado de sus clientes, y con la confianza de que aquellas actas eran conformes a Derecho, pues, se sustentaban en el criterio señalado por la Dirección General de Tributos en su respuesta de fecha veintitrés de mayo de dos mil dos a la consulta 0781-0256 formulada respecto del tipo aplicable de forma genérica sobre los productos de higiene y cuidado de ubres de los animales en la que se concluyó que el tipo impositivo aplicable era el dieciséis por ciento y no el siete por ciento, sufrió un perjuicio jurídico al conocer posteriormente como reconoció la Administración el cambio de criterio de la Dirección General de Tributos respecto del tipo impositivo del IVA a los productos sanitarios comercializados, que se estableció en el tipo reducido del siete por ciento.

De ahí, existió nexo causal entre la actuación administrativa y el perjuicio sufrido por el reclamante, pues, este daño es antijurídico y como tal el recurrente no tiene la obligación de soportar, máxime cuando su actuación fue civiliter al aquietarse al criterio de la Administración.

En consecuencia estos motivos deben ser estimados.

QUINTO. De conformidad con lo establecido en el artículo 95.2.d) de la Ley Jurisdiccional, procede casar la sentencia, y anular la resolución dictada por el Presidente de la Agencia Estatal de la Administración Tributaria de veintiocho de julio de dos mil seis.

La recurrente solicita una indemnización por los siguientes conceptos:

a) 301.191,26 euros de la *"deuda pendiente de cobro"* por las facturas rectificativas no abonadas por los clientes.

b) 16.634,04 euros correspondientes al coste administrativo externo por la modificación de las facturas.

c) 52.478,25 euros de los intereses de demora satisfechos en el acta.

d) 30.867,44 euros de los intereses de los anteriores importes hasta la fecha del 5 de agosto de 2005 incluido en el informe pericial. Más los intereses legales que se devenguen desde entonces hasta la fecha del pago.

e) coste de los honorarios profesionales intervinientes en este proceso, más los honorarios del perito contable, más los intereses de demora.

De estas partidas sólo son indemnizables las contenidas en a) c) y d), pues no son resarcibles los costes administrativos externos derivados de la modificación de las facturas derivadas de los honorarios profesionales intervinientes en el proceso ni los del perito contable, ya que tales gastos no están justificados o emanan de la actuación ínsita del procedimiento.

Por tanto, procede s.e.u.o. conceder a la recurrente una indemnización por importe de trescientos setenta mil trescientos tres euros con cincuenta y cinco céntimos (370.303,55) más los intereses que se deriven desde esta fecha hasta el pago.

SEXTO. De acuerdo con lo dispuesto en el artículo 139 de la citada Ley Jurisdiccional, no procede que hagamos un especial pronunciamiento sobre las costas de este recurso de casación ni por las devengadas en la instancia.

17

SENTENCIA 24 ENERO 2011

(RJ 2011, 490)

Recurso de Casación núm. 598/2007
Sala de lo Cont.-Adm., Sección 6
Ponente: Sr. D. Octavio Juan Herrero Pina

RESPONSABILIDAD PATRIMONIAL DE LA ADMINISTRACION PUBLICA: Acción derivada de acto legislativo: tributos: IVA: limitación del derecho a la deducción del IVA soportado correspondiente a bienes y servicios financiados mediante subvenciones: infracción del Derecho Comunitario: daño real y efectivo: prueba: inexistencia: indemnización improcedente.

FUNDAMENTOS DE DERECHO

PRIMERO. El presente recurso contencioso-administrativo tiene por objeto el Acuerdo del Consejo de Ministros, de fecha 7 de septiembre de 2007, por el que se desestima la solicitud de indemnización por responsabilidad patrimonial del Estado legislador formulada por "Galletas Gullón, S.A."

en fecha 5 de octubre de 2006, como consecuencia de la limitación del derecho a la deducción del IVA soportado correspondiente a las subvenciones percibidas en los ejercicios 2001 a 2004, y con fundamento en el incumplimiento por parte del Estado Español de las obligaciones que le incumben en esta materia en virtud del Derecho Comunitario y, en particular, de los arts. 17, apartados 2 y 5, y 19 de la Directiva 77/388/CEE del Consejo, de 17 de mayo de 1977 (LCEur 1977, 138) (Sexta Directiva en materia de IVA).

En el suplico de la demanda se concreta la pretensión solicitando la declaración de ser contrario a Derecho el Acuerdo impugnado por no reconocer la existencia de responsabilidad patrimonial del Estado por la limitación indebida del derecho a la deducción del IVA y que se acuerde la correspondiente indemnización, cuantificando en el escrito de conclusiones el perjuicio económico reclamado en la cantidad de 75.458,37.

SEGUNDO. El Abogado del Estado opone a la pretensión actora en primer lugar la falta de prueba sobre el alcance del derecho concedido al particular por la Directiva invocada y, más concretamente, que se haya acreditado ser sujeto pasivo total a los efectos de autos. En segundo lugar, niega la existencia de una "violación suficientemente caracterizada" del Derecho Comunitario por parte de la norma nacional para que de ello pueda derivarse una responsabilidad patrimonial. Tampoco acepta en este caso la necesaria relación de causalidad y la existencia de un daño antijurídico, por cuanto el administrado y hoy recurrente tenía el deber jurídico de soportar el daño. Finalmente, con carácter subsidiario, alega prescripción de la acción por haber transcurrido el plazo de cuatro años fijado en el Ordenamiento para las acciones de devolución de ingresos tributarios indebidos, falta de prueba completa acerca de la realidad y entidad del daño causado, e improcedencia de adicionar intereses de demora.

TERCERO. Según consta en el Antecedente 1 del Acuerdo impugnado, *«La entidad "Galletas Gullón, S.A." presentó las correspondientes declaraciones-liquidaciones en relación con el Impuesto sobre el Valor Añadido (IVA) relativas a los ejercicios 2001 a 2004, ambos inclusive, sujetándose, por lo que estrictamente atañe a la cuestión aquí suscitada (prorrata de deducción del IVA soportado por los sujetos que efectúan únicamente operaciones gravadas y limitación del derecho a la deducción correspondiente a la compra de bienes o servicios financiados mediante subvención), a lo establecido en los* artículos 102 y siguientes de la Ley 37/1992, de 28 de diciembre (RCL 1992, 2786 y RCL 1993, 401), del Impuesto sobre el Valor Añadido *(...), en su versión modificada por la Ley 66/1997, de 30 de diciembre* (RCL 1997, 3106 y RCL 1998, 1636). Según *se manifiesta en el escrito de reclamación aquí sustanciado, la referida entidad instó solicitud de devolución de ingresos indebidos en relación con los ejercicios 2001 a 2003, siendo desestimada su pretensión con fecha 28 de abril de 2005, en virtud de sendas resoluciones, contra las que interpuso las pertinentes reclamaciones económico– administrativas ante el Tribunal Económico-Administrativo Regional (TEAR) de Castilla y León, sin que hasta la fecha –según manifiesta la propia reclamante– se haya emitido resolución sobre las mismas.*

Conocida la Sentencia del Tribunal

de Justicia de las Comunidades Europeas de 6 de octubre de 2005 (TJCE 2005, 292) (Asunto C-204/03), la parte hoy recurrente formuló, al amparo de los artículos 139 y siguientes de la Ley 30/1992, de 26 de noviembre (RCL 1992, 2512, 2775 y RCL 1993, 246) , reclamación de responsabilidad patrimonial del Estado legislador, solicitando ser indemnizada en la cuantía de 75.458,37, a los efectos de resarcir los perjuicios económicos que entendía le habían sido ocasionados como consecuencia de la limitación que sufrió de su derecho a la deducción del IVA soportado, al haber incumplido el Estado Español las obligaciones que le incumbían en virtud del Derecho Comunitario y, en particular, de los artículos 17, apartados 2 y 5, y 19 de la Directiva 77/388/CEE del Consejo, de 17 de mayo de 1977, Sexta Directiva en materia de IVA.

En respuesta a esta reclamación el Consejo de Ministros dictó el Acuerdo aquí recurrido, desestimándola. Precisamente el examen de legalidad de este Acuerdo constituye el objeto de este proceso. Examinaremos sus razones a continuación.

CUARTO. El Acuerdo del Consejo de Ministros recurrido desestima la reclamación presentada, por cuanto *«los daños cuyo resarcimiento solicita la entidad reclamante carecen de efectividad y no existe, en el momento actual, una lesión indemnizable a título de responsabilidad patrimonial. En un caso (parte de los intereses de la devolución de ingresos indebidos relativa al ejercicio 2004), está pendiente de resolución sobre el pago de dichos intereses, por lo que se desconoce si existirá la lesión. En otro (devolución de los ingresos de los ejercicios 2001 a 2003), se trata de perjuicios meramente hipo-*

téticos, pues están pendientes de resolución las reclamaciones económico-administrativas que fijarían en su caso la existencia y extensión del daño».

QUINTO. Como ha quedado expuesto, el objeto del presente recurso es la reclamación de responsabilidad patrimonial del Estado legislador formulada por la recurrente al amparo de los artículos 139 y siguientes de la Ley 30/ 1992, a los efectos de resarcir los perjuicios económicos que entendía le habían sido ocasionados como consecuencia de la limitación que sufrió de su derecho a la deducción del IVA soportado, al haber incumplido el Estado Español las obligaciones que le incumbían en virtud del Derecho Comunitario y, en particular, de los artículos 17, apartados 2 y 5, y 19 de la Directiva 77/ 388/CEE del Consejo, de 17 de mayo de 1977, Sexta Directiva en materia de IVA, y ello de conformidad con la Sentencia del Tribunal de Justicia de las Comunidades Europeas de 6 de octubre de 2005 (TJCE 2005, 292) (Asunto C-204/03), que decidió lo siguiente: *"Declarar que el Reino de España ha incumplido las obligaciones que le incumben en virtud del Derecho comunitario y, en particular, de los* artículos 17, apartados 2 y 5, y 19 de la Directiva 77/388/CEE del Consejo, de 17 de mayo de 1977, Sexta *Directiva en materia de armonización de las legislaciones de los Estados miembros relativas a los impuestos sobre el valor añadido: base imponible uniforme, en su versión modificada por la* Directiva 95/7 (LCEur 1995, 827) / CE del Consejo, de 10 de abril de 1995 , *al prever una prorrata de deducción del impuesto sobre el valor añadido soportado por los sujetos pasivos que efectúan únicamente operaciones gravadas y al instaurar una norma especial que limita el derecho a la deducción del IVA correspondiente a la compra de bienes o servicios financiados mediante subvenciones."*

SEXTO. No es posible atender a las pretensiones de la parte recurrente, y ello por cuanto la efectividad del daño constituye un requisito legalmente exigido para que surja la responsabilidad patrimonial según el art. 139.2 de la Ley 30/92 (RCL 1992, 2512, 2775 y RCL 1993, 246) , y en el presente caso, cuando se presentó la reclamación de responsabilidad patrimonial, el perjuicio no podía considerarse efectivamente producido, ya que, según manifestaciones de la propia recurrente, por una parte estaban pendientes de resolución las reclamaciones económico-administrativas interpuestas contra las resoluciones desestimatorias de las solicitudes de devolución de ingresos indebidos correspondientes al IVA de los ejercicios 2001, 2002 y 2003 emitidas por la Delegación Especial de la A.E.A.T. de Castilla y León, reclamaciones en las que, además de la devolución de ingresos indebidos por importe total de 505.329,94, solicitaba el abono de los intereses de demora, y, por otra parte, estaba pendiente de resolución la reclamación económico-administrativa interpuesta contra la resolución de la Delegación Especial de Castilla y León de la Agencia Estatal de Administración Tributaria de 9 de mayo de 2006, estimatoria en parte del recurso de reposición interpuesto contra Resolución de 29 de marzo de 2006, por las que se accedía, la segunda de ellas, a la solicitud de rectificación de la autoliquidación modelo 332 del período 12/2004, a la devolución de ingresos indebidos y

al pago de los correspondientes intereses de demora, y la primera de ellas, al pago de intereses de demora correspondientes a la devolución del ingreso indebido de 151.992,14 euros por los días transcurridos entre las fechas 20/12/ 2005 y 30/12/2005, fecha del ingreso indebido, y entre el 29/03/2006 y el 03/ 04/2006 fechas del acuerdo recurrido y la orden de pago, por lo que de ser las resoluciones económico-administrativas estimatorias evidentemente el daño habría desaparecido en lo que a las cantidades ahora solicitadas se refiere.

No obsta a la anterior conclusión el hecho de que con posterioridad la Administración Tributaria ha resuelto las reclamaciones pendientes en relación con los ejercicios 2001, 2002 y 2003, pues lo cierto es que al momento de la reclamación de responsabilidad patrimonial no puede entenderse como acreditado, y como efectivamente producido, el daño por el que se reclama, el cual en dicho momento no deja de ser un daño hipotético ó futuro y el problema no es solo la cuantificación sino la existencia misma del daño, que dependería de las resoluciones de las reclamaciones económico-administrativas no dictadas en ese momento, frente a las cuales podrá hacer valer, en su caso, las impugnaciones que entienda procedentes en defensa de su derecho.

Consecuentemente, procede desestimar el presente recurso contencioso-administrativo.

SÉPTIMO. Atendiendo a lo dispuesto en el artículo 139.1 de la Ley 29/1998 (RCL 1998, 1741) , no procede hacer una especial imposición de las costas causadas.

18

SENTENCIA 18 FEBRERO 2011

(RJ 2011, 1234)

Recurso de Casación núm. 3986/2006
Sala de lo Cont.-Adm., Sección 6
Ponente: Sr. D. Juan Carlos Trillo Alonso

SENTENCIAS: Incongruencia omisiva: existencia: falta de resolución sobre las pretensiones de las partes: indefensión existente: casación procedente.
RESPONSABILIDAD PATRIMONIAL DE LA ADMINISTRACION PUBLICA: Tributos: daños ocasionados por acuerdo de derivación de responsabilidad y responsabilidad solidaria por deudas tributarias en virtud del cual de procedió al embargo de diversas fincas: indemnización por los gastos derivados de la cancelación de los embargos en el Registro de la Propiedad: procedencia.

FUNDAMENTOS DE DERECHO

PRIMERO. Es objeto de impugnación la sentencia dictada por la Sección Sexta de la Sala de lo Contencioso Administrativo de la Audiencia Nacional el 28 de abril de 2006 (JUR 2006, 188291), en el recurso contencioso administrativo nº 89/2004, interpuesto por la sociedad hoy también aquí recurrente contra la desestimación por silencio por la Agencia Estatal de la Administración Tributaria, de la indemnización por aquella parte instada en concepto de responsabilidad patrimonial.

La sentencia recurrida, con estimación parcial del recurso contencioso administrativo, anula la resolución administrativa por disconforme a derecho y declara procedente la indemnización reclamada de 1.917'09 euros, correspondiente a los gastos derivados de la cancelación del embargo en el Registro de la Propiedad, más los intereses de demora de dicha cantidad desde su abono por la actora, y deniega el resarcimiento de las demás partidas indemnizatorias interesadas.

Dice así el fundamento de derecho cuarto:

"La demandada centra su oposición en la falta de concurrencia de los requisitos necesarios para reconocer el derecho que se reclama.

En primer lugar, y en cuanto a los gastos derivados de la cancelación de los embargos en el Registro de la Propiedad, es claro que han de ser indemnizados en cuanto son consecuencia de los embargos anulados, quedando justificada la cuantía en 1.917,09 euros.

En cuanto a los honorarios por dirección letrada hemos de señalar:

A) Esta Sala viene reconociendo el derecho al resarcimiento de los gastos de honorarios profesionales ocasionados en vía administrativa, pues aunque es cierto que en ella la asistencia letrada es voluntaria, el particular, de una parte no tiene obligación jurídica de soportar los perjuicios que una actuación administrativa posteriormente anulada le ha causado, y de otra, no es exigible a los particulares o entidades un conocimiento del Derecho tal que sea suficiente para correctamente defender sus pretensiones en vía administrativa, lo que justifica el recurso a quienes tienen conocimientos especializados.

Por ésta razón la ratio de la indemnización por honorarios profesionales es idéntica a la que subyace en la indemnización por gastos de aval.

Ahora bien, no puede ser objeto de indemnización los honorarios devengados como consecuencia de la dirección letrada en procesos judiciales pues ello es objeto del pronunciamiento en costas competencia del órgano judicial que lo es para la pretensión principal, que no puede quedar sin efectos acudiendo a la presente vía. Por la misma razón, tampoco son indemnizables los gastos de procurador.

B) En el presente caso, se aportan minutas de abogado y se justifica el pago de las mismas, pero no se distingue entre las causadas en juicio y en vía de reclamación administrativa. Por otra parte, tampoco aparecen desglosadas las actuaciones realizadas en vía administrativa y lo abonado por cada una de ellas, de suerte que no puede entenderse justificado el daño en cuanto el mismo no puede quedar a la subjetiva apreciación de los profesionales intervinientes, y ha de ser concretada la cuantía correspondiente a cada actuación. Por otra parte, nunca podrán incluirse en el concepto que nos ocupa, los gastos del proceso judicial pues se rigen por las reglas reguladoras de costas.

Por último, y respecto de las restantes cuantías solicitadas, hemos de señalar que las mismas hacen referencia a *gastos propios de la actividad económica de la recurrente y no se derivan de las actuaciones administrativas, por ello no puede apreciarse la existencia de nexo causal."*

SEGUNDO. Frente a la sentencia interpone la actora recurso de casación con fundamento en cuatro motivos no numerados.

Los dos primeros, al amparo de la letra c) del artículo 88.1 de la Ley Jurisdiccional (RCL 1998, 1741) , para denunciar falta de congruencia de la sentencia y ausencia de motivación, y los otros dos, al amparo de la letra d), para aducir infracción de las normas del ordenamiento jurídico y de la jurisprudencia aplicable.

TERCERO. Antes de entrar en el examen de los motivos casacionales debe reconocerse, en respuesta a la inadmisibilidad que del recurso alega el Abogado del Estado en su escrito de oposición por razón de la cuantía, que en efecto, tal como argumenta, ninguna de las partidas indemnizatorias objeto de reclamación, a saber, gastos derivados de la cancelación de los embargos en el Registro de la Propiedad, honorarios por dirección letrada y gastos propios de la actividad económica de la recurrente, supera el límite de 150.253,02 euros previsto en el artículo 86.2.b) de la Ley de la Jurisdicción como determinante de la viabilidad procesal del recurso de casación, salvo cuando se siga el procedimiento de derechos fundamentales.

Pero lo que no puede compartir este Tribunal es que la circunstancia expuesta conduzca a la inadmisibilidad del recurso.

El artículo 41 de la Ley Jurisdiccional previene en su apartado 1 que la cuantía del recurso contencioso administrativo vendrá determinado por el valor económico de la pretensión objeto del mismo, y en el artículo 42 que para fijar el valor económico de la pretensión se tendrán en cuenta las normas de la legislación procesal civil, con las especialidades que contempla dicho precepto.

Pues bien, ni en los citados artículos 41.1 y 42 se observa regla alguna que determine que para el valor económico de la pretensión se tengan en cuenta las distintas partidas que la conforman, ni tampoco en los artículos 251 y 252 de la Ley de Enjuiciamiento Civil (RCL 2000, 34, 962 y RCL 2001, 1892) , en las que se recogen las reglas para la fijación de la cuantía.

En el artículo 41.3 de la Ley Jurisdiccional, solo para los supuestos de acumulación o ampliación, se contempla que la cuantía vendrá determinada por la suma del valor económico de las pretensiones objeto de aquellas, con la advertencia de que no comunicarán a las de cuantía inferior la posibilidad de casación o apelación. Pero, obviamente, la indicada norma no es de aplicación al caso en el que se formula una única pretensión con independencia de que englobe distintas partidas.

Ya este Tribunal, en sentencia de 19 de julio de 2010 (RJ 2010, 6479) (recurso de casación 4970/06), y en caso análogo al presente de reclamación indemnizatoria conformada por diversas partidas indemnizatorias, ha expresado, para denegar la inadmisibilidad aducida, al igual que aquí por el Abogado del Estado, que *"la indemnización reclamada en casación no es sino la suma de concretas partidas a las que se contrae el recurso".*

CUARTO. Entrando en el exa-

men de los motivos casacionales, en contestación al primero, relativo a la falta de congruencia de la sentencia, es de significar que lo fundamenta la sociedad recurrente en dos consideraciones: Una.– Que la sentencia rechaza la partida indemnizatoria correspondiente a los pagos por honorarios de letrados devengados por su defensa en el procedimiento de derivación de responsabilidad en vía administrativa, con apoyo en que no aparecen desglosados los correspondientes a la vía administrativa y a la judicial, cuando consta en autos que con el escrito de demanda aportó un documento en el que bajo el título "Relación de trabajos acerca del cliente R.T.A., S.L., en el expediente de acuerdo de derivación de responsabilidad de fecha 26.01.1998, del Jefe de Dependencia de Recaudación de la Delegación de Alicante de la AEAT y de adopción de medidas cautelares", sí diferenció los abonos por honorarios realizados en una y otra vía con concreción de actividades y precio. Dos.– Que la Sala nada resuelve sobre la partida indemnizatoria correspondiente a los gastos por la llevanza y tramitación de la reclamación que por responsabilidad patrimonial inició.

Con relación a la primera consideración ha de convenirse con la recurrente que, en efecto, la sentencia adolece de falta de congruencia cuando afirma que no se distinguen los honorarios correspondientes a la vía administrativa y a la judicial, ni se desglosan las actuaciones profesionales en la primera con la indicación de lo abonado por cada una de ellas. En ningún pasaje de la sentencia se hace mención al documento presentado con el escrito de contestación en el que sí se hace distinción de los honorarios devengados en la vía administrativa y en la judicial, con concreción y valoración individualizada de cada una de las actuaciones.

Cierto es que por Auto de 23 de mayo de 2006 el Tribunal de instancia niega valor probatorio al documento aportado con la demanda al decir lo siguiente: *"Ahora bien, las afirmaciones contenidas en el escrito de aclaración ponen de manifiesto que los razonamientos de la sentencia no han sido correctamente entendidos por la actora. Efectivamente, se dice que no aparecen desglosados en la minuta los honorarios de letrado en cuanto a la vía judicial y administrativa, afirmando la actora que sí aparecen desglosados en otro documentos. Ello es cierto, pero también lo es que en la minuta no se deglosaron –documento éste que es el esencial en la determinación del quantum, sin que el posterior revista las garantías necesarias de certeza–."* Pero no es menos cierto que la respuesta dada en el Auto denegatorio a la aclaración instada, no se ofrece ni explicita ni implícitamente en la sentencia, en la que, insistimos, se omite toda consideración sobre el documento de referencia.

Pues bien, la denegación de la aclaración en el Auto de 23 de mayo de 2006, con la consecuencia de no servir como elemento integrador de la sentencia, junto con la absoluta falta de respuesta en ésta a la alegada diferenciación y desglose de honorarios, conduce necesariamente en ese concreto extremo a apreciar la incongruencia, y, en consecuencia, a declarar haber lugar al recurso y a resolver el tema de litis en los términos en que apareciera plantado el debate (artículo 95.2 c) y d) de la Ley Jurisdiccional).

En cuanto a la segunda consideración, la relativa a la falta de respuesta del Tribunal de instancia sobre la partida indemnizatoria correspondiente a los gastos por la llevanza y tramitación de la reclamación por responsabilidad patrimonial, solo una interpretación errónea y claramente interesada puede conducir a afirmar que la Sala no da respuesta en la sentencia a la solicitud indemnizatoria por el concepto expuesto. El fundamento de derecho cuarto de la recurrida se refiere no solo a los honorarios abonados en el procedimeinto de derivación de responsabilidad sino también a los devengados por la llevanza y tramitación de la reclamación de responsabilidad patrimonial, instados, por cierto, en el suplico de la demanda, con respecto a los devengados en el procedimiento judicial, pues no de otra forma puede entenderse la literalidad del apartado c) de dicho petitum, cuando hace mención a los gastos de la *"presente reclamación"*; literalidad que, además, al expresar en su inciso final que la *"cuantificación será posible una vez adquiera firmeza el expediente administrativo o judicial que en su caso se inste"*, produce perplejidad.

QUINTO. El motivo segundo, relativo a la falta de motivación, se circunscribe a aquel extremo de la sentencia en el que se desestima la partida indemnizatoria por daños emergentes, y necesariamente, dado su planteamiento, está condenado al fracaso.

No repara la recurrente en su argumentación en que la exigencia de la motivación responde a la finalidad de que los destinatarios y, eventualmente, los órganos jurisdiccionales encargados de revisar precedentes resoluciones judiciales, puedan conocer cuales son los criterios que fundamentan dichas decisiones, y en que, precisamente, por ello, basta que dichos criterios se manifiesten explícita o implícitamente.

En efecto no parece reparar la recurrente en la conceptuación expuesta de la motivación, pues aunque ha de calificarse de parco el razonamiento del Tribunal de instancia para desestimar la partida indemnizatoria que analizamos, sí contiene todos aquellos elementos de juicio que revelan la "causa decidendi" de su decisión, sin merma, en consecuencia, de los derechos de defensa.

Es claro que la razón denegatoria de la pretensión indemnizatoria se encuentra en la inexistencia de nexo causal entre los gastos aducidos como indemnizables por la recurrente y la actuación administrativa anulada. Ninguna duda puede surgir al respecto cuando el Tribunal de instancia expresa, respecto a los distintos conceptos que integran la partida indemnizatoria, que *"... hemos de señalar que las mismas hacen referencia a gastos propios de la actividad económica de la recurrente y no se derivan de las actuaciones administrativas, por ello no puede apreciarse la existencia de nexo causal"*.

Podrá la recurrente discrepar del razonamiento del Tribunal por razones intrínsecas o materiales, y de hecho lo hace, al mencionar un informe de la Dependencia de Recaudación de Alicante que acepta la relación de causalidad, y al referir la contundencia de sus argumentos y alegaciones; pero comprenderá que esas consideraciones no tienen ubicación en el denunciado vicio "in procedendo" de falta de motivación, en definitiva, en la letra c) del artículo 88.1 de la Ley Jurisdiccional.

Reiterar, dada la insistencia de la recurrente en la contundencia de sus argumentos, que la motivación no exige una contestación explícita y pormenorizada a todos los formulados de las partes; que es suficiente, en atención a la circunstancias del caso, una respuesta global.

SEXTO. A través del motivo tercero, éste al amparo del artículo 88.1.d) de la Ley Jurisdiccional, denuncia la recurrente la infracción de los artículos 33.3º y 106 de la Constitución (RCL 1978, 2836), 139 de la Ley 30/1992, de 26 de noviembre (RCL 1992, 2512, 2775 y RCL 1993, 246) , y 2 del Reglamento de los Procedimientos de las Administraciones Públicas en materia de Responsabilidad Patrimonial, aprobado por Real Decreto 429/93, de 26 de marzo (RCL 1993, 1394) . Muestra la indicada parte su disconformidad con la sentencia recurrida en los extremos que rechaza la indemnización por los abonos de honorarios y daños emergentes. Y por el cuarto, la infracción de la jurisprudencia, con referencia a los daños de mención.

Con relación a los honorarios la estimación de la incongruencia en los términos precedentemente expresados, exime del examen del motivo, conforme ya dijimos, en aplicación de lo dispuesto en las letras c) y d) del artículo 95.2 de la Ley Jurisdiccional, que exige resolver lo que corresponda conforme a los términos del debate, circunscritos a lo siguiente: Uno.– Si la diferenciación de los honorarios devengados en la vía administrativa y judicial es innecesaria pues unos y otros deben integrar la indemnización. Dos.– Si con el documento aportado con el escrito de demanda se diferencian unos y otros. Tres.– Si en dicho documento se contiene una especificación de las actuaciones de los Abogados con valor probatorio suficiente para acoger la pretensión. Cuatro.– Valor probatorio de los documentos.

En respuesta a lo primero es de indicar que esta Sala viene distinguiendo entre los honorarios que se hubieran tenido que abonar para efectuar la reclamación administrativa y aquellos otros que se devengan como consecuencia del ejercicio de acciones judiciales, apreciando, en supuestos como el que aquí nos ocupa de responsabilidad patrimonial, la procedencia de que los primeros, pese a su carácter voluntario, conformen el quantum indemnizatorio, en atención a la necesidad de contar con asesoramiento jurídico por la complejidad del asunto, pero no así la de los segundos, y ello al tener en cuenta que en estos casos opera el instituto jurídico de la condena en costas (Sentencia de 4 de abril de 1997 (RJ 1997, 2662) –recurso de casación 945/1990, entre otras).

En aplicación de dicha doctrina ha de desestimarse la pretensión de que se indemnicen los abonos de honorarios por el ejercicio de las acciones judiciales.

En cuanto a los devengados en la vía administrativa por la defensa en el procedimiento de derivación de responsabilidad, admitiendo la necesidad en el indicado procedimiento, dada su complejidad, de un asesoramiento jurídico y una diferenciación de los honorarios devengados en la vía administrativa y judicial, con concreción de actuaciones y precio individualizado de cada una de ellas, aún así, tampoco esta pretensión puede ser acogida, en cuanto el documento aportado con la demanda carece de garantías suficientes para concederle

valor probatorio, ya no solo si atendemos a la fecha de su confección, posterior a una minuta que adolecía de la concreción que ahora con el documento se ofrece, sino también porque se incluyen en él unos honorarios como devengados en vía administrativa que requerían un mayor apoyo probatorio, de fácil aportación. Pero es que además llama poderosamente la atención el elevado montante de esos honorarios devengados en vía administrativa en relación con los devengados en vía judicial, hasta el punto que permite considerar que se trata de un documento confeccionado "a la carta", con el preconcebido propósito de que sirva de justificante para de dar acogida a la pretensión.

En cuanto al abono de la indemnización por daños emergentes, reiterar que la sentencia razona su denegación de forma suficiente, con expresa indicación de que los reclamados no derivan de las actuaciones administrativas, esto es, con apoyo en una valoración probatoria que no se combate en el recurso.

Resta indicar, ahora con relación a los honorarios devengados en el procedimiento judicial de responsabilidad patrimonial, únicos a los que se refiere el suplico de la demanda, que en aplicación de la doctrina jurisprudencial a la que anteriormente hicimos mención procede su rechazo.

SEPTIMO. No se aprecian motivos para hacer una especial condena en costas.

19

SENTENCIA 6 ABRIL 2011
(RJ 2011, 2954)

Recurso de Casación núm. 4089/2009
Sala de lo Cont.-Adm., Sección 4
Ponente: Sr. D. Enrique Lecumberri Martí

RESPONSABILIDAD PATRIMONIAL DE LA ADMINISTRACION PUBLICA: Acción de indemnización: prescripción: tributos: resolución del TEAR anulando liquidaciones: reclamación de indemnización: transcurso de un año desde la notificación de la resolución: prescripción existente.

FUNDAMENTOS DE DERECHO

PRIMERO. El recurso de casación que enjuiciamos se dirige contra la sentencia (JUR 2009, 244798) dictada por la Sección Sexta de la Sala de lo Contencioso-Administrativo de la Audiencia Nacional, de fecha trece de mayo de dos mil nueve, que desestimó el recurso contencioso-administrativo contra la resolución de la Agencia de Administración Tributaria, de fecha cinco de junio de dos mil ocho, que inadmitió la reclamación formulada por don Vidal.

La Sala de instancia, analiza el motivo de la indemnización solicitada en base al artículo 142.5 de la Ley 30/1992 (RCL 1992, 2512, 2775 y RCL 1993, 246) , y después de transcribir este precepto señala que:

«*El plazo de prescripción de un año empieza a contar desde el 13 de abril de 2005, fecha en que se notifica a la recurrente la Resolución del TEAR de 28 de febrero de 2005, estima parcialmente la pretensión actora en orden a la anulación de las liquidaciones que dieron lugar a los perjuicios alegados. Además, la Administración inició los trámites de ejecución de dicha Resolu-*ción *el 11 de octubre de 2005, anulando las liquidaciones. Pues bien, el escrito solicitando la indemnización se presenta el 25 de junio de 2007, cuando ya había transcurrido en exceso un año desde la cesación del daño, lo computemos desde la notificación de la Resolución del TEAR, o desde los actos de ejecución de la misma. Es evidente que el perjuicio cesa desde la anulación de las liquidaciones, y es en ese momento en el que se inicia el plazo de prescripción de un año.*

Así las cosas, es correcta la decisión administrativa que enjuiciamos al entender prescrita la acción, sin que la recurrente argumente en contra de esta prescripción apreciada ni aporte indicios de que la misma no se había producido.»

SEGUNDO. Contra la referida sentencia se aducen al amparo del artículo 88.1.d) de la Ley Jurisdiccional (RCL 1998, 1741) dos motivos de casación:

el primero, por infracción del artículo 142.5 de la Ley 30/1992, en relación con el artículo 4.2 del Real Decreto 429/1993 (RCL 1993, 1394, 1765) y jurisprudencia que los interpreta

el segundo, se formula "ad cautelam" y se denuncian como infringidos los artículos 106.2 de la Constitución (RCL 1978, 2836) y 139 de la citada Ley 30/1992, por considerar que concurren los presupuestos o requisitos necesarios para la viabilidad de la acción de responsabilidad patrimonial.

En el primer motivo, sostiene la recurrente que el cómputo del plazo para el inicio de la reclamación comenzó a partir del día **veintidós de septiembre de dos mil seis**, que fue cuando, de forma definitiva, la Administración le reconoció que no había cometido irregularidad alguna y que su situación tributaria era acorde con la legislación aplicable al régimen de estimación de bases por el que optó en su día y habida cuenta de que la reclamación fue presentada el día **veinticinco de junio de dos mil cinco**, entiende que no había prescrito su acción, máxime cuando la cancelación de los embargos acordados se produjo en fecha **diez de julio de dos mil seis**.

Y, en base a este planteamiento, entiende que al fundamentarse la reclamación por responsabilidad patrimonial en los perjuicios ocasionados por la vía de apremio, yerra el Juzgador al interpretar el artículo 142.5 de la Ley 30/1992, dado que este precepto distingue entre el hecho que motiva la indemnización y el cese de la manifestación del efecto lesivo y olvida que en el caso que nos ocupa el efecto lesivo no se produce por el mero hecho de girarse unas liquidaciones posteriormente anuladas, sino que se manifiesta cuando la Administración haciendo uso de unas prerrogativas, concretamente, del privilegio de ejecutoriedad, embarga cuentas corrientes, tarjetas de transporte y bienes muebles e inmuebles, impidiéndole la continuación de su actividad económica ejercitada, por lo que, en definitiva considera que el plazo en que debe comenzar el cómputo para el inicio de la reclamación es el de la cancelación de los embargos una vez anuladas las liquidaciones tributarias.

No compartimos este razonamiento del recurrente para la admisión de este recurso de casación, pues, el "dies a quo" para iniciar el cómputo de la reclamación para el ejercicio de la acción de responsabilidad, no puede computarse a partir del día de la cancelación de los embargos practicados, –el diez de julio de dos mil seis–, una vez practicadas las anulaciones de las liquidaciones practicadas, pues, el artículo 142.4 de la Ley 30/1992 –ignorado por el Tribunal "a quo"– terminantemente dispone que: " *La anulación en vía administrativa o por el orden jurisdiccional contencioso-administrativo de los actos o disposiciones administrativas no presupone derecho a la indemnización, pero si la resolución o disposición impugnada lo fuese por razón de su fondo o forma, el derecho a reclamar prescribirá al año de haberse dictado la sentencia definitiva, no siendo de aplicación lo dispuesto en el punto 5*".

Y, este precepto, excluye la aplicabilidad de su apartado 5, que dispone: "*En todo caso, el derecho a reclamar prescribe al año de producido el hecho o el acto que motive la indemnización o de manifestarse su efecto lesivo. En caso de daños, de carácter físico o psíquico, a las personas el plazo empezará a computarse desde la curación o la determinación del alcance de las secuelas*".

Por ello, si la resolución del Tribunal

Económico Administrativo Regional de Murcia, de fecha once de octubre de dos mil cinco, fue notificada al recurrente el veintiocho de febrero de dos mil seis, el cómputo para el ejercicio de la acción por responsabilidad patrimonial se inició a partir de los dos meses en que se practicó la citada notificación de la mencionada resolución, por lo que la reclamación formulada en vía administrativa por responsabilidad patrimonial fue presentada fuera del plazo de un año, y por ende, había prescrito tal acción, y, esto es así, por cuanto que el reclamante, lejos de solicitar una indemnización por los daños y perjuicios ocasionados por la privación de su patrimonio, embargos a consecuencia de su separación patrimonial y préstamos que recibió para atender el apremio de la Agencia Tributaria, reclama una indemnización por el cese de su actividad empresarial de la que voluntariamente

se dio de baja –en fecha de doce de enero de mil novecientos noventa y nueve– del impuesto de actividades económicas, incrementando a los efectos de fijar el "quantum indemnizatorio" en un porcentaje variable para los ejercicios 2001 al 2006.

En consecuencia este motivo de casación debe ser desestimado, lo que nos dispensa de analizar el segundo que fue articulado con carácter subsidiario.

TERCERO. De conformidad con lo establecido por el artículo 139 de la Ley de la Jurisdicción Contencioso-Administrativo procede imponer las costas de este recurso de casación a la parte recurrente, si bien la Sala de acuerdo con lo establecido en el apartado tercero del citado precepto limita el importe máximo a percibir por los honorarios de Abogado del Estado la cantidad de tres mil euros (3.000 €).

20	SENTENCIA 4 MAYO 2011

(RJ 2011, 3928)

Recurso de Casación núm. 2/2007
Sala de lo Cont.-Adm., Sección 4
Ponente: Sr. D. Santiago Martínez-Vares García

RESPONSABILIDAD PATRIMONIAL DE LA ADMINISTRACION PUBLICA: Indemnización: requisitos: inexistencia: responsabilidad patrimonial de Administración Tributaria por la práctica de liquidaciones, con el apremio correspondiente, que posteriormente fueron anuladas por el TEAR: la anulación no se debía a la improcedencia de las liquidaciones, sino a razones de anulabilidad, dando lugar a nuevas liquidaciones en las que subsanaron los vicios: actuación de la administración conforme a derecho: falta de antijuricidad del daño: inexistencia de responsabilidad patrimonial.

FUNDAMENTOS DE DERECHO

PRIMERO. La representación procesal de D. Roberto impugna en casación la sentencia de la Sala de lo Contencioso Administrativo del Tribunal Superior de Justicia en Galicia, Sección Tercera, de veintiséis de octubre de 2006 (JUR 2007, 207565), pronunciada en el recurso 7956/2005, que confirmó la desestimación por silencio administrativo de la solicitud de reclamación de responsabilidad patrimonial deducida ante la Consejería de Economía y Hacienda de la Junta de Galicia de veintiuno de junio de dos mil tres en relación con la nulidad declarada contra sucesivas liquidaciones por impuesto sobre sucesiones y donaciones.

SEGUNDO. La sentencia de instancia en el fundamento segundo establece la cuantía de la solicitud de indemnización en la suma de 157.919,25 euros por distintos conceptos, así como las razones tanto de la demandante como de la Administración demandada, para sostener y rechazar el recurso y para ello afirma que reclama: "1.– 5.302,26 (882.223) euros, como diferencia entre el importe que le fue entregado por la Administración en cumplimiento de la resolución del TEAR de 28.10.2002 (6.982.733) y el valor que la propia administración (7.864.956) había atribuido a los inmuebles que embargados fueron objeto de subasta y adjudicados a terceros, piso C/ DIRECCION000 NUM000 de Lugo y garaje n° NUM001 en el semisótano del mismo edificio.

2.– 69.876,61 euros en concepto de perjuicios, derivados de la necesidad de acudir a fuentes de financiación externa para hacer frente a la liquidación exigida, préstamo por importe de 6.982.733, que al resultar impagado provocó el embargo del local comercial sito en la calle Calvo Sotelo n° 12 de Lugo. Para calcular dichos perjuicios tiene en cuenta la pérdida por la diferencia entre el valor del inmueble (17.450.000) y el préstamo solicitado más intereses de demora y gastos derivados de dicha adjudicación.

3.– 6.091 euros por los perjuicios derivados del precintado durante un año y tres meses del vehículo Renault Megane DE–....–D. Para su cálculo se parte de 27.172 Km. que el exponente dejó de hacer tomando como base los Km. actuales, más la depreciación sufrida por el vehículo.

4.– 60.101,21 euros por los daños morales.

5.– 1.300 euros, en concepto de gastos de asesoramiento y defensa en vía administrativa y judicial que incrementará esta cantidad.

6.– el interés legal del dinero desde el 21 de junio de 2003 (fecha de la reclamación).

Concurren, a su juicio, los tres requisitos exigidos para apreciar la existencia de responsabilidad patrimonial de la Administración, a saber: daño o perjuicio, funcionamiento normal o anormal de los servicios públicos en relación directa, inmediata y exclusiva de causa a efecto.

La representación procesal de la Administración demandada se opone a la pretensión actora, invocando la inadmisibilidad del recurso en razón de la falta de certificación de acto presunto y en cuanto al fondo solicita se dicte sentencia que desestime el recurso interpuesto y declare la conformidad de los actos impugnados con el ordenamiento jurídico".

El tercero de los fundamentos rechazó la causa citada de no admisión del recurso, y el cuarto partiendo de lo dispuesto en el artículo 106.2 de la Constitución (RCL 1978, 2836) y 139 y siguientes de la Ley 30/1992 (RCL 1992, 2512, 2775 y RCL 1993, 246) fijó la jurisprudencia establecida en la interpretación de los mismos y de los requisitos que han de concurrir para que prosperen las reclamaciones que se plantean al amparo de aquéllos. Y en el fundamento quinto la sentencia se ocupa de los supuestos en que según el artículo 142.4 de la Ley 30/1992 se produce una declaración de nulidad de actos administrativos y las consecuencias que de ese hecho se deducen, para en el fundamento sexto resolver que: "La parte actora sostiene en su recurso haber sufrido los daños y perjuicios que reclama, como consecuencia de la ejecución de providencias de apremio dictadas en consecuencia del impago en periodo voluntario del importe de liquidaciones giradas sobre el Impuesto de Sucesiones y Donaciones, que fueron posteriormente anuladas por el TEAR; el recurrente entiende que concurren todos los requisitos de la responsabilidad patrimonial de la Administración.

Examinado el expediente administrativo, se constata que el procedimiento ejecutivo que concluye en la subasta de los bienes embargados al recurrente, incorporaba una deuda tributaria correspondiente a la liquidación del Impuesto sobre Sucesiones y Donaciones, habiéndose seguido la vía de apremio por la falta de pago del recurrente de sus obligaciones tributarias.

Asimismo se significa que consta la solicitud de suspensión interesada por el recurrente que fue denegada ante la falta de garantía suficiente o imposibilidad de prestar garantía alguna (acuerdo de 4 de febrero de 1997 folio 82 del expediente administrativo).

Es cierto, que se han practicado varias liquidaciones que han sido sucesivamente anuladas por el TEAR, si bien, las sucesivas anulaciones se han debido no a la consideración de improcedencia de las liquidaciones exigidas, sino a diversas razones causantes no de nulidad de pleno derecho de la liquidación girada sino de la anulabilidad de la misma, lo que conlleva implícito el dictado de una nueva liquidación rectificando o corrigiendo los defectos advertidos en la anulada. Así, consta que la primera liquidación se anula por defecto de forma, en concreto falta de motivación de la valoración de los bienes incorporados al caudal hereditario (acuerdo TEAR de 23 de febrero de 1995 folio 65), la segunda liquidación se anula por entender que no se había tenido en cuenta la alegación del recurrente en cuanto al carácter ganancial del negocio de la causante incluido en el inventario (acuerdo del TEAR de 10 de febrero de 1999 estimando parcialmente la reclamación económico-administrativa acordando anular la liquidación practicada); la tercera liquidación que se dicta en cumplimiento del acuerdo anulatorio del TEAR, se practica teniendo en cuenta una nueva complementaria resultado de la adición al inventario de otros bienes no incluidos en el caudal hereditario inicialmente declarado, cuya existencia había sido oportunamente comprobada por la Administración Tributaria, pues bien, ambas liquidaciones también son anuladas, la primera, por haber efectuado una compensación de deudas indebida que determinó el acuerdo de devolver al interesado no el íntegro del ingreso efectuado a cuenta de la liquidación anulada sino la cantidad resultante de la rectificación una vez se hubo compensado la cantidad ingresada con aquella que correspondía en virtud de las ultimas comprobaciones, actuación ésta, que el TEAR consideró nuevamente incorrecta al ser procedente la devolución del íntegro de la cantidad ingresada, y la segunda (la complementaria) es anulada por el TEAR por falta de notificación expresa del acuerdo de adición de bienes al inventario, si bien se declara que la adición es correcta; es decir la anulación vuelve a producirse, no por improcedencia de la liquidación en sí, sino nuevamente por defectos de procedimiento, derivados no solo de una incorrecta actuación de la administración sino de la indebida omisión por parte del recurrente de la declaración de determinados bienes que habían de integrar el caudal hereditario (acuerdo de 28 de octubre de 2002, folio 158 estimación parcial de la reclamación).

Consecuencia del último acuerdo anulatorio del TEAR, se gira una nueva liquidación que se notifica en fecha 27 de junio de 2003, contra la que se deduce recurso de reposición que es desestimado; promovida reclamación económico-administrativa, se interesa la práctica de tasación pericial contradictoria, cuya resolución no consta. A día de hoy se ignora si finalmente ha sido resuelta la reclamación, por lo que ha de entenderse que la deuda tributaria que incorporan las liquidaciones de que venimos hablando –de momento – ha de considerarse debida".

Y concluye en el séptimo afirmando que: "Si las declaraciones de nulidad del TEAR de las sucesivas liquidaciones, se dictaron en razón de motivos de anulabilidad que como se sabe comportaban el dictado de una nueva liquidación pues la anulación de un acto administrativo no significa en absoluto que decaiga o se extinga el derecho de la Administración Tributaria a retrotraer actuaciones, y volver a actuar, pero ahora respetando las formas y garantías de los interesados, la Administración Tributaria estaba facultada para dictar nuevas liquidaciones, que no suspendidas eran perfectamente susceptibles de ejecución en vía de apremio, y esto fue lo sucedido.

De lo expuesto, se sigue la conclusión, de que la administración Tributaria al actuar el procedimiento ejecutivo procedía conforme a derecho.

Por ello la Sala considera que no concurre el requisito de la antijuricidad del daño, o lo que es lo mismo la ausencia de deber jurídico del ciudadano de soportar el daño producido, pues el recurrente estaba obligado a soportar las consecuencias legales derivadas de la falta de pago de sus propias obligaciones tributarias, no garantizadas, que no son otras que el apremio sobre sus bienes.

La falta de dicho presupuesto hace innecesario el examen de la concurrencia de los demás requisitos de la responsabilidad patrimonial de la Administración.

Procede la desestimación de la demanda".

TERCERO. La Administración demandada opone al recurso con carácter previo una causa de no admisión del recurso por falta de cuantía en el mismo. Invoca para ello el artículo 86.2.b) de la Ley de la Jurisdicción (RCL 1998, 1741) que excepciona del recurso de casación las sentencias recaídas en asuntos cuya cuantía no exceda de 150.000 euros. Considera que en el escrito de preparación debe exigirse que se justifique que la cuantía excede de 150.000 euros sin que la mera petición por encima de esa cifra sea suficiente para que se estime que puede accederse a la casación. Y justifica esta situación en el supuesto concreto en el que se está reclamando responsabilidad patrimonial por la anulación de liquidaciones tributarias que se habían hecho efectivas por la vía de apremio. Los perjuicios a reclamar serían económicos. Y, sin embargo, dice en su oposición la Administración que el recurrente reclama sin base alguna 60.101,21 en concepto de daños morales y al sólo efecto de poder acceder a la casación. Y lo mismo ocurre según la Administración con otras cantidades que reclama como la que cita de 69.876,61 en concepto de perjuicios por el giro de una liquidación que ya fue devuelta al recurrente con los intereses correspondientes. Solicita por ello la inadmisión del recurso porque manifiestamente no alcanza los 150.000 y por no justificar en el escrito de preparación suficientemente que la cuantía excede de dicha cantidad.

Esta causa de no admisión no puede aceptarse en este supuesto concreto. El artículo 93.2.a) permite que se dicte auto de inadmisión si preparado el recurso se apreciare en este trámite (...) que la resolución impugnada no era susceptible de recurso de casación. Y añade la Ley que "la Sala podrá rectificar fundadamente la cuantía inicialmente fijada, de oficio o a instancia de la parte recurrida, si ésta lo solicita dentro del término del emplazamiento". En este caso no consta que en el momento de la personación, por tanto, dentro del término del emplazamiento, se solicitase de la Sala por la recurrida, la rectificación de la cuantía y la inadmisión del recurso, y si bien es posible plantear de nuevo la cuestión en el escrito de

oposición de acuerdo con lo establecido en el artículo 94.1, párrafo segundo de la Ley, y en la reiterada jurisprudencia de la Sala sobre esta cuestión, no parece procedente ahora no resolver sobre el fondo de la cuestión porque la recurrida considere carente de razón alguna introducir por el recurrente como una suma susceptible de indemnización la relativa a un presunto daño moral por la conducta de la Administración en cuantía suficiente para superar de ese modo el límite legal que abre a la parte la admisión del recurso de casación.

CUARTO. El primero de los motivos denuncia infracción por inaplicación de los artículos 135 y siguientes de la Ley General Tributaria (RCL 1963, 2490) y demás legislación y jurisprudencia aplicable en la cuestión objeto de debate.

Sostiene el motivo que la Administración no pudo dictar providencias de apremio en tanto no se resolviese por el TEAR la petición de suspensión dirigida contra las sucesivas liquidaciones practicadas produciendo la no suspensión un funcionamiento anormal.

Se opone al motivo que debe inadmitirse por no ser el artículo 135 de la LGT una norma relevante y determinante del fallo puesto que ese precepto no estaba vigente en el tiempo en que se produjeron los hechos controvertidos y en particular al dictarse las providencias de apremio después anuladas. No hubo sanción tributaria ni normas que debieran aplicarse retroactivamente.

Se opone además que en las sentencias que se citan no se exponga qué identidades contienen con relación al asunto controvertido, y, además, que nada se diga acerca de que no se pudo acceder a la suspensión por la falta de garantía suficiente, y por ello no había situación de pendencia.

Como con toda claridad expuso en su momento la sentencia de instancia no se pudo suspender la vía de apremio porque no se ofreció garantía alguna que permitiese acceder a esa petición, de modo que como concluyó la sentencia la actuación de la Administración tributaria fue conforme a Derecho. Ello sin olvidar que el artículo 135 de la Ley General Tributaria que se invoca como infringido de la Ley 58/2003, de 17 de diciembre (RCL 2003, 2945) , no fue una norma relevante o determinante del fallo puesto que no estaba vigente en el momento en que se produjeron las resoluciones recurridas y, por lo tanto, no puede considerarse infringido por la sentencia.

Por otra parte son absolutamente irrelevantes las referencias que contiene el motivo a posibles sanciones fruto de la vía de apremio seguida frente al mismo, ya que ésta era la adecuada, toda vez que no se había garantizado la suspensión pretendida.

El motivo no puede prosperar.

QUINTO. El segundo de los motivos plantea la infracción por inaplicación del artículo 106.2 de la Constitución (RCL 1978, 2836) y los artículos 139 y siguientes de la Ley 30/1992 y jurisprudencia aplicable.

Cita el artículo 142.4 de la Ley 30/1992 que invoca la sentencia de instancia. Se opone por la Administración que los perjuicios fueron reparados con las devoluciones y los intereses abonados de modo que no hubo perjuicio alguno que pudiera ser objeto de reclamación.

Tampoco este motivo puede seguir suerte distinta del anterior. Y ello por-

que como expresó la sentencia de instancia la actuación de la Administración siguió los cauces adecuados para ello, de modo que su actuación fue conforme a Derecho sin que concurriera en el modo en que procedió el requisito de la antijuridicidad del daño. Lo cierto es que se produjeron actuaciones de la Administración tributaria que fueron sucesivamente anuladas por el Tribunal Administrativo Regional por diferentes razones que la sentencia expone, y que dieron lugar a nuevas liquidaciones en las que se subsanaron los vicios de los que aquellas adolecían. Como la propia sentencia expresa la Administración en los supuestos que se declaró procedente devolvió las cantidades indebidamente ingresadas con los intereses correspondientes, y en el resto de los supuestos se giraron las liquidaciones definitivas correspondientes a las que el recurrente había de hacer frente para satisfacer en los términos finalmente establecidos y en los que era deudor como sujeto tributario del impuesto sobre sucesiones por el que las liquidaciones se giraban.

En consecuencia la Administración no causó al recurrente daño alguno susceptible de generar responsabilidad patrimonial de la Administración puesto que no se le produjo lesión proveniente de daños que éste no tuviera el deber jurídico de soportar de acuerdo con la Ley.

SEXTO. Al desestimarse el recurso de conformidad con lo prevenido por el Art. 139.2 de la Ley de la Jurisdicción procede hacer expresa condena en costas al recurrente, si bien la Sala haciendo uso de la facultad que le otorga el núm. 3 del artículo citado señala como cifra máxima que en concepto de honorarios de abogado podrá hacerse constar en la tasación de costas la suma de tres mil euros. (3.000 €).

21	

SENTENCIA 11 MAYO 2011

(RJ 2011, 4129)

Recurso de Casación núm. 64/2007

Sala de lo Cont.-Adm., Sección 4

Ponente: Sr. D. Segundo Menéndez Pérez

RECURSO DE CASACION (LJCA/1998): Infracción de las normas reguladoras de las sentencias: incongruencia omisiva: existencia: falta de motivación: existencia: casación procedente.
RESPONSABILIDAD PATRIMONIAL DE LA ADMINISTRACION PUBLICA: Indemnización: cuantificación: daños morales: realidad o certidumbre: prueba: falta de: exclusión procedente; tributos: gastos de aval: intereses legales: abono procedente: honorarios de letrado en vía administrativa: abono procedente.

FUNDAMENTOS DE DERECHO

PRIMERO. La Sala de instancia estima en parte en su sentencia (JUR 2006, 183440) el recurso interpuesto contra las resoluciones administrativas que denegaron las reclamaciones de responsabilidad patrimonial de la Administración de las que luego daremos cuenta, declarando el derecho del actor "*al abono de los intereses legales correspondientes a las cantidades satisfechas en concepto de gastos de aval*" (fundamento jurídico 4) y al "*pago de los honorarios por dirección letrada en vía administrativa*" (fundamento jurídico 5), y denegando, en cambio, su derecho al resto de lo reclamado, al no tener por acreditados los daños ahí comprendidos.

Sentencia contra la que prepararon recurso de casación tanto el actor como la Administración del Estado, interponiéndolo aquél y no ésta, que presentó escrito en el que manifestó que no sostenía la casación, dictando este Tribunal, en consecuencia, Auto (de fecha 20 de marzo de 2007) que declaró desierto ese segundo recurso.

SEGUNDO. De entrada, es oportuno transcribir el fundamento jurídico 1 de la repetida sentencia, pues en él se describe con detalle el supuesto enjuiciado. Dice así:

"1. Son objeto de impugnación en el presente recurso contencioso-administrativo dos resoluciones: la primera, del Ministerio de Economía y Hacienda de fecha 15 de noviembre de 2004 y desestimatoria de la solicitud de indemnización formulada por D. Eladio., ahora recurrente y, la segunda, la resolución del Presidente de la Agencia Estatal de la Administración Tributaria de 21 de diciembre de 2004 desestimatoria igualmente de la solicitud de indemnización de daños y perjuicios formulada por el citado recurrente, por los que estimó ocasionados por consecuencia de las actuaciones realizadas por Dependencias de la Delegación de la AEAT de Castellón.

Son antecedentes relevantes para la decisión del presente litigio, tal y como

403

derivan del expediente administrativo los siguientes:

1º) En relación con el Impuesto sobre la Renta de las Personas Físicas, correspondiente a los ejercicios 1990-1995, ambos inclusive, fueron firmadas, el 23 de octubre de 1996, sendas actas de inspección en disconformidad por el hoy actor. En todas ellas se hacía constar en relación con cada uno de los ejercicios referidos la procedencia de incrementar el rendimiento neto de la actividad profesional de recaudación de tributos municipales realizada por el hoy actor. Sobre la base [de] tales propuestas se practicaron las correspondientes liquidaciones que fueron impugnadas, el 29 de enero de 1997, en vía económico-administrativa por el hoy actor (reclamaciones números 157, 158, 159, 160, 161 y 162/97).

2º) Dichas reclamaciones se sustanciaron ante el Tribunal Económico Administrativo Regional de Valencia quien dictó resolución, con fecha 29 de junio de 2001, estimándolas parcialmente y acordando la práctica de nuevas liquidaciones. Se notifican al interesado con fecha 31 de enero de 2002.

3º) El 27 de febrero de 2002, se reciben en la Dependencia de Inspección para su cumplimiento dichas resoluciones. El 8 de abril de 2002 el interesado presenta escrito solicitando la paralización de las actuaciones inspectoras reiniciadas invocando la prescripción. El 7 de marzo de 2003 se acuerda declarar la prescripción por el Inspector Jefe de Castellón, previo informe del Servicio Jurídico Regional.

La estimación obedeció a la aplicación del artículo 64 de la Ley General Tributaria (RCL 1963, 2490), en la redacción dada por la Ley 1/1998 (RCL 1998, 545), habida cuenta de que en to-

das y cada una de las reclamaciones se había producido el transcurso de un plazo superior a cuatro años desde la presentación de las alegaciones por el interesado hasta la notificación al mismo de la resolución, sin que hubiera existido causa alguna de interrupción.

4º) Con fecha 7 de marzo de 2003 se dictó acuerdo por el que se declaró por el Jefe de la Inspección de la Delegación de Castellón de la A.E.A.T. "prescrito el derecho de la Administración para determinar la deuda tributaria del Impuesto sobre la Renta de las Personas Físicas de los ejercicios 1990 a 1995", procediéndose a dar de baja las liquidaciones concernidas.

5º) El 22 de septiembre de 2003 se presentó escrito por el hoy actor ante la Delegación de la A.E.A.T. de Castellón reclamando el reembolso del coste de las garantías así como la responsabilidad patrimonial de la Administración.

En la citada Dependencia se inició expediente para la tramitación del reembolso del coste de las garantías correspondiente a los avales prestados.

6º) En la solicitud de responsabilidad patrimonial el hoy actor solicitaba el abono de la cantidad total de 345.002,66 Euros (57.403.613 pesetas), desglosada en los siguientes conceptos:

– 44.517,04 Euros: por el coste total de los avales más los intereses legales y de demora.

– 485,62 Euros: por los gastos de Letrado.

– 300.000 Euros: por el perjuicio económico causado.

7º) El 3 de diciembre de 2003 se acordó por la Administración la devolución del coste de aval soportado como garantía para suspender las deudas tributarias del caso, denegándose, sin embargo, el reembolso de los intereses de demora también reclamados.

8°) El 14 de enero de 2004 se remitió por la Agencia Tributaria el escrito de reclamación al Ministerio de Hacienda con el fin de que pudiese "entrar a resolver en lo concerniente al ámbito de la competencia de ese Ministerio..., comunicándole que por la Dependencia de Recaudación de Valencia ya se había procedido al resarcimiento de los costes de los avales también solicitados y que se había abierto también expediente a fin de resolver la reclamación en la parte imputable a la Agencia Tributaria".

El 19 de enero de 2004 se comunicó al recurrente la apertura de expediente de responsabilidad patrimonial que culminó con la resolución de la Agencia Tributaria en los presentes impugnada en la cual se desestimó la reclamación de responsabilidad patrimonial rechazando la pretensión relativa a los intereses de demora de los gastos de aval como, asimismo, en lo relativo a los honorarios de letrado también solicitados y, finalmente, en lo relativo a los daños económicos que cuantificados en 300.000 Euros se decían causados por el bloqueo por parte de las entidades bancarias de todos los saldos y fondos que le privaron de su capacidad de maniobra así como la existencia de la carga en su patrimonio representada por una deuda con la Hacienda Pública, lo que le había impedido la obtención de créditos, adquisición de inmovilizado incluso el disfrute de ventajas fiscales así como, finalmente, el deterioro progresivo de su crédito personal.

Asimismo la otra de las resoluciones impugnadas dictada por el Ministerio de Economía y Hacienda desestima tales peticiones".

TERCERO.   El actor formula los dos siguientes motivos de casación:

El primer motivo, deducido al amparo del art. 88.1.c) de la LJ (RCL 1998, 1741), denuncia, o así lo entendemos, dos vicios de incongruencia omisiva, otro de incongruencia interna y un cuarto de falta de motivación de la sentencia.

El primero de aquellos, porque parece, dice la parte, que el juzgador únicamente ha utilizado para dictar sentencia "el escrito presentado por el perjudicado que daba inicio al procedimiento administrativo", obviando la lectura del de demanda. Añade, dicho aquí en síntesis, que es así porque su fundamento jurídico 2 identifica como daños cuya indemnización se solicita unos que no son todos los reclamados, y lo hace, además, cifrando la indemnización pedida en una cuantía global inferior a la pretendida, tal y como resulta del "hecho décimo" de la demanda.

El segundo, que en la estructura u orden del motivo ocupa en realidad el tercer lugar de los vicios que relata, porque el fallo de la sentencia, pese a acoger aquellas dos pretensiones de las que trata en sus fundamentos jurídicos 4 y 5, no hace "mención alguna a la indemnización que solicita mi mandante, vulnerando de esta forma el art. 71 de la LJ".

El tercero, pues si las resoluciones administrativas afirmaban que no existía responsabilidad patrimonial, y si la sentencia de instancia reconoce, en cambio, el derecho del actor a ser indemnizado por dos de las partidas reclamadas, es incoherente anular aquéllas sólo en parte, debiendo haberlo sido en su totalidad.

Y el cuarto, porque la sentencia de instancia desestima la indemnización del resto de los daños "utilizando una motivación claramente insuficiente, por no decir inexistente".

El segundo motivo, deducido al amparo del art. 88.1.d) de la LJ, denuncia la infracción de la jurisprudencia aplicable para resolver las cuestiones objeto de debate, con cita, a modo de ejemplo, de las sentencias de este Tribunal de 19-12-1949 (RJ 1949, 1463), 22-4-1983 (RJ 1983, 2118), 25-6-1984 (RJ 1986, 1145), 3-6-1991, 27-7-1994 (RJ 1994, 6787), 3-11-1995 y 22-2-2001 (RJ 2001, 2242). El argumento es, en suma, que lo alegado y probado debía ser suficiente para que la Sala de instancia, teniendo en cuenta las circunstancias personales del actor, los errores ocasionados por la Administración y las consecuencias de estos, "pudiera presuponer lógicamente la existencia de los daños morales y su cuantificación".

CUARTO. Aquel primer motivo de casación no puede recibir una misma y única respuesta para todos y cada uno de los cuatro apartados de que se compone.

A) El primero de ellos merece ser desestimado, pues el relato que hace la Sala de instancia en el fundamento jurídico 2 de su sentencia sobre los perjuicios que integra en la tercera de las partidas que enjuicia ("... *consistentes, según lo alegado, en el bloqueo por parte de las entidades bancarias de todos los saldos y fondos financieros que le privaron de su capacidad de maniobra en el manejo de dichos capitales, impidiéndole la obtención de créditos, la adquisición de inmovilizado incluso el disfrute de determinados incentivos fiscales, todo ello amén de solicitar también indemnización por los daños morales como consecuencia de lo que ca-*

lifica deterioro progresivo de su crédito personal que le ha impedido el normal desenvolvimiento en el mundo socio-económico"), aunque menos preciso que el que hizo la parte en el hecho décimo de su demanda (que el escrito de interposición, una vez que eliminamos de él lo no reclamado y lo acogido, trascribe en estos términos: " *3º.– El coste financiero de la necesidad de pignorar 420.708,47 euros, en la entidad bancaria, para garantizar a su vez la concesión de los avales. Este coste financiero se materializa en los siguientes daños: 3.1.– Perjuicios que ha tenido que sufrir por el efecto de la depreciación de la cantidad pignorada. Se valoró este daño con las pruebas aportadas en 102.929,51 euros. 3.2.– La pignoración le ha impedido acceder a nuevas posibilidades ciertas de inversión. En concreto fue la compra de un local que se frustró (hecho también probado) por la existencia de los avales. Se valoró este daño, con las pruebas aportadas, en 283.559,02 euros ya que este daño se componía de los siguientes, también probados en su existencia y valoración: 3.2.1.– La imposibilidad de beneficiarse de la revalorización del local situado en la calle San Roque, de Pontevedra, cuya compra no pudo llevarse a efecto ante la imposibilidad de acudir a la financiación externa, por la existencia de unas actas del IRPF que resultaron improcedentes como así fue reconocido por el TEAR de Valencia. 3.2.2.– Se hubiera evitado los pagos en concepto de arrendamiento que no se hubieran tenido que satisfacer de haberse adquirido el nuevo local para el desarrollo profesional. 3.2.3.– Imposibilidad de beneficiarse de los incentivos fiscales que para las empresas de reducida dimensión contemplaba la* Ley 43/1995, de 27 de Diciembre (RCL 1995, 3496 y*

RCL 1996, 2164), del Impuesto sobre Sociedades (BOE de 28 de diciembre). 4º.– Que *la pignoración le produjo una disminución de liquidez [...]. 6º.– Que tuvo que sufrir unos daños morales que se valoraron en 150.000 euros*"), sí refleja en síntesis el sentido de la totalidad de los conceptos dañosos reclamados, de suerte que no cabe deducir de lo que se alega en el motivo que la Sala de instancia dejara realmente de tener en cuenta y tomar en consideración alguno o algunos de dichos conceptos.

Cierto es que dicha Sala menciona en aquel fundamento jurídico 2 que los perjuicios económicos integrados en aquella tercera partida "*se cifran en 300.000 Euros*", que, claro es, constituye una cifra inferior a la que resultaba de lo dicho en aquel "hecho décimo". Pero ello (y dejando ahora de lado consideraciones cuyo lugar adecuado en esta sentencia sería, en su caso, otro, como son las relativas a la posible desviación procesal que supone reclamar en el recurso jurisdiccional, sin sustento en la previa alegación de circunstancias nuevas, una cantidad superior a la de 300.000 euros reclamada a la Administración por aquella partida, coincidente, además, con la que la parte seguía teniendo en cuenta cuando cifró en el escrito de interposición del recurso contencioso-administrativo la cuantía de éste), pero ello, repetimos, tras lo dicho en el inciso final del párrafo anterior es en realidad intrascendente en el recurso de casación, pues esa discordancia y el tratamiento jurídico que hubiera de merecer sólo cobrará relevancia para el caso de que aquella tercera partida deba ser acogida.

B) En cambio, debe ser estimado el segundo de ellos, pues la sentencia de instancia dice expresamente en el inciso final de su fundamento jurídico 5 que "*han sido debidamente acreditados por el actor*" los honorarios profesionales constitutivos de aquella segunda partida que ordena indemnizar; no desprendiéndose del escrito de contestación a la demanda, ni del fundamento jurídico 4 de la sentencia, discrepancia alguna sobre el cálculo de los intereses constitutivos de la primera de esas partidas que con todo detalle realizó el actor en su demanda. Concurren así, en recta interpretación del art. 71.1.d) de la LJ, los requisitos que exige cuando impone el deber de fijar en la sentencia la cuantía de la indemnización.

En consecuencia, procede modificar el fallo de la sentencia de instancia para concretar que la primera partida cuya indemnización acoge alcanza la cantidad de 7.009,68 euros hasta el día 18 de diciembre de 2003, en que la Administración devolvió el importe del coste de los avales. Y que la segunda igualmente acogida alcanza la cantidad de 485,62 euros.

C) Aquella misma suerte desestimatoria ha de correr el tercero, pues no vemos la incoherencia que ahí se denuncia cuando el fallo de la sentencia, de modo congruente con sus razonamientos, anula las resoluciones impugnadas sólo en cuanto denegaron las partidas indemnizatorias que la Sala de instancia entiende debidas, confirmándolas en todo lo demás.

D) Por fin, hemos de estimar también el cuarto de aquellos apartados, pues el tenor del fundamento jurídico 6 de la sentencia recurrida no permite conocer en lo más mínimo las razones por las que la Sala de instancia alcanzó la conclusión de que no está justificado el nexo causal entre la actuación de la Administración y el resto de los perjuicios alegados.

La sola lectura de ese fundamento jurídico pone de relieve la insuficiencia de su motivación. Dice así:

"6. Finalmente la Sala no puede tener, sin embargo, por acreditados los daños a que se refiere la última partida reclamada, de los que unos se refieren a gastos propios de la actividad económica o bien a ganancias dejadas de obtener sin que se justifique el debido nexo causal y en otros se trata de daños morales.

Daños morales son aquellos que son infligidos a las creencias, los sentimientos, la dignidad, la estima social o salud física o psíquica de la persona; en suma, aquellos que se suelen denominar derechos de la personalidad o extrapatrimoniales, habiendo teniendo refrendo jurisprudencial la posibilidad de indemnizarlos, como quedó más arriba de manifiesto. No obstante la jurisprudencia del Tribunal Supremo recomienda cautela al respecto y, en todo caso, exige que dichos daños estén indubitadamente acreditados para que nazca y sea exigible la obligación de indemnizar.

Rige, pues, el principio general inferido de los artículos 281 y siguientes de la Ley de Enjuiciamiento Civil (RCL 2000, 34, 962 y RCL 2001, 1892) y 1214 del Código Civil (LEG 1889, 27) sobre la carga de la prueba que, en este caso correspondía al recurrente que, sin embargo, no acredita la necesaria relación del causalidad entre los daños que se dicen padecidos (descrédito profesional, sensación de desamparo...) y la actuación administrativa".

QUINTO. Con independencia o sin perjuicio de lo ya dicho en el segundo párrafo de la letra B) del anterior fundamento de derecho, la conclusión alcanzada en su letra D) nos obliga, como ordena el art. 95.2.d) de la LJ, a resolver lo que corresponda dentro de los términos en que aparecía planteado el debate en la instancia. Ello, claro es, con relación a los conceptos indemnizatorios que la sentencia recurrida no acogió, lo que conlleva también y al mismo tiempo abordar la cuestión a la que se refiere aquel segundo motivo de casación, pues lo que en él se plantea es, igualmente, si deben considerarse acreditados, o no, los daños morales que se alegan.

En esa labor, el estudio del escrito de demanda y de los documentos que en él se citan, pertenecientes tanto a los autos como al expediente administrativo, muestra un relato en el que el actor afirma que sufrió críticas carentes de fundamento alguno, basadas en falacias y calumnias, realizadas por la oposición política que aspiraba a la alcaldía del Ayuntamiento de Vinares y dirigidas contra su actuación profesional como adjudicatario del contrato de colaboración con la gestión recaudatoria municipal, de las que se hizo eco la prensa local y provincial. Que tales difamaciones no acabaron una vez conseguida la alcaldía, sino que continuaron con denuncias del propio Ayuntamiento ante la Agencia Estatal de Administración Tributaria y en el Tribunal de Cuentas, iniciando aquélla una actuación llena de despropósitos en toda la tramitación, tanto en la fase de inspección, como al practicar las liquidaciones por el IRPF, y en el mismo procedimiento de las reclamaciones económico-administrativas. Despropósitos que duraron seis años por el retraso en dictar las resoluciones y por los inexplicables intentos de notificación en una dirección distinta del nuevo domicilio fiscal comunicado a la Administración, lo que le impidió demostrar frente a la opinión pública local y provincial su intachable gestión al frente del puesto de Recaudador de Tributos del Ayuntamiento de Vinares, acrecentando ello y otros errores su sensación de desamparo por los organismos públicos.

Y muestra después la descripción y justificación que ofrece la parte de los daños y perjuicios que a su juicio le ocasionó esa actuación de la Administración tributaria. Así, prescindiendo de las dos partidas ya acogidas y sintetizando lo que se alega de las restantes para reflejar aquí lo que nos parece realmente relevante, dice:

A) Que la obtención de los avales que hubo de prestar para suspender la ejecución de las liquidaciones luego declaradas improcedentes, lo fue "a cambio de la pignoración de unos recursos financieros que ascendían a la cantidad de 420.708,47 euros", con la consecuencia de que no pudo "disponer de este dinero para ninguna inversión o compra y que exclusivamente, le daría el rendimiento que el Banco establecía", remitiéndose para su prueba al documento núm. 52 de los acompañados con el escrito de demanda.

Por ello, añade acto seguido, "considera que para conseguir una reparación integral a mi mandante, se le debe actualizar la cantidad que se le sustrajo a su poder de disposición, al momento en que se le devolvió el poder de disposición. Esta actualización no puede hacerse sino aplicando el interés legal a la cantidad que se le sustrajo", lo que arroja un resultado o partida indemnizatoria de 133.998,54 euros, de la que habrá que deducir los rendimientos, 31.069,03 euros, que lo pignorado produjo durante aquel tiempo en que lo estuvo. Por tanto, esa partida indemnizatoria asciende finalmente a 102.929,51 euros.

B) Que como consecuencia de esa pignoración, y dado que el actor era desde mayo de 1999 Recaudador de la Comunidad Autónoma de Galicia, titular en la zona de Pontevedra e interino en la de Orense, no pudo obtener un préstamo de veinte millones de pesetas que necesitaba para la compra de un local comercial sito en la calle San Roque de Pontevedra que pensaba destinar a su actividad profesional. Todo ello, acreditado a su juicio con los documentos números 58, 59 y 60 que adjuntó con su demanda.

Por ende, no ha podido beneficiarse de la revalorización que tal local tendría con el trascurso del tiempo, calculada en 203.499,28 euros en la fecha en que le fueron devueltos los avales (documentos números 59 y 62 de aquellos), de la que habría que restar los intereses y comisiones que hubiera devengado el préstamo que no obtuvo (8.335,73 euros) y el coste de la financiación propia destinada a la adquisición de aquél (9.043,97 euros). Tuvo necesidad de seguir alquilando el local antiguo en donde desarrollaba la actividad profesional, por un importe total de 25.825,64 euros, según resulta de los documentos que adjuntó con la demanda con los números 63 y 64. Y no pudo beneficiarse de los incentivos fiscales que para las empresas de reducida dimensión contemplaba la Ley 43/1995, de 27 de diciembre, del Impuesto sobre Sociedades, que cifra en 71.613,80 euros.

C) La limitación grave de liquidez derivada de aquella pignoración, y la posibilidad de que la Administración, en una nueva equivocación y pese a que el actor estaba convencido del acierto de su posición, no le diera la razón, le hundió en una situación de inquietud e incertidumbre, de angustia, de temor, creándole ansiedad y falta de sosiego, y también sensación de impotencia, al ver que se le denegaba el acceso a la justicia, hasta hacerle sospechar en, quizá, alguna presión política por la existencia previa de un acoso político recibido durante todos los años anteriores. Padecimiento psíquico explicable por su afán de intentar en todo momento conservar sus propiedades y de mantener a su familia de seis miembros. Y al que se añade el desprestigio personal y profesional que toda la actuación administrativa le ha supuesto.

Hay ahí, por tanto, la producción de un daño moral profundo, que a juicio del actor requiere ser indemnizado, al menos, con la cantidad de 150.000 euros.

SEXTO. Necesariamente, hemos de recordar ahora que el daño alegado ha de ser efectivo, tal y como dispone literalmente el inciso primero del art. 139.2 de la Ley 30/1992 (RCL 1992, 2512, 2775 y RCL 1993, 246), lo que equivale, según reiterada jurisprudencia, a la probada existencia de un daño real y no de meras especulaciones o expectativas que en realidad están desprovistas de certidumbre, por ser meramente posibles, inseguras, dudosas o contingentes; pesando sobre quien pretende la reparación del daño la carga de la prueba de su realidad y certidumbre (así se desprende, entre otras muchas, de las sentencias de este Tribunal Supremo de 18 de octubre de 1993 (RJ 1993, 7498), 11 de febrero (RJ 1995, 2061) y 25 de noviembre[sic] de 1995 (RJ 1995, 6476), o 23 de marzo de 2009 (RJ 2009, 2301)).

A partir de ahí, nuestra conclusión final es que lo alegado por el actor y lo acreditado con los documentos a que se remite no rebasan el límite o ámbito de las meras especulaciones, siendo lo uno y lo otro insuficiente para tener por acreditados los daños descritos en las letras A, B y C del fundamento de derecho anterior.

A) Así, cabe tener por cierto, pues eso es lo que resulta de aquel documento núm. 52, que para obtener los avales hubo de pignorar fondos de inversión por importe de setenta millones de pesetas (420.708,47 euros), que pasaron a ser gestionados, desde la fecha de pignoración, por la entidad GEBASA (Gestora Bancaja S.G.I.I.C., S.A.)

Pero, amén de ello, lo que no vemos alegado ni mucho menos acreditado es que, bien antes de la pignoración, bien a lo largo del tiempo que duró ésta, tuviera concebido o concibiera el actor un proyecto determinado que necesitara para su realización disponer de aquellos fondos de inversión. Ni tampoco vemos alegado ni acreditado que en el tiempo en que los fondos fueron gestionados por GEBASA, otra gestión distinta hubiera logrado un rendimiento mayor que el que obtuvieron en ese tiempo, que lo fue de 5.169.551 pesetas (31.069,63 euros).

B) El hecho cierto de esa pignoración, al que no sigue, sin embargo, la alegación y prueba de cuál fuera en aquel tiempo el total patrimonio del actor, ni cuáles los rendimientos económicos que obtenía de su actividad profesional, origina necesariamente una duda (a despejar en perjuicio de él, por ser ello la consecuencia inherente a las reglas sobre distribución de la carga de la prueba) acerca de la causa por la que no se obtuvo, o no llegó a formalizarse, aquel préstamo de veinte millones de pesetas. Duda que no levantan los documentos a que se refiere la parte, pues el núm. 59 de los acompañados con la demanda sólo es expresión de un informe de la mercantil propietaria de aquel local comercial en el que se dice que la operación de compraventa fue cancelada en el último momento al comunicar la esposa del actor que éste "tenía problemas en la concesión de un crédito que era necesario para la compraventa"; y el núm. 60 es una certificación del Director de una sucursal en Pontevedra de una entidad bancaria, de una sola y además de una distinta de aquella entidad en que el actor tenía aquellos fondos de inversión, expedida el 7 de julio de 2003 a petición del interesado, que da cuenta de que la operación de préstamo fue denegada, influyendo decisivamente en esa determinación la existencia de unas liquidaciones pendientes con la Administración, que se reflejaban en el impuesto del patrimonio del peticionario.

Duda que tampoco se despeja desde el mero conocimiento que proporciona la experiencia, pues en aquel tiempo, con los ingresos que son de suponer en quien tenía aquella actividad profesional y con el patrimonio que es de esperar en quien es titular de fondos de inversión por aquella cantidad, no es fácil alcanzar la certeza de que no le fuera posible obtener, como se lee que pretendía, un préstamo hipotecario por importe de las dos terceras partes del valor atribuido a un local comercial sito en un edificio de alta calidad constructiva, buena conservación y unos siete años de antigüedad.

C) Por último, la misma profesión del actor y el conocimiento que por ello ha de atribuírsele de las normas tributarias, del funcionamiento de la Administración en este ámbito y de los medios de impugnación a disposición del ciudadano, tampoco permite alcanzar certeza acerca de que la actuación de inspección, liquidación y reclamación que hubo de soportar y emprender con un resultado que no cabe afirmar desfavorable, sea causa de los daños morales que alega y que tampoco acredita.

Finalmente, no es ocioso resaltar que si las reclamaciones económico-administrativas hubieran culminado su tramitación antes de transcurrir el plazo de prescripción, se tendrían que haber practicado nuevas actuaciones tendentes a determinar las nuevas liquidaciones, ya que a juicio del Tribunal Económico Administrativo Regional de Valencia, dada la complejidad y falta de claridad de la documentación aportada por el reclamante, no había quedado suficientemente demostrada por la Inspección la supresión de los gastos de alquileres (leasing) y amortización del equipo informático y la programación del mismo que estaban en relación directa con la actividad de aquél, y, por ello, debían reponerse las actuaciones para que la Inspección especificara claramente la razón por la que los citados gastos y sus cuantías concretas no se admitían.

SÉPTIMO. En aplicación de lo que dispone el art. 139 de la LJ, no procede imponer las costas causadas, ni en la instancia, ni en este recurso de casación.

22

SENTENCIA 27 MAYO 2011
(RJ 2011, 5675)

Recurso de Casación núm. 1472/2007
Sala de lo Cont.-Adm., Sección 4
Ponente: Sr. D. Enrique Lecumberri Martí

RESPONSABILIDAD PATRIMONIAL DE LA ADMINISTRACION PUBLICA: Acción derivada de acto legislativo: indemnización improcedente: solicitud de revisión de oficio y de responsabilidad patrimonial instada por mercantil en relación con una liquidación practicada por el Impuesto sobre las Instalaciones que inciden en el medio ambiente, correspondiente al ejercicio de 1998, en aplicación de la Ley Balear 12/1991, de 20 de diciembre, creadora del mencionado Impuesto, declarada inconstitucional y nula por el TC: examen: aplicación de doctrina sobre responsabilidad patrimonial derivada de acto legislativo: no ha lugar al recurso: la mercantil no impugnó en su día las liquidaciones a que se refería el recurso contencioso administrativo de que traen causa las actuaciones: no procede revisar ni reconocer responsabilidad patrimonial.

FUNDAMENTOS DE DERECHO

PRIMERO. La entidad mercantil "REPSOL COMERCIAL DE PRODUCTOS PETROLÍFEROS, S.A.", interpone recurso de casación contra la sentencia de fecha catorce de febrero de dos mil siete (JUR 2007, 217754) , dictada por la Sala de lo Contencioso-Administrativo del Tribunal Superior de Justicia de las Islas Baleares por la que se desestimaba el recurso contencioso-administrativo 299/2002, en el que se había impugnado el Acuerdo de veintidós de febrero de dos mil dos, del Consejo de Gobierno de las Islas Baleares, desestimatorio de la solicitud de revisión de oficio y de responsabilidad patrimonial instada por la recurrente en relación con una liquidación practicada por el Impuesto sobre las Instalaciones que inciden en el medio ambiente, correspondiente al ejercicio de 1998.

La acción de responsabilidad patri-

monial presentada ante el Consejo de Gobierno de la Comunidad Autónoma, por importe de 530.972.495 pesetas (actualmente, 3.191.208,97), más los intereses legales, se sustentaba en el hecho de que la Administración Tributaria de la Comunidad Autónoma había girado a "REPSOL COMERCIAL DE PRODUCTOS PETROLÍFEROS, S.A.", por el ejercicio fiscal de 1998, una liquidación por el Impuesto sobre Instalaciones que inciden sobre el Medio Ambiente, por el mismo importe de la reclamación, al amparo de la Ley Autonómica 12/1991, de 20 de diciembre (LIB 1991, 160) , creadora del mencionado Impuesto, Ley que posteriormente fue declarada inconstitucional y nula por la Sentencia del Tribunal Constitucional 289/2000, de 30 de noviembre (RTC 2000, 289).

Resultando desestimado el recurso

judicial dirigido contra su rechazo previo por la Administración en atención a las razones que recogen los fundamentos de derecho segundo y tercero de la sentencia recurrida:

«SEGUNDO. LOS EFECTOS DE LA SENTENCIA DEL T.C. SOBRE LAS LIQUIDACIONES QUE YA HAN ADQUIRIDO FIRMEZA..

En la medida en que el mismo argumento ya fue invocado frente a la providencia de apremio que derivaba de la misma liquidación, siendo resuelto por sentencia de esta Sala N° 153 de fecha 20.02.2003 *, no cabe sino remitirnos a lo entonces argumentado:*

"TERCERO.–Entrando ya en el fondo de la cuestión suscitada la parte actora, como hemos dicho, centra la misma en que la liquidación practicada, al ser inconstitucional y nula la Ley 12/91 *, según la* sentencia de 30 de noviembre de 2.000 del Tribunal Constitucional *, debe declararse igualmente nula por carecer de apoyo normativo, y por tanto, debe decaer la iniciación de la vía de apremio, y todo ello, en base a la doctrina jurisprudencial que permite la posibilidad de reproducir, en la impugnación de la providencia de apremio, cuestiones relativas a la nulidad de pleno derecho de los actos de ejecución –* sentencia 9 de diciembre de 1.996 (RJ 1996, 9115) *–, "pues el acto de liquidación por el Impuesto sobre las Instalaciones que inciden en el Medio Ambiente, año 1998, no ha adquirido firmeza, como se desprende de la presente impugnación, por lo que los efectos de aquélla, que han de extenderse a todos los procedimientos jurisdiccionales en curso, no pueden en modo alguno ser negados".*

Sin desconocer la anterior doctrina jurisprudencial de que en la vía de *apremio cabe alegar cuestiones relativas a la nulidad de pleno derecho de los actos de liquidación, la misma no puede ser aplicada al presente caso, en primer lugar, porque la declaración de nulidad de la liquidación que ahora se pretende, en todo caso, ya debería haber sido declarada con anterioridad, y la doctrina mencionada sólo es aplicable a aquéllos supuestos en que anteriormente no haya sido declarada, y en segundo lugar y sobre todo, por la aplicación de lo dispuesto en la propia* sentencia del Tribunal Constitucional n° 289/00 *, al establecer en su fundamento jurídico séptimo:*

"Llegados al fin de nuestro enjuiciamiento, antes de pronunciar el fallo sólo nos resta precisar cuál es el alcance concreto que debe atribuirse a la declaración de inconstitucionalidad que le integra. Pues bien, por exigencia del principio de seguridad jurídica (art. 9.3 CE [RCL 1978, 2836]) y siguiendo los precedentes sentados en supuestos que presentan rasgos similares al caso aquí enjuiciado (por todas, STC 45/ 1989 [RTC 1989, 45], FJ 11), únicamente han de considerarse situaciones susceptibles de ser revisadas con fundamento en esta Sentencia aquéllas que, a la fecha de publicación de la misma, no hayan adquirido firmeza por haber sido impugnadas en tiempo y forma, y no haber recaído todavía una resolución administrativa o judicial firme".

La efectividad del principio de eficacia "erga omnes" de las sentencias declarativas de inconstitucionalidad y su alcance acerca de la nulidad de los preceptos impugnados (artículos 38.1 y 39.1 de la Ley Orgánica 2/1979 (RCL 1979, 2383)), quiebra ante la aplicación de los efectos prospectivos otorgados a sus sentencias por el Tribunal

Constitucional en aplicación del ar-tículo 40 de la propia Ley Orgánica del Tribunal Constitucional.

La firmeza de la liquidación cuestio-nada en vía administrativa, al no ser impugnada en tiempo y forma, así como la aplicación de la anterior sen-tencia, debe conducir a la desestima-ción del presente recurso"

Así pues, frente al argumento de la parte actora que invoca la doctrina ge-neral fundamentada en aquellas sen-tencias del TC que declaran la nulidad de una Ley pero sin hacer una expresa previsión de sus efectos, debe preci-sarse que en los supuestos en que el propio TC determina el abanico de los actos revisables frente aquellos que se mantiene inalterables, a dichas deter-minaciones debe estarse.

TERCERO. LA RECLAMACIÓN DE RESPONSABILIDAD PATRIMONIAL BASADA EN LA INCONSTITUCIONA-LIDAD DE LA LEY

Nuevamente debe reiterarse que la doctrina jurisprudencial del TS invo-cada por la parte recurrente que deter-mina la responsabilidad del estado le-gislador ante la declaración de incons-titucionalidad de una Ley, se encuentra la excepción a dicha doctrina determi-nada para los casos en que el propio TC ha establecido los efectos y conse-cuencias de la declaración de inconsti-tucionalidad.

Así pues, no estamos en el caso de las sentencias invocadas por la parte re-currente, a las que se podría añadir otras como las de 20 de enero (RJ 2001, 641) , 17 de febrero (RJ 2001, 669) , 17 y 31 de marzo y 27 de octubre de 2001 (RJ 2002, 462) o de 22.02.2005 (RJ 2005, 5687) , *entre otras, referidas a la* sentencia del TC 173/1996 (RTC 1996, 173) *referida a la declaración de*

inconstitucionalidad del régimen de tri-butación de otro impuesto, pero en la que no se estableció expresa previsión de sus efectos.

Para nuestro caso, la doctrina juris-prudencial aplicable es la de las sen-tencias del TS de fechas 02 de febrero (RJ 2004, 1388) , 14 de junio de 2004 y de 25.05.2005 *, la cual precisa:*

"Decíamos en nuestra sentencia, de diecinueve de marzo de dos mil uno (RJ 2001, 4814) , *reproduciendo otras anteriores, y, entre ellas, las que cita la demanda, de 13 de junio (RJ 2000, 5995) y 15 de julio de 2000 (RJ 2000, 7423) , que: «no cabe duda que el plan-teamiento del Abogado del Estado cuenta con patrocinadores en la doc-trina y tiene apoyo en alguna* sentencia del Tribunal Constitucional –como la 45 de 1989, de 20 de febrero (RTC 1989, 45) , fundamento jurídico undé-cimo – y de la Sección Segunda *de esta Sala del Tribunal Supremo – recurso de casación en interés de la* Ley, de 26 de diciembre de 1998 (RJ 1998, 10215) –, *aunque ésta reconoce la eficacia ex tunc de la declaración de nulidad de pleno derecho de las disposiciones ge-nerales.*

La interpretación del art. 40.1 de la Ley Orgánica 2 de 1979 *del Tribunal Constitucional, conduce, a nuestro pa-recer, a una conclusión distinta, al ex-cepcionarse en él expresa y exclusiva-mente la eficacia retroactiva de las sentencias declaratorias de inconsti-tucionalidad de actos o normas con rango de Ley, respecto de los procesos fenecidos mediante sentencia con fuerza de cosa juzgada, salvo los casos de penas o sanciones, de manera que la consecuencia lógica es que en los demás supuestos cabe la revisión.*

En nuestra opinión, cuando la pro-

pia sentencia del Tribunal Constitucional no contenga pronunciamiento alguno al respecto, corresponde a los jueces y tribunales, ante quienes se suscite tal cuestión, decidir definitivamente acerca de la eficacia retroactiva de la declaración de inconstitucionalidad en aplicación de las Leyes y los principios generales del derecho interpretados a la luz de la jurisprudencia, de manera que, a falta de norma legal expresa que lo determine y sin un pronunciamiento concreto en la sentencia declaratoria de la inconstitucionalidad, han de ser los jueces y tribunales quiénes, en el ejercicio pleno de su jurisdicción, resolverán sobre la eficacia ex tunc o ex nunc de tales sentencias declaratorias de inconstitucionalidad.»

SEGUNDO. El recurso de casación formulado en nombre de la citada mercantil se sustenta en cuatro motivos de casación, el primero de ellos formulado al amparo del art. 88.1.c) en su vertiente de infracción de las normas reguladoras de la sentencia, y el segundo con base en el art. 88.1.d), por razón de la conculcación de ciertos preceptos de nuestro Ordenamiento Jurídico a que luego aludiremos.

Por razones de prioridad procesal, debemos comenzar por analizar el primero de los motivos, que, en síntesis, denuncia la incongruencia omisiva en que incurre la sentencia de instancia, al haber dejado sin resolver, a juicio de la parte recurrente, una de las pretensiones en que se basaba la demanda, referida a la revisión de oficio de la liquidación que le fue practicada en el año 1.998 en aplicación de la Ley 12/1991, de 20 de diciembre, de la Comunidad Autónoma de las Islas Baleares, reguladora del Impuesto sobre Instalaciones que incidan sobre el Medio Ambiente.

Procede, pues, lo primero, recordar la esencia constitucional del deber de congruencia partiendo de que el Tribunal Constitucional ha dicho que la incongruencia consiste en la ausencia de respuesta a las pretensiones de las partes, es decir un desajuste entre el fallo judicial y los términos en que las partes formulan sus pretensiones (STC 36/2006, de 13 de febrero (RTC 2006, 36)).

La citada doctrina distingue entre lo que son meras alegaciones formuladas por las partes en defensa de sus pretensiones y las pretensiones en sí mismas consideradas (STC 189/2001, 24 de septiembre (RTC 2001, 189)). Son sólo estas últimas las que exigen una respuesta congruente ya que no es preciso una respuesta pormenorizada de todas las cuestiones planteadas (STC 36/09, de 9 de febrero (RTC 2009, 36)), salvo que estemos ante una alegación fundamental planteada oportunamente por las partes (STC 4/2006, de 16 de enero). E insiste en que es una categoría legal y doctrinal cuyos contornos no corresponde determinar al citado máximo intérprete constitucional (STC 8/2004, de 9 febrero). Cabe, además, una respuesta de forma tácita o implícita obtenida del conjunto de razonamientos (STC 29/2008, de 20 de febrero (RTC 2008, 29)). No cabe un desajuste entre el fallo y las pretensiones de las partes que contravenga los razonamientos expuestos para decidir (STC 114/2003 de 12 de abril SIC (RTC 2003, 114)).

Constatamos que no es necesaria una correlación literal entre el desarrollo argumentativo de los escritos de demanda y de contestación y el de los fundamentos jurídicos de la sentencia. Podemos, por ello, resumir la doctrina de esta Sala sobre la materia en que:

a) Se incurre en el vicio de incongruencia tanto cuando la sentencia omite resolver sobre alguna de las pretensiones y cuestiones planteadas en la demanda (STS de 8 de julio de 2008 (RJ 2008, 6741), rec. casación 6217/2005, STS 25 de febrero de 2008 (RJ 2008, 1534), rec casación 3541/2004), es decir la incongruencia omisiva o por defecto; como cuando resuelve sobre pretensiones no formuladas, o sea incongruencia positiva o por exceso (sentencias de 20 de septiembre 2005, rec. casación 3677/2001, de 24 de enero de 2007, rec. casación 10233/2003 y 20 de junio de 2007 (RJ 2007, 6416), rec. casación 11266/2004).

b) El principio de congruencia no se vulnera por el hecho de que los Tribunales basen sus fallos en fundamentos jurídicos distintos de los aducidos por las partes (STS 17 de julio de 2003, rec. casación 7943/2000). En consecuencia el principio "iuris novit curia" faculta al órgano jurisdiccional a eludir los razonamientos jurídicos de las partes siempre que no altera la pretensión ni el objeto de discusión.

c) Es suficiente con que la sentencia se pronuncie categóricamente sobre las pretensiones formuladas (STS 3 de noviembre de 2003, rec. casación 5581/2000). Cabe, por ello, una respuesta global o genérica, en atención al supuesto preciso, sin atender a las alegaciones concretas no sustanciales.

d) No incurre en incongruencia la sentencia que otorga menos de lo pedido, razonando porqué no se concede el exceso (STS 3 de julio de 2007 (RJ 2007, 3753), rec. casación 3865/2003).

e) No cabe acoger un fundamento que no se refleje en la decisión ya que la conclusión debe ser el resultado de las premisas establecidas (Sentencias

de 27 de enero de 1996 (RJ 1996, 1689), rec. de casación 1311/1993).

f)) Es necesario que los argumentos empleados guarden coherencia lógica y razonable con la parte dispositiva o fallo, para no generar incoherencia interna, pues de no haberla se genera confusión (STS 23 de abril de 2003 (RJ 2003, 4677), rec. de casación 3505/1997). Contradicción entre fallo de la resolución y su fundamentación reputada por el Tribunal Constitucional defecto de motivación lesivo del derecho a la tutela judicial efectiva y no vicio de incongruencia (STC 127/2008, de 27 de octubre, FJ2), si bien este Tribunal (STS 4 de noviembre de 2009 (RJ 2009, 7940), recurso de casación 582/2008, FJ4°) reputa incongruencia interna la contradicción entre lo que se razona y lo que se decide derivada de error evidente en la redacción de un párrafo caracterizado por recaer sobre la circunstancia de la que depende la decisión del proceso).

La importancia de juzgar dentro del límite de las pretensiones formuladas por las partes y de las alegaciones deducidas para fundamentar el recurso y la oposición ya era un requisito destacado por el art. 43 LJCA 1956 (RCL 1956, 1890) . Precepto ahora reproducido en el art. 33 LJCA 1998 (RCL 1998, 1741) en relación con el art. 65.2 de la misma norma, con un tenor similar en el redactado, que obliga a someter a las partes los nuevos motivos susceptibles de fundar el recurso o la oposición en que pretenda fundar su resolución. Disposiciones una y otra encaminadas a preservar el principio de contradicción como eje esencial del proceso.

En el supuesto sujeto a nuestro actual examen, no podemos acoger tal motivo, puesto que, tanto de los antecedentes de hecho como de la fundamentación jurídica de la sentencia de instancia, se deduce el pronunciamiento de la Sala de instancia sobre los aspectos pretendidamente omitidos. Así, en primer lugar, al fijar los antecedentes de hecho, se observa que en el apartado cuarto del fundamento de derecho primero, la sentencia, efectivamente, hace referencia a la solicitud de revisión de oficio cuya desestimación por la Administración –junto a la concurrentemente formulada de responsabilidad patrimonial– constituye el objeto de la pretensión. Más tarde, al resolver sobre el fondo del asunto, la sentencia de instancia, si bien no utiliza explícitamente la expresión "revisión de oficio" –de ahí quizás el equívoco de la parte recurrente–, sí para en rechazar las alegaciones relativas a la posible nulidad del acuerdo recurrido, para resolverlas conforme al criterio fijado con anterioridad en sentencia de la misma Sala de veinte de febrero de dos mil tres , remitiéndose expresamente a ella, que se había pronunciado sobre la posible nulidad de las providencias de apremio deducidas en el procedimiento cuya liquidación se impugnó con posterioridad. Y, después de transponer en lo esencial los argumentos de aquella sentencia anterior, apela a lo que en cada caso determine el Tribunal Constitucional en lo relativo al "abanico de los actos revisables frente aquellos que se mantiene (sic) inalterables".

Véase por tanto que, con independencia de que a la parte recurrente le pueda disgustar el criterio que adopta la sentencia recurrida, o de que ésta pueda resolver la cuestión relativa a la posible revisión de oficio de las liquidaciones por remisión a una sentencia anterior e incluso de un modo conciso, lo cierto es que la Sala de instancia, al rechazar la posible nulidad de los actos de liquidación impugnados, está dando respuesta a la primera de las pretensiones formuladas por aquélla, pues la revisión de oficio que se instaba no tenía otra finalidad que obtener su anulación. De forma que, rechazando el primer motivo de casación formulado a instancia de "REPSOL COMERCIAL DE PRODUCTOS PETROLÍFEROS, S.A.", descartamos que la sentencia recurrida haya incurrido en la incongruencia por omisión que dicha mercantil postula.

TERCERO. Rechazado el primer motivo de casación, de preferente examen por su trascendencia procesal, hemos de analizar los tres motivos restantes, formulados esta vez al amparo del art. 88.1.d) de la LJCA.

El segundo de ellos plantea una posible infracción de los arts. 62 de la Ley 30/1992, de 26 de noviembre (RCL 1992, 2512, 2775 y RCL 1993, 246), del Régimen Jurídico de las Administraciones Públicas y del Procedimiento Administrativo Común y del art. 53 de la Ley General Tributaria de 1963 (RCL 1963, 2490) . En sustancia, propone la parte recurrente que el acto de liquidación girado en virtud de una ley declarada inconstitucional queda afectado irremediablemente por la nulidad de ésta, y ello debería conducir a su revisión de oficio. Y entiende que, de no obrarse de esa manera por la Administración, se estaría conculcando el principio de igualdad en relación con el trato dado a otros contribuyentes cuyas pretensiones anulatorias hayan sido estimadas por los Tribunales de Justicia.

El tercer motivo se centra en la cuestión relativa a la responsabilidad patrimonial de la Administración a consecuencia de las liquidaciones tributarias practicadas en virtud de una ley inconstitucional. La recurrente hace un somero repaso de los antecedentes jurisprudenciales sobre la comúnmente denominada responsabilidad patrimonial del Estado legislador, diserta sobre la concurrencia de los diversos requisitos de dicho instituto de garantía de los derechos e intereses de los particulares en el caso concreto y afirma, con cita de resoluciones del Tribunal Constitucional, que la firmeza de una sentencia (habrá que entender que se refiere también a la firmeza de una determinada situación jurídica, aunque no haya sido impugnada ante los tribunales de justicia, pues en tal caso se encuentra) no es obstáculo para que prospere una reclamación de responsabilidad patrimonial por actos de aplicación de normas legislativas declaradas inconstitucionales.

Finalmente, un cuarto motivo viene a sostenerse en la infracción del principio de seguridad jurídica recogido en el art. 9.3 del texto constitucional (RCL 1978, 2836) , al interpretar la parte contrario al mismo mantener en el Ordenamiento Jurídico actos de liquidación basados en una norma declarada inconstitucional.

CUARTO. La respuesta a los motivos segundo, tercero y cuarto de casación puede hacerse de un modo conjunto, por referencia a lo ya señalado por esta Sala en una reciente sentencia de veinticinco de febrero de dos mil once (RJ 2011, 1671), recaída en el recurso de casación 4367/2006, en que nos planteábamos la legalidad de las liquidaciones tributarias dictadas en virtud de la Ley del Parlamento B alear 12/1991, de 20 de diciembre, y su incidencia en el régimen de la responsabilidad patrimonial de las Administraciones Públicas.

Decíamos en aquella sentencia, cuya doctrina debe ser nuevamente aplicada en atención a razones de igualdad y unidad de doctrina, lo siguiente:

«SEGUNDO.– Discrepa el recurrente de la sentencia de instancia por cuanto ésta no le reconoce la indemnización solicitada pese a que, a su juicio, se dan todos los elementos constitutivos de la responsabilidad patrimonial del Estado-Legislador. Ello supone la infracción de las normas legales y constitucionales reguladoras de la responsabilidad patrimonial (art. 106 CE y 139 Ley 30/1992) *y del principio de seguridad jurídica* (art. 9.3 CE)*, por lo que hace valer frente a ella dos motivos de casación fundados en el* art. 88.1.d) *de la Ley Jurisdiccional .*

Planteados así los términos del debate se hace preciso recordar la doctrina de esta Sala sobre la responsabilidad patrimonial del Estado legislador y determinar su alcance sobre la cuestión litigiosa.

Dicha doctrina se asienta, prima facie en el principio de responsabilidad de los poderes públicos, principio positivizado al máximo nivel en el artículo 9.3º *de la Constitución Española y que tiene un valor normativo directo, sirviendo para estructurar, junto con otros, todo el sistema jurídico-político de nuestro Estado.*

Nuestra Sentencia de 27-11-2009 (RJ 2010, 1262) *expresó que este principio, como todo principio general del derecho, cumplía la triple función de expresar uno de los fundamentos del orden jurídico, servir de fuente inspiradora del ordenamiento y criterio orientador en su interpretación, así como operar en cuanto fuente supletoria del derecho para los casos de inexistencia o de insuficiencia de la regulación legal, triple funcionalidad que autoriza a afirmar que no hay en nuestro sistema constitucional ámbitos exentos de responsabilidad, estando el Estado obligado a reparar los daños antijurídicos que tengan su origen en la actividad de los poderes públicos, sin excepción alguna.*

Ahora bien, para el establecimiento de mecanismos de garantía de este principio de responsabilidad el legislador goza de un importante margen de maniobra pudiendo configurarlos de forma diferente según el poder público de que se trate, del mismo modo que la propia Constitución, y sirva en este punto de ejemplo, no establece el mismo diseño para las Administraciones Públicas –art. 106.2 – *que para el* Poder Judicial –art.121 –, *pese a que ambos poderes públicos están claramente sujetos al principio de responsabilidad. Pero esta discrecionalidad o libertad de configuración del legislador no es ilimitada ya que no permite crear espacios inmunes fundados en la ausencia de regulación. Precisamente esta Sala recientemente ha proclamado el sometimiento al principio de responsabilidad patrimonial del Tribunal Constitucional (* STS 26-11-2009 (RJ 2009, 5692) *) y del Defensor del Pueblo (* STS 27-11-2009 *), pese a que dichos órganos constitucionales carecían hasta ese momento de normativa específica que la estableciera.*

En lo que atañe a la responsabilidad patrimonial derivada de actos del poder legislativo la jurisprudencia de esta Sala fue reticente a reconocerla hasta la STS de 29 de febrero de 2000 (RJ 2000, 2730) (Rec. 49/1998 *), que la estableció para los casos de leyes declaradas inconstitucionales.*

Poco después la STS de 13 de junio de 2000 (RJ 2000, 5995) *insistió en que la acción de responsabilidad ejercitada*

era ajena al ámbito de la cosa juzgada derivada de la sentencia y que incluso para su existencia no era preciso que el acto administrativo de aplicación de ley declarada inconstitucional hubiera sido judicialmente impugnado, razonando que: "...no puede considerarse una carga exigible al particular con el fin de eximirse de soportar los efectos de la inconstitucionalidad de una ley la de recurrir un acto adecuado a la misma fundado en que ésta es inconstitucional. La Ley, en efecto goza de una presunción de inconstitucionalidad y, por consiguiente, dota de presunción de legitimidad a la actuación administrativa realizada a su amparo. Por otra parte, los particulares no son titulares de la acción de inconstitucionalidad de la ley, sino únicamente pueden solicitar del Tribunal que plantee la cuestión de inconstitucionalidad con ocasión, entre otros supuestos, de la impugnación de una actuación administrativa. Es sólo el tribunal el que tiene facultades para plantear "de oficio o a instancia de parte" al Tribunal Constitucional las dudas sobre la constitucionalidad de la ley relevante para el fallo (artículo 35 de la Ley Orgánica *del Tribunal Constitucional).*

La interpretación contraria supondría imponer a los particulares que pueden verse afectados por una ley que reputen inconstitucional la carga de impugnar, primero *en vía administrativa (en la que no es posible plantear la cuestión de inconstitucionalidad) y luego ante la jurisdicción contencioso-administrativa, agotando todas las instancias y grados si fuere menester, todos los actos dictados en aplicación de dicha ley, para agotar las posibilidades de que el tribunal plantease la cuestión de inconstitucionalidad. Basta este enunciado para advertir lo absurdo de las consecuencias que resultarían de dicha interpretación, cuyo mantenimiento equivale a sostener la necesidad jurídica de una situación de litigiosidad desproporcionada y por ello inaceptable".*

Recientemente, el Pleno de esta Sala, S. 2-6-2010 (RJ 2010, 5494), rec. 588/ 2008 , *ante la controversia doctrinal que generaron las anteriores sentencias y las numerosas que las siguieron, se ha pronunciado nuevamente sobre el obstáculo que puede suponer para el ejercicio de la acción de responsabilidad lo previsto en los* artículos 161.1.a), inciso final, de la Constitución Española, y 40.1 *, inciso inicial, de la LOTC, normas que establecen determinados límites a la eficacia ex tunc de las declaraciones de inconstitucionalidad, reiterando lo allí establecido.*

En definitiva, aunque los actos administrativos sean firmes –en este caso las liquidaciones tributarias relativas al Impuesto sobre Instalaciones que inciden sobre el Medio Ambiente– ello no tiene porque impedir el ejercicio de la acción de responsabilidad patrimonial del Estado por actos del legislador.

TERCERO. En el presente caso, sin embargo, se da la circunstancia que el Tribunal Constitucional en su Sentencia 289/2000, de 30 de noviembre , *que declaró la inconstitucionalidad de la* Ley del Parlamento Balear 12/1991, de 20 de diciembre , *vino a determinar el alcance de su decisión al señalar en el fundamento séptimo:*

"SEPTIMO.–Llegados al fin de nuestro enjuiciamiento, antes de pronunciar el fallo sólo nos resta precisar cuál es el alcance concreto que debe atribuirse a la declaración de inconstitucionalidad que le integra. Pues bien, por exigencia del principio de seguridad jurídica (art. 9.3 CE) y siguiendo

los precedentes sentados en supuestos que presentan rasgos similares al caso aquí enjuiciado (por todas, STC 45/ 1989, FJ 11), únicamente han de considerarse situaciones susceptibles de ser revisadas con fundamento en esta Sentencia aquéllas que, a la fecha de publicación de la misma, no hayan adquirido firmeza por haber sido impugnadas en tiempo y forma, y no haber recaído todavía una resolución administrativa o judicial firme."

Pronunciamiento que debe completarse con el contenido en el fundamento jurídico undécimo de la STC 45/1989 , a la que se remite a estos efectos la 289/ 2000 , *en cuyos incisos finales se precisaba el alcance de la declaración de inconstitucionalidad de determinados* preceptos de la Ley del Impuesto sobre la Renta de las Personas Físicas de 1978 (RCL 1978, 2837) , *concluyéndose, en relación con los pagos hechos en virtud de autoliquidaciones o liquidaciones provisionales o definitivas acordadas por la Administración, que no podría fundamentar pretensión alguna de restitución.*

Nuestra jurisprudencia ha precisado –por todas la STS de 18 de septiembre de 2003 (RJ 2003, 7553) (Rec. 122/ 2002)– *en relación con la doctrina anteriormente expuesta sobre la responsabilidad patrimonial del Estado-Legislador que goza de especial relevancia para su determinación que exista o no declaración expresa del Tribunal Constitucional acerca del alcance de la declaración de inconstitucionalidad que pronuncia, como ocurre en este caso. Mientras que los casos de ausencia de declaración permite a este Tribunal pronunciarse sobre la existencia de responsabilidad patrimonial y fijar una indemnización que permita compensar los daños causados por el acto de apli-*

cación de la ley inconstitucional tal y como expresábamos en el anterior fundamento, no así cuando el Tribunal Constitucional excluye cualquier tipo de acción revisoria. En este sentido el término que utiliza la sentencia es suficientemente expresivo al considerar "situaciones susceptibles de ser revisadas con fundamento en esta Sentencia aquéllas que, a la fecha de publicación de la misma, no hayan adquirido firmeza por haber sido impugnadas en tiempo y forma, y no haber recaído todavía una resolución administrativa o judicial firme", término que contiene expresa prohibición de cualquier otra acción, incluida la que deriva del art. 139 *y siguientes de la Ley 30/1992 , pues entenderlo de otro modo desnaturalizaría la decisión del Tribunal Constitucional.*

En consecuencia con lo expuesto procede la desestimación del recurso *de casación interpuesto y la confirmación de la sentencia recurrida.»*

De conformidad con dicha doctrina, y toda vez que la mercantil que ha formulado el presente recurso de casación no impugnó en su día las liquidaciones a que se refería el recurso contencioso-administrativo de que traen causa las presentes actuaciones, entendemos que no procede revisar ni reconocer responsabilidad patrimonial en función de aquéllas, y por el contrario han de desestimarse los motivos segundo a cuarto, ambos inclusive, del recurso de casación.

QUINTO. La desestimación del recurso de casación interpuesto determina, en aplicación del art. 139 de la Ley Jurisdiccional, la imposición de una condena en costas al recurrente, fijándose en tres mil (3.000) la cantidad máxima.

ANEXO III
AUDIENCIA NACIONAL

SENTENCIA 8 FEBRERO 2005

Recurso contencioso-administrativo núm. 521/2003

(JUR 2005, 226294)

Sala de lo Cont.–Adm., Sección 6

Ponente: Sra. Dª María Asunción Salvo Tambo

RESPONSABILIDAD PATRIMONIAL DE LA ADMINISTRACION PUBLICA: Funcionamiento normal o anormal de los servicios públicos: Administración local: indemnización: requisitos: daño efectivo: inexistencia: perjuicios derivados de la imposibilidad de participar en un concurso convocado para la adjudicación de una obra pública como consecuencia de la consideración por errores administrativos de no estar al corriente en el cumplimiento de sus obligaciones tributarias: falta de concurrencia efectiva al concurso: daño real inexistente: indemnización improcedente.

FUNDAMENTOS DE DERECHO

PRIMERO. Se impugna en el presente recurso Contencioso-Administrativo la resolución del Director General de la Agencia Estatal de Administración Tributaria, de fecha 4 de junio de 2003, por la que se desestima el recurso potestativo de reposición interpuesto por la entidad Promociones Arenenses, SL –ahora recurrente– contra la Resolución del Presidente de la Agencia Estatal de Administración Tributaria de fecha 10 de abril de 2003, que desestimó la solicitud de indemnización de daños y perjuicios formulada por la hoy actora.

La resolución impugnada tiene como antecedentes fácticos relevantes para la decisión del presente litigio los siguientes:

1º) Con fecha 29 de octubre de 1998, la entidad Promociones Arenenses, SL presentó recurso de reposición, frente a la liquidación provisional correspondiente al IVA del ejercicio 1997. El 2 de diciembre de 1998 se

dicta resolución desestimatoria que es notificada el 17 de diciembre.

Con fecha 7 de enero de 1999, se interpone reclamación económico-administrativa ante el TEAR de Madrid contra la resolución desestimatoria del recurso de reposición. El 26 de septiembre de 2000 se dicta resolución en la que se acuerda estimar la reclamación y anular el acto administrativo reclamado. Esta resolución se recibe en el órgano de gestión para proceder a su ejecución, la cual se lleva a cabo el 13 de marzo de 2001, por la que se acuerda reconocer una devolución por importe de 23.520,39 €. (3.913.463 ptas.) que es notificada al recurrente el 21 de mayo de 2001. Sobre esta cantidad, el contribuyente recibe un talón bancario por importe de 18.099,77 € (3.011.548 ptas.) y por la cantidad restante de 5.420,62 € (901915 ptas.) se practicó una compensación por los órganos de recaudación, a instancia de; interesado, con la liquidación de IVA de 1999, clave de liquidación A2861000300000667.

2º) Con fecha 22 de noviembre de 2001, la entidad Promociones Arenenses, SL presenta recurso de reposición, en el cual se impugna la deuda con clave de liquidación A286100300000393, por el concepto de IVA 2000 «Paralela a ingresar», por importe de 17.700,86 €, y en el que se solicita el reconocimiento de los intereses legales correspondientes al retraso en la percepción de la liquidación provisional del IVA ejercicio 1997. El 2 de abril de 2002 se resuelve el recurso estimando las pretensiones del recurrente procediéndose a la anulación de esta liquidación y cuantificando el importe de los intereses solicitados en la cantidad de 2.692,90 € (448.060 ptas.), calculados sobre el importe de la devolución del IVA 1997 (18.099,77 €), desde la fecha de presentación de la reclamación económico-administrativa el 7 de enero de 1999 hasta la fecha del acuerdo de devolución el 10 de agosto de 2001. Igualmente, los órganos de recaudación comunican al reclamante la falta de objeto de impugnación en los recursos presentados contra los actos de gestión recaudatoria al haber sido anulada la deuda indicada.

3º) Con fecha 31 de julio de 2002 se acuerda una devolución por importe de 2.692,90 € por el concepto de intereses IVA 1997, la cual es objeto de una compensación de oficio, núm. de ref. 280230038778B, practicada el 7 de octubre de 2002 con la deuda con clave de liquidación A2885302526023676, por el concepto «Recargo sobre autoliquidación mod. 4T-2000».

4º) Con fecha 14 de noviembre de 2002 se interpuso de reposición ante los órganos de recaudación contra el acuerdo de compensación de oficio anteriormente señalado. Con fecha 2 de enero de 2003, El Delegado Especial de la AEAT de Madrid acuerda estimar

este recurso al haber sido anulada la deuda objeto del mismo en ejecución del recurso de la Dependencia de Gestión Tributaria, el cual fue ejecutado con fecha 4 de diciembre de 2002, dando lugar a una devolución de 3.056,08 € y 20,26 € por los intereses de demora devengados.

5º) El 16 de octubre de 2002, la representación de la entidad Promociones Arenenses, SL se dirigió a la Agencia Tributaria con el fin de solicitar un certificado de estar al corriente en el pago de las deudas tributarias. Este certificado no pudo ser expedido por tener carácter negativo al constar una deuda en período ejecutivo por importe de 3.057 €. Por ello, y con el fin de obtener de manera urgente el certificado, se procedió a satisfacer la deuda mediante documento de pago mod. 010, que fue aplicado a cancelar la deuda por el concepto «Recargo sobre autoliquidaciones 4T-2000 Mod. 300» con clave de liquidación A2885302526023676.

6º) Con fecha 10 de marzo de 2003 se comunica a la empresa Promociones Arenenses, SL que con fecha 3 de marzo de 2003 se ha acordado una devolución de ingresos al haberse comprobado que la deuda A2885302526023676 por el concepto «Recargo sobre autoliquidaciones 4T-2000 Mod. 300» fue objeto de una compensación de oficio, núm. de ref. 280230038778B, con fecha 7 de octubre de 2002, y de un ingreso mediante documento de pago con fecha 16 de octubre de 2002. El importe de la devolución asciende a 2.781,35 € incluidos los intereses de demora.

7º) Con fecha 11 de noviembre de 2002, la reclamante presenta escrito ante la Administración de Moratalaz por el que solicita una indemnización por los daños y perjuicios sufridos, del que se remite copia a la Dirección Adjunta de Administración Económica para su tramitación oportuna.

En escrito de 9 de enero de 2003, se solicita al reclamante la subsanación de su solicitud y el 19 de febrero de 2003 se notifica la apertura de expediente de responsabilidad patrimonial. Asimismo, en cumplimiento de lo dispuesto en el artículo 10 del RD 429/1993, de 26 de marzo (RCL 1993, 1394, 1765), por el que se aprueba el Reglamento de los Procedimientos de las Administraciones Públicas en matar de responsabilidad patrimonial, se solicita la emisión de informe precisó a la Delegación Especial de la AEAT de Madrid, recibido por el órgano instructor el 27 de febrero de 2003.

8º) En escrito de 5 de marzo de 2003 se comunica a la interesada la apertura de trámite de audiencia por el que se le concede un plazo de quince días para formular alegaciones y presentar los documentos y justificaciones que estime pertinentes, o bien obtener copia de los que constan en el expediente que se instruye.

Mediante escrito registrado el 27 de marzo de 2003 la reclamante formula las alegaciones que estima oportunas, ratificando las vertidas en su escrito inicial así como la solicitud de indemnización.

9º) Con fecha 10 de abril de 2003, el Presidente de la Agencia Tributaría dictó Resolución poniendo fin al procedimiento incoado, la cual fue notificada a la reclamante el 23 de abril de 2003. En la misma se acuerda «Desestimar la solicitud de indemnización de daños y perjuicios formulada por Dª Patricia García Samaniego, en nombre y representación de Promociones Arenenses, SL».

10º) Finalmente se interpuso recurso potestativo de reposición contra la anterior resolución que es resuelto por el Presidente de la AEAT mediante la resolución que constituye el objeto de la presente impugnación.

SEGUNDO. La cuestión a resolver aquí es la relativa a la procedencia de la indemnización solicitada, esto es de la correspondiente al 6% del presupuesto de ejecución material del concurso para la adjudicación de una obra en la que se dice pretendía licitar.

En concreto la actora considera que se le han ocasionado innumerables perjuicios que concreta de la siguiente manera:

–Se ha visto obligada a prescindir de 6.112,16 euros, y a soportar un error administrativo, ya que ha sido abonado y compensado un mismo concepto en dos ocasiones.

–Se le ha exigido un importe (3.056,8 euros) que se ha originado por negligencia administrativa, dado que aún habiendo sido solicitado la compensación en tiempo informa la Agencia Tributaria no la realizó.

–Se ha visto privada de una «gran cantidad de efectivo (6.112,16 euros)».

–Se ha visto obligada a disponer de una persona encargada de realizar continuamente los recursos contra los erróneos actos administrativos dictados.

–No le ha sido entregado un certificado de estar al corriente del pago de las obligaciones tributarias, tal y como fue solicitado.

–Se ha privado de la posibilidad de licitar a un concurso administrativo.

A lo que se opone el Abogado del Estado alegando que en el presente caso no concurren los presupuestos jurídicos para dar lugar a la responsabilidad pretendida, ya que no existe daño efectivo alguno para la entidad recurrente pues los errores administrativos sufridos se corrigieron anulando las liquidaciones y habiéndose pagado los intereses de demora se indemnizaron los posibles daños derivados de tales actuaciones (artículo 1108 del Código Civil [LEG 1889, 27] y constante doctrina legal). Y en cuanto a la participación en el concurso, no es discutible que con la certificación facilitada y la acreditación de los recursos en trámite la entidad recurrente podía y debía haber participado en el concurso, por lo que ningún daño efectivo imputable a la Administración pudo derivarse de tal actuación para la recurrente.

TERCERO. Configurada por primera vez en 1954, dentro de la Ley de Expropiación Forzosa (RCL 1954, 1848), en el art. 121 y contenida en la Ley de Régimen Jurídico de la Administración del Estado de 1957 (RCL 1957, 1058, 1178), en los arts. 40 y 41, la responsabilidad patrimonial de la Administración del Estado adquiere relevancia constitucional en los arts. 9 y 106.2 de la Constitución (RCL 1978, 2836) como garantía fundamental de la seguridad jurídica, con entronque en el valor de la justicia, y se desarrolla en los arts. 139 y siguientes de la Ley 30/199 (RCL 1992, 2512, 2775 y RCL 1993, 246) 2 (Título X) y en el RD 429/1993, de 26 marzo (RCL 1992, 1394, 1765), que aprueba el Reglamento de los Procedimientos de las Administraciones Públicas en materia de responsabilidad patrimonial.

El fundamento de la responsabilidad patrimonial de la Administración se encontraba inicialmente en el ejercicio ilegal de sus potestades o en la actuación culposa de sus funcionarios, por lo

que se configuraba con carácter subsidiario, pero actualmente, y sin perjuicio de admitir en algunos supuestos otro fundamento, se considera que si la actuación administrativa tiene por objeto beneficiar, con mayor o menor intensidad a todos los ciudadanos, lo justo es que si con ello se causa algún perjuicio, éste se distribuya también entre todos, de forma que el dato objetivo de la causación de una lesión antijurídica por la actuación de la Administración constituye ahora el fundamento de la responsabilidad de la misma. La responsabilidad por tanto, surge con el perjuicio que se causa, independientemente de que éste se haya debido a una actuación lícita o ilícita de los poderes públicos y de quién haya sido concretamente su causante.

Un examen sucinto de los elementos constitutivos de la responsabilidad patrimonial de la Administración, permite concretarlos del siguiente modo:

1.–El primero de los elementos es la lesión patrimonial equivalente a daño o perjuicio en la doble modalidad de lucro cesante o daño emergente. Al respecto hemos de precisar lo siguiente:

La lesión se define como daño ilegítimo, pues no todo perjuicio es constitutivo de una lesión en el sentido técnico-jurídico del término, porque si bien toda lesión es integrante de un daño y perjuicio no todo daño y perjuicio es constitutivo de una lesión, dentro del marco de los arts. 121 y 122 de la Ley de Expropiación Forzosa, 40 de la Ley de Régimen Jurídico de la Administración del Estado, 106.2 de la Constitución y 139 y siguientes de la Ley 30/1992. Esa antijuridicidad o ilicitud sólo se produce cuando el afectado no hubiera tenido la obligación de soportar el daño o el perjuicio y ese deber de soportar el daño o el perjuicio sufrido se da en los supuestos en que la Ley y el grupo normativo de ella derivado justifican dichos detrimentos de un modo expreso o implícito. Así, del examen de las Sentencias del Tribunal Supremo de 7 abril (RJ 1989, 2915), 19 mayo y 19 diciembre 1989 (RJ 1989, 9867), entre otras, se infiere que el criterio esencial para determinar la antijuridicidad del daño o perjuicio causado a un particular por la aplicación de un precepto legal o normativo debe ser el de si concurre o no el deber jurídico de soportar el daño, ya que las restricciones o limitaciones impuestas por una norma, precisamente por el carácter de generalidad de la misma, deben ser soportadas, en principio, por cada uno de los individuos que integran el grupo de afectados, en aras del interés público (en este sentido SSTS de 4 de junio de 1990 [RJ 1990, 4689], 21 de enero de 1991 [RJ 1991, 1667], 25 de junio de 1992 [RJ 1992, 5996] y 7 de julio de 1997 [RJ 1997, 5636], entre otras). Debe, pues, concluirse que para que el daño concreto producido por el funcionamiento del servicio a uno o varios particulares sea antijurídico basta con que el riesgo inherente a su utilización haya rebasado los límites impuestos por los estándares de seguridad exigibles conforme a la conciencia social No existirá entonces deber alguno del perjudicado de soportar el menoscabo y, consiguientemente, la obligación de resarcir el daño o perjuicio causado por la actividad administrativa será a ella imputable. Son numerosas las Sentencias del Tribunal Supremo que han hecho hincapié en el carácter objetivo de la responsabilidad patrimonial de la Administración Pública, tales como las de 19 de noviembre de 1994 (RJ 1994, 10469), 11 (RJ 1995, 1130) y 25 de febrero (RJ 1995, 2096), 1 de abril (RJ 1995, 3226), 23 de mayo (RJ 1995, 4220), 24 de octubre (RJ 1995, 7155) y 8 de noviembre de 1995 (RJ 1995, 9958) y 16 de abril de 1996 (RJ 1996, 3214) y 10 de junio de 2003, entre otras.

2.–El vínculo entre la lesión y el agente que la produce, es decir, entre el acto dañoso y la Administración, implica una actuación del poder público en uso de potestades públicas. Es decir, se exige la prueba de la causa concreta que determine el daño o, lo que es lo mismo, de la conexión entre la actuación administrativa y el daño real ocasionado, como ponen de manifiesto las SSTS de 24 de octubre (RJ 1985, 5210) y 5 de diciembre de 1985 (RJ 1985, 5991), 22 de julio de 1988 (RJ 1988, 6095), 6 de febrero de 1990 (RJ 1990, 994) y 5 de junio de 1998.

3.–Finalmente, la lesión ha de ser real y efectiva, nunca potencial o futura, pues el perjuicio tiene naturaleza exclusiva con posibilidad de ser cifrado en dinero y compensado de manera individualizable, debiéndose dar el necesario nexo causal entre la acción producida y el resultado dañoso ocasionado. Es decir, el perjuicio ha de ser patrimonialmente evaluable y determinado o determinable con relación a cada persona, pudiéndose producir su cuantificación definitiva en ejecución de sentencia (STS de 5 de junio de 2001).

Por último, además de estos requisitos, es de tener en cuenta que la Sala Tercera del Tribunal Supremo ha declarado reiteradamente (así, en Sentencias 14 mayo [RJ 1994, 4189], 4 junio [RJ 1995, 4783], 2 julio [RJ 1994, 6673], 27 septiembre, 7 noviembre y 19 noviembre 1994, 11 de febrero 1995, 25 febrero 1995, 28 febrero [RJ 1995,

1497], 1 abril [RJ 1995, 3226] y 11 de septiembre de 1995 [RJ 1995, 6423]) que la responsabilidad patrimonial de la Administración, contemplada por los arts. 106.2 de la Constitución (RCL 1978, 2836), 40 de la Ley de Régimen Jurídico de la Administración del Estado de 1957 (RCL 1957, 1058, 1178) y 121 y 122 de la Ley de Expropiación Forzosa (RCL 1954, 1848), se configura como una responsabilidad objetiva o por el resultado en la que es indiferente que la actuación administrativa haya sido normal o anormal, bastando para declararla que como consecuencia directa de aquélla, se haya producido un daño efectivo, evaluable económicamente e individualizado.

Esta fundamental característica impone que no sólo no es menester demostrar para exigir aquella responsabilidad que los titulares o gestores de la actividad administrativa que ha generado un daño han actuado con dolo o culpa, sino que ni siquiera es necesario probar que el servicio público se ha desenvuelto de manera anómala, pues los preceptos constitucionales y legales que componen el régimen jurídico aplicable extienden la obligación de indemnizar a los casos de funcionamiento normal de los servicios públicos.

Según la STS 28 de enero de 1986 (RJ 1986, 69), lo que se pretende es que «la colectividad representada por el Estado asuma la reparación de los daños individualizados que produzca el funcionamiento de los servicios públicos por constituir cargas imputables al coste del mismo en justa correspondencia a los beneficios generales que dichos servicios reportan a la comunidad», o de otra forma, como señala la STS 2 de junio de 1994 (RJ 1994, 4782), «configurada legal y jurisprudencialmente la responsabilidad patri-

monial del Estado con la naturaleza de objetiva, de manera que cualquier consecuencia dañosa derivada del funcionamiento de los servicios públicos debe ser, en principio, indemnizada, porque de otro modo se produciría un sacrificio individual en favor de una actividad de interés público que debe ser soportada por la comunidad».

Precisamente el carácter objetivo de la responsabilidad patrimonial de la Administración hace que sólo se excluya en los supuestos de fuerza mayor y no en los de caso fortuito, lo que implica, como también se recordaba en la STS 1 de diciembre de 1989 (RJ 1989, 8992), que «el carácter fortuito del hecho causante de una lesión no excluye la responsabilidad patrimonial».

La naturaleza objetiva de aquella responsabilidad de las Administraciones Publicas, que constituye un principio cardinal en el régimen administrativo, tal como lo regula la Constitución, según manifiesta la sentencia del Tribunal Supremo de 25 de octubre de 1996 (RJ 1996, 7124), debe ser exigida con especial rigor cuando se proyecta sobre actividades que son susceptibles de poner en riesgo no solo la propiedad, sino también otros bienes constitucionales de la mayor importancia, la vida y la integridad física de las personas.

Los anteriores principios permiten constatar el examen de la relación de causalidad inherente a todo caso de responsabilidad extracontractual, debiendo subrayarse:

a) Que entre las diversas concepciones con arreglo a las cuales la causalidad puede concebirse, se imponen aquellas que explican el daño por la concurrencia objetiva de factores cuya inexistencia, en hipótesis, hubiera evitado aquél. A este respecto debe seguirse la llamada teoría de la causalidad adecuada, expuesta en la STS de 28 de noviembre de 1998 (RJ 1998, 9967) del siguiente modo: «El concepto de relación causal a los efectos de poder apreciar la responsabilidad patrimonial de las administraciones públicas, se resiste a ser definido apriorístico, con carácter general, puesto que cualquiera acaecimiento lesivo se presenta normalmente no ya como el efecto de una sola causa, sino más bien como resultado de un complejo de hechos y condiciones que pueden ser autónomos entre sí ó dependientes unos de otros, dotados sin duda, en su individualidad, en mayor o menor medida, de un cierto poder causal, reduciéndose el problema a fijar entonces que hecho ó condición puede ser considerado como relevante por sí mismo para producir el resultado final, y la doctrina administrativa, tratando de definir que sea relación causal a los efectos de apreciar la existencia, ó no, de responsabilidad patrimonial de las administraciones públicas, se inclina por la tesis de la causalidad adecuada que consiste en determinar si la concurrencia del daño era de esperar en la esfera del curso normal de los acontecimientos, o sí, por el contrarío, queda fuera de este posible cálculo, de tal forma que sólo en el primer caso, si el resultado se corresponde con la actuación que la originó, es adecuado a esta, se encuentra en relación causal con ella y sirve como fundamento del deber de indemnizar. Esta causa adecuada o causa eficiente y exige un presupuesto, una "condictio sine qua non", esto es, un acto o un hecho sin el cual es inconcebible que otro hecho o evento se considere consecuencia o efecto del primero. Ahora bien, esta condición por sí sola no basta para definir la causalidad adecuada sino que es necesario, además,

que resulte normalmente idónea para determinar aquel evento o resultado, tomando en consideración todas las circunstancias del caso, esto es, que exista una adecuación objetiva entre acto y evento, lo que se ha llamado la verosimilitud del nexo y sólo cuando sea asi dicha condición alcanza la categoría de causa adecuada, causa eficiente o causa próxima y verdadera del daño, quedando así excluidos tanto los actos indiferentes como los inadecuados ó inidóneos y los absolutamente extraordinarios».

b) No son admisibles, en consecuencia, otras perspectivas tendentes a asociar el nexo de causalidad con el factor eficiente, preponderante, socialmente adecuado o exclusivo para producir el resultado dañoso, puesto que válidas corno son en otros terrenos irían en éste en contra del carácter objetivo de la responsabilidad patrimonial de las Administraciones Públicas.

c) La consideración de hechos que puedan determinar la ruptura del nexo de causalidad, a su vez, debe reservarse para aquellos que comportan fuerza mayor –única circunstancia admitida por la Ley con efecto excluyente–, a los cuales importa añadir la intencionalidad de la víctima en la producción o el padecimiento del daño, o la gravísima negligencia de ésta, y la intervención de un tercero como agente activo, siempre que estas circunstancias hayan sido determinantes de la existencia de la lesión y de la consiguiente obligación de soportarla.

d) Finalmente, el carácter objetivo de la responsabilidad impone que la prueba de la concurrencia de acontecimientos de fuerza mayor o circunstancias demostrativas de la existencia de dolo o negligencia de la víctima suficiente para considerar roto el nexo de causalidad corresponda a la Administración, pues no sería objetiva aquella responsabilidad que exigiese demostrar que la Administración que causó el daño procedió con negligencia, ni aquélla cuyo reconocimiento estuviera condicionado a probar que quien padeció el perjuicio actuó con prudencia.

Sentado lo anterior, debe matizarse, como lo hacen las SSTS de 25 de enero (RJ 1997, 266) y 26 de abril de 1997 (RJ 1997, 4307) que la imprescindible relación de causalidad entre la actuación de la Administración y el resultado dañoso producido puede aparecer bajo formas mediatas, indirectas y concurrentes, aunque admitiendo la posibilidad de una moderación de la responsabilidad en el caso de que intervengan otras causas, la cual debe tenerse en cuenta en el momento de fijarse la indemnización. El hecho de la intervención de un tercero o una concurrencia de concausas imputables unas a la Administración y otras a personas ajenas e incluso al propio perjudicado, imponen criterios de compensación (asumiendo cada una la parte que le corresponde) o de atemperar la indemnización a las características o circunstancias concretas del caso examinado.

La doctrina expuesta es así contemplada también en las sentencias de Tribunal Supremo de 5 de junio (RJ 1997, 9645), 7 de julio (RJ 1997, 5636), 20 de octubre (RJ 1997, 7254) y 16 de diciembre de 1997 (RJ 1997, 9422), 10 de febrero de 1998 (RJ 1998, 1786), 10 de junio de 2003 (RJ 2003, 5630) y 23 de septiembre de 2004.

CUARTO. Circunscribiéndonos al supuesto actualmente controvertido hemos de examinar la concurrencia de los requisitos exigibles para el éxito de la acción de responsabilidad a la luz de la anterior doctrina.

Al margen de ello han de quedar las vicisitudes e incidencias de los recursos y procedimientos tramitados en relación con el Impuesto del Valor Añadido, recursos y reclamaciones que han seguido su cauce y que, según consta en el expediente, además se han saldado favorablemente a la hoy actora, constando incluso en autos las diversas anulaciones llevadas a cabo por la Administración y consiguientes devoluciones de los importes correspondientes junto con sus intereses de demora.

Es posteriormente cuando la representación de la entidad actora se dirigió a la Agencia Tributaria solicitando un Certificado de «estar al corriente en el pago de las obligaciones tributarias», figurando a la vista del certificado que le fue entregada una deuda en período ejecutivo por importe de 2.546,73 de principal y 509,35 de recargo de apremio, ante lo cual realizó un ingreso para cancelar dicha deuda con fecha 16 de octubre de 2002. Pero también dicho error, tal y como se deduce del expediente administrativo, fue subsanado a través de un expediente de devolución de ingresos indebidos, reconociéndose con fecha 3 de marzo de 2003, a la hoy actora la devolución de lo ingresado indebidamente junto con sus intereses de demora.

En definitiva, una vez solucionado por la vía pertinente los errores administrativos cometidos y que se han saldado, como decimos, con la sucesivas estimaciones de las reclamaciones y recursos interpuestos por la ahora recurrente quien ha visto estimadas sus pretensiones a través de la anulación de los actos administrativos erróneos con el consiguiente restablecimiento de su situación patrimonial en lo que respecta a la devolución de los diversos ingresos indebidos como a la devolución de los intereses de demora pertinentes. Queda, pues, la cuestión circunscrita al perjuicio alegado por la reclamante relativo a la imposibilidad de participar en un concurso convocado para la adjudicación, a su decir, de una obra pública.

Pues bien, en este caso faltaría la causación del daño mismo si por daño indemnizable hay que entender con arreglo a la doctrina más arriba señalada, el daño efectivo y cierto, ya producido, es claro que no simplemente posible o contingente, o, como en este caso concreto, a tenor de lo alegado, un daño hipotético o condicionado y, en definitiva no probado.

Pero, amén del daño efectivamente producido, faltaría el inexcusable nexo causal entre la actuación administrativa y el daño que se dice padecido. En efecto, en dicho certificado (acompañado como documento núm. 19 a la demanda) emitido a solicitud del contribuyente por la Agencia Tributaria (Administración de Moratalaz resulta que la recurrente tenía otras deudas (dos relativas al Impuesto sobre Sociedades, ejercicio 2001, y, además, otras cuatro por el concepto «sanción» haciéndose constar muy claramente en dicho certificado que tales deudas «se encuentran recurridas y suspendidas», por lo que ello no había de suponer ningún obstáculo para que la actora pudiese participar en cualquier procedimiento de licitación pública ya que, si bien con arreglo al Texto Refundido de la Ley de Contratos de las Administraciones Públicas (artículo 79) aprobado por Real Decreto Legislativo 2/2000, de 16 de junio (RCL 2000, 1380, 2126) las proposiciones deberán ir acompañadas de determinada documentación, en ningún caso se prescribe que se acompañe

dicho certificado sino «la declaración responsable... de hallarse al corriente del cumplimiento de las obligaciones tributarias...»;, y por otra parte, si bien el propio Texto Refundido (esta vez en su artículo 20) incluye entre las prohibiciones de contratar el no hallarse al corriente en el cumplimiento de las obligaciones tributarias, lo cierto es que el Real Decreto 1098/2001, de 12 de octubre (RCL 2001, 2594, 3102), por el que se aprueba el Reglamento General de la Ley de Contratos de las Administraciones Públicas, (en su artículo 13) establece que «... se considerará que las empresas se encuentran al corriente en el cumplimiento de sus obligaciones tributarias cuando, en su caso, concurran las siguientes circunstancias:...se considerará que las empresas se encuentran al corriente en el cumplimiento de sus obligaciones tributarias cuando las deudas estén aplazadas, fraccionadas o se hubiera acordado su suspensión con ocasión con la impugnación de las correspondientes liquidaciones», supuesto precisamente ante el que se encontraba el recurrente como con toda claridad resulta del certificado expedido por la Agencia Tributaria en el que explícitamente figuraba que las deudas tributarias se encontraban recurridas y suspendidas; de ahí que dicho certificado en absoluto puede invocarse como obstáculo para participar en la licitación pública a que se refiere la recurrente lo que, en definitiva, impide también apreciar en el presente caso la necesaria concurrencia del nexo causal entre la actuación administrativa y el daño que se reclama.

QUINTO. De todo lo anterior deriva la procedencia de desestimar el presente recurso con la paralela confirmación de la resolución impugnada por su conformidad a Derecho.

Sin que se aprecien circunstancias que determinen un especial pronunciamiento sobre costas, según el artículo 139.1 de la Ley 29/1998, de 13 de julio (RCL 1998, 1741), reguladora de la Jurisdicción Contencioso-Administrativa.

SENTENCIA 20 ENERO 2006
Recurso contencioso-administrativo núm. 423/2003

(JUR 2006, 265143)
Sala de lo Cont.–Adm., Sección 6
Ponente: Sra. Dª Concepción Mónica Montero Elena

RESPONSABILIDAD PATRIMONIAL DE LA ADMINISTRACION PUBLICA: Funcionamiento normal o anormal de los servicios públicos: tributos: daños y perjuicios causados al Ayuntamiento como consecuencia de anulación de liquidación del IIVTNU, debido a la incorrecta asignación del valor catastral atribuido por la Gerencia Territorial del Catastro: obligación jurídica del Ayuntamiento de soportar las consecuencias de una incorrecta valoración catastral, en cuanto la Ley ha atribuido la competencia para la fijación del valor a la Administración estatal, dividiendo las competencias en materia de gestión tributaria: indemnización improcedente.

FUNDAMENTOS DE DERECHO

PRIMERO. Es objeto de impugnación en autos la Resolución del Ministerio de Hacienda de fecha 13 de febrero de 2003 relativa a denegación de indemnización como consecuencia de la anulación de la liquidación correspondiente al año 1990, en concepto de IIVT, debido a la incorrecta asignación del valor catastral atribuido por la Gerencia Territorial del Catastro de Gerona a la parcela catastral 49.78.302, y que afectó al IBI en años sucesivos.

En primer lugar y en relación a la presentación del escrito en el que se manifestaba la volunta del Ayuntamiento de interrumpir la prescripción de la acción indemnizatoria en el propio Registro de la entidad actora, hemos de señalar que, según manifiesta la recurrente se adhirió al Convenio previsto en el artículo 38.2 de la Ley 30/1992 (RCL 1992, 2512, 2775 y RCL 1993, 246) por acuerdo de 9 de marzo de 1999 y aceptado por Resolución de 31 de marzo de 1999.

Pues bien, la interpretación realizada por la actora en cuanto al lugar de presentación del escrito encuentra su apoyo en una interpretación justificada de la citada normativa, por ello no puede la forma en que se presentó el escrito interrumpiendo la prescripción suponer la imposibilidad de que su petición sea examinada en el fondo.

SEGUNDO. Hemos de recordar

que el artículo 139 de la Ley 30/1992 de 26 de noviembre (RCL 1992, 2512, 2775 y RCL 1993, 246), establece: «1.– Los particulares tendrán derecho a ser indemnizados por las Administraciones Públicas correspondientes, de toda lesión que sufran en cualquiera de sus bienes y derechos, salvo en los casos de fuerza mayor, siempre que la lesión sea consecuencia del funcionamiento normal o anormal de los servicios públicos. 2.– En todo caso, el daño alegado habrá de ser efectivo, evaluable, económicamente individualizado con relación a una persona o grupo de personas».

Con posterioridad a la entrada en vigor de la citada Ley, el Tribunal Supremo en su sentencia de 20 de octubre de 1997, dictada en el recurso ordinario 455/1997 (RJ 1997, 7254), tuvo ocasión nuevamente de sintetizar los elementos esenciales que han de concurrir para originar la responsabilidad patrimonial de las Administraciones Públicas. Así, en su fundamento jurídico cuarto concreta los elementos constitutivos de la responsabilidad patrimonial de las Administraciones como sigue: A) Lesión patrimonial equivalente a daño o perjuicio en la doble modalidad de lucro cesante o daño emergente, B) la lesión se define como un daño ilegítimo, C) el vínculo entre el resultado dañoso y la Administración implica una actuación del poder público en uso de potestades públicas, y D) la lesión ha de ser real y efectiva nunca potencial o futura.

Señala, a continuación, la propia sentencia que la responsabilidad se configura como objetiva o por el resultado, en la que es indiferente que la actuación administrativa haya sido normal o anormal, bastando para declararla que como consecuencia directa de aquella se haya producido un daño efectivo.

Por su parte, la sentencia de 21 de julio de 2001, dictada en el recurso de casación 2193/97 (RJ 2001, 9167), especifica respecto del nexo causal, que no se requiere que el mismo sea directo, inmediato y exclusivo –doctrina ésta abandonada por el Alto Tribunal–, admitiéndose una relación de causalidad bajo formas mediatas, indirectas o concurrentes, que de existir moderan la reparación a cargo de la Administración.

TERCERO. Un asunto semejante al que ahora analizamos ha sido resuelto por esta Sala en sentencia de 25 de febrero de 2005 dictada en el recurso 447/2003 (JUR 2005, 226177), hemos pues de recordar algunos aspectos estudiados en dicha resolución

«3. Antes de entrar propiamente en el examen de la concurrencia o no, de los requisitos determinantes de la responsabilidad patrimonial de la Administración General del Estado debemos examinar, como hace la resolución impugnada, si el Ayuntamiento recurrente puede ostentar la condición de "particular", pues tal término en plural ("particulares") es el utilizado para designar a los titulares del derecho a la indemnización solicitada, o, lo que es lo mismo, son los particulares los únicos legitimados para instar la responsabilidad patrimonial por lesión que sea consecuencia del funcionamiento de los servicios públicos, con arreglo al art. 106 CE (RCL 1978, 2836) y art. 139 LRJ–PAC (RCL 1992, 2512, 2775 y RCL 1993, 246). La resolución impugnada, siguiendo lo dictaminado por el Consejo de Estado, considera que, si bien es cierto que pueden subsumirse bajo el concepto de "particulares" a los Ayuntamientos, ello es así cuando se trata de simples usuarios de servicios públicos pero no cuando ejercen potestades administrativas como es el caso que nos ocupa (potestad tributaria) lo que determinaría, según la propia resolución impugnada, la inadmisibilidad de la reclamación por falta de legitimación activa del Ayuntamiento, si bien, finalmente en su parte dispositiva, no llega a tal conclusión sino que desestima la reclamación.

Sin embargo, no es éste el criterio de la Sala que, en sintonía con el manifestado en numerosas ocasiones por el Tribunal Supremo (por todas, STS de 8 de junio de 2000 [RJ 2000, 7383]) entiende que debe integrarse la laguna existente en el Ordenamiento Jurídico y naturalmente entender subsumidos dentro de la expresión "particulares" también a los distintos entes públicos de la Administración sin restricción de ningún tipo, por lo que ninguna dificultad existe en entender legitimado en el presente caso al Ayuntamiento recurrente. En efecto, ya desde la STS de 14 de octubre de 1994 (RJ 1994, 8741) el Tribunal Supremo analiza con detenimiento la legitimación de otras administraciones públicas territoriales fundamentando la misma en los siguientes términos.

"TERCERO.–El señor Abogado del Estado alega en su recurso de apelación, que comenzamos por examinar, la falta de legitimación de la Diputación Foral de Vizcaya para ejercitar acción de responsabilidad patrimonial contra la Administración del Estado, porque los artículos 106.2 de la Constitución (RCL 1978, 2836), 40 de la Ley de Régimen Jurídico de 26 julio 1957 (RCL 1957, 1058, 1178) y 121 de la Ley de Expropiación Forzosa (RCL 1954, 1848) utilizan el término de 'particulares' para designar a los titulares del derecho a indemnización por lesión que sea consecuencia del funcionamiento de los servicios públicos, de lo cual deduce que la legislación no ha estable-

cido entre las distintas Administraciones Públicas derecho a indemnizaciones recíprocas por el funcionamiento de sus respectivos servicios, alegación que en el suplico de su escrito configura como causa de inadmisibilidad del recurso Contencioso-Administrativo. La falta de legitimación a que alude el señor Abogado del Estado consiste en negar a la Diputación Foral de Vizcaya la titularidad del derecho a ser indemnizada que ejercita, por lo cual no se trata de un problema de falta de legitimación procesal, sino que afecta al fondo de la cuestión planteada, lo que impide que pueda considerarse como motivo de inadmisibilidad del recurso. Pero también debemos rechazar esta argumentación como razón para desestimar la pretensión que hace valer la Diputación Foral de Vizcaya, verificando una interpretación integradora del término 'particulares' que se contiene en los preceptos anteriormente citados y se reitera en el artículo 139.1 de la Ley 30/1992, de 26 noviembre (RCL 1992, 2512, 2775 y RCL 1993, 246), de Régimen Jurídico de las Administraciones Públicas y del Procedimiento Administrativo Común (aunque sin aplicación este último por razón de su fecha a los hechos debatidos en este proceso). Entendemos, como ha quedado apuntado, que la referida expresión 'particulares' debe ser objeto de una interpretación integradora, de modo que no sólo comprenda a los ciudadanos, que en el Derecho administrativo reciben la denominación de 'administrados', sino también a las distintas Administraciones Públicas, cuando una de ellas sufre una lesión en sus bienes o derechos que es consecuencia, en una relación directa de causa a efecto, del funcionamiento normal o anormal de los servicios públicos prestados por otra Administración Pública. Las razones que fundamentan este criterio son las siguientes: 1º).–Cuando el funcionamiento de los servicios de una Administración Pública produce una lesión antijurídica en el patrimonio de otra Administración Pública no existe en el ordenamiento una norma que establezca el medio por el que la persona de Derecho público lesionada pueda exigir de la Administración causante del daño su resarcimiento de forma coactiva, esto es, acudiendo a los Tribunales de la Jurisdicción Contencioso-Administrativa para que declare la obligación de indemnizar, si la Administración responsable no acepta voluntariamente asumir dicha responsabilidad. Se produce en la materia un auténtico vacío del ordenamiento, o laguna de la Ley, que no contempla este supuesto ni da la adecuada respuesta para su solución.

2º).–Las lagunas de la Ley han de ser colmadas por los Tribunales, que tienen el deber de resolver en todo caso los asuntos de que conozcan, correspondiendo a la jurisprudencia la función de complementar el ordenamiento jurídico, al interpretar la Ley, la costumbre y los principios generales del derecho (artículo 1, apartados 6 y 7, del Código Civil [LEG 1889, 27]). Uno de los instrumentos que sirve de manera esencial para llenar las lagunas de la Ley es la analogía, respecto de la cual el artículo 4.1 del antes dictado Texto Legal previene que «procederá la aplicación analógica de las normas cuando éstas no contemplan un supuesto específico, pero regulan otro semejante entre los que se aprecie identidad de razón».

3º).–Entre el supuesto en que un "particular" sufre una lesión en sus bienes o derechos como consecuencia del funcionamiento normal o anormal de un servicio público, teniendo derecho a su indemnización, y el caso en que la lesión se produce en el patrimonio de una Administración Pública, encontramos la "eadem ratio decidendi" o identidad de razón que el artículo 4.1 del Código Civil exige para la procedente aplicación de la analogía. En el ámbito del Derecho se actúa en tanto se tiene la cualidad de persona, sea ésta física o jurídica, de Derecho público o de Derecho privado. La persona, como centro de imputación de derechos y deberes, es titular de un patrimonio, y, cuando dicho patrimonio experimenta una lesión antijurídica, debe ser resarcida por el causante de la lesión. Desde una concepción política del Estado podrá mantenerse que en él se comprenden las diversas entidades públicas que forman parte de su organización y, en particular, las de carácter territorial (Comunidades Autónomas, Provincias, Municipios). Pero en el campo del Derecho, y en la esfera del Derecho Administrativo particularmente, la Administración General del Estado es una persona de Derecho público con patrimonio propio y distinto, con derechos y deberes diferentes a los de las Comunidades Autónomas, Diputaciones y Ayuntamientos. La razón por la que las normas obligan a indemnizar los daños y perjuicios causados en los bienes y derechos de un "particular" por el funcionamiento de los servicios públicos es evitar que éste haya de sufrir una lesión antijurídica en beneficio de la Administración pública causante de tal lesión. Pues bien, la misma razón debe impedir que tal resultado dañoso haya de ser soportado por una Administración Pública, que tiene su patrimonio propio, cuando el daño procede del funcionamiento de los servicios de otra Administración Pública, que es titular de un patrimonio distinto del de la Administración lesionada. El deber de indemnizar se basa en el mismo fundamento de justicia evitar que una persona (pública o privada) haya de soportar la lesión o daño antijurídico producido por el funcionamiento de los servicios de una determinada Administración Pública. En el presente supuesto la pretensión indemnizatoria se ejercita por la Diputación Foral de Vizcaya. En otros casos puede ser la Administración General del Estado la que experimente la lesión antijurídica en sus bienes o derechos como consecuencia de la actividad de otra Administración Pública, ya que la interpretación que mantenemos protege a todas las Administraciones Públicas. El criterio de integrar el ordenamiento en la forma que ha quedado expuesto tiene también una sólida fundamentación en los artículos 9.3 y 121 de la Constitución (RCL 1978, 2836). El primero establece el principio de responsabilidad de los poderes públicos por su actividad, sin hacer distinciones que reduzcan el ámbito subjetivo de su eficacia, siempre que dicha responsabilidad resulte de una adecuada exégesis y aplicación de la normativa vigente. El artículo 121, al determinar el derecho a una indemnización a cargo del Estado por los daños causados por error judicial y funcionamiento anormal de la Administración de Justicia, tampoco contiene limitación alguna que afecte a los sujetos lesionados que tienen la facultad de solicitar las debidas indemnizaciones, donde se encuentran comprendidas las Administraciones Públicas distintas a la del Estado y no solamente "los particulares", lo que avala la decisión que al respecto consideramos procedente. En consecuencia nuestro criterio es que los artículos 106.2 de la Constitución, 40 de la Ley de Régimen Jurídico de 1957 (RCL 1957, 1058, 1178) y concordantes debe ser de aplicación, por analogía, no sólo a los «particulares», sino también a las Adminis-

tración Públicas lesionadas por el funcionamiento de los servicios de otra Administración Pública, realizando así una función integradora del ordenamiento, conforme con el principio de derecho que exige impedir que una persona haya de sufrir en su patrimonio una lesión calificada de antijurídica, que no tenga el deber de soportar.

4º).–La enmienda número 398, formulada y aceptada en la tramitación ante el Congreso de los Diputados de la Ley 30/1992, de 26 noviembre (RCL 1992, 2512, 2775 y RCL 1993, 246), suprimió del artículo 137.1 de dicho texto (luego artículo 139.1), equivalente al artículo 40.1 de la Ley de Régimen Jurídico de 26 julio 1957, la referencia a las Administraciones Públicas como sujeto pasivo de la responsabilidad administrativa, pero ello lo hizo entendiendo que el supuesto iba más allá de lo establecido en la Constitución (RCL 1978, 2836), es decir, con la finalidad de respetar la dicción estricta de la Ley Fundamental; pero sin manifestar una voluntad contraria a la interpretación integradora del ordenamiento jurídico que defendemos, por lo que no estimamos que invalide los razonamientos expuestos anteriormente.

En consecuencia procede desestimar este motivo de la apelación deducido por el Abogado del Estado, rechazándolo, en cuanto así lo articula, como causa de inadmisibilidad del recurso Contencioso-Administrativo.

En conclusión, no cabe negar en este caso y en aplicación de la anterior doctrina la legitimación al Ayuntamiento de Córdoba.

4. La cuestión a resolver aquí es la relativa a la procedencia de la indemnización solicitada por el citado Ayunta-

miento en concepto de responsabilidad patrimonial del Estado.

Configurada por primera vez en 1954, dentro de la Ley de Expropiación Forzosa (RCL 1954, 1848), en el art. 121 y contenida en la Ley de Régimen Jurídico de la Administración del Estado de 1957, en los arts. 40 y 41, la responsabilidad patrimonial de la Administración del Estado adquiere relevancia constitucional en los arts. 9 y 106.2 de la Constitución como garantía fundamental de la seguridad jurídica, con entronque en el valor de la justicia, y se desarrolla en los arts. 139 y siguientes de la Ley 30/1992 (Título X) y en el RD 429/1993, de 26 de marzo (RCL 1993, 1394, 1765), que aprueba el Reglamento de los Procedimientos de las Administraciones Públicas en materia de responsabilidad patrimonial.

En concreto el art. 139 de la Ley 30/ 1992 de 26 de noviembre (idéntico, en su contenido esencial, al citado art. 40 LRJAE) dispone: "1. Los particulares tendrán derecho a ser indemnizados por las Administraciones Públicas correspondientes, de toda lesión que sufran en cualquiera de sus bienes y derechos, salvo en los casos de fuerza mayor, siempre que la lesión sea consecuencia del funcionamiento normal o anormal de los servicios públicos. 2. En todo caso, el dano alegado habrá de ser efectivo, evaluable económicamente e individualizado con relación a una persona o grupo de personas".

Por otra parte, el art. 142.5 establece que: "En todo caso, el derecho a reclamar prescribe al año de producido el hecho o el acto que motive la indemnización o de manifestarse su efecto lesivo".

El fundamento de la responsabilidad patrimonial de la Administración se encontraba inicialmente en el ejercicio ilegal de sus potestades o en la actuación culposa de sus funcionarios, por lo que se configuraba con carácter subsidiario, pero actualmente, y sin perjuicio de admitir en algunos supuestos otro fundamento, se considera que si la actuación administrativa tiene por objeto beneficiar, con mayor o menor intensidad, a todos los ciudadanos, lo justo es que si con ello se causa algún perjuicio, éste se distribuya también ente todos, de forma que el dato objetivo de la causación de una lesión antijurídica por la actuación de la Administración constituye ahora el fundamento de la responsabilidad de la misma. La responsabilidad por tanto, surge con el perjuicio que se causa, independientemente de que éste se haya debido a una actuación lícita o ilícita de los poderes públicos y de quien haya sido concretamente su causante.

Un examen sucinto de los elementos constitutivos de la responsabilidad patrimonial de la Administración, permite concretarlos del siguiente modo:

1. El primero de los elementos es la lesión patrimonial equivalente a daño o perjuicio en la doble modalidad de lucro cesante o daño emergente. Al respecto hemos de precisar lo siguiente:

La lesión se define como daño ilegítimo, pues no todo perjuicio es constitutivo de una lesión en el sentido técnico-jurídico del término, porque si bien toda lesión es integrante de un daño y perjuicio no todo daño y perjuicio es constitutivo de una lesión, dentro del marco de los arts. 121 y 122 de la Ley de Expropiación Forzosa (RCL 1954, 1848), 40 de la Ley de Régimen Jurídico de la Administración del Estado (RCL 1957, 1058, 1178), 106.2 de la Constitución (RCL 1978, 2836) y 139 y siguientes de la Ley 30/1992

(RCL 1992, 2512, 2775 y RCL 1993, 246). Esa antijuridicidad o ilicitud sólo se produce cuando el afectado no hubiera tenido la obligación de soportar el daño o el perjuicio y ese deber de soportar el daño o el perjuicio sufrido se da en los supuestos en que la Ley y el grupo normativo de ella derivado justifican dichos detrimentos de un modo expreso o implícito. Así, del examen de las Sentencias del Tribunal Supremo de 7 abril (RJ 1989, 2915), 19 mayo y 19 diciembre de 1989 (RJ 1989, 9867), entre otras, se infiere que el criterio esencial para determinar la antijuridicidad del daño o perjuicio causado a un particular por la aplicación de un precepto legal o normativo debe ser el de si concurre o no el deber jurídico de soportar el daño, ya que las restricciones o limitaciones impuestas por una norma, precisamente por el carácter de generalidad de la misma, deben ser soportadas, en principio, por cada uno de los individuos que integran el grupo de afectados, en aras del interés público (en ese sentido SSTS de 4 de junio de 1990 [RJ 1990, 4689], 21 de enero de 1991 [RJ 1991, 1667], 25 de junio de 1992 [RJ 1992, 5996] y 7 de julio de 1997 [RJ 1997, 5636], entre otras). Debe, pues, concluirse que para que el daño concreto producido por el funcionamiento del servicio a uno o varios particulares sea antijurídico basta con que el riesgo inherente a su utilización haya rebasado los límites impuestos por los estándares de seguridad exigibles conforme a la conciencia social. No existirá entonces deber alguno del perjudicado de soportar el menoscabo y, consiguientemente, la obligación de resarcir el daño o perjuicio causado por la actividad administrativa será a ella imputable. Son numerosas las Sentencias del Tribunal Supremo que han hecho hincapié en el carácter objetivo de la responsabilidad patrimonial de la Administración Pública, tales como las de 19 de noviembre de 1994 (RJ 1994, 10469), 11 (RJ 1995, 1130) y 25 de febrero (RJ 1995, 2096), 1 de abril (RJ 1995, 3226), 23 de mayo (RJ 1995, 4220), 24 de octubre (RJ 1995, 7155) y 8 de noviembre de 1995 (RJ 1995, 9958), 16 de abril de 1996 (RJ 1996, 3214) y 10 de junio de 2003, entre otras».

CUARTO. Pues bien, conforme a la Ley 39/1988 (RCL 1988, 2607 y RCL 1989, 1851) –en la redacción vigente en 1990–, es competencia del Centro de Gestión Catastral la atribución del valor catastral a los bienes inmuebles a efectos de determinar la base imponible del IBI y los parámetros del IIVT. Significa ello que nos encontramos ante conceptos tributarios cuya gestión es compartida en cuanto a la Administración del Estado corresponde una fase y al Ayuntamiento otra –esencialmente liquidación y recaudación–.

Existe pues un reparto competencial entre ambas Administraciones. Así las cosas, la asignación del valor catastral corresponde a la Administración del Estado en una fase de gestión tributaria a la que es ajena el Ayuntamiento. Pues bien, las consecuencias de una incorrecta valoración catastral, es algo que el Ayuntamiento tiene la obligación jurídica de soportar en cuanto la Ley ha atribuido la competencia para la fijación del valor a la Administración estatal, suponiendo ello una división de las competencias en materia de gestión tributaria en los conceptos tributarios que analizamos. Se trata de fases distintas en la gestión tributaria, por ello no es susceptible de causar responsabilidad patrimonial lo actuado en cada una de ellas, respecto de la Administración competente para la otra fase.

Falta pues el elemento de la no obligatoriedad jurídica de soportar el daño causado, lo que imposibilita el reconocimiento de una Responsabilidad Patrimonial a cargo del estado.

De lo expuesto resulta la desestimación del recurso.

No se aprecian méritos que justifiquen una expresa imposición de costas, conforme a los criterios contenidos en el artículo 139.1 de la Ley de la Jurisdicción Contenciosa Administrativa (RCL 1998, 1741).

3

SENTENCIA 21 JUNIO 2006

Recurso contencioso-administrativo núm. 507/2005

(JUR 2006, 246300)
Sala de lo Cont.–Adm., Sección 6
Ponente: Sra. Dª María Asunción Salvo Tambo

RESPONSABILIDAD PATRIMONIAL DE LA ADMINISTRACION PUBLICA: Funcionamiento normal o anormal de los servicios públicos: tributos: errores en el procedimiento de liquidación y apremio de deudas tributarias: falta de acreditación suficiente de que los daños físicos y psíquicos alegados y la disminución de ingresos profesionales se hayan producido como consecuencia de la actuación administrativa: indemnización improcedente.

FUNDAMENTOS DE DERECHO

PRIMERO. Se impugna en el presente recurso contencioso-administrativo la resolución del Presidente de la Agencia Estatal de Administración Tributaria de 12 de julio de 2005, por la que se desestima la reclamación de responsabilidad patrimonial formulada por D. Domingo, ahora recurrente, por los daños y perjuicios que estima le fueron ocasionados por determinadas actuaciones realizadas por Dependencias de la Delegación Especial de la Agencia Estatal de Administración Tributaria de Madrid en relación con los expedientes ejecutivos de cobro de las deudas liquidadas en relación con el Impuesto sobre el Valor Añadido correspondiente a los ejercicios 2001, 2002, 2003 así como en relación al IRPF correspondiente al ejercicio 2002.

En la referida solicitud inicial se significaba por el hoy recurrente que las actuaciones realizadas por dichas dependencias le habían irrogado unos daños cuyo importe concretaba en 956.000 euros desglosado en las siguientes partidas:

–Por haber sufrido una traba y embargo de la totalidad del dinero de que disponía: 12000 euros.

–Por haberle notificado a destiempo una diligencia de embargo que ya tenía pagada: 12000 euros.

–Por no resolver un recurso de reposición: 12000 euros.

–Por no haber notificado a su cónyuge el embargo sufrido: 12000 euros.

–Por haber articulado la resolución de un pseudo recurso de reposición: 12000 euros.

–Por haber notificado trece diligencias de embargo de créditos a entidades que constituían su clientela, lo que impide el derecho constitucional a poder ganarse la vida durante 44 días: 400.000 euros.

–Por la notificación ilegal del embargo de créditos a toda la clientela, que lesionó su derecho constitucional a la fama, al honor, al crédito personal y profesional: 400.000 euros.

–Por las lesiones psíquico-físicas sufridas por sus ocho hijos: 96.000 euros.

Dicho importe quedó, finalmente, reducido a la cantidad de 944.000 euros, una vez que la esposa del hoy recurrente, en escrito de fecha 12 de diciembre de 2004, promovió asimismo ante la Agencia Tributaria otra reclamación por responsabilidad patrimonial por la que solicitaba una indemnización por importe de 13.000 euros, de los cuales 12000 euros se referían a los daños que se dicen causados por actuaciones de la Unidad de Recaudación de la Administración de la Agencia Tributaria de Retiro (angustia, ansiedad, inseguridad, inquietud, frustración, fastidio, irritación, etc.).

La resolución administrativa impugnada desestima la pretensión indemnizatoria formulada por el hoy recurrente; y ello por entender que no concurren ni el presupuesto de la antijuridicidad ni el de la efectividad del daño ante la falta de prueba sobre las cuestiones de hecho determinantes de la efectividad y antijuridicidad de la lesión así como del sustrato fáctico de la relación de causalidad que permita la imputación de la responsabilidad a la Administración

SEGUNDO. De la dilatada secuencia de hechos contenida tanto en la resolución impugnada como en el escrito de demanda, destacaremos como más relevantes para la decisión del presente litigio los siguientes:

1º) En relación con la deuda del IVA del ejercicio 2001, del expediente administrativo resulta que la Administración de la AEAT de Retiro practicó liquidación por un importe de 8.297,09 euros, siendo notificada al hoy recurrente, sin que conste la interposición de recurso alguno contra la misma.

Ante la falta de ingreso de la deuda en período voluntario se dictó providencia de apremio el 26 de mayo de 2003, siendo notificada el 5 de junio de 2003, con el apercibimiento de que de no realizarse el ingreso en el plazo señalado en el art. 108 del Reglamento General de Recaudación (RCL 1991, 6, 284) se procedería al embargo de bienes.

El 5 de junio de 2003, el hoy actor solicitó compensación con cantidades correspondientes al IRPF del ejercicio 2002 que fue denegada mediante acuerdo de 14 de noviembre de 2003, ante la falta de reconocimiento del crédito a compensar, tras lo cual se dictó providencia de embargo iniciándose las actuaciones conducentes a la localización y embargo de los bienes del deudor para cubrir dicha deuda y sus intereses de demora, haciéndose efectivo dicho embargo, el 17 de diciembre de 2003 trabándose el saldo de una cuenta corriente por importe de 2.708,77 euros.

Paralelamente, en relación con otra diligencia de embargo, el Sr. Domingo presentó sendos escritos en la Administración de la Agencia de Salamanca, poniendo de manifiesto que no se había notificado la diligencia de embargo a su cónyuge, siendo así que mediante resolución de fecha 10 de marzo de 2004 se acordó estimar parcialmente el recurso de reposición promovido por el interesado, procediendo a notificar la diligencia de embargo al cónyuge del deudor; y en cumplimiento de lo acordado en dicha resolución estimatoria parcial del recurso de reposición se remitió a la cónyuge hoy recurrente copia de la notificación de la diligencia de embargo que fue recibida el 29 de mayo de 2004.

La Jefa de la Unidad de Recaudación de la AEAT, puesto que con el embargo de la cuenta no se alcanzaba la totalidad de la deuda, emitió, con fecha 18 de diciembre de 2003, otras diligencias de embargo de los derechos de crédito pendiente de ingreso por los clientes del deudor, ninguna de las cuales dio como resultado la traba de cantidad alguna.

El 26 de enero de 2004 el Sr. Domingo recurrió los embargos ordenados siendo desestimado el recurso interpuesto mediante acuerdo de 2 de febrero de 2004, notificándose la resolución el 9 de febrero de 2004.

Asimismo, el 26 de enero de 2004, presentó un nuevo escrito el Sr. Domingo manifestando que ya había efectuado el ingreso de la deuda. No obstante, y una vez que la Administración tuvo constancia al realizarse el ingreso mediante una transferencia, el 27 de febrero de 2004 se cursó la orden de anulación de los embargos de créditos.

Con fecha 17 de diciembre de 2004, el Sr. Domingo presentó reclamación económico-administrativa relativa a la diligencia de embargo de cuentas bancarias, siendo remitido al Tribunal Económico-Administrativo Regional de Madrid por la Administración de la Agencia de Retiro, remitiéndose asimismo diligencia en la que se hacía constar que la reclamación interpuesta era extemporánea toda vez que el acto se notificó el 29 de marzo de 2004 y la reclamación se interpuso el 17 de diciembre del mismo año.

2º) En relación con el IVA correspondiente al ejercicio 2002, el 16 de diciembre de 2003, la Administración notificó al Sr. Domingo requerimiento para que aportara los libros registros a efectos de comprobar la declaración presentada, presentado una declaración, el 29 de enero de 2004, sustitutiva de la presentada por el hoy actor el 30 de enero de 2003, ingresando, mediante la autoliquidación la cantidad adicional de 4.147,96 euros

Paralelamente, la Administración de Retiro, mediante acuerdo de fecha 17 de febrero de 2004, dictó propuesta de liquidación provisional en concepto del referido impuesto, por importe 3.881,58 euros, notificándose al interesado el 27 del mismo mes y año, sin que el mismo presentara alegación alguna contra dicho acuerdo.

Mediante acuerdos de fecha 26 y 27 de mayo de 2004, se inició expediente sancionador y se practicó la liquidación provisional por importe total de 4.152,28 euros, notificándose dichos acuerdos al interesado el 2 del mes siguiente e interponiéndose, con fecha 18 de junio de 2004, por el hoy recurrente recurso de reposición contra el referido acuerdo de liquidación provisional. Dicha liquidación fue anulada por acuerdo de fecha 16 de julio de 2004 en el que se estimó el recurso de reposición promovido por el interesado y en cuanto al expediente sancionador se procedió al sobreseimiento del mismo.

3º) En relación con el IRPF correspondiente al ejercicio 2002 se giró liquidación correspondiente al ejercicio 2002 con fecha 27 de mayo, a la par que la liquidación del IVA de ese mismo ejercicio, notificándose la propuesta al interesado el 2 junio de 2004 y presentándose escrito por el Sr. Domingo el 8 de junio siguiente aceptando la propuesta de liquidación provisional de IRPF.

En fecha 1 de julio de 2004 se firmó por la Administración de Retiro la liquidación en la que se acordaba una devolución inferior a la solicitada.

4º) Finalmente, en relación con el IVA correspondiente al ejercicio 2003, con fecha 29 de enero de 2004 se presentó la autoliquidación correspondiente al 4º trimestre de 2003 con un resultado a compensar de 332,13 euros.

El 10 de marzo de 2004 se envió por la Administración al contribuyente carta solicitándole la presentación de dicha autoliquidación, por no constar en la base de datos la anterior declaración que no aparece grabada en dichas bases de datos de la AEAT sino hasta el 28 de abril de 2004.

Un error asimismo en la Dependencia Regional de Informática, en la que se grabó la declaración correspondiente al ejercicio 2002 como si fuera una sustitutiva de la presentada en esa misma fecha respecto al ejercicio 2003, dio lugar a que se practicara propuesta de liquidación por un importe de 4.914,01 euros, propuesta que fue dejada sin efecto a instancias del hoy actor que presentó alegaciones y, una vez constatada la grabación errónea del año a que correspondía la declaración presentada

el 29 de enero de 2004, se procedió a estimar las alegaciones presentadas.

TERCERO. La cuestión a resolver aquí es, pues, la relativa a la procedencia de la indemnización solicitada por el hoy actor en concepto de responsabilidad patrimonial del Estado y que en la demanda se cifra en 940.000 euros.

Configurada por primera vez en 1954, dentro de la Ley de Expropiación Forzosa (RCL 1954, 1848), en el art. 121 y contenida en la Ley de Régimen Jurídico de la Administración del Estado de 1957 (RCL 1957, 1058, 1178), en los arts. 40 y 41, la responsabilidad patrimonial de la Administración del Estado adquiere relevancia constitucional en los arts. 9 y 106.2 de la Constitución (RCL 1978, 2836) como garantía fundamental de la seguridad jurídica, con entronque en el valor de la justicia, y se desarrolla en los arts. 139 y siguientes de la Ley 30/1992 (RCL 1992, 2512, 2775 y RCL 1993, 246) (Título X) y en el RD 429/1993, de 26 de marzo (RCL 1993, 1394, 1765), que aprueba el Reglamento de los Procedimientos de las Administraciones Públicas en materia de responsabilidad patrimonial.

En concreto el art. 139 de la Ley 30/1992 de 26 de noviembre (idéntico, en su contenido esencial, al citado art. 40 LRJAE) dispone: «1. Los particulares tendrán derecho a ser indemnizados por las Administraciones Públicas correspondientes, de toda lesión que sufran en cualquiera de sus bienes y derechos, salvo en los casos de fuerza mayor, siempre que la lesión sea consecuencia del funcionamiento normal o anormal de los servicios públicos. 2. En todo caso, el daño alegado habrá de ser efectivo, evaluable económicamente e individualizado con relación a una persona o grupo de personas».

Por otra parte, el art. 142.5 establece que: «En todo caso, el derecho a reclamar prescribe al año de producido el hecho o el acto que motive la indemnización o de manifestarse su efecto lesivo».

El fundamento de la responsabilidad patrimonial de la Administración se encontraba inicialmente en el ejercicio ilegal de sus potestades o en la actuación culposa de sus funcionarios, por lo que se configuraba con carácter subsidiario, pero actualmente, y sin perjuicio de admitir en algunos supuestos otro fundamento, se considera que si la actuación administrativa tiene por objeto beneficiar, con mayor o menor intensidad, a todos los ciudadanos, lo justo es que si con ello se causa algún perjuicio, éste se distribuya también ente todos, de forma que el dato objetivo de la causación de una lesión antijurídica por la actuación de la Administración constituye ahora el fundamento de la responsabilidad de la misma. La responsabilidad por tanto, surge con el perjuicio que se causa, independientemente de que éste se haya debido a una actuación lícita o ilícita de los poderes públicos y de quien haya sido concretamente su causante.

Un examen sucinto de los elementos constitutivos de la responsabilidad patrimonial de la Administración, permite concretarlos del siguiente modo:

1.–El primero de los elementos es la lesión patrimonial equivalente a daño o perjuicio en la doble modalidad de lucro cesante o daño emergente. Al respecto hemos de precisar lo siguiente:

La lesión se define como daño ilegítimo, pues no todo perjuicio es constitutivo de una lesión en el sentido técnico-jurídico del término, porque si bien toda lesión es integrante de un daño y perjuicio no todo daño y perjuicio es constitutivo de una lesión, dentro del marco de los arts. 121 y 122 de la Ley de Expropiación Forzosa, 40 de la Ley de Régimen Jurídico de la Administración del Estado, 106.2 de la Constitución y 139 y siguientes de la Ley 30/1992. Esa antijuridicidad o ilicitud sólo se produce cuando el afectado no hubiera tenido la obligación de soportar el daño o el perjuicio y ese deber de soportar el daño o el perjuicio sufrido se da en los supuestos en que la Ley y el grupo normativo de ella derivado justifican dichos detrimentos de un modo expreso o implícito. Así, del examen de las Sentencias del Tribunal Supremo de 7 abril (RJ 1989, 2915), 19 mayo y 19 diciembre de 1989 (RJ 1989, 9867), entre otras, se infiere que el criterio esencial para determinar la antijuridicidad del daño o perjuicio causado a un particular por la aplicación de un precepto legal o normativo debe ser el de si concurre o no el deber jurídico de soportar el daño, ya que las restricciones o limitaciones impuestas por una norma, precisamente por el carácter de generalidad de la misma, deben ser soportadas, en principio, por cada uno de los individuos que integran el grupo de afectados, en aras del interés público (en ese sentido STS de 4 de junio de 1990 [RJ 1990, 4689], 21 de enero de 1991 [RJ 1991, 1667], 25 de junio de 1992 [RJ 1992, 5996] y 7 de julio de 1997 [RJ 1997, 5636], entre otras). Debe, pues, concluirse que para que el daño concreto producido por el funcionamiento del servicio a uno o varios particulares sea antijurídico basta con que el riesgo inherente a su utilización haya rebasado los límites impuestos por los estándares de seguridad exigibles conforme a la conciencia social. No existirá entonces deber alguno del perjudicado de soportar el menoscabo y, consiguientemente, la obligación de resarcir el daño o perjuicio causado por la actividad administrativa será a ella imputable. Son numerosas las Sentencias del Tribunal Supremo que han hecho hincapié en el carácter objetivo de la responsabilidad patrimonial de la Administración Pública, tales como las de 19 de noviembre de 1994 (RJ 1994, 10469), 11 (RJ 1995, 1130) y 25 de febrero (RJ 1995, 2096), 1 de abril (RJ 1995, 3226), 23 de mayo (RJ 1995, 4220), 24 de octubre (RJ 1995, 7155) y 8 de noviembre de 1995 (RJ 1995, 9958), 16 de abril de 1996 (RJ 1996, 3214) y 10 de junio de 2003, entre otras.

2.–El vínculo entre la lesión y el agente que la produce, es decir, entre el acto dañoso y la Administración, implica una actuación del poder público en uso de potestades públicas. Es decir, se exige la prueba de la causa concreta que determine el daño o, lo que es lo mismo, de la conexión entre la actuación administrativa y el daño real ocasionado, como ponen de manifiesto las SSTS de 24 de octubre (RJ 1985, 5210) y 5 de diciembre de 1985 (RJ 1985, 5991), 22 de julio de 1988 (RJ 1988, 6095), 6 de febrero de 1990 (RJ 1990, 994) y 5 de junio de 1998.

CUARTO. Aplicando la precedente doctrina al caso actualmente controvertido la Sala ha de ratificar la resolución impugnada en cuanto que, en efecto, no aparece probada la existencia real y efectiva del daño cuyo resarcimiento se reclama y, sobre todo, la imputación causalmente relevante a la Administración de los daños padecidos por el recurrente y que a tenor de la demanda se concretan en los siguientes: daños psicofísicos padecidos por el de-

mandante (600.000 euros), daño a su fama personal y prestigio profesional como Abogado Tributarista (300.000 euros) y, finalmente, el lucro cesante sufrido en su actividad profesional (40.000 euros).

Es cierto que alguno de los episodios del complejo y azaroso procedimiento de recaudación seguido para el cobro de deudas tributarias del hoy recurrente impiden hablar en este caso de una actuación modélica, de la Administración tributaria; no obstante, también lo es que dichos errores, incluidos los padecidos en la grabación de los datos informáticos, fueron en unos casos ya corregidos a instancias del interesado en la propia vía administrativa y en otros mediante la estimación de sus alegaciones dejando sin efecto la liquidación provisional; pero para que concurra la responsabilidad patrimonial que se demanda se requiere la concurrencia de los requisitos precedentemente reseñados, sin olvidar, además, que la anulación de un acto administrativo puede dar lugar, siempre que concurran dichos requisitos, al nacimiento de la obligación de indemnizar, siempre y cuando haya adquirido firmeza, en tanto que si la actuación administrativa no es recurrida en tiempo y forma o de serlo el recurso es desestimado, no es susceptible de generar responsabilidad patrimonial. Y, en concreto, ante una liquidación de una deuda tributaria el contribuyente puede recurrirla y, en todo caso, debe proceder a su pago, como consecuencia del principio de ejecutividad de todo acto administrativo, a menos que se haya solicitado y concedido la suspensión de dicha ejecutividad, lo que en el presente caso no consta que se hiciera por el recurrente ni tampoco que se hubiera solicitado la suspensión u obtenido el aplazamiento del pago correspondiente; es por ello por lo que por la Agencia Tributaria y ante la falta de pago de la inicial liquidación en período voluntario se inició el procedimiento ejecutivo para exigir el cobro de la deuda liquidada.

También es cierto, tal y como se reconoce en la resolución impugnada, que existió un defecto de notificación en la diligencia de embargo al cónyuge del deudor ahora recurrente, no obstante una vez puesto de manifiesto dicho error por parte del hoy recurrente se estimó parcialmente su recurso de reposición llevándose a cabo posteriormente dicha notificación. Sin embargo el recurrente no procedió a impugnar en tiempo, mediante la interposición de la oportuna reclamación económico-administrativa, la diligencia de embargo de cuentas bancarias, que no fue impugnada sino hasta casi nueve meses después de su notificación el 29 de marzo de 2004.

En cuanto a las diligencias de embargo de los derechos de crédito que pudiera tener pendientes de cobro el actor respecto de sus clientes, es lo cierto que la actuación se llevó a cabo con arreglo al procedimiento establecido en el Reglamento General de Recaudación al no constar el ingreso efectuado por el Sr. Domingo cuando dichas diligencias fueron acordadas y, en cualquier caso, el actor pudo también interponer la correspondiente reclamación económico-administrativa lo que tampoco hizo en tiempo y forma.

En suma, de las actuaciones administrativas relacionadas con los expedientes recaudatorios del caso, y aunque efectivamente se cometieran errores de procedimiento, no cabe deducir la causación de los daños psíquicos y morales cuya indemnización se pretende al no existir prueba suficiente, a juicio de la Sala, de que los daños físicos y psíquicos padecidos por el Sr. Domingo, hayan sido causados por la actuación administrativa, al igual que ocurre con las alegadas secuelas causadas a sus hijos y cónyuge, faltando igualmente y por último, la acreditación suficiente de la efectividad del daño y, en todo caso, del nexo causal entre el actuar de la Administración y el daño económico consistente en la disminución del nivel de ingresos respecto del mantenido por el demandante en los años anteriores a 2003 y 2004, cuyo honor profesional como Abogado Tributarista, por lo demás, en ningún momento ha sido puesto en duda por nadie, ni podía haberlo sido por la actuación administrativa de la Agencia Tributaria en este caso.

QUINTO. De todo lo anterior se deriva la procedencia de desestimar el recurso con la paralela confirmación de la resolución impugnada por su conformidad a Derecho.

No se aprecian circunstancias que determinen un especial pronunciamiento sobre costas, según el artículo 139.1 de la Ley 29/1998, de 13 de julio (RCL 1998, 1741), reguladora de la Jurisdicción Contencioso-Administrativa.

4

SENTENCIA 20 NOVIEMBRE 2009
Recurso contencioso-administrativo núm. 528/2007

(JT 2010, 607)
Sala de lo Cont.–Adm., Sección 6
Ponente: Sra. Dª Mercedes Pedraz Calvo

RESPONSABILIDAD PATRIMONIAL DE LA ADMINISTRACION PUBLICA: Acción de indemnización: legitimación activa: corporación local: inclusión dentro de la acepción de «los particulares» de sujetos privados y públicos: legitimación procedente; Funcionamiento normal o anormal de los servicios públicos: tributos: daños y perjuicios causados al Ayuntamiento en la exacción del IBI como consecuencia de la falta de actualización del valor catastral de los Bienes Inmuebles de Características Especiales situados en el municipio: inexistencia de obligación de la Administración Estatal de iniciar la revisión catastral por la presentación de la solicitud correspondiente por el Ayuntamiento: indemnización improcedente.

FUNDAMENTOS JURÍDICOS

PRIMERO. Se interpone recurso contencioso administrativo contra Resolución del Ministerio de Hacienda de 15 de octubre de 2.007, en la que se desestima el recurso potestativo de reposición interpuesto por el AYUNTAMIENTO DE LA ROBLA (LEON) hoy parte actora, contra la resolución dictada por el Ministerio citado el día 26 de junio de 2007. Esta Resolución a su vez desestimó la solicitud formulada por el Ayuntamiento ahora actor, de ser indemnizado por los ingresos dejados de percibir, en concepto de cuotas tributarias del I.B.I., al no poder actualizarse las valoraciones de los Bienes de Características Especiales que tributan en dicho Municipio, dejando de percibir una cantidad que en la reclamación estimó en seiscientos mil euros.

En su reclamación el Ayuntamiento señaló los BICES sitos en su término municipal:

–. Central Térmica de La Robla, titularidad de UNION FENOSA sita en la Avenida de la Térmica nº 14, referencia catastral 4613001TN8441N0001KM.

–. Fábrica de Cementos de la Robla, titularidad de S.A. TUDELA DE VEGUIN sita en la calle Pelosas nº 5, 3, 6, 7, 9 s/n con referencia catastral 5520118TN8452S0001TY, 5520119TN8452S0001FY, 5520120TN8452S0001LY, 5520121TN8452S0001TY,

El Ayuntamiento de La Robla consideraba que solicitó se actualizase Ponencia de Valores para los citados inmuebles el día 9 de noviembre de 2005 de manera que pudiera ser utilizada la nueva base impositiva para el ejercicio 2006. La cifra que reclama deriva de la diferencia entre el IBI del año 2006 y el que hubiese correspondido de aplicarse la nueva valoración a dichos bienes.

La Resolución impugnada inadmite la solicitud de responsabilidad patrimonial, entendiendo que los Ayuntamientos no tienen la condición de "particulares" a los efectos previstos en la Ley 30/92 (RCL 1992, 2512, 2775 y RCL 1993, 246), por lo que no podrían ejercitar dicha acción.

A mayor abundamiento, considera que si bien es cierto que la petición del Ayuntamiento podría haber movido al Catastro a la elaboración de nuevas ponencias ello no conlleva que hayan de ser aprobadas si no se reúnen los requisitos que señala la Ley del Catastro (RCL 2002, 3013) respecto de la Central Térmica, en la revisión habría de mantener su valor, por lo que aún atendida la petición del Ayuntamiento no habría prosperado la revisión de la ponencia.

Finalmente se razona que no se cumple el requisito de la efectividad del daño pues no se ha acreditado.

SEGUNDO. El actor en su demanda, se fija en la doctrina establecida por esta Sala y el Tribunal Supremo en la materia.

La Sala ha razonado reiteradamente en anteriores sentencias (entre otras en la sentencia de 2 de Octubre de 2.002 (JUR 2006, 282986)) que debe rechazarse la argumentación de la Resolución impugnada inadmitiendo el recurso, al señalar que los Ayuntamientos no son particulares, a los efectos previstos en el Art. 139 de la Ley 30/92 (RCL 1992, 2512, 2775 y RCL 1993, 246). Y ello porque el concepto de "particulares" en los términos en los que está dispuesto el Art. 106 de la Constitución (RCL 1978, 2836) incluye tanto los ciudadanos privados, como los entes públicos cuando se consideren perjudicados por la actuación de la Administración, la solución propugnada por las resoluciones impugnadas conlleva una quiebra al derecho a la tutela judicial efectiva y a la prohibición de cualquier género de indefensión. Por lo tanto debe concluirse en la admisibilidad de la solicitud de reclamación y como ya hizo la Administración, entrar a conocer del fondo del asunto.

TERCERO. El artículo 106.2 de la Constitución Española (RCL 1978, 2836) establece que "los particulares, en los términos establecidos por la Ley, tendrán derecho a ser indemnizados por toda lesión que sufran en sus bienes y derechos salvo en los casos de fuerza mayor, siempre que la lesión sea consecuencia del funcionamiento de los servicios públicos". Del mismo modo el artículo 139.1 de la Ley 30/92 (RCL 1992, 2512, 2775 y RCL 1993, 246), de Régimen Jurídico de las Administraciones Públicas y del Procedimiento Administrativo Común establece idéntico derecho, dentro del sistema de responsabilidad de todas las administraciones públicas. La responsabilidad patrimonial de la Administración, ha sido configurada en nuestro sistema legal y jurisprudencialmente, como de naturaleza objetiva, de modo que cualquier consecuencia dañosa derivada del funcionamiento de los servicios públicos, debe ser en principio indemnizada, porque como dice en múltiples resoluciones el Tribunal Supremo "de otro modo se produciría un sacrificio individual en favor de una actividad de interés público que debe ser soportada por la comunidad".

Para que concurra tal responsabilidad patrimonial de la Administración, se requiere según el artículo 139 antes citado, que concurran los siguientes requisitos: A) Un hecho imputable a la Administración, bastando, por tanto con acreditar que un daño antijurídico, se ha producido en el desarrollo de una actividad cuya titularidad corresponde a un ente público. B) Un daño antijurídico producido, en cuanto detrimento patrimonial injustificado, o lo que es igual, que el que lo sufre no tenga el deber jurídico de soportar. El perjuicio patrimonial ha de ser real, no basado en meras esperanzas o conjeturas, evaluable económicamente, efectivo e individualizado en relación con una persona o grupo de personas. C) Relación de causalidad directa y eficaz, entre el hecho que se imputa a la Administración y el daño producido, así lo dice la Ley 30/92, en el artículo 139, cuando señala que la lesión debe ser consecuencia del funcionamiento normal o anormal de los servicios públicos y D) Ausencia de fuerza mayor, como causa extraña a la organización y distinta del Caso Fortuito, supuesto este que sí impone la obligación de indemnizar.

CUARTO. El artículo 31 del Real Decreto Legislativo 1/2004 (RCL 2004, 599) establece el procedimiento de determinación del valor catastral de los Bienes Inmuebles de características especiales, señalando que se iniciará con la aprobación de la correspondiente ponencia especial.

En el artículo 28 pfo. 2 se establece que "El procedimiento de valoración colectiva de bienes inmuebles de una misma clase podrá iniciarse de oficio o a instancia del ayuntamiento correspondiente cuando, respecto a una pluralidad de bienes inmuebles, se pongan de manifiesto diferencias sustanciales entre los valores de mercado y los que sirvieron de base para la determinación de los valores catastrales vigentes, ya sea como consecuencia de una modificación en el planeamiento urbanístico o de otras circunstancias."

Con este fundamento considera el Ayuntamiento que debió la Administración iniciar el expediente o responder motivadamente sobre la no necesidad de iniciar el procedimiento en cuestión.

A su juicio, por otra parte, la limitación temporal que para la revisión de las valoraciones de los Bienes Inmuebles de características especiales introdujo la ley 2/2004 (RCL 2004, 602, 670) no impide la iniciación de la revisión antes del año 2007.

Esta Sala comparte el punto de vista de la Administración: en primer lugar como recuerda el Abogado del Estado si bien el Real Decreto Legislativo 1/2004 establece en su art. 31 el procedimiento de determinación del valor catastral de los Bienes Inmuebles de Características Especiales, señalando que se iniciará con la aprobación de la correspondiente ponencia especial, el art. 27 pfo. 1 de dicha norma establece que "la elaboración de las ponencias de valores se llevará a cabo por la Dirección General del Catastro, directamente o a través de los convenios de colaboración que se celebren con cualesquiera Administraciones públicas en los términos que reglamentariamente se establezca." Y "2. Previamente a su aprobación, las ponencias de valores totales y parciales se someterán a informe del ayuntamiento o ayuntamientos interesados, en el plazo y con los efectos señalados en el artículo 83 de la Ley 30/1992, de 26 de noviembre (RCL 1992, 2512, 2775 y RCL 1993, 246), de Régimen Jurídico de las Administraciones Públicas y del Procedimiento Administrativo Común.".

Se trata en consecuencia de que el Ayuntamiento puede dirigirse a la Administración del Estado señalando su consideración sobre la conveniencia de proceder a una revisión catastral pero no se establece una obligación de la Administración del Estado de proceder a dar cumplimiento a la pretensión Municipal.

Igualmente, la previsión de la Disposición Transitoria Primera del Texto Refundido de la Ley del Catastro Inmobiliario según la cual "los bienes inmuebles de características especiales que, a la entrada en vigor de la ley 48/ 2002 de 23 de diciembre (RCL 2002, 3013) del Catastro Inmobiliario constaran en el Catastro Inmobiliario conforme a su anterior naturaleza, mantendrán hasta la entrada en vigor de los nuevos valores resultantes de las ponencias especiales que se aprobarán antes del 1 de octubre de 2007 su valor catastral, sin perjuicio de su actualización como proceda así como el régimen de valoración", resulta que la obligación se establece a fecha 1 de octubre de 2007, no 1 de diciembre de 2005 como resulta de la tesis actora.

Desde que el Centro de Gestión Catastral fuera creado, pero, sobre todo, desde la entrada en vigor de la Ley de Haciendas Locales, la aplicación del Impuesto sobre Bienes Inmuebles se ha desdoblado en dos actuaciones administrativas claramente diferenciadas: el de gestión catastral, que comprende la elaboración de ponencias de valores, la fijación, revisión y modificación de los valores y la formación del Padrón del Impuesto, funciones que se atribuyen a la Administración General del Estado cuyas resoluciones son susceptibles de reclamación ante el Tribunal Económico-Administrativo; y el de gestión tributaria que abarca la liquidación y recaudación del Impuesto por el Ayuntamiento cuyas resoluciones son impugnables en vía contenciosa.

Existe pues un reparto competencial entre ambas Administraciones. Así las cosas, la asignación del valor catastral

corresponde a la Administración del Estado en una fase de gestión tributaria a la que es ajena el Ayuntamiento. Por lo tanto, si es la Administración Estatal, quien tiene la competencia para fijar el valor catastral no inicia el procedimiento, en el marco de una división de competencias como la que está en vigor, no cabe extraer la consecuencia pretendida por la recurrente.

Respecto de la fábrica de cementos, no se ha acreditado por el Ayuntamiento que sea un bien inmueble de características especiales, en cuyo caso, se encuentra dentro de la Ponencia de Valores del Municipio y el valor catastral, según informa la Administración sin que la actora impugne tal informe ni realice alegación concreta alguna al respecto, había sido revisado para el año 2006 precisamente.

En resumen, respecto del bien inmueble de características especiales, no existía la obligación de iniciar la revisión catastral por la presentación de la solicitud correspondiente por el Ayuntamiento, lo que implica la inexistencia del nexo causal, con independencia de otras consideraciones relativas a la inexistencia de daño. La pretensión actora se fundamenta en que inevitablemente la revisión catastral debe ser al alza y suponer un aumento de la recaudación, lo que no necesariamente es así dado que, en determinadas situaciones la revisión podría llevarse a cabo en sentido contrario.

De cuanto queda expuesto resulta la desestimación del presente recurso y la confirmación del acto administrativo impugnado.

QUINTO. De conformidad con el artículo 139 de la Ley Jurisdiccional (RCL 1998, 1741) , no se aprecian méritos que determinen la imposición de una especial condena en costas.

5

SENTENCIA 8 JUNIO 2010

Recurso contencioso-administrativo núm. 210/2009

(JUR 2010, 228194)

Sala de lo Cont.–Adm., Sección 6

Ponente: Sra. Dª Lucía Acín Aguado

RESPONSABILIDAD PATRIMONIAL DE LA ADMINISTRACION PUBLICA: Funcionamiento normal o anormal de los servicios públicos: Agencia Tributaria: pérdida de mercancía depositada en almacén como consecuencia de diligencia de entrada ordenada por Juzgado de Instrucción: no imputable al servicio de vigilancia aduanera al no ser depositaria de la misma: indemnización improcedente.

FUNDAMENTOS DE DERECHO

PRIMERO. El objeto del recurso es determinar si la sociedad recurrente tiene derecho a ser indemnizada en concepto de responsabilidad patrimonial del Estado por los daños ocasionados con motivo del extravío por pérdida o robo del material de un almacén propiedad de Lanze Logística SA sito en la Calle Camino de Hormigoneras nº 125 de Vallecas (Madrid) por importe de 138.579 euros suma que se corresponde con la cantidad que en concepto de indemnización afirma tuvo que abonar la interesada en calidad de aseguradora de un tercero.

La Administración desestima la reclamación ya que la Agencia Tributaria ni en concreto el Servicio de Vigilancia Aduanera quedaron como depositarios de las mercancías ni tampoco ha quedado probado el requisito del daño efectivo al no haber acreditado la sociedad reclamante la efectividad del pago efectuado al asegurado.

El recurrente al objeto de fundamentar el recurso alega que está legitimada para presentar la correspondiente reclamación (cuestión que no discute la Ad-

ministración) y que los daños ocasionados son imputables a la Agencia Estatal de la Administración Tributaria ya que tras cumplir con el precinto de la mercancía depositada en Lanze quedó como depositaria judicial de los bienes precintados.

El Abogado del Estado se opone a la estimación del recurso y señala que la actora no acredita que la AEAT era la depositaria de la mercancía, por tanto ninguna responsabilidad por lo ocurrido en el lugar del depósito de las mercancías puede imputarse a al AEAT. El hecho de que la Administración Tributaria investigue un presunto fraude en una actuación dirigida por los órganos judiciales competentes, no puede significar que sea la responsable aseguradora universal de cualquier lesión que pudieran sufrir los administrados con independencia de la concreta actividad administrativa.

SEGUNDO. Para la resolución de este pleito son relevantes los siguientes hechos:

1. En el curso de una investigación

dirigida por el Juzgado de Instrucción n° 5 de Málaga (Diligencias Previas 1430/2006) y por el Juzgado Central de Instrucción n° 5 de la Audiencia Nacional (DP 373/2006) se llevaron a cabo actuaciones coordinadas con la Oficina Nacional de Investigación del Fraude del Departamento de Inspección Financiera y Tributaria.

2. Como consecuencia de estas operaciones y como consecuencia de un auto de 28 de noviembre de 2006 del Juzgado de Instrucción n° 5 de Málaga se procedió en fecha de 30 de noviembre de 2006 a la entrada y registro de la empresa Lanze Logística SA sociedad de transportes presuntamente colaboradora en la actividad delictiva que se estaba investigando. En la Diligencia de entrada y registro se encontraba presente la Secretaria del Juzgado de Instrucción n° 44 de Madrid y 11 funcionarios de distintos órganos de la Agencia Estatal de Administración Tributaria y Vigilancia Aduanera siendo notificado el contenido del auto a doña Clemencia. En la penúltima hoja de la diligencia de intervención se indica "Los efectos intervenidos en la planta 2ª y las CPUS planta 1ª y documentos de la planta baja-nave quedan depositados en los agentes intervinientes quienes manifiestan que se depositarán en la Dependencia de Aduanas sita en Avda Llano Castellano n° 17 Madrid y el resto de los efectos queda en el almacén intervenido en la diligencia practicada el día de hoy con carácter de depósito"......"Siendo las 20 horas se concluye el acto, extendiéndose la presente y es firmada por los funcionarios intervinientes y por doña Clemencia que ha manifestado ser la responsable de la empresa, conmigo, de lo que doy fe" (documento n° 21 aportado con el escrito de demanda).

3. En fecha 16 de mayo de 2007

funcionarios de la Subdirección General de Operaciones del Departamento de Aduanas e Impuestos Especiales junto con la Secretaria Judicial del Juzgado Central de Instrucción n° 5 de la Audiencia Nacional y al objeto de dar completo cumplimiento al auto de 9 de febrero de 2007 de dicho Juzgado que acuerda la devolución de la mercancía propiedad de INCOPARTS BV se desplazan el 30 de noviembre de 2006 a la empresa Lance Logística SA para proceder al desprecinto y entrega del resto de la mercancía intervenida que no había sido entregada el 9 de abril de 2007, lo que no resultó posible por haberse extraviado.

4. El 15 de mayo de 2008 la parte recurrente presenta escrito por el que formula reclamación de responsabilidad patrimonial contra la Agencia Tributaria advirtiendo que ha interpuesto una reclamación por los mismos hechos contra la Administración de Justicia.

5. Su solicitud es desestimada por la resolución de 18 de febrero de 2009 del Director General de la Agencia Estatal de Administración Tributaria.

TERCERO. La responsabilidad patrimonial de la Administración consagrada en el artículo 106.2 de la Constitución es de carácter objetivo y directo. Al afirmar que es objetiva se pretende significar que no se requiere culpa, de ahí la referencia al funcionamiento normal o anormal de los servicios públicos en la dicción del artículo 139.1 de la Ley 30/92 de Régimen Jurídico de las Administraciones Públicas pues cualquier consecuencia dañosa derivada de tal funcionamiento debe ser, en principio, indemnizada. Y es directa por cuanto ha de mediar una relación de tal naturaleza, inmediata y exclusiva de causa a efecto entre el actuar de la

Administración y el daño producido, relación de causalidad o nexo causal que vincule el daño producido a la actividad administrativa de funcionamiento, sea éste normal o anormal.

Las circunstancias concurrentes en el recurso que enjuiciamos nos conduce a examinar si ha existido una relación causal, entre el actuar de la Agencia Tributaria y la pérdida de la mercancía ubicada en el almacén en el que quedó depositada, siendo la respuesta negativa ya que no se puede anudar el resultado lesivo a la actuación de la Agencia Tributaria por cuanto no consta que la Agencia Tributaria y en concreto el Servicio de Vigilancia Aduanera quedaran como depositarios de las mercancías a la vista de la diligencia de entrada y registro de 30 de noviembre de 2006 de la que resulta que sólo "Los efectos intervenidos en la planta 2ª y las CPUS planta 1ª y documentos de la planta baja-nave quedan depositados en los agentes intervinientes quienes manifiestan que se depositarán en la Dependencia de Aduanas sita en Avda. Llano Castellano nº 17 Madrid" (documento nº 21 acompañado con el escrito de demanda).

En consecuencia no existe nexo de causalidad entre el funcionamiento de la Administración Publica y los daños ocasionados a las mercancías propiedad de INCOPARTS BV depositadas en la Calle Camino de Hormigoneras nº 125 de Vallecas (Madrid) por lo que procede desestimar el recurso.

CUARTO. No se aprecian motivos de mala fe o temeridad para hacer una expresa imposición de las costas procesales, a tenor del artículo 139.1 de la Ley Reguladora de la Jurisdicción Contencioso-Administrativa.

| **6** |

SENTENCIA 22 DICIEMBRE 2010
Recurso contencioso-administrativo núm. 841/2009

(JUR 2010, 416511)
Sala de lo Cont.–Adm., Sección 6
Ponente: Sra. Dª María Asunción Salvo Tambo

RESPONSABILIDAD PATRIMONIAL DE LA ADMINISTRACION DEL ESTADO.
SOLICITUD IMPROCEDENTE POR ACTUACIONES DE LAS DEPENDENCIAS DE RECAUDACION DE LA AEAT.

FUNDAMENTOS JURÍDICOS

1. Se impugna en el presente recurso contencioso administrativo la Resolución del Presidente de la Agencia Tributaria de fecha 2 de diciembre de 2009, por la que se desestimó la solicitud de indemnización de daños y perjuicios presentada por D. Alfredo, ahora recurrente, por lo que entiende daños económicos, morales y psicológicos, al parecer, sufrido por la actuación

de las Dependencias de Recaudación de las Delegaciones de la Agencia Tributaria de Madrid y Zamora al iniciar y continuar sendos procedimientos ejecutivos contra una deuda posteriormente anulada.

La resolución impugnada entiende que en el presente caso no concurren los requisitos necesarios de acuerdo con los artículos 139 y siguientes de la LRJAP y PAC para que haya lugar a que se reconozca la existencia de responsabilidad de la Administración y, en consecuencia, proceda indemnizar al reclamante.

Son algunos de los antecedentes relevantes para la resolución del presente litigio que derivan del expediente:

1º) En fecha 16 de abril de 2003 por la Administración de Fuencarral de Madrid se notifica, en el tercer intento, a D. Alfredo requerimiento para la presentación de la declaración anual del IRPF correspondiente al ejercicio 2000.

2º) Con fecha 16 de abril de 2003 se le notificó al hoy actor nuevo requerimiento para la presentación de la declaración anual del IRPF y con fecha 8 de octubre de 2003 por la Administración de Fuencarral de la Delegación de Madrid se notificó al hoy actor el acuerdo de iniciación y comunicación del trámite de audiencia y propuesta de liquidación en relación al IRPF ejercicio 2000.

3º) El 9 de diciembre de 2004 se le notificó el acuerdo de liquidación provisional, dando origen a una liquidación por importe de 1.338,93 euros a ingresar, resultado de la liquidación correspondiente al ejercicio 2000 en la que solo figuraban rendimientos de trabajo.

4º) El 14 de febrero de 2005 por el Jefe de la Dependencia de Recaudación de la Delegación de Zamora se dictó providencia de apremio para el cobro de la liquidación provisional practicada.

5º) El 31 de octubre de 2005 el hoy actor solicitó aplazamiento de pago que fue autorizado el 8 de noviembre de 2005, fijándose 4 mensualidades por un importe de 235,46 euros cada una de ellas, a satisfacer los días 20 de enero, febrero, marzo y abril de 2006.

6º) El 5 de diciembre de 2005 presentó escrito solicitando la devolución de las cantidades intervenidas en sus cuentas bancarias, fundándose únicamente en la inexistencia de ganancia patrimonial por la venta de un inmueble y entendiendo producida la prescripción, con fecha 24 de octubre de 2004, la Dependencia Regional de Inspección acordó anular la propuesta de liquidación contenida en el acta.

7º) El 7 de marzo de 2006, la Dependencia de Recaudación confirma la liquidación y se interpuso por D. Alfredo reclamación económico-administrativa ante el Tribunal Económico Administrativo Regional de Castilla León, que con fecha 28 de junio de 2007 estimó la reclamación y anuló las diligencias de embargo impugnadas reconociendo el derecho a la devolución del ingreso indebido realizado con sus intereses legales correspondientes.

8º) En ejecución del fallo del Tribunal Regional se adoptaron los siguientes acuerdos por la Dependencia de Recaudación de Zamora:

– Anular las diligencias de embargo impugnadas y todas las actuaciones posteriores a la notificación de la providencia de apremio y devolver a D. Alfredo las cantidades ingresadas indebidamente junto con los correspondientes intereses de demora desde la fecha del ingreso hasta la ordenación del pago.

– Notificar correctamente la providencia de apremio, clave de liquidación correspondiente.

9º) Con fecha 9 de noviembre de 2007 la Dependencia de Recaudación de Zamora notificó a D. Alfredo providencia de apremio, liquidación del recargo de apremio y requerimiento de pago en ejecutiva dictado por el órgano y sobre la deuda impagada más arriba referida.

10º) En esa misma fecha, 9 de noviembre de 2007, el hoy actor presentó reclamación económico-administrativa frente a la nueva liquidación resultante de la providencia de apremio y con fecha 26 de febrero de 2009 el Tribunal Regional de Castilla y León acordó estimar la reclamación y anuló la providencia de apremio impugnada por entender que tanto la liquidación que no fue correctamente notificada, por lo que no se ha iniciado el periodo de pago en voluntaria, ni puede procederse a su ejecución forzosa y, en consecuencia, mediante acuerdo de 15 de mayo de 2009 la Dependencia de Recaudación anuló el recargo de apremio y reconoció el derecho a la devolución por ingreso indebido de 1.606,72 euros, ingresados, así como los intereses correspondientes desde la fecha de ingreso hasta la ordenación de pago.

11º) Mediante escrito de fecha 15 de mayo de 2009 la Oficina de Relaciones con los Tribunales de la Delegación de Zamora comunicó a la Dependencia de Gestión, en ejecución de la anterior resolución del Tribunal Regional de Castilla León de 6 de febrero de 2009, la anulación de la providencia de apremio y la puesta en voluntaria y sin notificar

de la deuda reclamada para su conocimiento y efectos.

Las devoluciones están pendientes de resolver ya que además de la liquidación figura otra deuda del reclamante en fase de embargo.

12º) El 16 de junio de 2009 se solicita por el hoy actor la referida indemnización que es desestimada mediante la resolución que constituye el objeto de la presente impugnación.

2. Se trata de decidir aquí sobre la procedencia de la solicitud de declaración de responsabilidad patrimonial formulada por el hoy actor como consecuencia de las referidas actuaciones realizadas por la Agencia Estatal de la Administración Tributaria en diversos expedientes de gestión en relación con el pago del IRPF del año 2000.

La parte actora sostiene que los embargos que se materializaron en los términos más arriba señalados produjeron la insolvencia, situación que le impidió hacer frente a sus pagos ordinarios así como a los diferentes préstamos personales. Sostiene que consecuencia de ello fue inscrito como moroso en el AS-NEF, habiéndose multiplicado sus deudas, etc., siendo la responsable de su situación la Agencia Tributaria quien debe satisfacer, a decir del demandante, los daños y perjuicios ocasionados con arreglo a la indemnización solicitada en el Suplico de su demanda.

En la demandas se cuantifica la responsabilidad en la cantidad de 200.000 euros, "con concepto de indemnización, cantidad que será debidamente actualizada con arreglo al Indice de Precios al Consumo fijado por el Instituto Nacional de Estadística", amén de solicitar que "obligue a la Asociación Nacional de Establecimientos Financieros de

Crédito (ASNEF) a sacar de sus listados a D. Alfredo ", pretensión ésta última que, por vez primera, se formula en la demanda y, por ende, inadmisible dado el carácter revisor de esta jurisdicción contencioso-administrativa.

A lo que se opone el Abogado del Estado por entender que no concurren en este caso los presupuestos legales de la acción ejercitada.

3. Configurada por primera vez en 1954, dentro de la Ley de Expropiación Forzosa, en el art. 121 y contenida en la Ley de Régimen Jurídico de la Administración del Estado de 1957, en los arts. 40 y 41, la responsabilidad patrimonial de la Administración del Estado adquiere relevancia constitucional en los arts. 9 y 106.2 de la Constitución como garantía fundamental de la seguridad jurídica, con entronque en el valor de la justicia, y se desarrolla en los arts. 139 y siguientes de la Ley 30/1992 (Título X) y en el RD 429/1993, de 26 de marzo, que aprueba el Reglamento de los Procedimientos de las Administraciones Públicas en materia de responsabilidad patrimonial.

En concreto el art. 139 de la Ley 30/1992 de 26 de noviembre (idéntico, en su contenido esencial, al citado art. 40 LRJAE) dispone: "1. Los particulares tendrán derecho a ser indemnizados por las Administraciones Públicas correspondientes, de toda lesión que sufran en cualquiera de sus bienes y derechos, salvo en los casos de fuerza mayor, siempre que la lesión sea consecuencia del funcionamiento normal o anormal de los servicios públicos. 2. En todo caso, el daño alegado habrá de ser efectivo, evaluable económicamente e individualizado con relación a una persona o grupo de personas".

Por otra parte, el art. 142.5 establece que: "En todo caso, el derecho a reclamar prescribe al año de producido el hecho o el acto que motive la indemnización o de manifestarse su efecto lesivo".

El fundamento de la responsabilidad patrimonial de la Administración se encontraba inicialmente en el ejercicio ilegal de sus potestades o en la actuación culposa de sus funcionarios, por lo que se configuraba con carácter subsidiario, pero actualmente, y sin perjuicio de admitir en algunos supuestos otro fundamento, se considera que si la actuación administrativa tiene por objeto beneficiar, con mayor o menor intensidad, a todos los ciudadanos, lo justo es que si con ello se causa algún perjuicio, éste se distribuya también entre todos, de forma que el dato objetivo de la causación de una lesión antijurídica por la actuación de la Administración constituye ahora el fundamento de la responsabilidad de la misma. La responsabilidad por tanto, surge con el perjuicio que se causa, independientemente de que éste se haya debido a una actuación lícita o ilícita de los poderes públicos y de quien haya sido concretamente su causante.

Un examen sucinto de los elementos constitutivos de la responsabilidad patrimonial de la Administración, permite concretarlos del siguiente modo:

1. El primero de los elementos es la lesión patrimonial equivalente a daño o perjuicio en la doble modalidad de lucro cesante o daño emergente. Al respecto hemos de precisar lo siguiente:

La lesión se define como daño ilegítimo, pues no todo perjuicio es constitutivo de una lesión en el sentido técnico-jurídico del término, porque si bien toda lesión es integrante de un daño y perjuicio no todo daño y perjuicio es constitutivo de una lesión, dentro del marco de los arts. 121 y 122 de la Ley de Expropiación Forzosa, 40 de la Ley de Régimen Jurídico de la Administración del Estado, 106.2 de la Constitución y 139 y siguientes de la Ley 30/1992. Esa antijuridicidad o ilicitud sólo se produce cuando el afectado no hubiera tenido la obligación de soportar el daño o el perjuicio y ese deber de soportar el daño o el perjuicio sufrido se da en los supuestos en que la ley y el grupo normativo de ella derivado justifican dichos detrimentos de un modo expreso o implícito. Así, del examen de las Sentencias del Tribunal Supremo de 7 abril, 19 mayo y 19 diciembre de 1989, entre otras, se infiere que el criterio esencial para determinar la antijuridicidad del daño o perjuicio causado a un particular por la aplicación de un precepto legal o normativo debe ser el de si concurre o no el deber jurídico de soportar el daño, ya que las restricciones o limitaciones impuestas por una norma, precisamente por el carácter de generalidad de la misma, deben ser soportadas, en principio, por cada uno de los individuos que integran el grupo de afectados, en aras del interés público (en ese sentido SSTS de 4 de junio de 1990, 21 de enero de 1991, 25 de junio de 1992 y 7 de julio de 1997, entre otras). Debe, pues, concluirse que para que el daño concreto producido por el funcionamiento del servicio a uno o varios particulares sea antijurídico basta con que el riesgo inherente a su utilización haya rebasado los límites impuestos por los estándares de seguridad exigibles conforme a la conciencia social. No existirá entonces deber alguno del perjudicado de soportar el menoscabo y, consiguientemente, la obligación de resarcir el daño o perjuicio causado por la actividad administrativa será a ella imputable. Son numerosas las Sentencias del Tribunal Supremo que han hecho hincapié en el carácter objetivo de la responsabilidad patrimonial de la Administración Pública, tales como las de 19 de noviembre de 1994, 11 y 25 de febrero, 1 de abril, 23 de mayo, 24 de octubre y 8 de noviembre de 1995, 16 de abril de 1996 y 10 de junio de 2003, entre otras.

2. El vínculo entre la lesión y el agente que la produce, es decir, entre el acto dañoso y la Administración, implica una actuación del poder público en uso de potestades públicas. Es decir, se exige la prueba de la causa concreta que determine el daño o, lo que es lo mismo, de la conexión entre la actuación administrativa y el daño real ocasionado, como ponen de manifiesto las SSTS de 24 de octubre y 5 de diciembre de 1985, 22 de julio de 1988, 6 de febrero de 1990 y 5 de junio de 1998.

3. Finalmente, la lesión ha de ser real y efectiva, nunca potencial o futura, pues el perjuicio tiene naturaleza exclusiva con posibilidad de ser cifrado en dinero y compensado de manera individualizable, debiéndose dar el necesario nexo causal entre la acción producida y el resultado dañoso ocasionado. Es decir, el perjuicio ha de ser patrimonialmente evaluable y determinado o determinable con relación a cada persona, pudiéndose producir su cuantificación definitiva en ejecución de sentencia (STS de 5 de junio de 2001).

Por último, además de estos requisitos, es de tener en cuenta que la Sala Tercera del Tribunal Supremo ha declarado reiteradamente (así, en Sentencias 14 mayo, 4 junio, 2 julio, 27 septiembre, 7 noviembre y 19 noviembre 1994, 11 de febrero 1995, 25 febrero 1995, 28 febrero, 1 abril y 11 de septiembre de 1995) que la responsabilidad patrimonial de la Administración, contemplada por los arts. 106.2 de la Constitución, 40 de la Ley de Régimen Jurídico de la Administración del Estado de 1957 y 121 y 122 de la Ley de Expropiación Forzosa, se configura como una responsabilidad objetiva o por el resultado en la que es indiferente que la actuación administrativa haya sido normal o anormal, bastando para declararla que como consecuencia directa de aquélla, se haya producido un daño efectivo, evaluable económicamente e individualizado.

Esta fundamental característica impone que no sólo no es menester demostrar para exigir aquella responsabilidad que los titulares o gestores de la actividad administrativa que ha generado un daño han actuado con dolo o culpa, sino que ni siquiera es necesario probar que el servicio público se ha desenvuelto de manera anómala, pues los preceptos constitucionales y legales que componen el régimen jurídico aplicable extienden la obligación de indemnizar a los casos de funcionamiento normal de los servicios públicos.

Según la STS 28 de enero de 1986, lo que se pretende es que "la colectividad representada por el Estado asuma la reparación de los daños individualizados que produzca el funcionamiento de los servicios públicos por constituir cargas imputables al coste del mismo en justa correspondencia a los beneficios generales que dichos servicios reportan a la comunidad", o de otra forma, como señala la STS 2 de junio de 1994, "configurada legal y jurisprudencialmente la responsabilidad patrimonial del Estado con la naturaleza de objetiva, de manera que cualquier consecuencia dañosa derivada del funcionamiento de los servicios públicos debe ser, en principio, indemnizada, porque de otro modo se produciría un sacrificio individual en favor de una actividad de interés público que debe ser soportada por la comunidad".

Precisamente el carácter objetivo de la responsabilidad patrimonial de la Administración hace que sólo se excluya en los supuestos de fuerza mayor y no en el de caso fortuito, lo que implica, como también se recordaba en la STS 1 de diciembre de 1989, que "el carácter fortuito del hecho causante de una lesión no excluye la responsabilidad patrimonial".

La naturaleza objetiva de aquella responsabilidad de las Administraciones Públicas, que constituye un principio cardinal en el régimen administrativo, tal como lo regula la Constitución, según manifiesta la sentencia del Tribunal Supremo de 25 de octubre de 1996, debe ser exigida con especial rigor cuando se proyecta sobre actividades que son susceptibles de poner en riesgo no sólo la propiedad, sino también otros bienes constitucionales de la mayor importancia, la vida y la integridad física de las personas.

Los anteriores principios han de llevar al examen de la relación de causalidad inherente a todo supuesto de exigencia de responsabilidad extracontractual, debiendo subrayarse:

a) Que entre las diversas concepciones con arreglo a las cuales la causalidad puede concebirse, se imponen aquellas que explican el daño por la concurrencia objetiva de factores cuya inexistencia, en hipótesis, hubiera evitado aquél. A este respecto la doctrina administrativa se inclina por la llamada teoría de la causalidad adecuada, que se recoge en la STS de 28 de noviembre de 1998 del siguiente modo: "El concepto de relación causal a los efectos de poder apreciar la responsabilidad patrimonial de las administraciones públicas, se resiste a ser definido apriorístico, con carácter general, puesto que cualquier acaecimiento lesivo se presenta normalmente no ya como el efecto de una sola causa, sino más bien como resultado de un complejo de hechos y condiciones que pueden se autónomos entre sí ó dependientes unos de otros, dotados sin duda, en su individualidad, en mayor o menor medida, de un cierto poder causal, reduciéndose el problema a fijar entonces que hecho o condición puede ser considerado como relevante por sí mismo para producir el resultado final, y la doctrina administrativa, tratando de definir que la relación causal a los efectos de apreciar la existencia, o no, de responsabilidad patrimonial de las administraciones públicas, se inclina por la tesis de causalidad adecuada que consiste en determinar si la concurrencia del daño era de esperar en la esfera del curso normal de los acontecimientos, o sí, por el contrario, queda fuera de este posible cálculo, de tal forma que sólo en el primer caso, si el resultado se corresponde con la actuación que la originó, es adecuado a esta, se encuentra en relación causal con ella y sirve como fundamento del deber de indemnizar. Esta causa adecuada o causa eficiente y exige un presupuesto, una "conditio sine qua non", esto es, un acto o un hecho sin el cual es inconcebible que otro hecho o evento se considere consecuencia o efecto el primero. Ahora bien, esta condición por sí sola no basta para definir la causalidad adecuada sino que es necesario, además, que resulte normalmente idónea para determinar aquel evento o resultado, tomando en consideración todas las circunstancias del caso, esto es, que exista una adecuación objetiva entre acto y evento, lo que se ha llamado la verosimilitud del nexo y

sólo cuando sea así dicha condición alcanza la categoría de causa adecuada, causa eficiente o causa próxima y verdadera del daño, quedando así excluidos tanto los actos indiferentes como los inadecuados o inidóneos y los absolutamente extraordinarios.". Y en idéntico sentido la STS de 26 de septiembre de 1998.

b) No son admisibles, en consecuencia, otras perspectivas tendentes a asociar el nexo de causalidad con el factor eficiente, preponderante, socialmente adecuado o exclusivo para producir el resultado dañoso, puesto que válidas como son en otros terrenos irían en éste en contra del carácter objetivo de la responsabilidad patrimonial de las Administraciones Públicas.

c) La consideración de hechos que pueden determinar la ruptura del nexo de causalidad, a su vez, debe reservarse para aquellos que comportan fuerza mayor –única circunstancia admitida por la ley con efecto excluyente–, a los cuales importa añadir la intencionalidad del a víctima en la producción o el padecimiento del daño, o la gravísima negligencia de ésta, y la intervención de un tercero como agente activo, siempre que estas circunstancias hayan sido determinantes de la existencia de la lesión y de la consiguiente obligación de soportarla.

d) Finalmente, el carácter objetivo de la responsabilidad impone que la prueba de la concurrencia de acontecimientos de fuerza mayor o circunstancias demostrativas de la existencia de dolo o negligencia de la víctima suficiente para considerar soto el nexo de causalidad corresponda a la Administración, pues no sería objetiva aquella responsabilidad que exigiese demostrar que la Administración que causó el daño procedió con negligencia, ni aquélla cuyo reconocimiento estuviera condicionado a probar que quien padeció el perjuicio actuó con prudencia.

Sentado lo anterior, debe matizarse, como lo hacen las SSTS de 25 de enero y 26 de abril de 1997 que la imprescindible relación de causalidad entre la actuación de la Administración y el resultado dañoso producido puede aparecer bajo formas mediatas, indirectas y concurrentes, aunque admitiendo la posibilidad de una moderación de la responsabilidad en el caso de que intervengan otras causas, la cual debe tenerse en cuenta en el momento de fijarse la indemnización. El hecho de la intervención de un tercero o una concurrencia de concausas imputables unas a la Administración y otras a personas ajenas e incluso al propio perjudicado, imponen criterios de compensación (asumiendo cada una la parte que le corresponde) o de atemperar la indemnización a las características o circunstancias concretas del caso examinado.

La doctrina expuesta es así contemplada también en las sentencias del Tribunal Supremo de 5 de junio, 7 de julio, 20 de octubre y 16 de diciembre de 1997, 10 de febrero de 1998, 10 de junio de 2003 y 23 de septiembre de 2004.

4. Aplicando la anterior doctrina al caso actualmente controvertido y, a la luz de la doctrina sobre la carga de la prueba, el recurso deberá ser desestimado, máxime dada la generalidad con la que se plantea la pretensión ejercitada, sin aclarar, en ningún momento, y menos aún acreditar, cuáles han sido los daños concretos de las anulaciones llevadas a cabo por las diferentes dependencias de la Agencia Tributaria. No basta ciertamente con la fórmula genérica utilizada aludiendo a "unos daños psicológicos, físicos y morales de gran importancia", máxime cuando consta indubitadamente que los efectos de las liquidaciones anuladas han sido sustituidos por las correspondientes devoluciones de ingresos más los intereses resarcitorios.

5. De lo anterior deriva la procedencia de desestimar el recurso con la paralela confirmación de la reoslución impugnada por su conformidad a Derecho.

No se aprecian circunstancias que determinen un especial pronunciamiento sobre costas, según el artículo 139.1 de la Ley 29/1998, de 13 de julio, reguladora de la Jurisdicción Contencioso-Administrativa.

<table>
<tr><td>**7**</td><td></td></tr>
</table>

SENTENCIA 18 FEBRERO 2011

Recurso contencioso-administrativo núm. 60/2009

(JT 2011, 149)
Sala de lo Cont.–Adm., Sección 3
Ponente: Sr. D. Jesús Cudero Blas

ADMINISTRACION DE JUSTICIA: Responsabilidad patrimonial: plazo: solicitud de indemnización por los intereses de demora derivados de la dilación indebida de la duración del procedimiento judicial en relación a liquidaciones tributarias cuya ejecución estaba suspendida:

cómputo del plazo de prescripción desde la fecha de la liquidación de los intereses de demora y no desde la fecha de la sentencia: concreción del perjuicio inexistente hasta que se realiza la liquidación; funcionamiento anormal: dilaciones indebidas: existencia: indemnización procedente, limitada a la diferencia entre el interés de demora aplicado por la Administración y el interés legal, por los períodos de tiempo constatados de paralización injustificada.

FUNDAMENTOS JURÍDICOS

PRIMERO. Se impugna en el presente proceso la resolución del Secretario de Estado de Justicia de fecha 8 de enero de 2009 (dictada por delegación del Ministro del Departamento) por la que se desestimó el recurso de reposición deducido frente a resolución del mismo órgano de fecha 15 de junio de 2007, que rechazó la reclamación de la recurrente interesando una indemnización en concepto de responsabilidad patrimonial por el funcionamiento anormal de la Administración de Justicia.

Son antecedentes de interés para la solución del caso, a la vista del expediente administrativo y de los documentos que constan en autos, los siguientes:

1. La Inspección de los Tributos dictó cuatro liquidaciones en concepto de impuesto sobre la renta de las personas físicas al esposo y causahabiente de la hoy demandante, correspondientes a los ejercicios 1982, 1983, 1984 y 1985. Por lo que aquí interesa, las liquidaciones correspondientes a los tres primeros ejercicios fueron impugnadas en vía económico-administrativa, primero ante el Tribunal Económico Administrativo Regional y después ante el Tribunal Económico Administrativo Central, que dictó resolución desestimatoria con fecha 30 de octubre de 1991.

2. La expresada resolución del TEAC fue impugnada por el contribu-

yente (Sr. Jose Luis) ante esta Sala de lo Contencioso Administrativo (Sección Segunda), interponiéndose el correspondiente recurso jurisdiccional con fecha 10 de enero de 1992 mediante escrito en el que se interesaba la suspensión de la ejecución del acto recurrido, ofreciendo al respecto el mantenimiento del aval bancario que ya garantizaba la deuda en sede económico-administrativa, medida cautelar que fue acordada por la Sala.

3. La Sección Segunda de esta Sala dictó sentencia desestimatoria del recurso con fecha 19 de diciembre de 1997, frente a la cual se presentó escrito solicitando se tuviera por preparado recurso de casación (el 28 de enero de 1998). Remitidas las actuaciones a la Sala Tercera del Tribunal Supremo, el recurso de casación fue interpuesto por la representación procesal de la parte actora con fecha 18 de marzo de 1998 y fue desestimado por sentencia del Alto Tribunal de 21 de noviembre de 2003 .

4. Con fecha 25 de octubre de 2004 la Administración Tributaria notificó a los herederos del contribuyente (que había fallecido en julio de 1992) las liquidaciones confirmadas por los Tribunales de Justicia y las liquidaciones de intereses de demora derivadas de las mismas, que ascendían a las siguientes cantidades: a) Ejercicio 1982: 298.601,13 euros de cuota y 502.060,98 euros de intereses de demora; b) Ejercicio 1983:

268.405,58 euros de cuota y 451.290,90 euros de intereses de demora; c) Ejercicio 1984: 330.982,44 euros de cuota y 556.387,14 euros de intereses de demora.

5. El 1 de julio de 2005 la Sra. María Purificación, en cuanto heredera del contribuyente mencionado, dirigió escrito al Ministerio de Justicia en el que interesaba una indemnización equivalente a los intereses de demora determinados por la Administración Tributaria en ejecución de los citados pronunciamientos jurisdiccionales por entender, sustancialmente, que la extraordinaria duración de ambos procedimientos (en la Audiencia Nacional y en el Tribunal Supremo) integraba un supuesto de funcionamiento anormal de la Administración de Justicia.

6. Las resoluciones recurridas rechazan la pretensión indemnizatoria articulada por la hoy demandante por entender prescrita la acción de responsabilidad patrimonial, al haberse deducido la misma transcurrido el plazo de un año desde que pudo ejercitarse.

SEGUNDO. La Constitución, después de recoger en el art. 106.2 el principio general de responsabilidad patrimonial del Estado por el funcionamiento de los servicios públicos, que se desarrolla por la Ley 30/92 (RCL 1992, 2512, 2775 y RCL 1993, 246) (arts. 139 y siguientes) y el Real Decreto 429/93 (RCL 1993, 1394, 1765) , contempla de manera específica en el artículo 121 la responsabilidad patrimonial por el funcionamiento de la Administración de Justicia, reconociendo el derecho a la indemnización de los daños causados por error judicial así como por el funcionamiento anormal de dicha Administración. El Título V del Libro III de la Ley Orgánica del Poder Judicial de 1 de julio

de 1985 (RCL 1985, 1578, 2635), desarrolla en los artículos 292 y siguientes el referido precepto constitucional, recogiendo los dos supuestos genéricos ya citados de error judicial y funcionamiento anormal de la Administración de Justicia e incluyendo un supuesto específico en el artículo 294, relativo a la prisión preventiva seguida de absolución o sobreseimiento libre por inexistencia del hecho.

En el presente caso, las alegaciones formuladas por la recurrente tanto en sede administrativa como en vía jurisdiccional vienen a cuestionar la tramitación de dos procedimientos judiciales: el recurso contencioso administrativo núm. 30/1992, seguido ante la Sección Segunda de esta Sala de lo Contencioso Administrativo de la Audiencia Nacional, y el recurso de casación núm. 2794/1998 (RJ 2003, 8761), tramitado en la Sección Segunda de la Sala Tercera del Tribunal Supremo con ocasión de la impugnación de la sentencia dictada en el primero de los procedimientos mencionados. Según la actora, el funcionamiento anormal estaría constituido por la indebida dilación en la que ambos procedimientos han incurrido (consignando, específicamente, los concretos períodos en los que tal dilación se habría producido), aduciendo que la lesión sufrida por dicha parte (concretada en la suma a la que ascienden los intereses de demora de las deudas tributarias que habían estado suspendidas durante la tramitación de aquellos procesos) estaría causalmente determinada por la actuación de esta Sala y del Tribunal Supremo, cuya tardanza en resolver determinó los cuantiosos intereses liquidados por la Administración Tributaria.

El motivo denegatorio expresado en las resoluciones recurridas no es otro que la extemporaneidad de la reclamación, bien entendido que el artículo 142.5 de la Ley 30/1992, de 26 de noviembre establece que "el derecho a reclamar prescribe al año de producido el hecho o el acto que motivo la indemnización o de manifestarse su efecto lesivo", precepto que ha de ponerse en relación con la abundante jurisprudencia del Tribunal Supremo que viene manteniendo en diferentes sentencias de su Sala Tercera (como las de 19 de septiembre de 1989 , 4 de julio de 1990 (RJ 1990, 7937) , 21 de enero de 1991 ó 3 de mayo de 2000 , entre otras), que "según la jurisprudencia de esta Sala sobre el cómputo del plazo de prescripción de un año establecido para el ejercicio de la acción de responsabilidad patrimonial, ésta no puede ejercitarse sino desde el momento en que resulta posible por conocerse en sus dimensiones fácticas y jurídicas el alcance de los perjuicios producidos", añadiendo que tal doctrina tiene su origen "en la aceptación por este Tribunal del principio de la «actio nata» (nacimiento de la acción) para determinar el origen del cómputo del plazo para ejercitarla, según el cual la acción sólo puede comenzar cuando ello es posible y esta coyuntura se perfecciona cuando se unen los dos elementos del concepto de lesión, es decir, el daño y la comprobación de su ilegitimidad".

Los daños y perjuicios que la recurrente reclama derivan, como se ha dicho, de las dilaciones aducidas en los procedimientos contencioso-administrativos a los que se ha hecho mención, que determinaron una deuda en concepto de intereses de demora que, desde luego, no habría alcanzado dicha suma si tales dilaciones no se hubieran producido.

Señalan las decisiones recurridas que la fecha de arranque del plazo prescriptorio debe fijarse en aquella en la que le fue notificada a la parte actora la senten-cia del Tribunal Supremo que desestimó el recurso de casación deducido frente a la sentencia de esta Sala que había declarado conforme a Derecho las liquidaciones del impuesto sobre la renta de las personas físicas correspondientes a los ejercicios 1982, 1983 y 1984. De esta forma, notificada la sentencia del Tribunal Supremo de 21 de noviembre de 2003 (RJ 2003, 8761) el 11 de diciembre de 2003, es claro –siempre según la Administración– que el plazo de un año había transcurrido con creces el día 1 de julio de 2005, fecha en la que se interesó la correspondiente indemnización.

La Sala no puede compartir este argumento. Es cierto que fue la sentencia del Tribunal Supremo la que determinó definitivamente la legalidad de la deuda tributaria establecida por la Administración en las correspondientes liquidaciones; es cierto también que con la notificación de tal sentencia se pone fin al proceso iniciado por el demandante frente a la Administración Tributaria. No puede obviarse, sin embargo, que el perjuicio efectivo derivado de la tramitación de dicho procedimiento judicial o los daños producidos por las dilaciones que se denuncian sólo pueden considerarse determinados cuando se procede a la ejecución de aquella decisión judicial mediante la oportuna liquidación de los intereses de demora con expresa y concreta fijación de su importe.

Quiere ello decir, por tanto, que el perjuicio irrogado a los interesados no estaba definitiva y claramente concretado (a efectos de iniciarse el cómputo del plazo prescriptorio de un año) cuando se notificó la sentencia del Tribunal Supremo que desestimaba el recurso de casación, sino cuando el afectado por el presunto funcionamiento anormal tiene conocimiento del alcance del daño causado. Dicho en otros términos, cuando se da fin al proceso la parte actora sólo podía intuir el daño que la tardanza en su tramitación le pudiera haber provocado; sólo cuando se materializa dicho daño, a través de la oportuna cuantificación de los intereses de demora, cabe exigir su reparación a través del oportuno ejercicio de una acción de responsabilidad patrimonial.

Los razonamientos expuestos conducen, por tanto, a rechazar la extemporaneidad apreciada en las resoluciones recurridas toda vez que el "dies a quo" del plazo prescriptorio debe fijarse en el 25 de octubre de 2004 (fecha en la que se notifican a la actora las liquidaciones correspondientes a los tres ejercicios que nos ocupan), siendo así que el 1 de julio de 2005 (fecha de la reclamación administrativa) aun no había transcurrido el plazo prescriptorio de un año establecido en la ley.

TERCERO. Presupuesto lo anterior, antes de abordar la procedencia de la reclamación, debe precisarse el verdadero objeto del procedimiento y, por tanto, los límites a los que debe ajustarse el presente pronunciamiento.

En primer lugar, quedan fuera del litigio las vicisitudes (y las consecuencias eventualmente dañosas derivadas de las mismas) acaecidas con la impugnación de la liquidación del impuesto sobre la renta de las personas físicas del esposo de la demandante correspondiente al ejercicio de 1985, pues tanto las resoluciones combatidas como las pretensiones de la parte actora están constreñidas a los dos procesos (seguidos ante la Audiencia Nacional y el Tribunal Supremo) en los que se ventilaba la legalidad de las liquidaciones relativas al mismo impuesto pero respecto de los ejercicios 1982, 1983 y 1984.

En segundo lugar, la determinación de

la eventual responsabilidad patrimonial del Estado debe reducirse al supuesto funcionamiento anormal de la Administración de Justicia que se aduce, cuya actuación ha concluido –en el supuesto de autos– con la sentencia de la Sala Tercera del Tribunal Supremo de 21 de noviembre de 2003 (RJ 2003, 8761) . No puede ampararse la recurrente en dicho título (el funcionamiento anormal) para reclamar daños o perjuicios que derivan, en su caso, de la actuación posterior de la Administración Tributaria al ejecutar la mencionada sentencia. Quedan fuera del objeto litigioso que nos ocupa, por no ser imputables al título que se esgrime por la parte actora, los daños derivados de la suma exigida por una entidad bancaria para ejecutar el aval que garantizaba la deuda tributaria durante la suspensión cautelar, o los recargos de apremio o nuevos intereses de demora exigidos por la Administración Tributaria una vez efectuada la liquidación inicial de los intereses de demora.

Respecto del recargo de apremio sólo cabe afirmar: a) Que el inicio del procedimiento de apremio deriva exclusivamente de la falta de pago en período voluntario de los intereses de demora, lo cual es ajeno al funcionamiento (normal o anormal) de la Administración de Justicia; b) Que la pretensión ejercitada en vía administrativa no incluía pretensión alguna respecto de dicho concepto (recargo de apremio), que, además, se materializa (diligencia de embargo de febrero de 2006) después de deducida la petición indemnizatoria ante el Ministerio de Justicia.

CUARTO. En cuanto al fondo del asunto, es criterio jurisprudencial consolidado (por todas, sentencia de la Sala Tercera del Tribunal Supremo de 22 de enero de 2008 (RJ 2008, 167)) el que señala que la existencia de dilaciones indebidas en la tramitación de los procedimientos judiciales puede configurar, efectivamente, un supuesto de funcionamiento anormal de la Administración de Justicia, teniendo en cuenta que la expresión "dilaciones indebidas" constituye un concepto jurídico indeterminado que necesita ser dotado de contenido concreto en cada caso, "atendiendo a criterios objetivos derivados de la naturaleza y circunstancias del litigio en función de su complejidad y el interés arriesgado en el mismo, así como la conducta procesal del demandante o la actuación del órgano jurisdiccional, en los márgenes de duración de los litigios del mismo tipo y la consideración de los medios disponibles". En definitiva, constituye un principio general, reflejado en la doctrina del Tribunal Europeo de Derechos Humanos (sentencia de 25 de junio de 1987 (TEDH 1987, 9) –asunto Milasi – o de 7 de julio de 1989 (TEDH 1989, 1) –asunto Sanders –), la de que la expresión "dilación indebida" hace referencia a un concepto jurídico indeterminado cuyo contenido concreto debe ser obtenido mediante la aplicación a las circunstancias específicas de cada caso de los criterios objetivos que sean congruentes con su enunciado genérico.

El propio Tribunal Supremo tiene declarado (sentencias de 21 de junio de 1996 (RJ 1996, 4897), 28 de junio de 1999 (RJ 1999, 6331) , 24 de marzo de 2009 ó 29 de octubre de 2009) que la existencia o no de retraso constitutivo de anormalidad en el funcionamiento de la Administración de Justicia ha de valorarse, en aplicación del criterio objetivo que preside el instituto de la responsabilidad del Estado por el funcionamiento de los servicios públicos, partiendo de una apreciación razonable de los niveles de exigencia que la Administración de Justicia, desde el punto de vista de la eficacia, debe cumplir según las necesidades de la sociedad actual y para alcanzar los cuales los poderes públicos están obligados a procurar los medios necesarios, de forma que el simple incumplimiento de los plazos procesales meramente aceleratorios constituye una irregularidad procesal que no comporta, pues, por sí misma, una anormalidad funcional que genere responsabilidad. Sí constituye anormalidad, en cambio, una tardanza, tomando en cuenta la duración del proceso en sus distintas fases, que sea reconocida por la conciencia jurídica y social como impropia de un Estado que propugna como uno de sus valores superiores la justicia y reconoce el derecho a una tutela judicial eficaz.

En el presente caso, de conformidad con Dictamen del Consejo General del Poder Judicial y en los términos aducidos por la parte actora, ha de concluirse en la existencia de un funcionamiento anormal centrado en dilaciones en la resolución de los recursos ante la Sala de lo Contencioso Administrativo de la Audiencia Nacional y ante la Sala Tercera del Tribunal Supremo. Las instancias judiciales abarcan un total de once años y diez meses, constatándose los siguientes períodos concretos de paralización en ambos procedimientos:

1.   En el recurso contencioso administrativo núm. 30/92 (Sala de lo Contencioso Administrativo de esta Audiencia): a) Un año, siete meses y tres días desde la providencia teniendo por interpuesto el recurso (11 de enero de 1992) hasta la diligencia de ordenación entregando al actor el expediente para que formalice demanda (1 de septiembre de 1993); b) Diez meses y tres días desde la diligencia teniendo por formalizada la demanda y dando traslado de la misma al Abogado del Estado (10 de diciembre de 1993) hasta la diligencia de ordenación teniendo por contestada la demanda y

dando al actor plazo para conclusiones (1 de septiembre de 1994); c) Ocho meses y doce días desde el escrito de conclusiones del Abogado del Estado (15 de noviembre de 1994) hasta la providencia declarando concluso el proceso (27 de junio de 1995); d) Un año, cinco meses y veintitrés días desde esta última providencia hasta el señalamiento para votación y fallo (20 de noviembre de 1997).

2. En el recurso de casación núm. 2794/1997 (RJ 2003, 8761) (Sala Tercera del Tribunal Supremo): a) Siete meses y diecinueve días desde la providencia recibiendo los autos y designando Ponente (14 de julio de 1999) hasta la providencia de admisión del recurso y reparto a la Sección Segunda (2 de febrero de 2000); b) Tres años, cuatro meses y veinte días desde la diligencia declarando pendiente el recurso (30 de mayo de 2000) hasta la providencia señalando para votación y fallo (19 de septiembre de 2003).

Por ello ha de concluirse que se detectan retrasos injustificados imputables exclusivamente a los órganos jurisdiccionales que no pueden avalarse bajo la entidad del asunto y que si bien pueden responder a la situación de ambas Salas de Justicia ante la carga de trabajo que las mismas soportan, y a los tiempos normales ante tales órganos, en ningún caso las deficiencias estructurares y las consecuencias de ellas derivadas suponen una obligación que deba soportar el justiciable. Dicho esto, el alcance del funcionamiento anormal no puede ser otro que la efectiva extensión temporal que comprenden los períodos de injustificada inactividad procedimental que se desprenden de los datos expuestos (coincidentes con los consignados por el Consejo General del Poder Judicial).

En cuanto al daño, según jurisprudencia reiterada, para ser indemnizable ha de ser real y efectivo, no traducirse en meras especulaciones o expectativas, incidiendo sobre derechos e intereses legítimos evaluables económicamente y cuya concreción cuantitativa o las bases para determinarla puedan materializarse en ejecución de sentencia, de manera que permitan una cifra individualizada en relación con una persona, como consecuencia del daño producido por la actividad de la Administración en relación de causa a efecto, probando el perjudicado la concurrencia de los requisitos legales para que surja la obligación de indemnizar.

En el caso de autos, teniendo como base que no es objeto de este recurso la corrección en la liquidación misma de los intereses de demora, hemos centrado el funcionamiento anormal en la dilación en la tramitación de un recurso contencioso administrativo ante la Audiencia Nacional y la subsiguiente casación ante el Tribunal Supremo, dilación que, en ningún caso, como ya hemos anticipado, sería equiparable a la duración total del proceso. A ello debe añadirse que la obligación de pago de intereses de demora es ajena al procedimiento judicial en sí mismo considerado y a su duración, ya que estamos ante intereses resarcitorios por incumplimiento de la obligación que incumbía al contribuyente y estos intereses tienen un claro carácter indemnizatorio cuya raíz se encuentra en el derecho común. Así, el artículo 1108 del Código Civil (LEG 1889, 27) establece que cuando una obligación consistiera en el pago de una suma de dinero y el deudor incurriera en mora, la indemnización de daños y perjuicios, no habiendo pacto en contrario, consistirá en el abono de los intereses convenidos y, a falta de convenio, en el interés legal. En el ámbito tributario, y en atención a la normativa en vigor cuando se liquidaron los discutidos, el interés de demora del artículo 58, apartado 2, letra c) de la Ley General Tributaria (RCL 1963, 2490) , interés que forma parte de la deuda tributaria, se devenga y debe liquidarse por la parte ocultada o no liquidada por error de hecho o de derecho a partir del momento en que la obligación tributaria, nacida "ex lege", es líquida, exigible y vencida, y que en el supuesto de exacción mediante declaraciones-autoliquidaciones, lo es a partir del día siguiente al del vencimiento del plazo de presentación.

Por tanto, el interesado habría incurrido en mora tributaria desde que hubo de hacer frente a las correspondientes cantidades en los distintos ejercicios correspondientes al impuesto sobre la renta de las personas físicas, obligación cuyo cumplimiento fue retrasando en el tiempo por vía de los oportunos recursos en vía económico administrativa y judicial y por el juego de la suspensión cautelar. No se puede olvidar que fue el propio contribuyente el que permitió con su actuación procesal que la instauración del procedimiento judicial, y con ello su duración, pudiera incidir en el mantenimiento en el tiempo de su condición de deudor moroso y, en consecuencia, en el importe de los intereses moratorios; no en vano solicitó y obtuvo, primero en vía económico administrativa y luego ante la Sala correspondiente, la suspensión de la ejecución de las liquidaciones impugnadas. Dicho de otro modo, la dilación procesal le permitió que pudiera permanecer más tiempo y a su voluntad, dilatando el cumplimiento de su obligación tributaria, obligación previa al establecimiento de la contienda judicial y respecto de la cual la sentencia tiene efectos meramente declarativos.

No cabe, pues, imputar al funcionamiento anormal de la Administración de Justicia consistente en la excesiva e indebida duración de los procesos judiciales la totalidad de los intereses moratorios derivados del incumplimiento por su parte de una obligación propia, obligación cuya existencia y procedencia fue confirmada judicialmente, pues –no lo olvidemos– durante todo el tiempo en que las liquidaciones permanecieron suspendidas el contribuyente dispuso de un capital que debería haber satisfecho oportunamente en su momento a la Hacienda Pública.

Frente a tal conclusión no puede aducirse con éxito la redacción actual del artículo 26.4 de la Ley General Tributaria de 2003, según el cual "no se exigirán intereses de demora desde el momento en que la Administración tributaria incumpla por causa imputable a la misma alguno de los plazos fijados en esta Ley para resolver hasta que se dicte dicha resolución o se interponga recurso contra la resolución presunta. Entre otros supuestos, no se exigirán intereses de demora a partir del momento en que se incumplan los plazos máximos para notificar la resolución de las solicitudes de compensación, el acto de liquidación o la resolución de los recursos administrativos, siempre que, en este último caso, se haya acordado la suspensión del acto recurrido".

Decimos que no resulta atendible tal argumentación al desconocer el verdadero sentido de la disposición transitoria primera.2 de la Ley 58/2003, que establece lo siguiente: "Lo dispuesto en los apartados 4 y 6 del artículo 26 y en el apartado 2 del artículo 33 en materia de interés de demora e interés legal será de aplicación a los procedimientos, escritos y solicitudes que se inicien o presenten a partir de la entrada en vigor de esta Ley". Es de ver en relación con esto último que la Ley 58/2003 entró en vigor, en lo que ahora importa, el 1 de julio de 2004 (vid. disposición final undécima). Pues bien, los procedimientos a que alude la meritada disposición transitoria son, en una recta interpretación, los procedimientos tributarios regulados en la propia norma legal, siendo así que las liquidaciones de intereses que nos ocupan la no incoan procedimiento tributario alguno en sentido estricto, sino que representan un acto debido en ejecución de sentencias judiciales que ni siquiera por extensión o analogía puede asimilarse a un acto de incoación de un procedimiento tributario. En definitiva, el preconizado artículo 26.4 de la Ley 58/2003 deviene inaplicable al caso ratione temporis por mor de la susodicha disposición transitoria, tesis que coincide con la sentencia del Tribunal Supremo de 11 de febrero de 2009 (RJ 2009, 992) que se expresa en los siguientes términos: "Es cierto que la nueva Ley General Tributaria ha resuelto satisfactoriamente la petición de los contribuyentes de que no se liquidasen intereses de demora, cuando la Administración no cumple los plazos previstos en la normativa para resolver (...); ahora bien, en el presente caso, nos encontramos ante incumplimientos de plazos que se produjeron con anterioridad a la entrada en vigor de la nueva ley, sin que la misma contenga una disposición transitoria que otorgue efectos retroactivos al artículo 26.4, por lo que la parte, al acogerse a la suspensión hasta la resolución firme, ha de soportar la liquidación practicada por la Administración, que se adecúa a la normativa entonces vigente".

Dicho lo anterior, esta misma Sala y Sección ya ha declarado en pronunciamientos anteriores (sentencia de 29 de noviembre de 2008 –recurso núm. 286/2006 – y sentencia de 3 de julio de 2009 –recurso núm. 648/06 (JUR 2009, 364008)) que aunque no es posible declarar como daño indemnizable la totalidad de los intereses devengados, sí cabe

identificar como perjuicio que el interesado no tiene la obligación de soportar en casos como el que nos ocupa la diferencia entre el interés legal y el interés de demora imputado por la Administración al obligado tributario, siguiendo de esta forma el criterio acogido por la propia Administración Tributaria en la resolución que constaba en aquellos procedimientos según la cual "si durante la paralización de las actuaciones judiciales la recurrente disfruta de la suspensión cautelar de la resolución recurrida, pudiendo de esta forma disponer del principal de la deuda reclamada, se produce una suerte de compensación entre el interés legal cobrado por el Estado y el que pudo generar el capital debido, quedando limitado el perjuicio a la diferencia entre el interés legal y el interés de demora imputado por la Administración al obligado tributario".

La aplicación del referido criterio al supuesto enjuiciado implica el derecho de la recurrente a una indemnización equivalente a la diferencia entre el interés de demora imputado en las liquidaciones tributarias y el interés legal durante los períodos constatados de dilación, esto es los comprendidos entre el 11 de enero de 1992 y el 1 de septiembre de 1993, entre el 10 de diciembre de 1993 y el 16 de septiembre de 1994, entre el 15 de noviembre de 1994 y el 27 de junio de 1995, entre el 27 de junio de 1995 y el 20 de noviembre de 1997, entre el 14 de julio de 1999 y el 2 de febrero de 2000 y entre el 30 de mayo de 2000 y el 19 de septiembre de 2003, cantidad a la que deberá aplicarse, en consideración al principio de reparación integral, el interés legal desde la reclamación en sede administrativa, 1 de julio de 2005, hasta su efectivo pago.

Por último, no se incluye entre los períodos de paralización que dan lugar a la indemnización expresada las dilaciones constatadas por la parte actora y por el Dictamen del Consejo General del Poder Judicial en la tramitación de la pieza separada de suspensión cautelar de la resolución recurrida en el proceso seguido ante la Sala de lo Contencioso Administrativo de la Audiencia Nacional. Y ello por cuanto ningún perjuicio indemnizable cabe identificar en dicha tardanza habida cuenta que –como la propia parte reconoce– la ejecución de las liquidaciones impugnadas estuvo suspendida durante la totalidad de los procedimientos judiciales, incluidas sus piezas separadas.

QUINTO. Procede, pues, estimar parcialmente el recurso en el sentido más arriba señalado sin que, de conformidad con lo dispuesto en el artículo 139.1 de la Ley Jurisdiccional (RCL 1998, 1741) , se aprecien méritos para una especial imposición de costas, al no haber procedido ninguna de las partes con temeridad o mala fe en defensa de sus pretensiones procesales.

| **8** |

SENTENCIA 25 MAYO 2011
Recurso contencioso-administrativo núm. 303/2010

(JUR 2011, 195205)
Sala de lo Cont.–Adm., Sección 6
Ponente: Sra. Dª Concepción Mónica Montero Elena

RESPONSABILIDAD PATRIMONIAL DE LAS ADMINISTRACIONES PÚBLICAS: Funcionamiento anormal de los servicios públicos: tributos: obligación del contribuyente de soportar la actuación de la Administración Tributaria: engloba el deber de soportar la concreta valoración de hechos e interpretación de las normas realizada por la Inspección, siempre que se desarrolla en un ámbito de racionalidad y con respeto a las reglas interpretativas: liquidación girada en concepto de retenciones a cuenta del IRPF sin aplicar el nuevo criterio contenido en STS 27-2-2007: arbitrariedad en la actuación de la Administración inexistente, al no constituir una única sentencia jurisprudencia. indemnización improcedente.

FUNDAMENTOS JURÍDICOS

PRIMERO. Es objeto de impugnación en autos la Resolución de la Agencia Estatal de Administración Tributaria de fecha 4 de marzo de 2010 relativa a responsabilidad patrimonial del Estado, por la que se deniega al recurrente la indemnización solicitada.

La recurrente reclama la indemnización de daños que nos ocupa, con base a la liquidación derivada del acta de 20 de noviembre de 2007, firmada en conformidad.

Los antecedentes de la presente impugnación son los que siguen: El acta venía referida a retenciones en concepto de IRPF, ejercicios 2002 a 2004, aplicando la Administración los criterios jurisprudenciales anteriores a la sentencia del TS de 27 de febrero de 2007 , por entender que el nuevo criterio, al existir sólo una sentencia, no puede entenderse que implique una línea jurisprudencial.

La recurrente entiende que han de serle indemnizados los daños, fijados en la cuota e intereses liquidados y abonados, como consecuencia de la inaplicación del nuevo criterio del TS ya existente al tiempo de la liquidación.

SEGUNDO. Entrando en el análisis de la cuestión que se nos somete, conviene recordar la doctrina declarada por el Tribunal Supremo en torno a la responsabilidad patrimonial de la Administración.

La responsabilidad patrimonial del estado, regulada en los artículo 106.2 de la Constitución (RCL 1978, 2836), 40 de la Ley de Régimen Jurídico de la Administración del Estado (RCL 1957, 1058, 1178) y 121 de la Ley de Expropiación Forzosa (RCL 1954, 1848), – hoy 139 y siguientes de la Ley 30/1992 de 26 de noviembre (RCL 1992, 2512, 2775 y RCL 1993, 246) –, queda configurada mediante el acreditamiento de: a) daño efectivo, b) relación de causalidad entre el daño y la acción u omisión de la Administración, c) ausencia de fuerza mayor –sentencias de 20 de febrero (RJ 1989, 2526) y 25 de octubre de 1989 (RJ 1989, 7243) del Tribunal Supremo, Sala 3ª, Sección 3ª y 19 de enero de 1990 (RJ 1990, 145) de la Sección 1ª–.

En relación con daño causado, es necesario que el perjudicado no tenga obligación de soportarlo, debiendo ser real y probado ya que la efectividad excluye, por su propia naturaleza, la eventualidad, posibilidad o contingencia.

En cuanto a la actuación de la Administración, no se exige que ésta sea antijurídica, ya que la obligación de indemnizar se configura como responsabilidad objetiva – sentencias del Alto Tribunal, Sala 3ª Sección 3ª de fecha 20 de febrero de 1989 y 14 de junio de 1990 (RJ 1990, 4929) –. Pero sí es necesario que entre la acción u omisión administrativa y el daño producido exista una relación causal, de suerte que el daño no se hubiera producido, o hubiese sido menor, de no mediar la acción u omisión administrativa – sentencia del Tribunal Supremo de 23 de enero de 1990 (RJ 1990, 336) –. Igualmente se requiere que el perjudicado no tenga obligación de soportar el perjuicio.

El alcance de la indemnización, se extiende al supuesto, no solo del daño emergente, sino también a la ganancia dejada de obtener, esto es, al lucro cesante, como consecuencia de la acción administrativa, si bien no pueden computarse las ganancias meramente posibles, sino tan sólo aquellas cuya real existencia resulte suficientemente probada – sentencia del tribunal Supremo de 20 de febrero de 1989 –.

TERCERO. Por su parte, el artículo 139 de la Ley 30/1992 de 26 de noviembre (RCL 1992, 2512, 2775 y RCL 1993, 246) , establece: "1.– Los particulares tendrán derecho a ser indemnizados por las Administraciones Públicas correspondientes, de toda lesión que sufran en cualquiera de sus bienes y derechos, salvo en los casos de fuerza mayor, siempre que la lesión sea consecuencia del funcionamiento normal o anormal de los servicios públicos. 2.– En todo caso, el daño alegado habrá de ser efectivo, evaluable, económicamente individualizado con relación a una persona o grupo de personas.".

Con posterioridad a la entrada en vigor de la citada Ley, el Tribunal Supremo en su sentencia de 20 de octubre de 1997 (RJ 1997, 7254), dictada en el recurso ordinario 455/1997, tuvo ocasión nuevamente de sintetizar los elementos esenciales que han de concurrir para originar la responsabilidad patrimonial de las Administraciones Públicas. Así, en su fundamento jurídico cuarto concreta los elementos constitutivos de la responsabilidad patrimonial de las Administraciones como sigue: A) Lesión patrimonial equivalente a daño o perjuicio en la doble modalidad de lucro cesante o daño emergente, B) la lesión se define como un daño ilegítimo, C) el vínculo entre el resultado dañoso y la Administración implica una actuación del poder público en uso de potestades públicas, y D) la lesión ha de ser real y efectiva nunca potencial o futura.

Señala, a continuación, la propia sentencia que la responsabilidad se configura como objetiva o por el resultado, en la que es indiferente que la actuación administrativa haya sido normal o anormal, bastando para declararla que como consecuencia directa de aquella se haya producido un daño efectivo.

Por su parte, la sentencia de 21 de julio de 2001 (RJ 2001, 9167), dictada en el recurso de casación 2193/97, especifica respecto del nexo causal, que no se requiere que el mismo sea directo, inmediato y exclusivo – doctrina ésta abandonada por el Alto Tribunal –, admitiéndose una relación de causalidad bajo formas mediatas, indirectas o concurrentes, que de existir moderan la reparación a cargo de la Administración.

CUARTO. Hemos de analizar el sentido y alcance del concepto de "daño ilegítimo". Este concepto aparece claramente vinculado a la idea de que el particular no tenga obligación de soportar el daño, y a tal aspecto se refiere el artículo 141.1 de la Ley 30/1992 (RCL 1992, 2512, 2775 y RCL 1993, 246):

"*1. Sólo serán indemnizables las lesiones producidas al particular provenientes de daños que éste no tenga el deber jurídico de soportar de acuerdo con la Ley...*"

La cuestión por tanto radica en la obligación de soportar el daño causado por parte del perjudicado. El artículo 140 de la Ley General Tributaria de 1963 (RCL 1963, 2490) establecía:

"*1. Corresponde a la Inspección de los Tributos:*

a. La investigación de los hechos imponibles para el descubrimiento de los que sean ignorados por la Administración.

b. La integración definitiva de las bases tributarias, mediante las actuaciones de comprobación en los supuestos de estimación directa y objetiva singular y a través de las actuaciones inspectoras correspondientes a la estimación indirecta.

c. Practicar las liquidaciones tributarias resultantes de las actuaciones de comprobación e investigación, en los términos que reglamentariamente se establezcan.

d. Realizar, por propia iniciativa o a solicitud de los demás órganos de la Administración, aquellas actuaciones inquisitivas o de información que deban llevarse a efecto cerca de los particulares o de otros organismos, y que directa o indirectamente conduzcan a la aplicación de los tributos.

2. *Los funcionarios que desempeñen puestos de trabajo en órganos de inspección serán considerados agentes de la autoridad cuando lleven a cabo las funciones inspectoras que les correspondan. Las autoridades públicas prestarán la protección y el auxilio necesario para el ejercicio de la función inspectora."*

Por su parte la Ley 58/2003 (RCL 2003, 2945) establece en su artículo 141:

"Artículo 141. La inspección tributaria.

La inspección tributaria consiste en el ejercicio de las funciones administrativas dirigidas a:

A La investigación de los supuestos de hecho de las obligaciones tributarias para el descubrimiento de los que sean ignorados por la Administración.

B La comprobación de la veracidad y exactitud de las declaraciones presentadas por los obligados tributarios.

C La realización de actuaciones de obtención de información relacionadas con la aplicación de los tributos, de acuerdo con lo establecido en los artículos 93 y 94 de esta Ley .

D La comprobación del valor de derechos, rentas, productos, bienes, patrimonios, empresas y demás elementos, cuando sea necesaria para la determinación de las obligaciones tributarias, siendo de aplicación lo dispuesto en los artículos 134 y 135 de esta Ley .

E La comprobación del cumplimiento de los requisitos exigidos para la obtención de beneficios o incentivos fiscales y devoluciones tributarias, así

como para la aplicación de regímenes tributarios especiales.

F La información a los obligados tributarios con motivo de las actuaciones inspectoras sobre sus derechos y obligaciones tributarias y la forma en que deben cumplir estas últimas.

G La práctica de las liquidaciones tributarias resultantes de sus actuaciones de comprobación e investigación.

H La realización de actuaciones de comprobación limitada, conforme a lo establecido en los artículos 136 a 140 de esta Ley .

I El asesoramiento e informe a órganos de la Administración pública.

J La realización de las intervenciones tributarias de carácter permanente o no permanente, que se regirán por lo dispuesto en su normativa específica y, en defecto de regulación expresa, por las normas de este capítulo con exclusión del artículo 149. *K Las demás que se establezcan en otras disposiciones o se le encomienden por las autoridades competentes.*

Resulta claro que el interesado tiene la obligación de soportar la actuación de la Administración Inspectora en el ejercicio de las facultades que le vienen atribuidas por la Ley. El problema es el alcance de ese deber de soportar la actuación de la Inspección. Pues bien, en el presente caso, la Hacienda liquidó una deuda tributaria en concepto de retenciones de IRPF tras el correspondiente procedimiento de comprobación e inspección, si bien, lo hizo sin aplicar un nuevo criterio del TS que contradecía una doctrina reiterada anterior.

La Sala en sus recientes decisiones ha entendido que el deber de soportar la actuación inspectora engloba el de soportar una concreta valoración de hechos e interpretación de las normas realizada por la Inspección para calificar los hechos a efectos tributarios, aplicar las normas y emitir la correspondiente liquidación. Esta facultad interpretativa en la aplicación del ordenamiento jurídico se encuentra implícita en las facultades que los artículos anteriores atribuyen a la Inspección. Ahora bien, la valoración de los hechos y la interpretación de las normas que viene atribuida a la Inspección, ha de desarrollarse en un ámbito de racionalidad y con respeto a las reglas interpretativas, de suerte que los sujetos pasivos están obligados a soportar interpretaciones que se ajusten a las reglas de la lógica jurídica, no aquellas que se separen de ella.

Por ello, sólo los planteamientos que contradigan otros reiterados anteriores, se separen de una interpretación judicial reiterada, de instrucciones de los superiores jerárquicos, o de una interpretación asumible desde las reglas de la lógica jurídica, pueden dar lugar a la Responsabilidad que nos ocupa, porque en tales casos la labor interpretativa no es conforme a las reglas de la interpretación de las normas jurídicas, y por tal razón el perjudicado no tiene obligación de soportar los perjuicios derivados de esa concreta interpretación.

En el presente caso no se aprecia, además de lo dicho anteriormente, una actuación arbitraria de la Inspección.

Efectivamente, la cuestión que se discutió era la referente a la aplicación de un nuevo criterio jurisprudencial, que la Administración entendió que no procedía ya que sólo existía una sentencia del Alto Tribunal, que no constituye jurisprudencia. Esta afirmación encuentra fundamento jurídico en el artículo 1.6 del Código Civil (LEG 1889, 27) y por ello, es una interpretación razonable.

Por tal razón, los perjuicios derivados de la interpretación realizada por la Inspección debían legalmente ser soportados por el interesado, sin perjuicio, obviamente, de su derecho a recurrir, ya que la cuestión de fondo sobre la liquidación debió ventilarse por las vías ordinarias de impugnación, pues lo que subyace es una diferencia interpretativa. La recurrente sin embargo firmó el acta en conformidad aceptando la interpretación de la Administración, por ello no puede ahora pretender una indemnización como consecuencia de una actuación de la Administración, razonable desde el punto de vista jurídico y aceptada por ella.

QUINTO.   De lo expuesto resulta la desestimación del recurso.

No se aprecian méritos que justifiquen una expresa imposición de costas, conforme a los criterios contenidos en el artículo 139.1 de la Ley de la Jurisdicción Contenciosa Administrativa (RCL 1998, 1741) .